MICHAEL CONNELLY

Muzyka z kufra

Przełożył Łukasz Praski

Prószyński i S-ka

Tytuł oryginału:
TRUNK MUSIC

Ilustracja na okładce:
Jacek Kopalski

Redakcja:
Jacek Ring

Redakcja techniczna:
Elżbieta Urbańska

Korekta:
Mariola Będkowska

Łamanie:
Małgorzata Wnuk
Aneta Osipiak

ISBN 83-7469-393-2

Wydawca:
Prószyński i S-ka SA
02-651 Warszawa, ul. Garażowa 7
www.proszynski.pl

Druk i oprawa:
Drukarnia Naukowo-Techniczna
Oddział Polskiej Agencji Prasowej SA
03-828 Warszawa, ul. Mińska 65

Muzyka z kufra

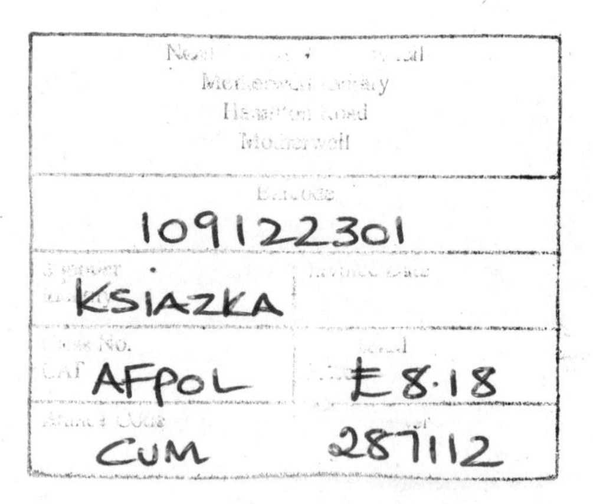

TEGO SAMEGO AUTORA POLECAMY:

Ciemność mroczniejsza niż noc
Cmentarzysko
Pogoń za pieniądzem
Zagubiony blask
Kanał
Wydział spraw zamkniętych
Adwokat

Mojemu redaktorowi,
Michaelowi Pietschowi

Rozdział 1

Bosch usłyszał muzykę, jadąc Mulholland Drive w stronę przełęczy Cahuenga. Docierały do niego jedynie strzępki smyczkowych pasaży i pojedyncze dźwięki instrumentów dętych, które odbijały się echem od zboczy wzgórz zbrązowiałych od letniego słońca i tonęły w hałasie samochodów pędzących autostradą Hollywood. Nie potrafił rozpoznać melodii. Wiedział tylko, że zmierza w kierunku jej źródła.

Ujrzał samochody zaparkowane na skraju bocznej żwirowej drogi. Dwa sedany detektywów i radiowóz. Bosch zatrzymał za nimi swojego chevroleta caprice i wysiadł. O błotnik radiowozu opierał się umundurowany policjant. Między bocznym lusterkiem auta a słupkiem tablicy po drugiej stronie dróżki rozpięto plastikową żółtą taśmę do odgradzania miejsc zbrodni, której kilometry zużywano w Los Angeles. Czarny napis, ledwie widoczny na pomazanej graffiti białej tablicy, głosił:

STRAŻ POŻARNA LOS ANGELES
OKRĘGOWA DROGA POŻAROWA
WSTĘP WZBRONIONY
PALENIE SUROWO WZBRONIONE!

Funkcjonariusz z patrolu, wysoki mężczyzna o spalonej słońcem skórze i jasnych, szczeciniastych włosach, na widok Boscha odsunął się od radiowozu. Uwagę detektywa, poza wzrostem policjanta, zwróciła pałka wisząca u jego pasa. Nosiła ślady wielokrotnego użycia, a czarna akrylowa farba na jej końcu była odrapana, tak że widać było aluminiowy trzon. Gliniarze z ulicy z dumą nosili broń wysłużoną w bojach jako znak i mało subtelne ostrzeżenie. A ten bez wątpienia lubił rozróby. Na naszywce nad kieszenią munduru widniało nazwisko funkcjonariusza: Powers. Spoglądał na Boscha przez ciemne okulary, mimo że zapadał zmierzch i w lustrzanych szkłach ray-banów odbijały się pomarańczowe chmury. Takie zachody słońca przywodziły Boschowi na myśl łuny pożarów, jakie rozświetlały niebo podczas zamieszek kilka lat wcześniej.

– Harry Bosch – powiedział Powers z nutą zdziwienia w głosie. – Kiedy wróciłeś do zabójstw?

Bosch patrzył na niego przez chwilę. Nie znał Powersa, ale to nie miało znaczenia. Wszyscy gliniarze z komendy Hollywood słyszeli o historii Boscha.

– Właśnie wracam – odrzekł Bosch.

Nie zamierzał podawać mu ręki. Na miejscach zbrodni nie witano się uściskiem dłoni.

– Pierwsza sprawa po urlopie, co?

Bosch wyciągnął papierosa i zapalił. Było to rażące naruszenie przepisów pożarowych, ale się tym nie przejął.

– Coś w tym rodzaju. Kto jest na miejscu? – zapytał, zmieniając temat.

– Edgar i ta nowa z Pacific, jego czarna siostra.

– Rider.

– Może i Rider.

Bosch postanowił nie ciągnąć tego wątku. Wiedział, co oznacza ukryta w głosie policjanta pogarda. Nieważne, że Kizmin Rider miała talent i należała do pierwszorzędnych śledczych. Gdyby nawet Bosch mu o tym powiedział, taki argument nie trafiłby do Powersa. Powers prawdopodobnie uważał, że istnieje tylko jeden powód, dla którego wciąż nosił niebieski mundur zamiast złotej odznaki detektywa: ponieważ jest białym mężczyzną i żyje w czasach, gdy największe szanse na awans mają przedstawicielki czarnej mniejszości. Lepiej było nie poruszać tej drażliwej kwestii.

– W każdym razie powiedzieli mi, żebym wpuścił Emmy i Sida, kiedy się zjawią – ciągnął Powers. – Chyba zabezpieczyli już ślady. Nie musisz iść pieszo, możesz podjechać wozem.

Bosch dopiero po chwili zrozumiał, że Powers mówi o koronerze i techniku z wydziału kryminalistycznego. Policjant wymienił ich imiona, jak gdyby miał na myśli dwoje ludzi zaproszonych na piknik.

Bosch wyszedł na jezdnię, rzucił wypalonego do połowy papierosa i starannie rozgniótł obcasem. Nie byłoby dobrze zaczynać pierwszy dzień pracy po powrocie do sekcji zabójstw od wzniecania pożaru.

– Wolę się przejść – oświadczył. – A porucznik Billets?

– Jeszcze jej nie ma.

Bosch podszedł do samochodu i przez otwarte okno wyciągnął aktówkę. Następnie wrócił do Powersa.

– Ty go znalazłeś?

– Ja.

Powers wyraźnie był z siebie dumny.

– Jak otworzyłeś samochód?

– Wożę ze sobą wytrych. Otworzyłem drzwi i podniosłem klapę.

– Dlaczego?

– Poczułem. Było jasne, co to za zapach.
– Nałożyłeś rękawiczki?
– Nie mam na wyposażeniu.
– Czego dotykałeś?
Powers zastanowił się przed odpowiedzią.
– Klamki, zamka bagażnika. Chyba tyle.
– Złożyłeś zeznanie Edgarowi albo Rider? Spisałeś coś?
– Jeszcze nic.
Bosch skinął głową.
– Słuchaj, Powers, wiem, że jesteś z siebie dumny, ale następnym razem nie otwieraj samochodu, dobra? Każdy chce być detektywem, ale nie każdy jest. Tak właśnie można spieprzyć ślady na miejscu zbrodni. Wydaje mi się, że powinieneś o tym wiedzieć.
Bosch zobaczył, jak gliniarz zaciska szczęki, a jego twarz oblewa się barwą ciemnego karmazynu.
– To ty posłuchaj, Bosch – odparł. – Wiem tylko, że gdybym zgłosił znalezienie podejrzanego samochodu, który cuchnie, jakby w bagażniku leżał trup, pewnie byście powiedzieli: „co ten Powers pieprzy" i zostawilibyście go, by zgnił na słońcu, a wówczas szlag by trafił wasze miejsce zbrodni.
– Być może, ale widzisz, wtedy my byśmy spieprzyli sprawę. A tak, zanim zabraliśmy się do roboty, zdążyłeś dać dupy.
Mimo że Powers wciąż był wściekły, zbył to milczeniem. Bosch czekał przez chwilę, gotów kontynuować dyskusję, lecz uznał, że wystarczy.
– Mógłbyś z łaski swojej podnieść taśmę?
Powers cofnął się do ogrodzenia. Zdaniem Boscha mógł mieć mniej więcej trzydzieści pięć lat, a poruszał się pewnym siebie, rozkołysanym krokiem weterana ulicy. W Los Angeles człowiek szybko uczy się takiego kroku, tak samo jak w Wietnamie. Powers uniósł żółtą taśmę, przepuszczając Boscha. Kiedy detektyw go mijał, policjant powiedział:
– Tylko się nie zgub.
– Dobre, Powers. Boki zrywać.

Wąską drogę pożarową z obu stron porastały krzewy sięgające Boschowi do pasa. Na żwirze walały się śmieci i potłuczone szkło – odpowiedź intruzów na zakaz umieszczony na tablicy przy wjeździe. Bosch podejrzewał, że droga musiała być ulubionym miejscem spotkań nastolatków z rozciągającego się w dole miasta.
Im dalej szedł, tym wyraźniej słyszał muzykę. Nadal jednak nie potrafił jej rozpoznać. Około pięciuset metrów dalej dotarł do wysypanej żwirem polanki, gdzie, jak przypuszczał, ustawiano sprzęt gaśniczy podczas pożaru lasu na okolicznych wzgórzach. Dziś stała się miejscem zbrodni. Na przeciwległym końcu polanki Bosch ujrzał białego rolls-royce'a silver cloud. Obok samochodu stali jego

partnerzy, Rider i Edgar. Rider szkicowała na podkładce plan miejsca zdarzenia, natomiast Edgar biegał z taśmą mierniczą, podając jej odległości. Kiedy zobaczył Boscha, skinął mu dłonią w lateksowej rękawiczce i zwinął taśmę.

– Harry, gdzie się podziewałeś?

– Malowałem – odrzekł Bosch, podchodząc do nich. – Musiałem się umyć, przebrać i posprzątać.

Gdy Bosch stanął na skraju polanki, jego oczom ukazał się rozpościerający się w dole widok. Byli na brzegu skarpy nad Hollywood Bowl. Okrągła muszla koncertowa znajdowała się po lewej, niecałe pięćset metrów od nich. To właśnie stamtąd dobiegała muzyka. Orkiestra filharmoniczna Los Angeles grała koncert na koniec sezonu, w weekend Święta Pracy. Bosch spoglądał na osiemnaście tysięcy ludzi na widowni rozciągającej się po przeciwnej stronie kanionu. Korzystali z jednego z ostatnich niedzielnych wieczorów lata.

– Jezu – powiedział głośno, zdając sobie sprawę z kłopotów.

Podeszli do niego Edgar i Rider.

– Co mamy? – spytał Bosch.

Odpowiedziała mu Rider.

– Biały w bagażniku. Zastrzelony. Na razie nie wiemy nic więcej. Nie otwieramy klapy, ale zawiadomiliśmy już kogo trzeba.

Bosch ruszył w stronę rolls-royce'a, omijając po drodze zwęglone pozostałości dawnego ogniska, które rozpalono pośrodku polanki. Partnerzy podążyli za nim.

– Można już? – spytał detektyw, stając przed samochodem.

– Tak, z grubsza już przeszukaliśmy – odparł Edgar. – Niewiele jest. Mały wyciek pod samochodem, ale nic więcej. Dawno nie widziałem tak czystej roboty.

Jerry Edgar, wezwany tak jak pozostali członkowie zespołu z domu, był ubrany w dżinsy i białą koszulkę. Na piersi miał rysunek policyjnej odznaki i napis „Wydział zabójstw Los Angeles". Kiedy mijał Boscha, Harry zobaczył, że z tyłu koszulki widnieje hasło „Zaczynamy dzień, kiedy wy kończycie". Opięta koszulka kontrastowała z ciemną skórą Edgara, podkreślając jego muskularną, wysportowaną sylwetkę, gdy sprężystym krokiem zmierzał w kierunku rolls-royce'a. Bosch pracował z nim z przerwami od sześciu lat, lecz poza służbą nie utrzymywali zbyt bliskich kontaktów. Po raz pierwszy zauważył, że Edgar rzeczywiście jest wysportowany i zapewne regularnie ćwiczy.

Rzadko się zdarzało, by Edgar nie miał na sobie jednego ze swoich nieskazitelnych garniturów Nordstrom. Ale Bosch domyślał się dlaczego. Swobodny strój gwarantował jego partnerowi, że ominie go najgorsza robota – powiadomienie rodziny ofiary.

Zbliżając się do samochodu, zwolnili kroku, jak gdyby mogli się zarazić tym, co krył bagażnik. Rolls-royce stał zwrócony tyłem na południe i był widoczny dla widzów zajmujących ostatnie rzędy amfiteatru. Bosch znów przeanalizował sytuację.

– Chcecie go wyciągnąć na oczach tych wszystkich ludzi zajadających kanapki i popijających wino? – zapytał. – Wiecie, jak to może dzisiaj wieczorem wyglądać w telewizji?

– No... – odparł Edgar – pomyśleliśmy, że decyzję zostawimy tobie, Harry. W końcu masz trzeci stopień.

Edgar uśmiechnął się, puszczając do niego oko.

– Jasne – rzekł kwaśno Bosch. – Mam.

Bosch wciąż nie mógł się przyzwyczaić do myśli, że został tak zwanym szefem zespołu. Minęło prawie półtora roku od czasu, gdy oficjalnie prowadził śledztwo w sprawie zabójstwa, nie mówiąc już o kierowaniu trzyosobowym zespołem śledczym. Kiedy w styczniu po przymusowym urlopie zdrowotnym z powodu stresu wrócił do komendy Hollywood, został przydzielony do sekcji kradzieży. Dowódca biura detektywów, porucznik Grace Billets, wyjaśniła, że to najlepszy sposób, by stopniowo i łagodnie wrócił do dawnych obowiązków. Zdawał sobie sprawę, że kłamała i kazano jej przenieść go do innych zadań, lecz przyjął degradację bez protestów. Wiedział, że w końcu sami się do niego zgłoszą.

Po ośmiu miesiącach przerzucania papierów i aresztowania kilku złodziei Bosch został wezwany do biura porucznik Billets, która oznajmiła mu, że zamierza dokonać pewnych zmian w strukturze komendy. Wykrywalność zabójstw spadła do najniższego poziomu w historii. Udawało się wyjaśnić mniej niż połowę spraw. Billets została szefem biura niecały rok wcześniej, musiała jednak przyznać, że do największego pogorszenia wyników pracy policji doszło podczas jej służby. Bosch mógł jej powiedzieć, że częściowo sama ponosi za to winę, ponieważ przestała majstrować przy statystykach, które fałszował jej poprzednik Harvey Pounds. Były zwierzchnik biura zawsze umiał znaleźć jakiś sposób, by na papierze podnieść wykrywalność przestępstw. Bosch zachował to jednak dla siebie i w milczeniu słuchał pani porucznik, gdy przedstawiała swój plan.

Pierwsza część projektu polegała na tym, żeby z początkiem września przenieść Boscha do sekcji zabójstw. Na zwolnione przez niego miejsce miał przejść niejaki detektyw Selby, który w zabójstwach zbijał bąki. Billets zamierzała także wprowadzić do biura młodą i zdolną detektyw Kizmin Rider, z którą poprzednio współpracowała w komendzie Pacific. Następnym krokiem – najbardziej radykalnym – był plan Billets, aby zmienić tradycyjny model pracy detektywów w parach. Dziewięciu śledczych sekcji zabójstw w Hollywood miało zostać podzielonych na trzy trzyosobowe zespoły. Każdym z nich miał kierować detektyw trzeciego stopnia. Bosch spełniał ten wymóg. Został szefem zespołu numer jeden.

Argumenty przemawiające za takim rozwiązaniem wydawały się całkiem rozsądne – przynajmniej w teorii. Większość zabójstw albo jest wyjaśniana w ciągu czterdziestu ośmiu godzin od ujawnienia przestępstwa, albo na zawsze pozostaje zagadką. Billets chciała wyjaśniać więcej spraw, dlatego zamierzała wyznaczyć do pracy nad każdą z nich więcej osób. Druga strona medalu, która nie wyglądała już tak dobrze (zwłaszcza w oczach detektywów) była taka, że poprzednio w sekcji zabójstw pracowały cztery pary. Zmiana oznaczała, że teraz każdy detektyw zamiast co czwartą sprawą, miał się zajmować co trzecią. Czekało ich więcej spraw, więcej pracy, więcej czasu spędzonego w sądach, więcej nadgodzin i więcej stresu. Jedynym plusem były nadgodziny. Billets była jednak twarda i nie przejmowała się narzekaniem detektywów. Dzięki swojej nieustępliwości szybko zdobyła sobie wśród podwładnych szczególne przezwisko.

– Ktoś już rozmawiał z porucznik Kanar? – zapytał Bosch.

– Dzwoniłam do niej – powiedziała Rider. – Wyjechała na weekend do Santa Barbara. Zostawiła numer w komendzie. Wraca, ale będzie tu najwcześniej za półtorej godziny. Mówiła, że najpierw musi podrzucić męża do domu, a potem pewnie pojedzie od razu do biura.

Bosch skinął głową i podszedł do bagażnika rolls-royce'a. Od razu poczuł charakterystyczny zapach. Woń była ledwie wyczuwalna, lecz nie pozostawiała wątpliwości. Nie sposób jej było pomylić z żadną inną. Pokiwał głową, postawił aktówkę na ziemi, otworzył ją i z kartonowego pudełka wyciągnął parę lateksowych rękawiczek. Potem zamknął teczkę i postawił za sobą.

– Dobra, obejrzyjmy go sobie – rzekł, naciągając rękawiczki. Nie cierpiał ich dotyku na skórze. – Stańcie bliżej. Lepiej, żeby ludzie w Bowl nie oglądali tego, za co nie zapłacili.

– Mało przyjemny widok – powiedział Edgar, zbliżając się do bagażnika.

Stanęli w szeregu przy bagażniku rolls-royce'a, by zasłonić go przed wzrokiem melomanów. Bosch zdawał sobie jednak sprawę, że każdy widz wyposażony w dobrą lornetkę bez trudu zauważy, co się dzieje na wzniesieniu. W końcu byli w Los Angeles.

Przed otwarciem bagażnika zwrócił uwagę na indywidualną tablicę rejestracyjną. Był na niej napis „TNA". Zanim zdążył się odezwać, Edgar odpowiedział na pytanie, którego Bosch nie zadał.

– Od „TNA Productions". Na Melrose.

– Teena Productions?

– Nie, te-en-a, tak jak na tablicy.

– Gdzie dokładnie na Melrose?

Edgar wyciągnął z kieszeni notes i przejrzał zapiski. Adres, który mu podał, brzmiał znajomo, lecz Bosch nie potrafił sobie przypomnieć, skąd może go znać. Wiedział, że firma znajduje się niedaleko Paramount, rozległego studia zajmującego całą północną stronę kwartału 5500. Wielkie studio otaczały mniejsze firmy produkcyjne i ministudia. Przypominały ławicę rybek kłębiących się wokół rekina w nadziei, że uszczkną resztki tego, co nie zniknie w jego paszczy.

– Dobra, do roboty.

Skupił uwagę na bagażniku. Zobaczył, że klapa została ostrożnie przymknięta, aby nie zatrzasnął się zamek. Delikatnie uniósł ją jednym palcem.

Z bagażnika wionął mdlący odór śmierci. Bosch natychmiast pożałował, że nie zapalił papierosa, ale te czasy już się skończyły. Wiedział, co adwokat mógłby zrobić z drobiną popiołu strąconą przez gliniarza palącego na miejscu przestępstwa. Uzasadnione wątpliwości winy budowano już na wątlejszych podstawach.

Bosch pochylił się, uważając, by nie dotknąć zderzaka spodniami. W bagażniku leżały zwłoki mężczyzny. Jego skóra przybrała szarobiałą barwę. Był ubrany w drogie lniane spodnie z mankietami zaprasowane w ostry kant, jasnoniebieską koszulę z kwiecistym wzorem i sportową skórzaną marynarkę. Miał bose stopy.

Denat leżał na prawym boku w pozycji embrionalnej, ale dłonie miał za plecami. Bosch doszedł do wniosku, że związano mu z tyłu ręce, a potem, kiedy już prawdopodobnie nie żył, zdjęto mu więzy. Przyjrzawszy mu się uważniej, Bosch dostrzegł małe otarcie na lewym nadgarstku, które zapewne powstało, gdy usiłował się wyswobodzić. Mężczyzna miał zaciśnięte powieki, a w kącikach oczu widać było zaschniętą jakąś białawą, niemal przezroczystą substancję.

– Kiz, będziesz robiła notatki z oględzin.

– Jasne.

Bosch pochylił się niżej nad ciałem. Zobaczył krwawą pianę zaschniętą w ustach i nosie denata. Jego włosy były zlepione krwią, która zakrzepła na ramionach i utworzyła zestaloną kałużę na macie w bagażniku. Bosch zauważył otwór w podłodze, przez który krew wyciekła na żwir. Dziura znajdowała się około trzydziestu centymetrów od głowy ofiary i wyglądała, jak gdyby wycięto ją w metalu w miejscu, gdzie mata została zagięta. Nie zrobił jej pocisk. Był to prawdopodobnie otwór spustowy albo puste miejsce po śrubie, która poluzowała się pod wpływem wibracji i wypadła.

W zmasakrowanej głowie mężczyzny Bosch zobaczył dwie wyraźne rany wlotowe o nierównych brzegach z tyłu czaszki – na guzowatości potylicznej. Machinalnie przypomniał sobie ten naukowy termin. Pewnie dlatego, że był świadkiem zbyt wielu sekcji zwłok. Włosy w okolicy ran zostały zwęglone przez gazy wydobywające się z lufy podczas strzału. Na skórze głowy można było dostrzec ziarenka prochu. Strzały padły z bliska. Bosch nie zauważył żadnych ran wylotowych. Przypuszczał, że to dwudziestkidwójki. Pociski tego kalibru odbijają się wewnątrz czaszki jak kulki wrzucone do pustego słoika.

Spoglądając na wewnętrzną stronę klapy bagażnika, ujrzał kropelki rozpryśniętej krwi. Przez dłuższą chwilę oglądał mikroskopijne plamki, po czym odsunął się i wyprostował. Obrzucił krótkim spojrzeniem cały bagażnik, przeglądając w myślach nieistniejącą listę. Na drodze prowadzącej na polankę nie było śladów krwi, nie miał więc wątpliwości, że mężczyzna został zastrzelony na miejscu. Mimo to pozostawało wiele niewiadomych. Dlaczego tutaj? Dlaczego ofiara nie miała butów ani skarpet? Dlaczego rozwiązano jej ręce? Postanowił na razie nie zaprzątać sobie uwagi tymi pytaniami.

– Zajrzeliście do portfela? – zapytał, nie odwracając się do partnerów.

– Jeszcze nie – odrzekł Edgar. – Poznajesz go?

Bosch po raz pierwszy przyjrzał się twarzy ofiary. Zastygł na niej wyraz przerażenia. Mężczyzna przed śmiercią zamknął oczy. Wiedział, co miało nastąpić. Bosch zastanawiał się, czy biaława substancja w okolicy powiek to zaschnięte łzy.

– Nie, a wy?

– Też nie. Zresztą i tak trudno coś zobaczyć.

Bosch ostrożnie uniósł tył skórzanej marynarki, lecz w żadnej z tylnych kieszeni spodni nie zauważył portfela. Następnie odchylił połę i zobaczył, że portfel jest schowany w wewnętrznej kieszeni z naszywką sklepu „Fred Haber". Obok tkwiła okładka na bilet lotniczy. Bosch sięgnął do kieszeni i wyciągnął obydwa przedmioty.

– Zamknij – powiedział, cofając się.

Edgar opuścił klapę bagażnika delikatnie jak przedsiębiorca pogrzebowy zamykający wieko trumny. Bosch podszedł do aktówki, kucnął i położył na niej rzeczy ofiary.

Najpierw otworzył portfel. Kieszonki po lewej stronie wypełniały karty kredytowe, a w plastikowym okienku z prawej było prawo jazdy. Dokument wystawiono na Anthony'ego N. Aliso.

– Anthony N. Aliso – powiedział Edgar. – Zdrobniale Tony. TNA. TNA Productions.

Według adresu w prawie jazdy Aliso mieszkał w Hidden Highlands, maleńkiej enklawie niedaleko Mullholand w Hollywood Hills. Było to jedno z otoczonych murem osiedli, których dwadzieścia cztery godziny na dobę strzegli strażnicy rekrutujący się głównie spośród emerytowanych policjantów albo funkcjonariuszy dorabiających po służbie. Adres pasował do rolls-royce'a.

Bosch zajrzał do przegródki na gotówkę i znalazł plik banknotów. Nie wyjmując ich, doliczył się dwóch banknotów studolarowych i dziewięciu dwudziestek. Głośno wymienił kwotę, aby Rider mogła ją zanotować. Potem otworzył okładki biletu lotniczego. Wewnątrz był odcinek biletu American Airlines na przelot w jedną stronę z Las Vegas do Los Angeles na dwudziestą drugą pięć w piątek. Nazwisko pasażera zgadzało się z nazwiskiem w prawie jazdy. Bosch sprawdził tylne skrzydełko okładki, ale nie było tam nalepki ani kwitka świadczącego o tym, że posiadacz biletu nadał bagaż. Zdziwiony Bosch odłożył portfel i bilet na teczkę, wrócił do samochodu i przez okna zajrzał do środka.

– Nie było żadnej torby?
– Żadnej – odrzekła Rider.
Bosch ponownie podszedł do bagażnika i znów uniósł klapę. Zahaczył palcem lewy rękaw marynarki i podciągnął. Na przegubie ofiary zobaczył złotego roleksa. Krawędź cyferblatu inkrustowały maleńkie brylanciki.
– Cholera.
Bosch odwrócił się do Edgara.
– Co jest?
– Chcesz, żebym zawiadomił PZ?
– Po co?
– Makaroniarskie nazwisko, zero kradzieży, dwie kulki w tył głowy. Harry, to robota na zamówienie. Powinniśmy zawiadomić PZ.
– Jeszcze nie.
– Mówię ci, że Kanar na pewno zechce to zrobić.
– Zobaczymy.
Bosch odszedł na skraj polanki. Rozciągał się stąd wspaniały widok miasta. Patrząc na wschód ponad rozległym Hollywood, mógł bez trudu dojrzeć majaczące w mgiełce iglice budynków w centrum. Zobaczył, że palą się już światła na stadionie Dodgersów przed wieczornym meczem. Dodgersi szli łeb w łeb z Colorado, do końca rozgrywek został miesiąc, a w kole miotacza miał dzisiaj stanąć Nomo. Bosch miał w kieszeni bilet na mecz. Zdawał sobie jednak sprawę, że mógł tylko marzyć o zajęciu miejsca na trybunach. Dziś nie miał szans znaleźć się nawet w pobliżu stadionu. Wiedział też, że Edgar ma rację. Zabójstwo nosiło wszystkie cechy zbrodni mafijnej. Należało zawiadomić wydział przestępczości zorganizowanej, który jeśli nie przejąłby całego śledztwa, to przynajmniej mógłby służyć radą. Ale Bosch wolał odwlec tę chwilę. Od dawna nie prowadził sprawy. Nie miał jej jeszcze ochoty oddawać.

Ponownie zatrzymał wzrok na Bowl. Sprzedano chyba komplet biletów i publiczność szczelnie wypełniała eliptyczne rzędy na zboczu przeciwległego wzgórza. Część widowni położona najdalej od muszli koncertowej znajdowała się najwyżej, niemal na tym samym poziomie co polanka, gdzie stał rolls-royce. Bosch zastanawiał się, ile osób może mu się w tym momencie przyglądać. Znów pomyślał o czekającym go dylemacie. Musiał kontynuować śledztwo. Ale wiedział, że jeśli wyciągnie ciało z bagażnika na oczach tylu widzów, władze miejskie i departament będą się musiały gęsto tłumaczyć.

Edgar znów odgadł jego myśli.
– Do diabła, Harry, nimi się nie przejmuj. Parę lat temu na festiwalu jazzowym w tym samym miejscu była jedna parka i zabawiała się przez dobre pół godziny. Kiedy skończyli, dostali owację na stojąco. Facet wstał goły i zaczął się kłaniać.
Bosch zerknął na niego, chcąc się upewnić, czy mówi serio.
– Czytałem w „Timesie". W rubryce „Tylko w L.A.".

– Tylko widzisz, Jerry, to koncert filharmoniczny. Zupełnie inna publiczność, rozumiesz? Poza tym nie chcę o tym czytać w „Tylko w L.A.", jasne?

– Jasne, Harry.

Bosch spojrzał na Rider. Niewiele się dotąd odzywała.

– Kiz, co o tym myślisz?

– Nie wiem. Ty jesteś szefem.

Rider była drobna. Miała metr pięćdziesiąt wzrostu i z bronią ważyła niewiele więcej niż czterdzieści pięć kilogramów. Nie dostałaby się do policji, gdyby departament nie złagodził wymogów fizycznych, by przyciągnąć do służby więcej kobiet. Miała jasnobrązową skórę i krótko przystrzyżone włosy. Była ubrana w dżinsy, różową koszulę i czarny żakiet, który niezbyt skutecznie maskował dziewięciomilimetrowego glocka 17 spoczywającego w kaburze na prawym biodrze.

Billets mówiła Boschowi, że pracowała z nią w Pacific. Rider zajmowała się kradzieżami i oszustwami, ale od czasu do czasu wzywano ją do pomocy w rozpracowaniu zabójstw, gdy w grę wchodziły sprawy finansowe. Billets twierdziła, że Rider potrafi zanalizować miejsce przestępstwa równie fachowo jak najwytrawniejsi detektywi z wydziału zabójstw. Porucznik użyła swoich wpływów, aby uzyskać zgodę na jej przeniesienie, lecz pogodziła się już z myślą, że Rider nie zagrzeje dłużej miejsca w komendzie. Awans był jej pisany. Fakt, że reprezentowała czarną mniejszość i miała talent oraz jakiegoś dobrego ducha w Parker Center – Billets nie wiedziała, kto to może być – stanowił niemal gwarancję, że jej służba w Hollywood potrwa bardzo krótko. Miała tu tylko otrzymać ostateczny szlif przed zajęciem ważnego miejsca w Szklanym Domu.

– Co z ekipą z garażu? – spytał Bosch.

– Jeszcze nie wzywałam – odparła Rider. – Pomyślałam, że zanim zabierzemy wóz, spędzimy chwilę na miejscu.

Bosch skinął głową. Spodziewał się takiej odpowiedzi. Ekipa z garażu policyjnego była zwykle ostatnia na liście służb wzywanych na miejsce przestępstwa. Bosch po prostu grał na czas, zadając pytania, na które znał odpowiedzi, i zastanawiając się nad najlepszą decyzją.

W końcu znalazł rozwiązanie.

– Dobra, możesz dać im znać – oświadczył. – Powiedz, żeby się pospieszyli. I żeby przyjechali z lawetą. Gdyby nawet mieli w okolicy auto z hakiem, niech zawrócą. Musi być laweta. Telefon znajdziesz w mojej teczce.

– Jasne – powiedziała Rider.

– Po co laweta, Harry? – zapytał Edgar.

Bosch nie odpowiedział.

– Przenosimy przedstawienie gdzie indziej – poinformowała partnera Rider.

– Co? – zdziwił się Edgar.

Rider bez słowa podeszła do aktówki. Bosch powstrzymał się od uśmiechu. Nowa partnerka w lot pojęła, o co mu chodzi, a on zaczynał rozumieć, co miała na myśli Billets, mówiąc o jej zdolnościach. Wyciągnął papierosa i zapalił. Wypaloną zapałkę wsunął do celofanowej osłonki pudełka, które schował do kieszeni.

Paląc, zwrócił uwagę, że na skraju polanki tuż nad Hollywood Bowl o wiele lepiej słychać muzykę. Po kilku chwilach potrafił nawet rozpoznać utwór grany przez orkiestrę.

– *Szeherezada* – powiedział.

– Co, Harry? – zapytał Edgar.

– Ta melodia. Taki ma tytuł. Słyszałeś to kiedyś?

– Nie jestem pewien, czy teraz dobrze słyszę. Za duże echo.

Bosch pstryknął palcami. Nagle coś mu przyszło do głowy. Przypomniał sobie łukową bramę studia, replikę paryskiego Łuku Triumfalnego.

– Jego firma jest na Melrose – powiedział. – To jedno z tych małych studiów żerujących na Paramount. Wydaje mi się, że to Archway.

– Tak? Chyba masz rację.

Podeszła do nich Rider.

– Laweta już jedzie – powiedziała. – Ma być za kwadrans. Zadzwoniłam jeszcze do kryminalistyków i koronera. Też jadą. Laboratorium wysłało ludzi do jakiegoś wtargnięcia do domu w Nichols Canyon, więc zaraz powinni być.

– To dobrze – odrzekł Bosch. – Rozmawialiście już z tym krawężnikiem?

– Tylko wstępnie – odparł Edgar. – Nie jest w naszym typie. Pomyśleliśmy, że zostawimy go szefowi.

Edgar dawał mu w ten sposób do zrozumienia, że wyczuł rasistowską wrogość Powersa wobec siebie i Rider.

– W porządku, biorę go na siebie – powiedział Bosch. – Skończcie szkice, a potem jeszcze raz rozejrzyjcie się po okolicy. Tym razem sprawdźcie inne miejsca.

Zdał sobie sprawę, że mówi im rzeczy zupełnie oczywiste.

– Przepraszam. Wiecie, co robić. Chodzi mi tylko o to, żeby wszystko było ściśle według zasad. Mam przeczucie, że to będzie format osiem na dziesięć.

– Co z PZ? – spytał Edgar.

– Mówiłem, jeszcze nie.

– Osiem na dziesięć? – powtórzyła Rider ze zdezorientowaną miną.

– Sprawa osiem na dziesięć – wyjaśnił Edgar. – Sprawa znanej osoby. Z filmu. Jeżeli ten w kufrze faktycznie jest jakimś ważniakiem ze studia, kimś z Archway, to będziemy mieli media na karku. Dużo mediów. Trup w bagażniku własnego rollsa to niezły temat. A jeszcze lepszy temat to trup z branży filmowej w bagażniku własnego rollsa.

– Z Archway?

Bosch wycofał się z polanki, a Edgar zaczął uświadamiać partnerce, co wynika z połączenia morderstwa, mediów i przemysłu filmowego w Hollywood.

Bosch zgasił papierosa poślinionymi palcami, a niedopałek schował razem z zapałką do celofanowej koszulki pudełka. Wolnym krokiem ruszył z powrotem w kierunku Mulholland, ponownie rozglądając się po drodze. Ale na żwirze i w krzakach walało się mnóstwo śmieci i w żaden sposób nie mógłby ustalić, czy jakaś butelka po piwie, pet czy prezerwatywa ma związek z rolls-royce'em czy nie. Szczególnie uważnie wypatrywał śladów krwi. Gdyby znalazł na drodze krew, którą udałoby się zidentyfikować jako należącą do ofiary, oznaczałoby to, że mężczyzna został zastrzelony gdzie indziej, a potem podrzucony na polankę. Brak krwi wskazywałby, że prawdopodobnie zabójstwa dokonano na miejscu.

W trakcie bezowocnych poszukiwań zdał sobie sprawę, że czuje się odprężony, a nawet zadowolony. Wrócił do pracy i znów pełnił swoją misję. Szybko rozgrzeszył się z poczucia winy, że poprawę samopoczucia zawdzięcza śmierci człowieka. Facet w bagażniku tak czy inaczej by zginął, bez względu na to, czy Bosch wróciłby do zabójstw czy nie.

Kiedy Bosch zbliżał się do Mulholland, zobaczył dwa wozy strażackie. Wokół nich stała sekcja strażaków, najwyraźniej na coś czekając. Zapalił papierosa i spojrzał na Powersa.

– Masz problem – poinformował go umundurowany gliniarz.

– Co?

Zanim Powers zdążył odpowiedzieć, podszedł do nich jeden ze strażaków. Miał biały hełm dowódcy batalionu.

– Pan tu dowodzi? – zapytał.

– Ja.

– Komendant Jon Friedman – przedstawił się. – Mamy problem.

– Właśnie słyszę.

– Koncert w Bowl skończy się za półtorej godziny. Potem ma być pokaz sztucznych ogni. Sęk w tym, że podobno macie tam trupa i miejsce zbrodni. Na tym właśnie polega problem. Jeżeli nie zdążymy tam dojechać i zabezpieczyć terenu przed pokazem sztucznych ogni, pokaz się nie odbędzie. Nie możemy na to pozwolić. Jeżeli nie będziemy na stanowiskach, od jednego fajerwerku może się zapalić całe zbocze któregoś wzgórza. Rozumie pan?

Bosch zauważył, że Powers kpiąco się uśmiecha. Nie zwracając na niego uwagi, zwrócił się do Friedmana.

– Komendancie, ile czasu potrzebujecie, żeby się zainstalować?

– Najwyżej dziesięć minut. Musimy tylko być na miejscu, zanim odpalą pierwszą racę.

– Mamy półtorej godziny?

– Teraz już osiemdziesiąt pięć minut. Jeśli ludzie na dole nie zobaczą swoich fajerwerków, mogą się zdenerwować.

Bosch pomyślał, że nie tyle sam podejmuje decyzje, ile same się podejmują.

– Komendancie, niech pan zaczeka. Zwolnimy panu polankę za godzinę i kwadrans. Niech pan nie odwołuje pokazu.

– Na pewno?

– Postaramy się.

– Detektywie?

– Słucham.

– Tym papierosem łamie pan przepisy.

Ruchem głowy wskazał na pomazaną graffiti tablicę.

– Przepraszam, komendancie.

Bosch wyszedł na drogę, żeby zgasić papierosa, a Friedman wrócił do swoich ludzi, by nadać przez radio komunikat, że pokaz może się odbyć. Nagle Bosch zdał sobie sprawę z niebezpieczeństwa i szybko dogonił strażaka.

– Komendancie, może pan powiedzieć, że pokaz się odbędzie, ale niech pan nie wspomina przez radio o zabójstwie. Nie potrzebujemy tu żadnych dziennikarzy ani helikopterów.

– Jasne.

Bosch podziękował mu i wrócił do Powersa.

– W godzinę i kwadrans nie dacie rady – rzekł Powers. – Przecież nie ma jeszcze koronera.

– Tym ja się będę martwił, Powers. Spisałeś już coś?

– Jeszcze nie. Byłem zajęty ze strażakami. Mogliście sobie pogadać na miejscu.

– Może więc sam opowiesz mi wszystko od początku?

– A oni? – spytał Powers, wskazując głową w kierunku polanki. – Dlaczego oni ze mną nie rozmawiają? Edgar i Rider?

– Bo pracują. Opowiesz mi czy nie?

– Już mówiłem.

– Wszystko od początku, Powers. Mówiłeś tylko, co się działo po tym, jak znalazłeś samochód. Jak go w ogóle znalazłeś?

– Niewiele jest do opowiadania. Zwykle zaglądam tu na każdej zmianie i gonię mętów.

Wskazał na stok wzgórza po drugiej stronie Mulholland. Ciągnął się tam rząd domów na wspornikach, przycupniętych na grzbiecie wzniesienia. Wyglądały jak zawieszone w powietrzu przyczepy mieszkalne.

– Ludzie stamtąd ciągle wydzwaniają na posterunek i mówią, że widzą z okien ogniska, popijawy, jakieś czarne msze, diabeł wie co jeszcze. Chyba psuje im to widok. A nie chcą, żeby cokolwiek psuło im widok za milion dolców. No więc wpadam tu i gonię hołotę. To przede wszystkim gówniarze z Doliny. Straż pożarna postawiła tu kiedyś zamykaną bramę, ale rozwalił ją jakiś gnojek. Pół roku temu. Musi minąć co najmniej rok, żeby miasto postanowiło cokolwiek tu naprawić. Cholera, trzy tygodnie temu zamówiłem baterie do latarki i ciągle czekam. Gdybym sam ich nie kupił, musiałbym nocami tłuc się po ciemku. Miasto ma to gdzieś. To miasto...

– Co z rolls-royce'em, Powers? Trzymajmy się tematu.

– Tak, no więc zwykle zaglądam tu po zmroku, ale jako że dzisiaj miał być koncert, wpadłem wcześniej. I zobaczyłem rollsa.

– Przyjechałeś z własnej woli? Nie wzywał cię nikt ze wzgórza?

– Nikt. Uznałem, że nie zawadzi wpaść. Z powodu koncertu. Pomyślałem, że ktoś pewnie wlezie na zamknięty teren.

– I wlazł?

– Parę osób – przyszli posłuchać koncertu. Ale to nie byli ci co zwykle. Raczej amatorzy bardziej wyrafinowanej muzyki. W każdym razie pogoniłem ich, a gdy wyjechali, został tylko rolls. Bez kierowcy.

– I postanowiłeś sprawdzić.

– Tak, no i poczułem zapach. Otworzyłem auto i znalazłem. Truposza. Wycofałem się i wezwałem fachowców.

W ostatnim słowie zabrzmiała nutka sarkazmu. Bosch ją zignorował.

– Masz nazwiska tych ludzi, których pogoniłeś?

– Nie, przecież mówię, że ich pogoniłem, a dopiero potem zauważyłem, że nikt nie wsiadł do rolls-royce'a. Już było za późno.

– A wczoraj wieczorem?

– Co wczoraj wieczorem?

– Też zaglądałeś na polankę?

– Miałem wolne. Zwykle mam służbę od wtorku do soboty, ale zamieniłem się z kumplem, bo dzisiaj miał coś do zrobienia.

– A w piątek wieczorem?

Pokręcił głową.

– Na trzeciej zmianie w piątek zawsze jest dużo roboty. Nie miałem czasu na wypady na własną rękę i o ile wiem, nie było żadnego wezwania... nie zaglądałem tu.

– Czyli jeździłeś tylko do wezwań radiowych?

– Przez całą noc nie miałem ani chwili spokoju. Nie było czasu nawet na moment zejść ze służby.

– Praca bez przerwy na kolację, to się nazywa poświęcenie, Powers.

– Co to niby ma znaczyć?

Bosch zorientował się, że popełnił błąd. Powers był sfrustrowany nadmiarem pracy, a on zlekceważył ten fakt i trochę przeholował. Policjant znów poczerwieniał i zanim się odezwał, wolno zdjął ciemne okulary.

– Coś ci powiem, ważniaku. Przyjeżdżacie na gotowe. A my, cała reszta? Wszyscy się do nas tylko przypieprzacie. Wszyscy... nie umiem policzyć, od ilu lat staram się o złotą odznakę, ale mam na nią takie same szanse jak tamten gość w rollsie. Ale nie zamierzam się poddawać. Pięć nocy w tygodniu krążę po mieście i jeżdżę tam, gdzie mi każe radio. Na drzwiach wozu mam napisane „chronić i służyć". Nic innego nie robię. Dlatego nie wciskaj mi żadnych kitów o poświęceniu.

Bosch zawahał się przez chwilę, dopóki się nie upewnił, że Powers skończył.

– Słuchaj, Powers, nie miałem zamiaru się przypieprzać. Chcesz papierosa?

– Nie palę.

– Dobra, spróbujmy jeszcze raz. – Odczekał moment, aż Powers z powrotem wsunie na nos lustrzanki i trochę się uspokoi. – Zawsze pracujesz sam?

– Jestem Zet.

Bosch skinął głową. Patrol „zebra". Funkcjonariusz przyjmujący wezwania do różnych, na ogół błahych spraw, podczas gdy radiowozy z dwoma funkcjonariuszami reagowały na pilne wezwania do sytuacji bezpośredniego zagrożenia. Zebry krążyły po mieście w pojedynkę, będąc do dyspozycji całej komendy i zapuszczając się w różne „pasy" patrolowane przez policję. W hierarchii zajmowały miejsce między sierżantami a najniższymi stopniem funkcjonariuszami przydzielonymi do poszczególnych rewirów komendy, zwanych podstawowymi rejonami patrolowymi.

– Jak często gonisz stąd intruzów?

– Raz, dwa razy w miesiącu. Nie wiem, jak jest na innych zmianach ani czy zaglądają tu regularne patrole. Ale takie gówniane wezwania zwykle trafiają do Zebry.

– Masz jakieś nadużywki?

Pytał o karty formatu trzy na pięć, oficjalnie zwane kartami przesłuchań terenowych. Policjanci wypełniali je, zatrzymując podejrzane osoby, wobec których nie mieli wystarczających dowodów, by je aresztować albo gdy aresztowanie – jak w wypadku złamania zakazu wstępu na zamknięty teren – byłoby stratą czasu. Amerykańska Unia Swobód Obywatelskich nazwała takie zatrzymania aktami nadużycia władzy przez policję. W ten sposób powstała nazwa „nadużywki", której używali sami gliniarze.

– Tak, mam parę na posterunku.

– To dobrze. Gdybyś mógł je wygrzebać, chcielibyśmy rzucić okiem. Mógłbyś też popytać chłopaków z patroli, czy w ciągu ostatnich kilku dni nie zauważyli tego rollsa.

– Czy mam ci już podziękować za to, że pozwoliliście mi się otrzeć o wielkie śledztwo, i poprosić, żebyście szepnęli słówko o mnie komendantowi tajniaków?

Bosch bez słowa patrzył na niego przez dłuższą chwilę.

– Nie – odparł w końcu. – Masz przygotować dla nas karty jeszcze przed dziewiątą, bo inaczej szepnę o tobie słówko dowódcy służby patrolowej. I nie przejmuj się chłopakami z radiowozów. Sami z nimi pogadamy. Nie chcę, żebyś drugą zmianę z rzędu tracił przerwę na kolację, Powers.

Bosch ruszył z powrotem w kierunku miejsca przestępstwa, idąc wolno i badając drugą stronę żwirowej drogi. Dwa razy musiał schodzić na pobocze, aby przepuścić samochód z garażu policyjnego, a potem furgonetkę ekipy kryminalistycznej.

Dotarł na miejsce po kolejnym bezowocnym przeszukaniu drogi, upewniwszy się, że ofiara została zamordowana w bagażniku, gdy samochód stał już na polance. Zobaczył, jak Art Donovan, technik kryminalistyki, oraz towarzyszący mu fotograf, Roland Quatro, zabierają się do pracy. Bosch podszedł do Rider.

– Masz coś? – spytała go.

– Nie. A wy?

– Też nic. Wydaje mi się, że rolls przyjechał już z facetem w bagażniku. Potem kierowca wysiadł, otworzył kufer i wpakował mu dwie kulki. Zamknął klapę i poszedł sobie. Ktoś musiał go zabrać samochodem z Mulholland. Teren jest czysty.

Bosch pokiwał głową.

– Myślisz, że to zrobił mężczyzna?

– Na razie opieram się wyłącznie na statystykach.

Bosch podszedł do Donovana, który pakował portfel i bilet lotniczy do przezroczystej plastikowej koperty na dowody rzeczowe.

– Art, mamy mały problem.

– Mnie to mówisz? Właśnie się zastanawiam, czy można rozstawić jakiś brezentowy parawan na trójnogach, ale i tak nie da się zasłonić wozu przed wszystkimi. Ktoś w Bowl na pewno zauważy, co się tu dzieje. Przynajmniej im wynagrodzimy odwołanie pokazu fajerwerków. Chyba że zamierzasz czekać do końca koncertu.

– Nie, gdybyśmy to zrobili, jakiś adwokat dobrałby się nam do tyłka w sądzie za opóźnianie procedur. Wiesz, że wszyscy prawnicy pilnie odrobili lekcje z O. J. Simpsona.

– To co robimy?

– Zróbcie co trzeba na miejscu, tylko szybko, a potem zabierzemy cały majdan do baraku. Nie wiesz, czy ktoś tam teraz jest?

– Nie, powinien być wolny – odparł z namysłem Donovan. – Masz na myśli cały majdan? Z ciałem?

Bosch przytaknął.

– Poza tym w pracowni będziesz mógł dokładniej wszystko obejrzeć, prawda?

– Oczywiście. Ale co z koronerem, Harry? Na coś takiego musi chyba wydać zgodę?

– Zajmę się tym. Tylko zanim wpakujemy wóz na lawetę, zróbcie zdjęcia i zapis wideo na wypadek, gdyby coś się stało w czasie transportu. Zdejmij mu też odciski i daj mi kartę.

– Jasne.

Gdy Donovan poszedł do Quatra przekazać mu dyspozycje, Bosch odbył naradę z Edgarem i Rider.

– Słuchajcie, bierzemy się do roboty. Jeżeli mieliście jakieś plany na wieczór, dzwońcie i odwołajcie. Zapowiada się długa noc. Zorganizujemy to tak. – Wskazał szereg domów na stoku wzgórza. – Kiz, zaczniesz tam i zrobisz obchód od drzwi do drzwi. Znasz procedurę. Sprawdź, czy ktokolwiek widział rolls-royce'a albo czy wie, jak długo tu stoi. Może ktoś słyszał strzały. Huk mógł się odbić echem od wzgórz. Trzeba ustalić czas zabójstwa. Potem... masz telefon?

– Nie. W samochodzie mam przenośny nadajnik.

– Nie chcę, żebyśmy rozmawiali o tym przez radio.

– Mogę zadzwonić z któregoś domu.

– Dobra, zadzwoń, kiedy skończysz, albo dam ci znać na pager, kiedy ja skończę. Potem, zależnie od tego, jak sprawa się ułoży, albo pojedziemy zawiadomić rodzinę, albo zajrzymy do jego biura.

Skinęła głową. Bosch zwrócił się do Edgara.

– Jerry, pojedziesz na komendę. Będziesz odpowiadał za papiery.

– Ja? To ona jest nowa.

– To następnym razem nie przyjeżdżaj w koszulce. Nie możesz pukać do ludzi w takim stroju.

– Mam w wozie koszulę. Zaraz się przebiorę.

– Następnym razem. W tej sprawie zajmiesz się papierkami. Ale zanim zaczniesz, sprawdź nazwisko Aliso w komputerze. Ma prawo jazdy wydane w zeszłym roku, więc w wydziale komunikacji powinni mieć jego odcisk palca. Znajdź kogoś z daktyloskopii, żeby go porównał z kartą, którą zaraz ci da Art. Trzeba jak najszybciej potwierdzić tożsamość.

– Harry, o tej porze nikogo tam nie będzie. Art dyżurował pod telefonem. On powinien to zrobić.

– Art będzie miał dużo roboty. Spróbuj ściągnąć kogoś z domu. Musimy mieć potwierdzenie.

– Postaram się, ale nie mogę niczego obie...

– Dobrze. Później skontaktuj się z załogami wszystkich patroli, które miały służbę w okolicy, i spytaj, czy ktoś widział rollsa. Powers – ten gliniarz przy drodze – wyciągnie nadużywki gówniarzy, którzy się tu pętają. Ich też zacznij sprawdzać. Potem możesz się zabrać do papierów.

– Cholera, wygląda na to, że będę miał szczęście, jeżeli uda mi się zacząć pisać przed przyszłym poniedziałkiem.

Ignorując jego zrzędzenie, Bosch obrzucił krótkim spojrzeniem oboje partnerów.

– Pojadę przypilnować oględzin ciała. Gdybym musiał zostać dłużej, Kiz, skoczysz do jego biura, a ja zawiadomię rodzinę. Wszystko jasne?

Rider i Edgar przytaknęli. Bosch widział, że Edgar wciąż jest rozdrażniony.

– Ruszaj, Kiz.

Odeszła, a kiedy Bosch zyskał pewność, że nie może go już usłyszeć, spytał:

– Dobra, Jerry, o co chodzi?

– Chcę tylko wiedzieć, czy tak ma wyglądać nasza współpraca. Czy odtąd zawsze mam odwalać gównianą robotę, a księżniczka będzie się obijać?

– Nie, Jerry, to nie będzie tak wyglądać i chyba na tyle mnie znasz, żeby nie zadawać takich pytań. O co naprawdę chodzi?

– Nie podoba mi się, jak to rozgrywasz, Harry. Powinniśmy dzwonić do PZ. Z daleka czuć, że to działka przestępczości zorganizowanej. Myślę, że powinieneś z nimi pogadać, ale nie chcesz tego zrobić, bo właśnie wróciłeś do roboty i za długo czekałeś na swoją sprawę. O to chodzi. – Edgar rozłożył ręce, chcąc podkreślić, że to dla niego oczywiste. – Harry, dobrze wiesz, że nie musisz niczego udowadniać. Zabójstw ci nie zabraknie. To jest Hollywood, nie? Wydaje mi się, że trzeba oddać sprawę i czekać na następną.

Bosch skinął głową.

– Być może masz rację – odrzekł. – I pewnie masz. W każdym punkcie. Ale to ja jestem szefem trójki. Dlatego na razie zrobimy tak, jak mówię. Zadzwonię do Kanar i powiem jej, co jest, a potem zadzwonię do PZ. Ale jeżeli nawet postanowią się ruszyć, część sprawy zostawią nam. Sam wiesz. Dlatego zróbmy to dobrze, zgoda?

Edgar niechętnie kiwnął głową.

– Słuchaj, Jerry, twój sprzeciw został odnotowany – dodał Bosch.

– Jasne, Harry.

Bosch zobaczył wjeżdżającą na polankę niebieską furgonetkę koronera. Za kierownicą siedział Richard Matthews. Na szczęście dla nich. Matthews nie przejmował się sztywnymi procedurami i Bosch miał nadzieję, że uda mu się go przekonać do swojego planu, by przewieźć samochód z ciałem do baraku. Matthews zrozumie, że to najlepsza decyzja.

– Będziemy w kontakcie – powiedział Bosch do oddalającego się Edgara.

Nie odwracając się, Edgar ponuro machnął mu ręką.

Przez kilka chwil Bosch stał samotnie wśród ludzi krzątających się na miejscu przestępstwa. Zdał sobie sprawę, że naprawdę doskonale czuje się w swojej roli. Początek sprawy zawsze go tak ożywiał i Harry uświadomił sobie, jak bardzo brakowało mu tego uczucia przez ostatnie półtora roku.

W końcu dał spokój tym rozmyślaniom i podszedł do samochodu ekipy koronera, aby pogadać z Matthewsem. Po ostatnich dźwiękach *Szeherezady* w Bowl rozległy się oklaski.

Pracownię, gdzie kryminalistycy badali wielkogabarytowe przedmioty, urządzono w półokrągłym baraku wojskowym ustawionym na placu służb miejskich za siedzibą policji Parker Center. Pozbawiony okien budynek miał podwójne drzwi garażowe. Wnętrze pomalowano na czarno, a wszystkie szczeliny i szpary, którymi mogło się dostać światło, zostały dokładnie zaklejone. Tuż za bramą wisiały grube czarne kotary, które zaciągano zaraz po zamknięciu drzwi. Wówczas wewnątrz baraku robiło się ciemno jak w sercu lichwiarza. Pracujący tu technicy często nazywali go „pieczarą".

Kiedy zdjęto rolls-royce'a z policyjnej lawety, Bosch położył aktówkę na jednym ze stołów i wyciągnął telefon. Wydział do walki z przestępczością zorganizowaną stanowił tajemniczy klub działający wewnątrz większego zamkniętego klubu, jakim był departament. Bosch niewiele wiedział o PZ i znał niewielu detektywów pracujących w wydziale. Komórka ta była zagadką nawet dla funkcjonariuszy z departamentu. Niewiele osób dokładnie wiedziało, czym się zajmuje. A to, rzecz jasna, wzbudzało podejrzenia i zazdrość.

Ludzie z innych wydziałów nazywali ludzi z PZ buldożerami – zgarniali sprawy, odbierając je detektywom takim jak Bosch, ale ich śledztwa rzadko przynosiły efekty. Bosch widział, jak wiele spraw znikało w biurach mądrali z PZ, jednak niewiele kończyło się aktami oskarżenia. Był to jedyny wydział w departamencie o ściśle tajnym budżecie, uchwalanym na zamkniętych posiedzeniach przez komendanta i komisję policyjną, która na ogół bez szemrania przyjmowała decyzje szefa. Pieniądze przepadały w czarnej dziurze, idąc na finansowanie informatorów, śledztw i supernowoczesnego sprzętu. Wiele spraw także znikało w tej czeluści.

Bosch poprosił centralę o połączenie z funkcjonariuszem PZ dyżurującym pod telefonem w czasie weekendu. Czekając na rozmowę, znów pomyślał o zwłokach w bagażniku. Anthony Aliso – jeśli to rzeczywiście był on – wiedział, co go czeka, i instynktownie zamknął oczy. Bosch miał nadzieję, że w jego przypadku będzie inaczej. Nie chciał wiedzieć.

– Halo? – usłyszał głos w słuchawce.

– Tu Harry Bosch, detektyw wezwany do zabójstwa w Hollywood. Z kim rozmawiam?

– Dom Carbone. Dyżuruję pod telefonem, ale mam weekend. Zamierzasz mi go zepsuć?

– Być może. – Bosch zastanowił się przez chwilę. Nazwisko brzmiało znajomo, lecz nie potrafił sobie przypomnieć, gdzie mógł je słyszeć. Był pewien, że nigdy razem nie pracowali. – Właśnie dlatego dzwonię. Pomyślałem, że może będziecie chcieli rzucić na to okiem.

– Mów, o co chodzi.

– Jasne. Biały mężczyzna w bagażniku swojego rollsa silver cloud, dwie kulki w tył głowy. Prawdopodobnie z dwudziestki-dwójki.

– Co jeszcze?

– Samochód stał na drodze pożarowej przy Mulholland. Nie wygląda mi na motyw rabunkowy. W każdym razie nie ukradli mu rzeczy osobistych. Miał portfel z kartami i gotówką, a na ręce roleksa. Z brylantem przy każdej godzinie.

– Nie mówisz, kim jest ten truposz. Kto to jest?

– Nie mamy jeszcze potwierdzenia, ale...

– Podaj mi nazwisko.

Bosch nie potrafił dopasować twarzy do słyszanego w słuchawce głosu.

– Wszystko wskazuje, że to Anthony N. Aliso. Czterdzieści osiem lat, mieszka na wzgórzach. Ma jakąś firmę z biurem w jednym ze studiów na Melrose, przy Paramount. Interes nazywa się TNA Productions. Wydaje mi się, że to w Archway Studios. Niedługo będziemy wiedzieć więcej.

Odpowiedziała mu cisza.

– Coś ci to mówi?

– Anthony Aliso.

– Zgadza się.

– Anthony Aliso.

Carbone powtórzył powoli, jak gdyby smakował wino, zastanawiając się, czy je wypluć, czy zatrzymać całą butelkę. Zamilkł na dłuższą chwilę.

– Nic mi się nie kojarzy, Bosch – odparł wreszcie. – Mogę podzwonić. Gdzie będziesz?

– W baraku kryminalistyki. Mamy go tutaj i będę tu jeszcze przez jakiś czas.

– Co, macie w baraku ciało?

– To długa historia. Kiedy będziesz się mógł do mnie odezwać?

– Jak tylko popytam. Byliście w jego biurze?

– Jeszcze nie. Zamierzamy tam wpaść dzisiaj.

Bosch podał mu numer swojej komórki, po czym zamknął telefon i włożył do kieszeni marynarki. Przez moment rozmyślał nad reakcją Carbone'a, gdy ten usłyszał nazwisko ofiary. Uznał jednak, że nie potrafi jej zinterpretować.

Kiedy rolls-royce został wprowadzony do baraku i zamknięto drzwi, Donovan zasunął kotary. Zapalił górne świetlówki i zaczął przygotowywać sprzęt. Matthews, technik z biura koronera, oraz jego dwaj asystenci skupili się przy jednym ze stołów, wyciągając z nesesera potrzebne narzędzia.

– Harry, nie będę się spieszyć, zgoda? Najpierw sprawdzę laserem bagażnik z gościem w środku. Potem go wyciągniemy. Później potraktujemy wóz oparami kleju i jeszcze raz przejedziemy laserem. A potem zobaczymy.

– Ty tu rządzisz. Masz tyle czasu, ile będziesz potrzebował.

– Pomożesz mi z laserem, kiedy będę robił zdjęcia. Roland musiał pojechać pstrykać inne miejsce.

Bosch skinął głową, przyglądając się, jak technik przykręca pomarańczowy filtr do nikona. Donovan zawiesił aparat na szyi, po czym włączył laser. Była to skrzynka wielkości magnetowidu z dołączonym kablem, który był zakończony trzydziestocentymetrową głowicą zaopatrzoną w uchwyt. Końcówka głowicy emitowała pomarańczową wiązkę światła.

Donovan otworzył szafkę i wyciągnął z niej kilka par pomarańczowych okularów ochronnych, które rozdał wszystkim. Ostatnią parę zostawił sobie. Następnie podał Boschowi parę lateksowych rękawiczek.

– Szybko przelecę bagażnik z zewnątrz, a potem go otworzymy – poinformował go technik.

Gdy Donovan podszedł do wyłącznika, by zgasić górne światła, zabrzęczał telefon w kieszeni Boscha. Donovan zaczekał, aż detektyw odbierze. Dzwonił Carbone.

– Bosch, nie bierzemy tego.

Harry przez chwilę się nie odzywał, podobnie jak Carbone. Donovan pstryknął wyłącznikiem i wnętrze baraku zalał nieprzenikniony mrok.

– To znaczy, że nie macie go na tapecie – powiedział Bosch w ciemnościach.

– Próbowałem się dowiedzieć, dzwoniłem do ludzi. Nikt go nie zna. Nikt nad nim nie pracuje... Naszym zdaniem facet był czysty... Mówiłeś, że wsadzili go do bagażnika i wpakowali dwie kulki, tak?... Bosch, jesteś tam?

– Tak, jestem. Zgadza się, dwie kulki w bagażniku.

– Muzyka z kufra.

– Co?

– Takie powiedzonko cwaniaków z Chicago. Wiesz, kiedy rozwalą jakiegoś biedaka, mówią: „A, Tony? Nie przejmuj się nim. Tony już gra muzykę w kufrze. Więcej go nie zobaczysz". Ale sęk w tym, że coś tu nie pasuje. Nie znamy tego gościa, Bosch. Ludzie, z którymi rozmawiałem, przypuszczają, że może ktoś chce, żeby to wyglądało jak sprawa dla nas. Rozumiesz, co mam na myśli?

Bosch przyglądał się, jak wiązka lasera rozcina ciemność, bombardując światłem tył bagażnika. Okulary filtrowały pomarańczową barwę i światło miało kolor intensywnej bieli. Bosch stał trzy metry od rolls-royce'a, lecz dostrzegł jakieś wzory jaśniejące na klapie bagażnika i zderzaku. Ten widok zawsze przywodził mu na myśl filmy z National Geographic, w których podwodna kamera sunie przez czarną głębię oceanu, kierując strumień światła na wraki zatopionych statków czy samolotów. Wyglądało to trochę upiornie.

– Słuchaj, Carbone – rzekł. – Nie chcesz nawet rzucić na to okiem?

– Nie tym razem. Gdybyś trafił na coś podejrzanego, co by wskazywało, że nie mam racji, to oczywiście zadzwoń. Jutro postaram się dowiedzieć czegoś więcej. Mam twój numer.

Bosch ucieszył się w duchu, że buldożer z PZ nie odbierze mu sprawy, choć z drugiej strony zdziwił go brak zainteresowania. Szybkość, z jaką Carbone go spławił, wydała mu się zagadkowa.

– Podasz mi jeszcze jakieś szczegóły, Bosch?

– Dopiero zaczynamy. Ale powiedz mi, słyszałeś kiedyś, żeby sprawca zabierał ofierze buty? A po wszystkim rozwiązał jej ręce?

– Zabiera buty... rozwiązuje... Nie, na razie nikt mi nie przychodzi do głowy. Ale rano jeszcze popytam i sprawdzę w naszym komputerze. Masz coś jeszcze?

Boschowi nie spodobała się jego dociekliwość. Carbone twierdził, że nie jest zainteresowany sprawą, ale Bosch odniósł zupełnie inne wrażenie. Powiedział, że Tony Aliso nie ma powiązań ze zorganizowaną przestępczością, mimo to chciał znać szczegóły. Czyżby chciał tylko pomóc, czy może kryło się za tym coś jeszcze?

– W tej chwili wiemy tylko tyle – powiedział Bosch, postanawiając, że niczego więcej za darmo mu nie zdradzi. – Mówiłem, że dopiero zabieramy się do roboty.

– W porządku. Wobec tego rano jeszcze się rozejrzę. Gdybym coś znalazł, zadzwonię, może być?

– Zgoda.

– Odezwę się. Ale wiesz, co to moim zdaniem może być? Masz gościa, który pewnie przystawiał się do czyjejś żony. Nieraz zdarzają się historie, które wyglądają na robotę zawodowca, a nie są. Rozumiesz, co mam na myśli, Bosch?

– Tak, rozumiem. Do usłyszenia.

Bosch podszedł do tyłu rolls-royce'a. Z bliska zobaczył, że koliste wzory, które wcześniej widział w świetle lasera, to smugi pozostawione przez ścierkę. Prawdopodobnie cały samochód został starannie wytarty.

Kiedy jednak Donovan skierował wiązkę lasera na zderzak, na chromowanej powierzchni ukazał się częściowy odcisk buta.

– Czy ktoś...

– Nie – odparł Bosch. – Nikt nie opierał tu stopy.

– W porządku. Poświeć na ten ślad.

Bosch spełnił polecenie, a Donovan pochylił się i zrobił serię fotografii, korygując naświetlenie, by uzyskać co najmniej jedno wyraźne ujęcie. Był to ślad przedniej części podeszwy. U góry widać było kolisty wzór z rozchodzącymi się promieniście żyłkami. Śródstopie przecinała poprzeczna linia i w tym miejscu na krawędzi zderzaka ślad się kończył.

– Buty sportowe – powiedział Donovan. – Albo takie na grubej podeszwie.

Skończywszy pstrykać zdjęcia, ponownie omiótł bagażnik wiązką lasera, lecz nie zobaczył nic prócz śladów po ścierce.

– No, można otwierać – orzekł technik.

Oświetlając sobie drogę małą latarką, Bosch podszedł do drzwi kierowcy i pochylił się, by pociągnąć dźwignię zwalniającą zamek bagażnika. Chwilę później barak wypełnił się odorem śmierci.

Bosch odniósł wrażenie, że ciało nie zmieniło pozycji podczas transportu. Ale w ostrym blasku lasera twarz ofiary wyglądała upiornie i przypominała pomalowane odblaskową farbą kościotrupie potwory z kolejek strachu w wesołych miasteczkach. Krew wydawała się czarniejsza, a kontrapunkt stanowiła biel odłamków kości w poszarpanej ranie.

Na ubraniu mężczyzny jaśniały drobne pasemka włosów i skrawki nitek. Bosch podszedł do bagażnika uzbrojony w pincetę i plastikową fiolkę wielkości pojemniczka do przechowywania srebrnych półdolarówek. Starannie zebrał z odzieży kawałeczki potencjalnych dowodów i włożył do fiolki. Była to mozolna praca, choć wątpił, by przyniosła jakiś efekt. Wiedział, że taki materiał można znaleźć u każdego i wszędzie.

Gdy skończył, powiedział do Donovana:

– Jeszcze tył marynarki. Podniosłem ją, kiedy szukałem portfela.

– Dobra, opuść ją z powrotem.

Bosch spełnił polecenie i na biodrze Alisa zobaczyli drugi odcisk buta. Taki sam jak ślad na zderzaku, ale pełniejszy. Na obcasie także widniał wzór z rozchodzącymi się wokół niego żyłkami. Wyżej dostrzegli coś, co mogło być nazwą marki, lecz napis był nieczytelny.

Bez względu na to, czy uda się zidentyfikować but, Bosch wiedział, że to cenne znalezisko. Oznaczało, że ostrożny morderca popełnił jednak błąd. Co najmniej jeden. Gdyby trop donikąd nie prowadził, mogli mieć przynajmniej nadzieję, że odkryją inne błędy, które pozwolą w końcu znaleźć sprawcę.

– Weź laser.

Bosch skierował snop światła na odcisk, podczas gdy Donovan robił zdjęcia.

– Pstrykam do dokumentacji, ale zanim zabiorą ciało, zdejmiemy mu marynarkę – rzekł.

Potem technik przesunął laser po wewnętrznej stronie klapy bagażnika. Ukazały się liczne odciski palców, głównie kciuków, w miejscu, gdzie zwykle kładzie się dłoń, by unieść klapę, wkładając lub wyciągając bagaż. Wiele odcisków zachodziło na siebie, z czego Bosch wywnioskował, że były stare i prawdopodobnie należały do ofiary.

– Zrobię zdjęcia, ale na nic nie licz – oświadczył Donovan.

– Wiem.

Kiedy Donovan skończył, położył głowicę i aparat na skrzynce lasera i powiedział:

– To co, zanim facet stąd wyjedzie, może go wyciągniemy i ekspresowo prześwietlimy?

Nie czekając na odpowiedź, włączył jarzeniówki, a wszyscy przesłonili oczy, oślepieni ostrym światłem. Po kilku chwilach Matthews i jego asystenci zbliżyli się do bagażnika i zaczęli przenosić zwłoki do czarnego plastikowego worka, który rozwinęli na wózku obok.

– Jest miękki – zauważył Matthews, kiedy kładli ciało.

– Tak – odparł Bosch. – Co o tym sądzisz?

– Czterdzieści dwie, najwyżej czterdzieści osiem godzin. Zobaczymy, muszę tylko zrobić parę rzeczy.

Najpierw jednak Donovan ponownie zgasił lampy i omiótł laserem ciało, zaczynając od głowy. Zaschnięte w oczodołach łzy zalśniły bielą. Na twarzy denata ukazało się kilka włosków i włókien, które Bosch pieczołowicie zebrał do fiolki. Na prawym policzku zobaczył też drobne otarcie, którego wcześniej nie dostrzegł, gdy ofiara leżała na boku w bagażniku.

– Może powstało przy uderzeniu albo kiedy został wepchnięty do kufra – zasugerował Donovan.

Przesuwając wiązkę lasera niżej, technik nagle się ożywił.

– Popatrz no.

U góry prawego rękawa skórzanej marynarki zajaśniał ślad – kompletny odcisk dłoni – a na klapach dwa, odrobinę zatarte, odciski kciuków. Donovan schylił się, by lepiej je obejrzeć.

– To impregnowana skóra, nie wchłania kwasów. Mamy sporo szczęścia, Harry. Gdyby gość był ubrany w coś innego, miałbyś figę z makiem nie odciski. Ręka jest fantastyczna. Kciuki trochę... chyba po kleju będą lepiej widoczne. Harry, odegnij jedną klapę.

Bosch sięgnął do lewej klapy i delikatnie odchylił materiał. Na wewnętrznej stronie zobaczył odciski czterech palców. Wyglądało więc na to, że ktoś złapał Tony'ego Aliso za klapy.

Donovan gwizdnął.

– Wydaje mi się, że to dwie różne osoby. Popatrz na rozmiar kciuków i na ślad na rękawie. Moim zdaniem dłoń jest mniejsza, Harry. Może należała do kobiety. Nie wiem. Ale ten, kto złapał go za klapy, miał duże łapska.

Ze skrzynki z narzędziami Donovan wyciągnął nożyce, starannie rozciął skórzaną marynarkę i zdjął z ciała. Bosch przytrzymał ją, podczas gdy technik sprawdzał marynarkę laserem. Poza śladem buta i odciskami, które już zobaczyli, nic nie znalazł. Bosch powiesił marynarkę na krześle i odwrócił się w stronę zwłok. Donovan przesuwał promień lasera wzdłuż dolnych kończyn.

– Co jeszcze? – mruknął, nie zwracając się do nikogo konkretnego. Być może mówił do ciała. – No, pokaż się.

Na spodniach znalazł jedynie parę włókien i jakieś stare plamy. Nie natknęli się na nic istotnego, dopóki nie spojrzeli na mankiety. Kiedy Bosch odwinął mankiet prawej nogawki, w zagięciu ujrzeli kurz i włókna, wśród których błysnęło pięć drobinek złotego brokatu. Bosch ostrożnie przeniósł je pincetą do oddzielnej plastikowej fiolki. W lewym mankiecie znalazł jeszcze dwa takie okruchy.

– Co to? – zapytał.

– Nie mam pojęcia. Wygląda jak brokat.

Donovan przejechał wiązką lasera bose stopy. Były czyste, co wskazywało na to, że ofierze zdjęto buty dopiero po wepchnięciu jej do bagażnika rolls-royce'a.

– To tyle – rzekł Donovan.

Gdy zapalono światła, do pracy przystąpił Matthews: poruszał stawami denata, rozpinał koszulę i badał plamy opadowe, zaglądał mu do oczu i kręcił jego głową. Donovan spacerował po baraku, czekając, aż technik koronera skończy, by kontynuować laserowy pokaz. Podszedł do Boscha.

– Harry, chcesz usłyszeć PH?

– Pecha?

– Przemądrzałą hipotezę.

– Owszem – odparł rozbawiony Bosch. – Słucham.

– Moim zdaniem było tak. Ktoś tego faceta zaskoczył. Związał go, wrzucił do bagażnika i zawiózł na tamtą drogę pożarową. Gość ciągle żyje. Potem sprawca wysiada, otwiera bagażnik, stawia stopę na zderzaku i już chce strzelić, ale nie może sięgnąć tak daleko, żeby przyłożyć lufę do głowy, rozumiesz? A to dla niego ważne, żeby porządnie wykonać robotę. No więc opiera nogę o jego biodro, nachyla się bliżej i bach, bach, koniec. Co o tym myślisz?

Bosch skinął głową.

– Myślę, że jesteś na właściwym tropie.

Doszedł do podobnego wniosku, ale w swoich dedukcjach zastanawiał się już nad innym problemem.

– Tylko jak wrócił? – zapytał.

– Dokąd wrócił?

– Jeżeli facet cały czas tkwił w bagażniku, to sprawca siedział za kółkiem rollsa. Jeśli przyjechał tam rollsem, to jakoś opuścił to miejsce.

– Wspólnik – wyjaśnił Donovan. – Na marynarce mamy odciski dwóch różnych osób. Druga mogła jechać za rollsem. Kobieta. Ta, która położyła rękę na ramieniu ofiary.

Bosch pokiwał głową. Zastanawiał się już nad taką możliwością, ale w scenariuszu przedstawionym przez Donovana coś mu się nie podobało. Nie był pewien co.

– No dobrze, Bosch – przerwał im Matthews. – Chcesz poznać szczegóły już dzisiaj czy zaczekasz na protokół?

– Dzisiaj – odrzekł Bosch.

– To posłuchaj. Plamy opadowe są utrwalone i się nie przemieszczają. Ciała nie ruszano, odkąd przestało bić serce. – Zajrzał do notatek. – Co jeszcze? Stężenie pośmiertne ustąpiło w dziewięćdziesięciu procentach, jest zmętnienie rogówki i śliskość skóry. Na tej podstawie można założyć, że śmierć nastąpiła czterdzieści sześć do czterdziestu ośmiu godzin temu. Daj nam znać, gdybyś znalazł inne wskazówki, wtedy być może podam ci coś konkretniejszego.

– Jasne – odparł Bosch.

Mówiąc o wskazówkach, Matthews miał na myśli ustalenie, co ofiara jadła ostatniego dnia życia i kiedy, by na podstawie stopnia strawienia zawartości żołądka mógł lepiej określić czas śmierci.

– Jest już twój – poinformował Matthewsa Bosch. – Wiesz, kiedy mniej więcej będzie sekcja?

– Załapałeś się na koniec długiego weekendu. Masz pecha. Z tego, co słyszałem, pracujemy nad dwudziestoma siedmioma zabójstwami z całego okręgu. Jeżeli wszystko pójdzie dobrze, tego zaczniemy kroić dopiero w środę. Zadzwonimy do ciebie.

– Jasne, znam to na pamięć.

Tym razem jednak Bosch nie bardzo przejmował się zwłoką. W takich sprawach autopsja rzadko przynosiła jakieś niespodzianki. Przyczyna śmierci nie pozostawiała raczej żadnych wątpliwości. Zagadką było tylko, kto to zrobił i dlaczego.

Matthews wraz z asystentami wywieźli ciało z baraku, zostawiając Boschowi i Donovanowi pusty samochód. Technik w milczeniu przyglądał się rolls-royce'owi z miną matadora taksującego byka, z którym ma się rozprawić.

– Odkryjemy jego tajemnice, Harry.

Odezwał się telefon Boscha i detektyw pospiesznie wysupłał aparat z kieszeni marynarki. Dzwonił Edgar.

– Zidentyfikowaliśmy go, Harry. To Aliso.

– Na podstawie odcisków?

– Tak. Mossler ma w domu faks. Wysłałem mu wszystko i rzucił na to okiem.

Mossler był jednym z ekspertów od daktyloskopii wydziału kryminalistycznego.

– Pasowało do odcisku kciuka z prawa jazdy?

– Zgadza się. Poza tym wyciągnąłem cały zestaw odcisków Tony'ego z jakiejś starej sprawy o stręczycielstwo. Mossler porównał je z kartą. To Aliso.

– Dobra robota. Masz coś jeszcze?

– Sprawdziłem kartoteki. Jest w miarę czysty. Tylko jedno aresztowanie za stręczycielstwo w siedemdziesiątym piątym. Ale znalazłem parę drobiazgów. W marcu włamali mu się do domu. No i w rejestrze spraw cywilnych jest parę pozwów przeciwko niemu. Zdaje się, że o jakieś naruszenia warunków umowy. Łańcuszek złamanych obietnic i wkurzonych ludzi, Harry, dobry materiał na motyw.

– O co chodziło w tych sprawach?

– Na razie mam tylko tyle, streszczenia z rejestru spraw cywilnych. Dostanę akta, kiedy pojadę do sądu.

– Dobra. Pytałeś w wydziale poszukiwania zaginionych?

– Tak, pytałem. Nie zgłaszano zaginięcia. A jak u ciebie, masz coś?

– Być może. Chyba mieliśmy szczęście. Będziemy mieli odciski z ciała. Dwa pełne zestawy.

– Z ciała? Fantastycznie.

– Ze skórzanej marynarki.

Bosch wyczuł w głosie Edgara podniecenie. Obaj detektywi wiedzieli, że jeżeli nie będą to odciski palców podejrzanego, to na pewno pozostawił je ktoś, kto widział się z ofiarą na krótko przed jej śmiercią.

– Dzwoniłeś do PZ?

Bosch czekał na to pytanie.

– Tak. Nie biorą sprawy.

– Co?

– Tak mi powiedzieli. Przynajmniej na razie. Dopóki nie znajdziemy czegoś, co ich zaciekawi.

Bosch miał wątpliwości, czy Edgar w ogóle uwierzył, że dzwonił do wydziału.

– Harry, to się nie trzyma kupy.

– Może, ale róbmy swoje. Miałeś jakąś wiadomość od Kiz?

– Jeszcze nie. Z kim z PZ rozmawiałeś?

– Jakimś Carbone'em. Miał dyżur.

– Nigdy o nim nie słyszałem.

– Ja też. Muszę kończyć, Jerry. Daj znać, jeśli się o czymś dowiesz.

Gdy tylko Bosch się rozłączył, drzwi do baraku się otworzyły i wkroczyła porucznik Grace Billets. Krótkim spojrzeniem obrzuciła wnętrze i zobaczyła Donovana pracującego w samochodzie. Poprosiła Boscha, by wyszedł z nią na zewnątrz, z czego Harry odgadł, że nie jest zadowolona.

Kiedy wyszli, Billets zamknęła drzwi. Miała czterdzieści kilka lat i służyła mniej więcej tyle samo co Bosch, lecz dopóki nie została jego przełożoną, nigdy wcześniej razem nie pracowali. Była średniej budowy ciała i miała rudobrązowe, krótko obcięte włosy. Nie nosiła makijażu. Od stóp do głów była ubrana na czarno – w dżinsy, koszulkę i marynarkę. Plus czarne kowbojki. Jedynym ustępstwem na rzecz kobiecości była para cienkich złotych kolczyków. Natomiast jej zachowanie nie zdradzało żadnych skłonności do ustępstw.

– Co się dzieje, Harry? Zabrałeś ciało z miejsca przestępstwa w samochodzie?

– Musiałem. Chyba że wyciągałbym je z bagażnika na oczach dziesięciu tysięcy ludzi i urządziłbym przedstawienie lepsze od pokazu fajerwerków, który mieli oglądać.

Bosch szczegółowo opisał sytuację, a Billets słuchała go w milczeniu. Gdy skończył, pokiwała głową.

– Przepraszam – powiedziała. – Nie znałam szczegółów. Wygląda na to, że nie miałeś wyboru.

To właśnie podobało się w niej Boschowi. Nie zawsze miała rację i potrafiła się do tego przyznać.

– Dzięki, poruczniku.

– No to co mamy?

Kiedy Bosch i Billets wrócili do baraku, Donovan pracował nad rozłożoną na stole skórzaną marynarką. Powiesił ją na drucie wewnątrz czterystulitrowego akwarium, a do środka wrzucił paczuszkę folii Hard Evidence. Po otwarciu uwalniały się z niej pary cyjanku akrylu i przywierały do aminokwasów i tłuszczów pozostawionych przez palce, krystalizując się na odciskach, dzięki czemu linie papilarne stawały się bardziej widoczne i można je było sfotografować.

– Jak to wygląda? – spytała Billets.

– Całkiem nieźle. Coś z tego będzie. Siemasz, poruczniku.

– Cześć – odrzekła Billets.

Bosch zauważył, że jego szefowa nie pamięta imienia Donovana.

– Słuchaj, Art – powiedział – kiedy zdejmiesz te odciski, podrzuć do laboratorium, a potem zadzwoń do mnie albo do Edgara. Każemy zrobić analizę w kodzie trzy.

Kod trzy w nomenklaturze patrolowej oznaczał przyjazd na wezwanie na sygnale i z syreną. Bosch musiał jak najszybciej mieć wynik badania. Dotąd odciski były najlepszym śladem.

– Zrobi się, Harry.

– Co z rollsem? Mogę już zajrzeć do środka?

– Jeszcze nie skończyłem. Możesz zajrzeć, ale bądź ostrożny.

Bosch zaczął przeszukiwać wnętrze samochodu, na początku sprawdzając kieszenie w drzwiach i z tyłu siedzeń, w których nie znalazł nic. Otworzył popielniczkę, ale była pusta, bez odrobiny popiołu. Zanotował w pamięci, że ofiara prawdopodobnie nie paliła.

Billets stała z boku i przyglądała się jego poczynaniom, choć nie pomagała. Awansowała na szefa biura detektywów głównie dzięki swoim zdolnościom administracyjnym, nie śledczym. Wiedziała, kiedy ma się wycofać i nie przeszkadzać.

Bosch zajrzał pod siedzenia, gdzie nie znalazł nic interesującego. Wreszcie otworzył schowek, z którego wyleciała jakaś karteczka. Był to kwit od obsługi lotniskowego parkingu. Trzymając paragon za róg, Bosch podszedł do stołu i poprosił Donovana, by sprawdził, czy są na nim jakieś odciski palców.

Następnie wrócił do przeszukiwania schowka, w którym znalazł umowę leasingową, dowód rejestracyjny, książkę serwisową oraz mały zestaw narzędzi z latarką. Była tam także w połowie zużyta tubka maści Preparation H, specyfiku na hemoroidy. Pomyślał, że to trochę dziwne miejsce na trzymanie leku, ale być może Aliso chciał mieć tubkę pod ręką na długie trasy.

Kiedy umieszczał wszystkie przedmioty ze schowka w osobnej torebce, w zestawie z narzędziami zauważył zapasową baterię. Zdziwił się, bo w latarce mieściły się dwie baterie. Jedna zapasowa na niewiele by się zdała.

Nacisnął włącznik latarki. Nie działała. Zdjął nakrętkę i z obudowy wysunęła się jedna bateria. Zaglądając do środka, Bosch dostrzegł plastikową torebkę. Wydłubał ją za pomocą długopisu. W środku były chyba dwa tuziny brązowych ampułek.

Billets podeszła bliżej.

– Poppers – wyjaśnił Bosch. – Azotan amylu. Podobno pomaga w lepszym finiszu. No wiesz, poprawia orgazm.

Nagle zapragnął wyjaśnić, że nie zawdzięcza tej wiedzy osobistym doświadczeniom.

– Znam to z poprzednich spraw.

Porucznik skinęła głową. Zbliżył się do nich Donovan, trzymając w ręku paragon z parkingu w przezroczystej plastikowej kopercie.

– Parę rozmazanych śladów. Nic konkretnego.

Bosch wziął od niego kwitek. Potem zaniósł na blat torebki ze znalezionymi przedmiotami.

– Art, zabieram paragon, ampułki i książkę serwisową samochodu, zgoda?

– Nie ma sprawy.

– Zostawię ci bilet lotniczy i portfel. Dobrze by było, gdybyś się pospieszył ze zdejmowaniem odcisków z marynarki... co jeszcze? Ach tak, te świecidełka. Na kiedy zdążysz?

– Mam nadzieję, że na jutro. Rzucę okiem na te włókna, ale pewnie na razie zostaną do wykluczenia.

Oznaczało to, że większość zebranego materiału po zbadaniu zostanie odłożona do magazynu i będzie mogła zostać wykorzystana tylko w razie zidentyfikowania podejrzanego. Wówczas na ich podstawie da się albo udowodnić jego związek z miejscem przestępstwa, albo wykluczyć go z kręgu podejrzanych.

Bosch zdjął z półki nad blatem dużą kopertę, włożył do niej wszystkie dowody, jakie chciał zabrać, a następnie schował w aktówce i zatrzasnął zamki. Razem z Billets ruszyli w stronę kotar.

– Miło cię było znowu zobaczyć, Art – powiedziała Billets.

– Nawzajem, poruczniku.

– Mam zadzwonić po lawetę, żeby przyjechali po wóz? – zapytał Bosch.

– Nie, jeszcze trochę przy nim posiedzę – odparł Donovan. – Przejadę odkurzaczem i spróbuję użyć innych sztuczek. Zajmę się tym, Harry.

– W porządku. Do zobaczenia.

Bosch i Billets wyszli przez kotary i opuścili barak. Na zewnątrz Bosch zapalił papierosa i spojrzał w ciemne, bezgwiezdne niebo. Billets też zapaliła.

– Dokąd się teraz wybierasz? – spytała.

– Zawiadomić rodzinę. Chcesz ze mną jechać? Zawsze jest miło.

Skwitowała jego sarkastyczną uwagę uśmiechem.

– Nie, chyba sobie daruję. Ale zanim pojedziesz, powiedz, co ci nos podpowiada? Trochę mnie niepokoi, że PZ tak łatwo odpuścił. Nie chcieli nawet popatrzeć.

– Mnie to też niepokoi. – Zaciągnął się głęboko i wypuścił dym. – Na mój nos może być ciężko. Chyba że coś wyjdzie z tych odcisków. To na razie jedyny punkt zaczepienia.

– Przekaż swoim ludziom, żeby o ósmej wszyscy stawili się u mnie na naradę o stanie sprawy.

– Lepiej o dziewiątej, poruczniku. Może dostaniemy już coś od Donovana.

– Zgoda, niech będzie o dziewiątej. Do jutra, Harry. Słuchaj, kiedy rozmawiamy tak jak teraz, nieoficjalnie, mów mi Grace.

– Jasne, Grace. Dobrej nocy.

Parsknęła krótkim śmiechem, dmuchając przy tym dymem.

– Chyba chciałeś powiedzieć, dobrych resztek nocy.

Jadąc w stronę Mulholland Drive i Hidden Highlands, Bosch zadzwonił na pager Rider, która oddzwoniła z jednego z odwiedzanych domów. Powiedziała mu, że to ostatni z domów na wzgórzu wychodzących na polankę, gdzie stał rolls-royce. Udało się jej znaleźć jedną osobę, która pamiętała, że w sobotę około dziesiątej rano widziała białego rolls-royce'a z tarasu swojego domu. Ten sam człowiek przypuszczał, że samochodu nie było jeszcze w piątek wieczorem, gdy oglądał z tarasu zachód słońca.

– To pasuje do czasu ustalonego przez koronera i zgadza się z godziną na bilecie lotniczym. Czyli przyjmiemy piątek późnym wieczorem, krótko po przylocie z Vegas. Prawdopodobnie w drodze z lotniska do domu. Nikt nie słyszał strzałów?

– Nikogo takiego nie znalazłam. W dwóch domach nikt mi nie otworzył. Właśnie chciałam tam wrócić i spróbować jeszcze raz.

– Może zostaw to sobie na jutro. Jadę do Hidden Highlands. Chyba powinnaś mi towarzyszyć.

Umówili się przed bramą osiedla, gdzie mieszkał Aliso, i Bosch zamknął telefon. Chciał, żeby Kiz była obecna przy powiadomieniu rodziny Alisa o jego śmierci, bo powinna poznać ten ponury obowiązek, a także dlatego, że zgodnie ze statystykami członków najbliższej rodziny należało uważać za potencjalnych podejrzanych. Zawsze dobrze mieć świadka podczas pierwszej rozmowy z osobą, która później mogła się stać obiektem zainteresowania śledczych.

Bosch zerknął na zegarek. Dochodziła dziesiąta. Konieczność zawiadomienia rodziny oznaczała, że do biura ofiary dotrą najwcześniej o północy. Połączył się z centralą, podał dyżurnej adres na Melrose i poprosił o jego sprawdzenie. Tak jak przypuszczał, znajdowało się tam Archway Pictures. Uznał to za dobrą wiadomość. Archway było studiem średniej wielkości, które przede wszystkim wynajmowało biura i zaplecze produkcyjne niezależnym filmowcom. Z tego, co Bosch wiedział, Archway nie produkował własnych filmów od lat sześćdziesiątych. Mieli szczęście, ponieważ Harry znał kogoś z ochrony studia. Chuckie Meachum, były gliniarz z rabunków i zabójstw, kilka lat temu odszedł na emeryturę i został zastępcą kierownika ochrony w Archway. Mógł im ułatwić wizytę w biurze Aliso. Bosch zastanawiał się, czy wcześniej zadzwonić do Meachuma i umówić się z nim w studiu, ale zrezygnował. Uznał, że nikogo nie chce uprzedzać o swojej wizycie.

Piętnaście minut później dotarł do Hidden Highlands. Na poboczu Mulholland stał samochód Rider. Bosch zatrzymał się przy nim i partnerka wsiadła do jego wozu. Potem skręcił na podjazd przed portiernią przy bramie – niewielki ceglany budynek zajmowany przez jednego strażnika. Mieszkańcy Hidden Highlands byli trochę zamożniejsi od innych, ale ich osiedle nie różniło się od innych małych enklaw zalęknionych bogaczy. Budynki pobudowano między wzgórzami i dolinami wokół Los Angeles. Tajemniczymi składnikami tak zwanego tygla południowej Kalifornii były mury, bramy, budki strażników i prywatna ochrona.

Z portierni wyszedł im na spotkanie strażnik w niebieskim mundurze, który trzymał w ręku podkładkę z papierami, a Bosch otworzył portfel z odznaką. Strażnik był wysokim i szczupłym mężczyzną o zmęczonej, szarej twarzy. Bosch nie rozpoznał go, choć na posterunku słyszał, że większość pracujących tu ochroniarzy rekrutowała się spośród funkcjonariuszy komendy Hollywood. Na tablicy ogłoszeń przed salą odpraw nieraz widział oferty dodatkowej pracy.

Strażnik obrzucił Boscha przelotnym spojrzeniem, celowo nie zatrzymując wzroku na odznace.

– O co chodzi? – spytał w końcu.

– Muszę się dostać do domu Anthony'ego Aliso.

Podał mu adres na Hillcrest, który znaleźli w prawie jazdy ofiary.

– Państwa nazwiska?

– Detektyw Harry Bosch z departamentu Los Angeles. Tu ma pan napisane. A to detektyw Kizmin Rider.

Podsunął mu portfel z odznaką, lecz strażnik nie raczył nawet rzucić okiem. Zapisywał coś na kartce. Bosch zauważył na jego piersi naszywkę z nazwiskiem: Nash. Na blaszanej plakietce widniał napis KAPITAN.

– Spodziewają się waszej wizyty?

– Nie sądzę. Chodzi o sprawę prowadzoną przez policję.

– W porządku, ale muszę zadzwonić. Taki jest regulamin osiedlowy.

– Wolałbym, żeby pan tego nie robił, kapitanie Nash.

Bosch miał nadzieję, że zwracając się do strażnika w oficjalny sposób, zyska jego przychylność. Nash zastanowił się przez chwilę.

– Zrobimy tak – odrzekł. – Wpuszczę was i coś wykombinuję, żeby się wytłumaczyć, dlaczego spóźniłem się o parę minut z telefonem. Powiem, że jestem dzisiaj sam i mam za dużo pracy, żeby ze wszystkim zdążyć.

Cofnął się i sięgnął za otwarte drzwi portierni. Gdy nacisnął przycisk na ścianie, uniósł się szlaban.

– Dzięki, kapitanie. Pracuje pan w komendzie Hollywood?

Bosch wiedział, że nie. Domyślał się nawet, że Nash w ogóle nie jest policjantem. Nie miał zimnego spojrzenia gliny. Ale Bosch przygotowywał grunt na wypadek, gdyby strażnik miał się okazać cennym źródłem informacji.

– Nie – odrzekł Nash. – Mam tu cały etat. Dlatego zrobili mnie kapitanem straży. Dla innych to dodatkowa robota. Są na służbie w biurach szeryfa w Hollywood albo West Hollywood. Ja układam grafik.

– Czemu więc trafił się panu dyżur w niedzielę wieczorem?

– Czasem przydaje się parę nadgodzin.

Bosch pokiwał głową.

– Racja. Hillcrest... gdzie to jest?

– A, zapomniałem. Druga w lewo. W szóstym domu po prawej mieszka Aliso. Z basenu jest ładny widok na miasto.

– Znał go pan? – spytała Rider, pochylając się, by spojrzeć na Nasha przez okno po stronie Boscha.

– Alisa? – Nash niemal zgiął się wpół, żeby ją zobaczyć. Zastanowił się przez chwilę. – Nie bardzo. Tak jak innych, którzy wjeżdżają przez bramę. Chyba traktują mnie tak samo jak czyściciela basenów. Zauważyłem, że pyta pani, czy go znałem. Czyżbym nie miał już okazji go poznać?

– Spostrzegawczy pan jest, panie Nash – powiedziała Rider.

Wyprostowała się na znak, że uważa rozmowę za zakończoną. Bosch podziękował mu skinieniem głowy i przez bramę wjechał na osiedle. Mijając szerokie, wypielęgnowane trawniki przed domami wielkości apartamentowców, przekazał Rider wszystko, czego dowiedział się w baraku i od Edgara. Równocześnie podziwiał imponujące posiadłości, obok których przejeżdżali. Wiele z nich otaczały mury lub wysokie żywopłoty o równiutkich krawędziach, jak gdyby przycinano je każdego ranka. Mury za murami, pomyślał Bosch. Zastanawiał się, co właściciele robią ze swoją przestrzenią poza tym, że bojaźliwie strzegą jej przed innymi.

Odnalezienie domu Alisa w ślepej uliczce na szczycie wzgórza zajęło im pięć minut. Przez otwartą bramę wjechali na kręty, wyłożony szarą brukową kostką podjazd przed posiadłością w stylu Tudorów. Bosch wysiadł, zabierając ze sobą aktówkę, i spojrzał na rezydencję. Budynek przytłaczał swoją wielkością, ale jego styl pozostawiał wiele do życzenia. Harry nigdy nie kupiłby czegoś takiego, nawet gdyby było go stać.

Gdy stanęli przed drzwiami, Bosch nacisnął dzwonek i spojrzał na Rider.

– Robiłaś to już kiedyś?

– Nie, ale wychowałam się na południu miasta. Często strzelali na ulicach. Nieraz widziałam, jak ludzie dostawali wiadomość.

Bosch skinął głową.

– Nie chcę lekceważyć twoich doświadczeń, ale to co innego. Nie liczy się to, co usłyszysz, ale to, co zauważysz.

Bosch ponownie wcisnął przycisk. Usłyszał dźwięk dzwonka dobiegający zza drzwi. Popatrzył na Rider, która właśnie zamierzała go o coś spytać, lecz w tym momencie otworzyła im jakaś kobieta.

– Pani Aliso? – zapytał Bosch.

– Słucham?

– Pani Aliso, jestem detektyw Harry Bosch z policji Los Angeles. To moja partnerka, detektyw Kizmin Rider. Musimy z panią porozmawiać. Chodzi o pani męża.

Pokazał odznakę, którą kobieta wyjęła mu z dłoni. Członkowie rodzin zwykle nie robili takich rzeczy. Zwykle wzdrygali się na widok odznaki, jakby zobaczyli dziwny i intrygujący przedmiot, którego lepiej jednak nie dotykać.

– Nie rozu...

Przerwał jej odgłos telefonu dzwoniącego w głębi domu.

– Przepraszam państwa na chwilę. Muszę...

– To pewnie Nash z portierni. Mówił, że musi uprzedzić panią o naszej wizycie, ale stała za nami kolejka samochodów. Przypuszczam, że byliśmy szybsi. Musimy z panią porozmawiać.

Cofnęła się, otwierając im szeroko drzwi. Wyglądała na młodszą od męża o pięć, dziesięć lat. Była mniej więcej czterdziestoletnią atrakcyjną i szczupłą brunetką. Jej twarz, którą prawdopodobnie nieraz rzeźbili chirurdzy, pokrywała gruba warstwa makijażu. Mimo to kobieta wyglądała na zmęczoną. Miała lekko zaróżowione policzki, jak gdyby niedawno coś wypiła. Jasnoniebieska sukienka tylko trochę zasłaniała opalone nogi o wciąż wyraźnie zarysowanych mięśniach. Bosch przypuszczał, że kiedyś musiała uchodzić za bardzo piękną, ale powoli wkraczała w okres, gdy kobieta ulega przekonaniu, że jej uroda zaczyna przemijać – nawet jeśli to nieprawda. Może właśnie dlatego tak mocno się malowała. A może po prostu ciągle czekała na powrót męża.

Bosch zamknął drzwi i ruszyli za kobietą do dużego salonu wyłożonego grubym białym dywanem, gdzie reprodukcje współczesnych obrazów na ścianach sąsiadowały z francuskimi antykami. Telefon nadal dzwonił. Kobieta poprosiła Boscha i Rider, aby usiedli, po czym przez drugi korytarz wyszła do małego pokoiku. Bosch usłyszał, jak odbiera telefon, uspokaja Nasha, że nie ma mu za złe spóźnienia, a potem odkłada słuchawkę.

Wróciwszy do salonu, usiadła na pastelowej kanapie w kwiatowy deseń. Bosch i Rider zajęli fotele obite taką samą tkaniną. Bosch rozejrzał się ukradkiem, nigdzie jednak nie zauważył fotografii w ramkach. Sama sztuka. Chcąc ustalić charakter związków w rodzinie, zawsze na początku szukał zdjęć.

– Przepraszam – powiedział. – Nie usłyszałem pani imienia.

– Veronica Aliso. O co chodzi, detektywie? Coś się stało z moim mężem?

Bosch lekko się pochylił. Mimo że robił to już wielokrotnie, nie umiał się do tego przyzwyczaić i nigdy nie był pewien, czy robi to we właściwy sposób.

– Pani Aliso... bardzo mi przykro, ale pani mąż nie żyje. Padł ofiarą zabójstwa. Przykro mi, że muszę panią o tym poinformować.

Obserwował ją badawczo. Przez chwilę się nie odzywała. Instynktownie skrzyżowała na piersi ręce i ze zbolałą miną opuściła głowę. Nie płakała. Jeszcze nie. Bosch wiedział z doświadczenia, że łzy pojawiają się albo na samym początku – gdy tylko rodzina otwiera mu drzwi i już wie – albo znacznie później, kiedy koszmar powoli staje się rzeczywistością.

– Niemoż... Jak to się stało? – zapytała ze wzrokiem wbitym w podłogę.

– Znaleziono go w samochodzie. Został zastrzelony.

– W Las Vegas?

– Nie. Tutaj. Niedaleko stąd. Wszystko wskazuje na to, że jechał z lotniska do domu, kiedy... kiedy ktoś go zatrzymał. Jeszcze nie wiemy, jak to się dokładnie stało. Jego samochód znaleziono przy Mulholland Drive. Obok Hollywood Bowl.

Cały czas się jej przyglądał. Nie podnosiła oczu. Boscha ogarnęły wyrzuty sumienia. Poczuł się winny, bo nie patrzył na tę kobietę ze współczuciem. Za często występował w tej roli. Szukał w jej zachowaniu sztuczności. W takich sytuacjach współczucie wypierała podejrzliwość. Nie mogło być inaczej.

– Coś pani podać? – odezwała się Rider. – Wodę? Ma pani kawę? Może chce pani coś mocniejszego?

– Nie, dziękuję. To po prostu straszny szok.

– Czy w domu są dzieci? – zapytała Rider.

– Nie... nie mamy dzieci. Wiedzą państwo, co się stało? Okradli go?

– To właśnie staramy się ustalić – odrzekł Bosch.

– Oczywiście... Proszę mi powiedzieć, bardzo cierpiał?

– Nie, nie cierpiał – zapewnił ją Bosch.

Pomyślał o łzach zaschniętych w kącikach oczu Tony'ego Aliso. Postanowił o nich nie wspominać.

– To musi być trudne – powiedziała. – Chyba ciężko mówić ludziom takie rzeczy.

Bosch przytaknął, odwracając wzrok. Przypomniał sobie stary żart gliniarzy o najprostszym sposobie zawiadomienia rodziny. Kiedy pani Brown otwiera drzwi, należy spytać: „Czy rozmawiam z wdową Brown?”.

Ponownie spojrzał na wdowę Aliso.

– Dlaczego pytała pani, czy to się stało w Las Vegas?

– Bo poleciał do Las Vegas.

– Jak długo zamierzał tam być?

– Nie wiem. Nigdy nie planował powrotu z góry. Zawsze kupował otwarty bilet, żeby wrócić, kiedy będzie chciał. Zawsze mówił, że wyjeżdża, kiedy odwraca się los. Kiedy opuszcza go szczęście.

– Mamy powody przypuszczać, że wrócił do Los Angeles w piątek wieczorem. Samochód znaleziono dopiero dziś. To dwa dni, pani Aliso. Czy w tym czasie nie próbowała się pani z nim skontaktować?

– Nie. Kiedy tam wyjeżdżał, zwykle do siebie nie dzwoniliśmy.

– Jak często jeździł do Las Vegas?

– Raz czy dwa na miesiąc.

– Ile czasu tam spędzał?

– Najmniej dwa dni, raz nawet cały tydzień. Wszystko zależało od tego, jak mu szło.

– I nigdy pani do niego nie dzwoniła? – spytała Rider.

– Rzadko. Tym razem w ogóle.

– Jeździł tam w interesach czy dla rozrywki? – spytał Bosch.

– Zawsze mi mówił, że w jednym i drugim celu. Podobno spotykał się z jakimiś inwestorami. Ale to był nałóg. Tak myślałam. Kochał hazard i było go stać na grę. Dlatego jeździł.

Bosch pokiwał głową, choć nie wiedział dlaczego.

– Kiedy wyjechał?

– W czwartek. Po wyjściu ze studia.

– I wtedy po raz ostatni go pani widziała?

– W czwartek rano. Zanim wyszedł z domu. Prosto z pracy pojechał na lotnisko. Miał bliżej.

– I nie miała pani pojęcia, kiedy spodziewać się jego powrotu.

Zabrzmiało to jak stwierdzenie. Gdyby chciała, mogłaby zaprzeczyć.

– Szczerze mówiąc, dzisiaj zaczęłam się już niepokoić. W tym mieście człowiek potrafi się dość szybko pożegnać z pieniędzmi. Ale rzeczywiście, pomyślałam, że trochę za długo nie wraca. Ale nie próbowałam go szukać. I teraz zjawili się państwo.

– W co lubił grywać?

– We wszystko. Ale najbardziej w pokera. To jedyna gra, w której przeciwnikiem nie jest kasyno. Firma zabiera swoją część, ale gra się przeciw innym graczom. Tak mi kiedyś tłumaczył. Tylko że innych graczy nazywał bałwanami z Iowa.

– Pani Aliso, czy mąż zawsze bywał tam sam?

Bosch spojrzał do notesu, udając, że pisze coś ważnego, niezbyt interesując się odpowiedzią na swoje pytanie. Zdawał sobie sprawę, że to tchórzowska zagrywka.

– Nie umiem panu powiedzieć.

– Czy kiedykolwiek wyjeżdżała pani razem z nim?

– Nie lubię hazardu. I nie lubię tego miasta. To okropne miejsce. Choćby nie wiem jak je wystroili, zawsze będzie miastem rozpusty i dziwek. Nie mam na myśli tylko prostytutek.

Bosch zauważył, że w jej ciemnych oczach błysnął gniew.

– Nie odpowiedziała pani na pytanie – powiedziała Rider.

– Jakie pytanie?

– Czy kiedykolwiek wyjeżdżała pani z mężem do Las Vegas.

– Na początku tak, jeździłam. Ale uznałam, że to nudne. Od wielu lat tam nie byłam.

– Czy pani mąż miał jakieś poważne długi? – zapytał Bosch.

– Nie wiem. Gdyby nawet miał, nic by mi nie powiedział. Proszę mi mówić Veronica.

– Nigdy go pani nie pytała, czy nie ma żadnych kłopotów? – spytała Rider.

– Przypuszczałam, że gdyby miał, powiedziałby mi o nich.

Popatrzyła na Rider, a Bosch poczuł się, jak gdyby zdjęto z niego ogromny ciężar. Veronica Aliso niemo żądała, by zaprzeczyli.

– Wiem, że staję się przez to podejrzana, ale nic mnie to nie obchodzi – oświadczyła. – Robicie, co do was należy. Pewnie już się państwo domyślacie, że mój mąż i ja... powiedzmy, że nasze życie było formą koegzystencji. Jeżeli więc chodzi o jego przygody w Nevadzie, nie potrafiłabym powiedzieć, czy był milion do przodu, czy do tyłu. Kto wie, mógł nawet rozbić bank. Ale chyba wtedy by się pochwalił.

Bosch skinął głową, myśląc o zwłokach w bagażniku. Zastrzelony mężczyzna nie sprawiał wrażenia kogoś, kto rozbił jakikolwiek bank.

– Gdzie mąż mieszkał w Las Vegas?

– Zawsze w „Mirage". To akurat wiem. Widzi pan, nie wszystkie kasyna prowadzą pokera. W „Mirage" mają stoły z klasą. Mąż zawsze powtarzał, że gdybym chciała z nim porozmawiać, mam dzwonić właśnie tam. Gdyby nie odbierał w swoim pokoju, miałam prosić o połączenie z salą pokerową.

Bosch milczał przez chwilę, notując te informacje. Odkrył, że często najlepszym sposobem, by skłonić ludzi do mówienia o sobie, jest cisza. Miał nadzieję, iż Rider zorientuje się, że celowo robi pauzy w rozmowie.

– Pytał pan, czy jeździł tam sam.

– Owszem.

– W trakcie śledztwa na pewno się państwo przekonają, że mój mąż był kobieciarzem. Proszę tylko o jedno. Jeżeli uzyskacie państwo takie informacje, proszę mi ich nie przekazywać. Po prostu nie chcę nic o tym wiedzieć.

Bosch pokiwał głową, w milczeniu zbierając myśli. Która kobieta nie chciałaby wiedzieć? Może ta, która już wie. Ich spojrzenia znów się spotkały.

– Pani mąż lubił hazard, ale czy miał jakieś kłopoty? – zapytał. – W pracy, może finansowe?

– O ile mi wiadomo, nie. Ale to on zajmował się finansami. Nie umiałabym powiedzieć, jak wygląda nasza sytuacja. Kiedy potrzebowałam pieniędzy, prosiłam go, a on zawsze kazał mi realizować czek i podawać sobie sumę. Na wydatki domowe mam osobne konto.

Nie unosząc wzroku znad notesu, Bosch powiedział:

– Jeszcze kilka pytań i na razie damy pani spokój. Wie pani, czy mąż miał jakichś wrogów? Kogoś, kto byłby skłonny go skrzywdzić?

– Pracował w Hollywood. Wbijanie noża w plecy uważa się tu za formę sztuki. Anthony opanował ją tak dobrze jak wszyscy pracujący od dwudziestu pięciu lat w branży. Ale nie wiem, kto mógłby to zrobić.

– Samochód... rolls-royce jest w leasingu wytwórni filmowej w Archway Studios. Jak długo tam pracował?

– Miał tam biuro, ale nie pracował w Archway. TNA Productions jest... była jego firmą. W Archway wynajmował tylko biuro i miejsce parkingowe. Ale ze studiem miał tyle wspólnego co państwo.

– Proszę nam opowiedzieć o jego firmie – powiedziała Rider. – Produkował filmy?

– W pewnym sensie. Można powiedzieć, że miał mocne wejście, ale słabo skończył. Mniej więcej dwadzieścia lat temu wyprodukował swój pierwszy film. *Mistrzowie areny*. Niewiele osób go widziało. Filmy o korridzie nie są zbyt popularne. Ale krytycy przyjęli go całkiem dobrze. Film przewinął się przez parę festiwali, trafił do kin studyjnych. To był dobry początek.

Dodała, że Aliso zrobił jeszcze parę filmów kinowych. Potem jednak poziom jego dzieł i poziom moralny zaczęły się obniżać, aż skończył na taśmowej produkcji chłamu.

– Te filmy, jeżeli w ogóle można je tak nazwać, były warte uwagi tylko ze względu na liczbę odsłoniętych biustów – powiedziała. – W branży nazywa się je materiałem prosto na wideo. Poza tym Tony z powodzeniem zajmował się arbitrażem literackim.

– Cóż to takiego?

– Spekulacja. Handlował głównie scenariuszami, ale czasem też rękopisami, książkami.

– Jak można tym spekulować?

– Kupował teksty. Razem z prawami. Potem, kiedy zyskiwały na wartości albo autor stawał się popularny, odsprzedawał je. Wiedzą państwo, kim jest Michael St. John?

Nazwisko wydało się Boschowi znajome, ale nie wiedział, skąd je zna. Pokręcił głową. Rider też zaprzeczyła.

– To jeden z bardziej wziętych scenarzystów. Za jakiś rok będzie reżyserował własne filmy. Ma teraz swoje pięć minut.

– Rozumiem.

– No więc osiem lat temu, kiedy studiował w szkole filmowej USC, był żądny sukcesu, próbował znaleźć agenta i zainteresować jakieś studio, a jednym z sępów krążących wokół szkoły był mój mąż. Jego filmy miały tak niski budżet, że zdjęcia, reżyserię i scenariusz zlecał studentom. Dlatego znał szkoły i młode talenty. Wiedział, że Michael St. John ma talent. Chłopak był w beznadziejnej sytuacji, więc sprzedał Anthony'emu prawa do swoich trzech szkolnych scenariuszy za dwa tysiące dolarów. Dzisiaj wszystko z jego nazwiskiem ma sześciocyfrowe ceny.

– Jak scenarzyści to przyjmowali?

– Nie za dobrze. St. John próbował odkupić swoje scenariusze.

– Sądzi pani, że mógł skrzywdzić pani męża?

– Nie. Pytali państwo, co robił mąż, więc powiedziałam. Jeżeli pyta pan, kto go zabił, nie wiem.

Bosch znów coś zanotował.

– Wspomniała pani, że w Las Vegas spotykał się z inwestorami – odezwała się Rider.

– Tak.

– Wie pani, kto to był?

– Przypuszczam, że bałwany z Iowa. Ludzie, których przekonywał, żeby zainwestowali w film. Zdziwiliby się państwo, ile osób ulega pokusie, żeby mieć swój udział w hollywoodzkiej produkcji. A Tony był dobrym akwizytorem. Potrafił ludziom wmówić, że film z dwumilionowym budżetem to drugie *Przeminęło z wiatrem*. Mnie przekonał.

– Jak to?

– Kiedyś mnie namówił, żebym zagrała w jednym z jego dzieł. Takim filmie studyjnym. Tak go poznałam. Uwierzyłam, że zostanę nową Jane Fondą. Wiedzą państwo, seksowną, ale inteligentną. Ale reżyser ciągle brał kokę, scenarzysta nie umiał pisać, a film był tak kiepski, że nigdy nie trafił na ekrany. Tak skończyła się moja wielka kariera, a Tony nie nakręcił już żadnego filmu w studiu. Resztę życia poświęcił na tandetne produkcje wideo.

Spoglądając na obrazy i meble w przestronnym pokoju, Bosch zauważył:

– Nie widać, żeby tak źle na tym wyszedł.

– To prawda – odrzekła. – Chyba powinniśmy za to podziękować tym ludziom z Iowa.

Atmosfera w salonie stała się ciężka od goryczy, jaka zabrzmiała w jej głosie. Bosch zerknął w notatki, aby przez chwilę nie patrzeć na Veronicę Aliso.

– Zaschło mi w gardle – powiedziała. – Muszę się napić wody. Podać coś państwu?
– Chętnie napiję się wody – odparł Bosch. – Niedługo będziemy wychodzić.
– A pani, detektyw Rider?
– Nie, dziękuję.
– Zaraz wracam.

Kiedy wyszła, Bosch wstał i rozejrzał się po salonie z miną sugerującą brak zainteresowania. Nie odzywał się do Rider. Gdy Veronica Aliso wróciła, niosąc dwie szklanki wody z lodem, stał przy bocznym stoliku, patrząc na rzeźbioną szklaną statuetkę wyobrażającą nagą kobietę.
– Chcę zadać pani jeszcze kilka pytań na temat zeszłego tygodnia – rzekł Bosch.
– Proszę bardzo.
Pociągnęła łyk wody, lecz nie siadała.
– Jaki bagaż mógł zabrać ze sobą do Las Vegas pani mąż?
– Tylko jedną torbę.
– Jak wyglądała?
– Torba na ramię, składana. Zielona, obszyta brązową skórą i ze skórzanymi paskami. Miał na niej plakietkę z nazwiskiem.
– Wziął ze sobą jakieś dokumenty, może neseser?
– Tak, miał neseser. Taką aluminiową skrzynkę. Lekką, ale pancerną, do której nie można się włamać. Zginął bagaż?
– Jeszcze nie mamy pewności. Wie pani, gdzie trzymał kluczyk do neseseru?
– Na kółku razem z kluczykami do samochodu.
W rolls-roysie ani przy zwłokach Alisa nie było kluczyków do samochodu. Bosch zorientował się, że sprawca mógł je zabrać, aby otworzyć neseser. Postawił szklankę obok statuetki i znów na nią spojrzał. Potem zanotował opis neseseru i torby podróżnej.
– Czy mąż nosił obrączkę?
– Nie. Ale nosił dość drogi zegarek. Roleksa. Dostał go ode mnie.
– Zegarek nie zginął.
– Ach.
Bosch uniósł wzrok znad notesu.
– Pamięta pani, w co mąż był ubrany w czwartek rano, kiedy ostatni raz go pani widziała?
– Hm, w zwykłe rzeczy… miał białe spodnie, niebieską koszulę i sportową marynarkę.
– Czarną skórzaną marynarkę?
– Tak.
– Pamięta pani, czy na pożegnanie objęła pani męża lub go pocałowała?
Wyraźnie się zmieszała i Bosch natychmiast pożałował, że nie sformułował pytania inaczej.

– Przepraszam. Chodzi o to, że na marynarce znaleźliśmy odciski palców. Na ramieniu. Jeżeli dotknęła go tam pani w dniu jego wyjazdu, wyjaśniałoby to obecność tych śladów.

Milczała przez chwilę i Bosch przypuszczał, że Veronica Aliso w końcu się rozpłacze. Tymczasem powiedziała tylko:

– Być może, ale nie pamiętam... chyba jednak nie.

Bosch otworzył aktówkę i zaczął szukać ekranu daktyloskopijnego. Znalazł go w jednej z kieszeni teczki. Zestaw wyglądał jak slajd, ale w ramkach znajdował się dwustronny ekran z umieszczonym wewnątrz tuszem. Do jednej strony przyciskało się kciuk, a odcisk pozostawał na karcie podłożonej pod drugą stronę ekranu.

– Chciałbym zdjąć odcisk pani kciuka, żebyśmy mogli go porównać z odciskiem zdjętym z marynarki. Jeśli nie dotykała pani męża, może to być dla nas dobry trop.

Veronica podeszła do niego i przyłożyła kciuk do ekranu. Gdy Bosch zrobił odbitkę, obejrzała palec.

– Nie ma tuszu.

– Owszem, to bardzo wygodne. Nic się nie brudzi. Zaczęliśmy używać takich zestawów kilka lat temu.

– Ten odcisk palca na marynarce należał do kobiety?

Bosch przez dłuższą chwilę patrzył jej w oczy.

– Będziemy wiedzieli dopiero po identyfikacji.

Chowając kartę i ekran w aktówce, odnalazł torebkę z brązowymi kapsułkami. Wyciągnął ją i pokazał Veronice.

– Wie pani, co to jest?

Zmrużyła oczy i przecząco pokręciła głową.

– Azotan amylu, inaczej poppers. Niektórzy ludzie wdychają ten środek, żeby poprawić sobie sprawność seksualną i mieć większą przyjemność. Wie pani, czy mąż używał kiedyś tego środka?

– Znaleźliście to u niego?

– Pani Aliso, wolałbym, żeby odpowiedziała pani na moje pytanie. Wiem, że to trudne, ale pewnych rzeczy nie mogę jeszcze zdradzić. Powiem, kiedy to będzie możliwe, obiecuję.

– Nie, nie używał tego... w każdym razie nie ze mną.

– Przepraszam, że dotykam tak osobistej sfery życia, ale chcemy złapać osobę, która to zrobiła. Oboje tego chcemy. Mąż był od pani starszy o dziesięć czy dwanaście lat. – W tej ocenie był dla niej bardzo łaskawy. – Nie miewał kłopotów ze sprawnością seksualną? Czy istnieje prawdopodobieństwo, że używał tej substancji bez pani wiedzy?

Odwróciła się i podeszła do fotela. Kiedy już siedziała, odrzekła:

– Nie wiem.

Teraz to Bosch zmrużył oczy. Co próbowała mu powiedzieć? Cisza zaczęła przynosić spodziewany efekt. Odpowiedziała, zanim zdążył zapytać, ale mówiąc, patrzyła tylko na Rider, jak gdyby oczekiwała od niej współczucia jako kobiety.

– Detektywie, mój mąż i ja... nie utrzymywaliśmy kontaktów seksualnych, jak to się oficjalnie mówi... prawie od dwóch lat.

Bosch skinął głową, spoglądając w notes. Miał przed oczyma pustą stronę, ale nie potrafił się zmusić, by zapisać tę ostatnią informację w jej obecności. Zamknął notes i schował.

– Pewnie chce mnie pan zapytać dlaczego, prawda?

Popatrzył na nią, a Veronica oświadczyła wyzywająco:

– Stracił zainteresowanie.

– Skąd ta pewność?

– Powiedział mi to prosto w oczy.

Bosch pokiwał głową.

– Pani Aliso, przykro mi z powodu śmierci pani męża i dlatego, że tak brutalnie naruszam pani prywatność. Obawiam się jednak, że w miarę postępów śledztwa usłyszy pani jeszcze więcej podobnych pytań.

– Rozumiem.

– Mam jeszcze jedną prośbę.

– Słucham.

– Czy mąż miał w domu gabinet?

– Tak.

– Moglibyśmy tam zajrzeć?

Wstała i zaprowadziła ich drugim korytarzem do pokoju. Gdy oboje weszli, Bosch rozejrzał się po gabinecie. Było to małe pomieszczenie z biurkiem i dwiema szafkami na dokumenty. Obok regałów, na stoliku na kółkach, stał telewizor. Połowę półek wypełniały książki, a połowę scenariusze z tytułami wypisanymi flamastrem na marginesach stron. W kącie stała oparta o ścianę torba z kijami golfowymi.

Bosch podszedł do biurka. Na blacie nie było zupełnie nic. Okrążył biurko i znalazł dwie szuflady na akta. Kiedy je otworzył, zobaczył, że jedna jest pusta, a w drugiej leży kilka teczek. Przeglądając zakładki, doszedł do wniosku, że Aliso przechowywał w nich osobiste dokumenty finansowe i podatkowe. Zamknął obie szuflady, uznając, że przeszukanie gabinetu może na razie zaczekać.

– Już późno – powiedział. – Nie tym razem. Powinna pani jednak zrozumieć, że śledztwa w takich sprawach mogą się rozwijać w wielu kierunkach. I musimy sprawdzić każdy z tych tropów. Przyjdziemy tu jutro obejrzeć rzeczy pani męża. Prawdopodobnie wiele z nich zabierzemy ze sobą. Przyniesiemy nakaz, więc wszystko odbędzie się absolutnie legalnie.

– Tak. Oczywiście. Ale czy nie wystarczy po prostu moja zgoda?

– Wystarczyłaby, ale lepiej będzie przeprowadzić wszystko zgodnie z prawem. Mam na myśli książeczki czekowe, historie rachunków, wyciągi z kart kredytowych, polisy ubezpieczeniowe, wszystko. Przypuszczam, że będą także potrzebne dokumenty pani rachunku.

– Rozumiem. O której?

– Jeszcze nie wiem. Wcześniej zadzwonię. Ja albo ktoś inny. Czy pani mąż spisał testament?
– Tak. Oboje spisaliśmy testamenty. Są u naszego adwokata.
– Kiedy to się odbyło?
– Spisanie? Och, bardzo dawno. Wiele lat temu.
– Proszę rano zadzwonić do adwokata i przekazać mu, że będziemy chcieli dostać ich kopie. Może to pani dla nas zrobić?
– Oczywiście.
– Co z ubezpieczeniem?
– Tak, mamy polisy. Też są u Neila Dentona, adwokata, w Century City.
– Dobrze, zajmiemy się tym jutro. Na razie muszę zaplombować pokój.
Wycofali się na korytarz i Bosch zamknął drzwi. Z aktówki wyjął nalepkę z napisem:

MIEJSCE PRZESTĘPSTWA
WSTĘP DO POMIESZCZENIA WZBRONIONY
TELEFON DO POLICJI LOS ANGELES 214 485–4321

Bosch nakleił ją między drzwi a futrynę. Gdyby ktoś chciał wejść do gabinetu, musiałby przeciąć albo zerwać plombę. Zostawiłby ślad.
– Detektywie? – cicho odezwała się zza jego pleców Veronica Aliso.
Bosch odwrócił się do niej.
– Jestem podejrzana, prawda?
Bosch schował do kieszeni dwie karteczki, które oderwał od nalepki.
– Przypuszczam, że w tym momencie podejrzani są wszyscy i nikt. Bierzemy pod uwagę każdą możliwość.
– Wobec tego chyba nie powinnam była mówić tak otwarcie.
– Jeżeli nie ma pani nic do ukrycia, prawda nie może pani zaszkodzić – powiedziała Rider.
Bosch wiedział z doświadczenia, że nigdy nie powinno się mówić takich rzeczy. Zdanie zabrzmiało fałszywie, zanim nawet Rider zdążyła je dokończyć. Sądząc po lekkim uśmiechu Veroniki Aliso, ona także tak pomyślała.
– Pani chyba od niedawna pracuje w policji, detektyw Rider? – zwróciła się do niej, wciąż z uśmiechem patrząc na Boscha.
– Nie, proszę pani. Jestem detektywem od sześciu lat.
– Ach. Chyba nie muszę o to pytać detektywa Boscha.
– Pani Aliso? – odezwał się Bosch.
– Veronica.
– Jest jeszcze jedna rzecz, którą może pani nam dzisiaj wyjaśnić. Nie wiemy, kiedy dokładnie zginął pani mąż. Ale moglibyśmy się skupić na innych sprawach, gdyby szybko udało się załatwić rutynowe...
– Chce pan wiedzieć, czy mam alibi, tak?

– Chcemy po prostu wiedzieć, gdzie pani była przez ostatnie kilka dni i nocy. To rutynowe pytanie, nic więcej.

– Nie mam ochoty zanudzać państwa szczegółami mojego życia, bo uważam, że takie właśnie jest. Nudne. Ale poza wyjazdem do galerii handlowej i supermarketu w sobotę po południu, nie opuszczałam domu od środy wieczorem, kiedy z mężem zjadłam kolację.

– Była pani sama?

– Tak... ale może pan to sprawdzić u kapitana Nasha przy bramie. Strażnicy mają rejestry wszystkich osób wjeżdżających do Hidden Highlands i wyjeżdżających. Notują nawet mieszkańców. W piątek po południu był tu czyściciel basenów. Mogę państwu podać jego nazwisko i numer telefonu.

– To na razie nie będzie konieczne. Dziękuję. Jeszcze raz chcę wyrazić pani moje współczucie z powodu śmierci męża. Czy możemy coś dla pani zrobić?

Sprawiała wrażenie, jak gdyby zaczęła się w sobie zamykać. Bosch nie był pewien, czy w ogóle usłyszała pytanie.

– Nie, dziękuję – powiedziała w końcu.

Wziął aktówkę i razem z Rider ruszyli przez korytarz, który omijał salon, prowadząc prosto do drzwi wyjściowych. Tu na ścianach też nie było ani jednej fotografii. Coś wydawało się nie w porządku, lecz Bosch przypuszczał, że w tym domu od dawna nic nie było w porządku. Zawsze oglądał mieszkania zmarłych tak, jak uczeni oglądają obrazy namalowane przez zmarłych w Muzeum Getty'ego. Szukał ukrytych znaczeń, tajemnic życia i śmierci.

Rider wyszła pierwsza. Bosch przestąpił próg i przez ramię spojrzał w głąb korytarza. Veronica Aliso stała na przeciwległym końcu, w obramowaniu światła. Zawahał się przez chwilę. Potem pożegnał ją skinieniem głowy i opuścił dom.

Jechali w milczeniu, rozmyślając o rozmowie, a gdy dotarli do bramy, z portierni wyszedł Nash.

– Jak poszło?

– Poszło.

– On nie żyje, prawda? Pan Aliso?

– Tak, nie żyje.

Nash cicho gwizdnął.

– Kapitanie Nash, trzymacie tu rejestry samochodów przejeżdżających przez bramę? – spytała Rider.

– Tak. Ale to prywatny teren. Musicie mieć...

– Nakaz rewizji – przerwał mu Bosch. – Tak, wiemy. Ale zanim zaczniemy zawracać sobie głowę papierami, proszę mi coś powiedzieć. Gdybym na przykład przyszedł do pana z nakazem, czy z rejestrów dowiem się, kiedy dokładnie pani Aliso wyjeżdżała z osiedla i wracała w ciągu kilku ostatnich dni?

– Nie. Dowie się pan tylko, kiedy wyjeżdżał jej samochód.

– Rozumiem.

Bosch podrzucił Rider do jej samochodu i osobno pojechali ze wzgórz na posterunek komendy Hollywood na Wilcox. W drodze myślał o Veronice Aliso i wściekłości czającej się w jej oczach, gdy rozmawiali o jej nieżyjącym mężu. Nie wiedział, jak to dopasować do sprawy ani czy to w ogóle pasuje. Był jednak pewien, że jeszcze ten temat poruszą.

Rider i Bosch wstąpili na chwilę na posterunek, aby złożyć relację Edgarowi i wypić kawę. Potem Bosch zadzwonił do Archway i poprosił ludzi z ochrony, by ściągnęli z domu Chuckiego Meachuma. Nie zdradził strażnikowi, który odebrał telefon, o co chodzi ani do jakiego biura chcą wejść. Powiedział tylko, żeby sprowadzili Meachuma.

O północy wyszli z posterunku tylnymi drzwiami, minęli zakratowane okna aresztu i wsiedli do samochodu Boscha.

– I co o niej myślisz? – spytał wreszcie Bosch, ruszając z parkingu.

– O rozgoryczonej żonie? Wydaje mi się, że to nie było najszczęśliwsze małżeństwo. Przynajmniej pod koniec. Ale nie wiem, czy to wystarczy, żeby zabiła.

– Nie było zdjęć.

– Na ścianach? Tak, zauważyłam.

Bosch zapalił papierosa, a Rider nie skomentowała tego ani słowem, choć było to wbrew przepisom zabraniającym palenia w samochodzie służbowym.

– A ty co o niej sądzisz?

– Jeszcze nie wiem. Ale masz rację. W niej jest tyle goryczy, że wystarczyłoby do wypełnienia każdego kielicha do ostatniej kropli. Ciągle zastanawia mnie parę innych rzeczy.

– Na przykład?

– Na przykład mocny makijaż albo to, że wyjęła mi z ręki odznakę. Nikt tego nigdy nie robi. Jakby... nie wiem, jakby na nas czekała.

Kiedy dotarli do bramy wjazdowej Archway Pictures, pod repliką Łuku Triumfalnego w skali jeden do dwóch stał Meachum, paląc papierosa i czekając na nich. Miał na sobie sportową kurtkę narzuconą na koszulkę polo, a gdy rozpoznał Boscha, uśmiechnął się nieco zaskoczony. Dziesięć lat temu pracowali razem w wydziale rabunków i zabójstw. Nigdy nie byli partnerami, choć kilka razy znaleźli się w tej samej grupie zadaniowej. Meachum zrejterował w najdogodniejszym momencie. Odpiął odznakę miesiąc po tym, gdy telewizja pokazała taśmę z pobicia Rodneya Kinga. Wiedział, co się święci. Wszystkim powtarzał, że to początek końca. Został zastępcą szefa ochrony w Archway. Przyjemna praca, przyjemna pensja, plus połowa emerytury po dwudziestu czterech latach służby. Gdy na komendzie mówiło się o sprytnych posunięciach, w rozmowie zawsze pojawiał się Meachum. Dziś, gdy departament dźwigał brzemię tylu nieszczęść – pobicia Kinga, zamieszek, komisji Christophera, sprawy O. J. Simpsona i udziału w niej Marka Fuhrmana

– emerytowany glina musiałby mieć ogromne szczęście, gdyby firma taka jak Archway pozwoliła mu pilnować bramy.

– Harry Bosch – rzekł Meachum, nachylając się nad oknem samochodu. – Proszę, proszę.

Bosch od razu zauważył, że od ich ostatniego spotkania Meachum założył sobie koronki na zębach.

– Cześć, Chuckie. Kopę lat. To moja partnerka, Kizmin Rider.

Rider skinęła mu głową, a Meachum odpowiedział tym samym, przyglądając się jej przez chwilę. W jego czasach czarne kobiety detektywi należały do rzadkości, mimo że odszedł z pracy zaledwie pięć lat temu.

– Co jest, detektywi? Dlaczego kazaliście mnie wyciągnąć z wanny?

Uśmiechnął się, ukazując nowe zęby. Zapewne się domyślił, że zostały zauważone.

– Mamy sprawę. Chcemy zajrzeć do biura ofiary.

– U nas? Kto odwalił kitę?

– Anthony N. Aliso. TNA Productions.

Meachum zmrużył oczy. Miał ciemną opaleniznę golfisty, który grywa w każdą sobotę, a w ciągu tygodnia zwykle co najmniej raz czy dwa udaje mu się wyrwać na krótką partyjkę.

– Nic mi to nie mówi, Harry. Jesteś pewien, że...

– Sprawdź, Chuckie. Na pewno ma tu biuro. Miał.

– W porządku, zróbmy tak. Postaw wóz na głównym parkingu, potem pójdziemy do mojego biura, łykniemy jakąś kawę i zobaczymy, co to za facet.

Wskazał plac tuż za bramą i Bosch zatrzymał tam samochód. Parking był prawie pusty i znajdował się obok wielkiej hali zdjęciowej, której zewnętrzną ścianę pomalowano na jasnoniebiesko w białe plamy w kształcie chmur. Kręcono tu sceny plenerowe, gdy prawdziwe niebo było zasnute smogiem.

Pieszo ruszyli za Meachumem do biura ochrony studia. Wchodząc do budynku, minęli przeszkloną dyżurkę, gdzie za biurkiem otoczonym monitorami siedział mężczyzna w brązowym mundurze ochrony Archway. Czytał kolumnę sportową w „Timesie", ale na widok Meachuma szybko wrzucił gazetę do kosza na śmieci.

Bosch sądził, że Meachum nie zauważył tego ruchu, ponieważ stał odwrócony tyłem, przytrzymując im drzwi. Potem niedbale zasalutował strażnikowi za szybą i zaprowadził Boscha i Rider do swojego biura.

Meachum usiadł za biurkiem i odwrócił się do komputera. Na monitorze toczyła się bitwa między statkami kosmicznymi. Meachum wcisnął klawisz, wyłączając wygaszacz ekranu, a potem poprosił Boscha, by przeliterował nazwisko denata. Wstukał je do komputera i odwrócił monitor, aby Bosch i Rider nie mogli widzieć ekranu. Zirytowało to Boscha, ale zbył milczeniem ten przejaw służbistości. Po chwili odezwał się Meachum.

– Masz rację. Pracował tutaj. W budynku Tyrone'a Powera. Miał małą klitkę jak wszystkie płotki. W biurze są trzy pokoje i każdy zajmuje taka ofiara losu. Mają wspólną sekretarkę wliczoną w czynsz.

– Jak długo miał ten pokój? Jest tam taka informacja?

– Tak. Prawie siedem lat.

– Co tam jeszcze masz?

Meachum spojrzał na ekran.

– Niewiele. Nie było z nim żadnych problemów. Raz tylko złożył skargę, że ktoś mu zadrapał samochód na parkingu. Widzę, że jeździł rolls-royce'em. To chyba ostatni gość w Hollywood, który nie wymienił rollsa na range rovera. Zupełny obciach, Bosch.

– Chodźmy zobaczyć.

– Wiesz co, może skoczysz z detektyw Riley na kawę, a ja zadzwonię i spytam co i jak. Nie jestem pewien, jaką mamy procedurę na takie okazje.

– Po pierwsze, Chuck, to detektyw Rider, nie Riley. A po drugie, prowadzimy śledztwo w sprawie zabójstwa. Nie obchodzą mnie wasze procedury. Liczę, że nas tam wpuścisz.

– Stary, jesteś na prywatnym terenie. Musisz o tym pamiętać.

– Pamiętam – odparł Bosch, wstając. – Kiedy będziesz dzwonić, powinieneś pamiętać, że na razie media jeszcze niczego nie zwietrzyły. Chyba nie byłoby dobrze wciągać w to Archway, zwłaszcza że nie wiemy jeszcze, co jest grane w sprawie. Powiedz temu komuś po drugiej stronie, że postaram się nie zmieniać tej sytuacji.

Meachum z kpiącym uśmieszkiem pokręcił głową.

– Ciągle ten sam Bosch. Rób, co mówię, albo spadaj na drzewo.

– Mniej więcej.

Czekając, Bosch przełknął kubek letniej kawy z dzbanka, który stał na podgrzewaczu w sąsiednim pokoju, przygotowany na nocny dyżur. Była gorzka, ale Bosch wiedział, że kawa wypita na posterunku nie wystarczy na całą noc. Rider zadowoliła się wodą ze zbiornika ustawionego w korytarzu.

Po dziesięciu minutach Meachum wyszedł ze swojego biura.

– Dobra, możecie wejść. Ale od razu wam mówię, że przez cały czas ja albo któryś z moich ludzi będzie musiał być z wami jako obserwator. Bosch, masz coś przeciwko temu?

– Absolutnie nic.

– To chodźmy. Weźmiemy wózek.

Po drodze otworzył drzwi do oszklonej dyżurki i zajrzał do środka.

– Peters, kto dzisiaj jest na obchodzie?

– Hm, Serrurier i Fogel.

– Połącz się z Serrurierem i powiedz mu, żeby czekał na nas przed Tyrone'em Powerem. Ma klucze, nie?

– Ma.

– Dobra, przekaż mu to. – Meachum już chciał zamknąć drzwi, ale coś sobie jeszcze przypomniał. – Aha, i lepiej zostaw „Timesa" w koszu.

Do budynku Tyrone'a Powera, który znajdował się na drugim końcu parkingu, pojechali wózkiem golfowym. W drodze Meachum pomachał do ubranego na czarno mężczyzny, który wychodził z jednego z mijanych przez nich budynków.

– Kręcą dzisiaj sceny z Nowego Jorku. Gdyby nie to, zabrałbym tam was. Moglibyście przysiąc, że jesteście na prawdziwym Brooklynie.

– Nigdy tam nie byłem – odrzekł Bosch.

– Ja też nie – dodała Rider.

– W takim razie nieważne, chyba że chcielibyście zobaczyć ekipę przy pracy.

– Wystarczy, jak nas zawieziesz do Tyrone'a Powera.

– W porządku.

Na miejscu czekał na nich kolejny strażnik w mundurze. Serrurier. Na polecenie Meachuma najpierw otworzył im drzwi sekretariatu obsługującego trzy pokoje biurowe, a potem drzwi do pomieszczenia zajmowanego przez Alisa. Następnie szef kazał mu wracać do patrolowania studia.

Meachum nie mylił się, nazywając biuro Alisa klitką. Miejsca wystarczyło zaledwie na tyle, by wcisnęli się wszyscy troje i stanęli obok siebie, nie narażając się na wąchanie swoich oddechów. W pokoju stało biurko i dwa krzesła naprzeciwko. Za biurkiem znajdowała się szafka na akta z czterema szufladami. Na ścianie po lewej wisiały oprawione plakaty reklamowe dwóch klasycznych filmów, *Chinatown* i *Ojca chrzestnego*, które wyprodukowano przy tej samej ulicy, w Paramount. Dla równowagi Aliso powiesił na przeciwległej ścianie plakaty własnych dzieł, *Mistrzów areny* i *Ofiary pożądania*. Obok umieszczono fotografie w ramkach przedstawiające Alisa w towarzystwie różnych znanych osobistości. Większość zdjęć zrobiono w biurze, gdy Aliso i jego gość uśmiechnięci stali przy biurku.

Najpierw Bosch obejrzał dwa plakaty. U góry każdego z nich biegł napis „Anthony Aliso przedstawia". Ale uwagę Boscha przyciągnął drugi plakat, reklamujący *Ofiarę pożądania*. Ilustracja pod tytułem filmu ukazywała mężczyznę z desperacką miną, ubranego w biały garnitur i trzymającego przy boku broń. W tle była powiększona twarz kobiety o rozwianych czarnych włosach, które stanowiły obramowanie całego obrazu. Kobieta zmysłowym wzrokiem wpatrywała się w mężczyznę. Plakat bezwstydnie odwzorowywał scenę przedstawioną na plakacie *Chinatown* naprzeciwko, lecz było w nim coś hipnotyzującego. Kobietą na ilustracji była Veronica Aliso i Bosch wiedział, że między innymi dlatego tak go zainteresowała.

– Niczego sobie babka – odezwał się zza jego pleców Meachum.

– Jego żona.

– Widzę. Drugie nazwisko w obsadzie. Tylko że nigdy o niej nie słyszałem.

Bosch ruchem głowy wskazał plakat.

– To chyba była jej jedyna rola.

– W każdym razie niczego sobie. Pewnie już tak nie wygląda.

Bosch ponownie spojrzał na twarz na plakacie, przypominając sobie kobietę, którą widział przed godziną. Jej oczy wciąż były tak samo ciemne i lśniące, z ledwie dostrzegalnym błyskiem światła.

Odwrócił wzrok od ilustracji i zaczął oglądać fotografie. Od razu rozpoznał na jednej Dana Laceya, aktora, który osiem lat wcześniej zagrał Boscha w miniserialu o pościgu za seryjnym mordercą. Studio, które produkowało serial, zapłaciło Boschowi i jego ówczesnemu partnerowi mnóstwo pieniędzy za prawo do wykorzystania ich nazwisk oraz za konsultację merytoryczną. Partner zgarnął pieniądze, rzucił służbę i czmychnął do Meksyku. Bosch kupił dom na wzgórzach. Nie mógł uciec. Wiedział, że praca jest całym jego życiem.

Obejrzał pozostałą część małego biura. Na ścianie przy drzwiach stały regały pełne scenariuszy i wideokaset. Na półkach nie było żadnych książek z wyjątkiem paru katalogów aktorów i aktorek.

– No dobrze – powiedział Bosch. – Chuckie, stań przy drzwiach i obserwuj, tak jak chciałeś. Kiz, zacznij od biurka, ja przejrzę papiery.

Szafki na akta były zamknięte na klucz i dopiero po dziesięciu minutach Bosch zdołał je otworzyć za pomocą wytrychów, których komplet miał w aktówce. Pobieżny przegląd dokumentów zajął mu całą godzinę. Szuflady były zapchane notatkami i dokumentacją finansową dotyczącą produkcji filmów, o których Bosch nigdy nie słyszał. Materiał nie wydał mu się zbyt ciekawy po tym, co usłyszał od Veroniki Aliso, a także dlatego, że i tak niewiele wiedział o przemyśle filmowym. Ale szybko się zorientował, że podczas pracy przy filmach ogromne sumy otrzymywali ich koproducenci. Najbardziej zagadkowy był jednak fakt, że dzięki tak niewielkiemu biuru Alisa stać było na bardziej niż dostatnie życie.

Skończywszy przeglądać zawartość czwartej dolnej szuflady, Bosch wstał i wyprostował plecy, a kręgi trzasnęły mu przy tym jak grzechoczące kostki domina. Spojrzał na Rider, która wciąż penetrowała szuflady biurka.

– Masz coś?

– Parę ciekawych rzeczy, ale dymiącej broni nie znalazłam, jeśli o to pytasz. Aliso dostał zawiadomienie z urzędu skarbowego. W przyszłym miesiącu w firmie miała być kontrola. Poza tym jest korespondencja między Tonym Aliso a St. Johnem, tym scenarzystą, o którym wspomniała pani Aliso. Kilka ostrych słów, ale żadnych pogróżek. Została mi jeszcze jedna szuflada.

– W szafce jest tego trochę. Papiery finansowe. Trzeba je będzie wszystkie przejrzeć. Chciałbym, żebyś ty to zrobiła. Dasz sobie radę?

– Jasne. Na razie widzę, że to rutynowa, a nawet dość niedbała dokumentacja biznesowa. Tyle tylko, że w tym wypadku to biznes filmowy.

– Wychodzę zapalić. Kiedy skończysz, może się zamienimy i ty zajmiesz się dokumentami, a ja biurkiem.

– Może być.

Przed wyjściem przebiegł wzrokiem regał przy drzwiach, czytając tytuły na pudełkach z kasetami. Zatrzymał się na filmie, którego szukał. *Ofiara pożądania*. Zdjął kasetę z półki. Na okładce była ta sama ilustracja co na plakacie.

Cofnął się i położył taśmę na biurku, aby wzięli ją razem z innymi rzeczami z biura. Rider spytała, co to jest.

– Jej film – odrzekł. – Chcę go obejrzeć.

– Och, ja też.

Na zewnątrz Bosch stanął na niewielkim dziedzińcu przy figurze z brązu, która, jak sądził, przedstawiała Tyrone'a Powera, i zapalił papierosa. Była chłodna noc i dym ogrzewał go od środka. W kompleksie studia panowała cisza.

Podszedł do kosza na śmieci przy ławce, aby strząsać tam popiół. Na dnie kosza zauważył stłuczony kubek. Obok walało się kilka ołówków i długopisów. Na jednej ze skorup Bosch poznał logo Archway – Łuk Triumfalny ze wschodzącym słońcem pośrodku. Już miał sięgnąć do kubła i wyciągnąć złoty długopis Cross, gdy usłyszał głos Meachuma i odwrócił się do niego.

– Daleko zajdzie ta twoja partnerka, co? Widać.

Meachum też zapalił.

– Tak słyszałem. To nasza pierwsza wspólna sprawa. Nie znam za dobrze tej dziewczyny i z tego, co słyszałem, nie powinienem próbować się z nią zaprzyjaźniać. We właściwym czasie przeniosą ją do Szklanego Domu.

Meachum skinął głową, strząsając popiół na beton. Bosch przyglądał się, jak zerka na dach nad drugim piętrem i niedbale salutuje. Kiedy Bosch uniósł wzrok, dostrzegł zamontowaną pod okapem kamerę.

– Daj spokój – powiedział Bosch. – Nie widzi cię. Czyta o wczorajszym meczu Dodgersów.

– Pewnie masz rację. Trudno teraz znaleźć dobrych ludzi, Harry. Trafiają mi się goście, którzy cały dzień jeżdżą po studiu wózkami i mają nadzieję, że odkryją ich jak jakichś Clintów Eastwoodów. Kiedyś jeden tak bardzo był zajęty rozmową z dwoma dyrektorami kreatywnymi, że wjechał w ścianę. Swoją drogą, ciekawy oksymoron. Dyrektor kreatywny...

Bosch milczał. Nie obchodziło go, o czym opowiadał Meachum.

– Powinieneś tu przyjść, Harry. Pewnie już ci stuknęło dwadzieścia lat służby. Zdejmij odznakę i chodź pracować u mnie. Podniesiesz sobie standard życia o parę oczek. Masz moje słowo.

– Nie, dzięki, Chuck. Jakoś nie mogę sobie wyobrazić, jak śmigam po studiu wózkiem golfowym.

– W każdym razie pamiętaj, że oferta jest aktualna. Kiedy tylko zechcesz.

Bosch zgasił papierosa o brzeg kosza i wrzucił do niego niedopałek. Uznał, że nie będzie grzebał w śmieciach w obecności Meachuma. Powiedział mu, że wraca do biura.

– Bosch, muszę ci coś powiedzieć.

Bosch spojrzał na niego, a Meachum bezradnie uniósł ręce.

– Będzie problem, jeżeli chcesz coś zabrać z biura bez nakazu. Słyszałem, co mówiłeś o taśmie, a dziewczyna układa na biurku papiery do zabrania. Ale nie mogę wam pozwolić niczego wziąć.

– Wobec tego będziesz tu musiał siedzieć całą noc, Chuck. Jest mnóstwo dokumentów i mnóstwo roboty. O wiele łatwiej byłoby zabrać wszystko na komendę.

– Wiem. Sam tak robiłem. Ale takie dostałem polecenie. Musicie mieć nakaz.

Bosch skorzystał z telefonu w sekretariacie, aby zadzwonić do Edgara, który tkwił na komendzie nad aktami sprawy. Bosch kazał mu rzucić papiery i zabrać się do przygotowania nakazów rewizji całej dokumentacji finansowej w domu Alisa, w biurach Archway i u jego adwokata.

– Mam dzwonić po nocy do sędziego? – zapytał Edgar. – Już prawie druga.

– Zrób to – odrzekł Bosch. – Kiedy podpisze nakazy, przywieź je do Archway. I weź ze sobą jakieś pudła.

Edgar jęknął. Trafiała mu się sama gówniana robota. Nikt nie lubi budzić sędziego w środku nocy.

– Wiem, wiem, Jerry. Ale trzeba to zrobić. Zdarzyło się coś nowego?

– Nie. Dzwoniłem do „Mirage" i rozmawiałem z człowiekiem z ochrony. Pokój, w którym mieszkał Aliso, był zarezerwowany na weekend. Jest już wolny i wyłączyli go z użytku, ale o śladach możemy zapomnieć.

– Pewnie masz rację... Następnym razem dam ci fory, ale teraz załatw te nakazy.

W biurze Alisa Rider zaczęła już przeglądać dokumenty w szafce. Bosch poinformował ją, że Edgar pracuje nad nakazem, a oni będą musieli zrobić spis rzeczy do zabrania i przekazać Meachumowi. Zaproponował jej, żeby zrobiła sobie przerwę, lecz Rider odmówiła.

Bosch usiadł za biurkiem. Na blacie było to, co zwykle można znaleźć w biurze. Telefon z podłączonym głośnikiem, wizytownik, podkładka do pisania, blok magnetyczny ze spinaczami oraz drewniana rzeźba z wyrytym pismem kaligraficznym napisem „TNA Productions". Stała tu także tacka, na której piętrzyły się papiery.

Bosch zatrzymał wzrok na telefonie i jego uwagę przyciągnął przycisk ponownego wybierania numeru. Podniósł słuchawkę i wcisnął ten guzik. Z szybkiej sekwencji sygnałów wywnioskował, że ostatnia rozmowa prowadzona przez telefon była zamiejscowa. Po dwóch dzwonkach usłyszał kobiecy głos. W tle brzmiała głośna muzyka.

– Halo? – powiedziała kobieta.

– Halo, kto mówi?

Zachichotała.

– Nie wiem, a kto mówi?

– Możliwe, że pomyliłem numery. Dodzwoniłem się do Tony'ego?

– Nie, do Dolly.

– Dolly?

– Do klubu „Dolly".

– Ach, tak, „Dolly". Gdzie to dokładnie jest?

Kobieta znów zachichotała.

– Na Madison, a jak myślałeś? Skąd niby wzięliśmy taką nazwę?*

– Gdzie jest Madison?

– W północnym Las Vegas. Skąd dzwonisz?

– Z „Mirage".

– No więc musisz pojechać bulwarem na północ. Miniesz centrum i parę paskudnych dzielnic, a potem wjedziesz do północnego Las Vegas. Madison będzie po lewej na trzecich światłach za estakadą. Kiedy skręcisz w lewo, znajdziesz nas przecznicę dalej po lewej. Jak masz na imię?

– Harry.

– A ja Rhonda. Wiesz, tak jak w...

Bosch milczał.

– No, Harry, powinieneś powiedzieć: „Pomóż, Rhonda, pomóż mi, Rhonda".

Zaśpiewała fragment starej piosenki Beach Boysów.

– Prawdę mówiąc, Rhonda, rzeczywiście możesz mi pomóc – rzekł Bosch. – Szukam kumpla. Tony'ego Aliso. Był u was ostatnio?

– W tym tygodniu go nie widziałam. Ostatni raz widziałam go w czwartek czy piątek. Ciekawa byłam, skąd masz numer do garderoby.

– Od Tony'ego.

– Zresztą Layli dzisiaj nie ma, więc Tony pewnie się nie pokaże. Ale możesz przyjść. Nie potrzebujesz Tony'ego, żeby się zabawić.

– Zgoda, Rhonda. Spróbuję wpaść.

Bosch odłożył słuchawkę. Wyciągnął z kieszeni notes, zapisał w nim nazwę klubu, do którego przed chwilą dzwonił, wskazówki, jak tam dotrzeć, oraz imiona Rhonda i Layla. Drugie imię podkreślił.

– Co to było? – zapytała Rider.

– Trop w Las Vegas.

* Dolley Madison (1768–1849) – żona czwartego prezydenta USA Jamesa Madisona (przyp. tłum.).

Streścił jej przebieg rozmowy, w której padła wzmianka o Layli. Rider zgodziła się, że warto to sprawdzić, po czym wróciła do przeglądania dokumentów. Bosch wrócił do biurka. Zanim zaczął penetrować jego wnętrze, jeszcze raz obejrzał przedmioty na blacie.

– Hej, Chuckie? – powiedział.

Meachum, który z założonymi rękami opierał się o drzwi, w odpowiedzi uniósł brwi.

– W telefonie nie ma taśmy. Kto odbiera, kiedy nie ma sekretarki? Rozmowy przełącza się do centrali czy jakiegoś serwisu?

– Hm, nie, teraz wszystkie mają pocztę głosową.

– Czyli Aliso też miał pocztę głosową? Jak mogę ją sprawdzić?

– Musisz znać jego kod dostępu. Trzycyfrowy. Dzwonisz do komputera poczty, wstukujesz kod i odsłuchujesz wiadomości.

– Gdzie mogę znaleźć ten kod?

– Nigdzie. Sam go ustawił.

– Nie ma żadnego uniwersalnego kodu, na który mógłbym wejść do poczty?

– Nie. System nie jest aż tak skomplikowany. Przecież to tylko nagrane wiadomości.

Bosch znów wyciągnął notes i sprawdził datę urodzin Alisa.

– Jaki jest numer poczty głosowej? – spytał.

Meachum podał mu numer i Bosch połączył się z komputerem. Po sygnale wstukał 721, ale kod został odrzucony. Bosch zamyślił się, bębniąc palcami o blat. Kiedy spróbował 862, cyfr znajdujących się na tych samych klawiszach co litery TNA, komputerowy głos powiedział mu, że ma cztery wiadomości.

– Kiz, posłuchaj – rzekł Bosch.

Włączył głośnik, odkładając słuchawkę. Słuchając, zrobił parę notatek, ale pierwsze trzy wiadomości były od współpracowników w sprawie szczegółów technicznych planowanych zdjęć, wynajmu sprzętu i kosztów. Po każdej z nich elektroniczny głos informował, o której godzinie w piątek nagrano wiadomość.

Dopiero czwarta sprawiła, że Bosch z zainteresowaniem nadstawił uszu. Mówiła młoda kobieta i wyraźnie było słychać, że płacze.

– Cześć, Tone, to ja. Zadzwoń, gdy tylko odsłuchasz wiadomość. Naprawdę mam ochotę zadzwonić do ciebie do domu. Jesteś mi potrzebny. Ten drań Lucky mówi, że mnie wyrzuci. Tak bez powodu. Chce po prostu przelecieć Modesty. Czuję się... Nie chcę pracować w „Palomino" ani w żadnej podobnej dziurze. Ani w „Garden". Nie ma mowy. Chcę wyjechać do Los Angeles. I być z tobą. Odezwij się.

Elektroniczny głos dodał, że wiadomość została nagrana o czwartej rano w niedzielę – długo po śmierci Tony'ego Aliso. Kobieta nie przedstawiła się. Czyli Aliso na pewno ją znał. Bosch zastanawiał się, czy to nie była Layla, o której wspominała Rhonda. Spojrzał na Rider, ale partnerka wzruszyła ramionami. Wiedzieli za mało, by ocenić znaczenie telefonu.

Bosch przez chwilę w zamyśleniu siedział za biurkiem. Otworzył szufladę, ale nawet do niej nie zajrzał. Jego wzrok powędrował do zdjęć na ścianie przedstawiających uśmiechniętego Tony'ego Aliso, pozującego ze znanymi osobami. Niektóre fotografie podpisano, ale trudno coś było odczytać. Bosch przyglądał się swemu celuloidowemu alter ego, Danowi Laceyowi, lecz nie potrafił odcyfrować krótkiej notatki u dołu zdjęcia. Po chwili spojrzał wyżej i zdał sobie sprawę, na co patrzy. Na fotografii na biurku Alisa stał kubek z logo Archway, pełen ołówków i długopisów.

Bosch zdjął zdjęcie ze ściany i zawołał Meachuma, który podszedł do niego.

– Ktoś tu był – powiedział mu Bosch.

– O czym ty mówisz?

– Kiedy opróżniono kosz przed wejściem?

– Skąd mam, u diabła, wiedzieć? Co to ma...

– A kamera pod dachem? Jak długo trzymacie taśmy z obrazem z kamery?

Meachum zawahał się przez sekundę, a potem odparł:

– Kasujemy je co tydzień. Z tej kamery mamy zapis z siedmiu dni. Ale to zdjęcia poklatkowe, dziesięć klatek na minutę.

– Chodźmy obejrzeć.

Bosch wrócił do domu dopiero o czwartej. Do umówionego śniadania z Edgarem i Rider o wpół do ósmej zostały mu zaledwie trzy godziny snu, lecz kawa i adrenalina tak go pobudziły, że nie zmrużyłby oka.

W domu unosił się ostry zapach świeżej farby, więc rozsunął drzwi tarasu, by wpuścić do środka świeże, chłodne powietrze. Spojrzał na przełęcz Cahuenga i samochody mknące autostradą Hollywood. Nigdy nie przestał się dziwić, że autostrada zawsze jest pełna aut, niezależnie od pory dnia i nocy. Ruch w Los Angeles nigdy nie ustawał.

Zastanawiał się, czy włączyć jakąś płytę z saksofonową muzyką, ale zrezygnował. Usiadł w ciemnościach na kanapie i zapalił papierosa. Rozmyślał o wątkach, które pojawiły się w sprawie. Ze wstępnej oceny ofiary wynikało, że Anthony Aliso był człowiekiem, który odniósł finansowy sukces. Dostatek zwykle stanowi świetną ochronę przed przemocą. Bogaci rzadko padają ofiarą morderstwa. Ale Tony'emu Aliso coś się nie udało.

Bosch przypomniał sobie o taśmie i poszedł po aktówkę, którą zostawił na stole w jadalni. Były w niej dwie wideokasety, jedna z zapisem kamery przemysłowej w Archway, druga z filmem *Ofiara pożądania*. Włączył telewizor i włożył film Alisa do magnetowidu. Zaczął go oglądać, nie zapalając światła.

Obejrzawszy kasetę, Bosch nie miał już wątpliwości, że film zasłużył sobie na los, jaki go spotkał. Był źle oświetlony, a w niektórych kadrach nad głowami aktorów widać było koniec mikrofonu na wysięgniku. Raziło to szczególnie w scenach rozgrywających się na pustyni, gdzie powinno być tylko błękitne niebo. Popełniono w nim szkolne błędy. Poza amatorszczyzną techniczną gra aktorska także pozostawiała wiele do życzenia. Odtwórca głównej roli męskiej, aktor zupełnie Boschowi nieznany, wyjątkowo nieskutecznie i drętwo grał mężczyznę pragnącego za wszelką cenę utrzymać przy sobie żonę, która odmawiając mu seksu i szydząc z niego, dla własnej makabrycznej satysfakcji zmusza go do popełniania kolejnych zbrodni, w tym także morderstwa. Żonę grała Veronica Aliso, która okazała się niewiele lepszą aktorką od swojego partnera.

Kiedy była dobrze oświetlona, wyglądała olśniewająco. W czterech scenach, w których występowała półnago, Bosch oglądał ją z fascynacją podglądacza. W sumie jednak nie była to rola dla niej i Bosch zrozumiał, dlaczego jej kariera, podobnie jak kariera męża, przestała się rozwijać. Veronica mogła obwiniać o to męża i żywić do niego urazę, lecz w gruncie rzeczy była taka sama jak tysiące pięknych kobiet co roku przyjeżdżających do Hollywood. Mimo że jej uroda zapierała dech w piersiach, talentu aktorskiego nie miała za grosz.

W kulminacyjnej scenie filmu, w której jej mąż zostaje złapany i żona oddaje go w ręce policji, Veronica Aliso wygłosiła swoją kwestię z przejęciem i emfazą kawałka drewna:

– To był on. Zupełnie oszalał. Nie zdążyłam go powstrzymać. A potem nie mogłam nikomu nic powiedzieć, bo... bo wyglądałoby na to, jakbym to ja kazała mu zabić.

Bosch oglądał aż do ostatniego napisu końcowego, po czym za pomocą pilota przewinął taśmę. Ani na moment nie wstawał z kanapy. Następnie wyłączył telewizor i położył nogi na kanapie. Patrząc przez rozsunięte drzwi na taras, nad grzbietami wzgórz za przełęczą zobaczył pierwszy brzask. Wciąż nie czuł zmęczenia. Myślał o decyzjach, jakie ludzie podejmują w życiu. Zastanawiał się, co by się stało, gdyby aktorzy zagrali przynajmniej znośnie, a film znalazł dystrybutora. Ciekawe, czy wydarzenia potoczyłyby się inaczej i Tony Aliso nie trafiłby do bagażnika.

Narada u Billets zaczęła się dopiero o wpół do dziesiątej. Mimo że z powodu święta biuro było puste, wszyscy wzięli krzesła do gabinetu porucznik i zamknęli drzwi. Na początku Billets poinformowała ich, że lokalne media, prawdopodobnie dowiedziawszy się o sprawie z rejestru koronera, zaczęły już zdradzać większe niż zwykle zainteresowanie morderstwem Alisa. Powiedziała też, że w departamencie odzywają się głosy, czy sprawy nie należałoby przekazać elitarnemu wydziałowi rabunków i zabójstw. Sugestia podziałała na Boscha jak płachta na byka. Kiedyś pracował w RiZ, ale po pewnym incydencie, gdy w niewyjaśnionych okolicznościach strzelił podczas służby, przeniesiono go do Hollywood. Dlatego zdenerwował się na myśl, że miałby oddać sprawę ważniakom z centrum. Gdyby zainteresował się nią wydział przestępczości zorganizowanej, byłoby mu łatwiej się z tym pogodzić. Ale Bosch oświadczył Billets, że nie zaakceptuje przekazania sprawy rabunkom i zabójstwom po tym, jak jego zespół spędził nad sprawą prawie całą noc, odnajdując obiecujące tropy. Poparła go Rider, a Edgar, wciąż w złym humorze z powodu wyznaczenia go do papierkowej roboty, nie włączał się do rozmowy.

– Świetnie was rozumiem – powiedziała Billets. – Ale zaraz po naradzie będę musiała zadzwonić do kapitan LeValley i przekonać ją, że mamy już jakiś punkt zaczepienia. Mówcie, co ustaliliście. Jeżeli przekonacie mnie, ja przekonam ją. Potem ona zawiadomi górę, co sądzimy o przekazaniu sprawy do centrum.

Głos zabrał Bosch i przez następne pół godziny zdawał szczegółową relację z nocnego dochodzenia. Jedyny telewizor z magnetowidem w całym biurze znajdował się w gabinecie porucznik Billets, ponieważ trzymanie go w otwartym pomieszczeniu, nawet na posterunku policji, nie było zbyt bezpieczne. Bosch włożył do odtwarzacza kasetę, na którą Meachum przegrał zapis z kamery w Archway, i ustawił miejsce, gdzie pojawiał się intruz.

– Kamera rejestruje jedną klatkę co sześć sekund, więc obraz jest szybki i przerywany, ale mamy na nim tego faceta – powiedział.

Wcisnął przycisk odtwarzania i na ekranie ukazał się ziarnisty, czarno-biały widok dziedzińca i frontu budynku Tyrone'a Powera. Światło wskazywało, że zdjęcia zrobiono wczesnym wieczorem. Według licznika u dołu ekranu była dwudziesta trzynaście poprzedniego dnia.

Bosch zwolnił obraz, lecz mimo to sekwencja, którą chciał pokazać Billets, trwała bardzo krótko. Na sześciu klatkach zobaczyli mężczyznę, który podszedł do drzwi budynku, pochylił się nad klamką i zniknął w środku.

– Stał przed drzwiami od trzydziestu do trzydziestu pięciu sekund – odezwała się Rider. – Z nagrania wyglądałoby, że miał klucz, ale wtedy nie dłubałby przy zamku tak długo. Musiał otworzyć wytrychem. Miał wprawę i szybko sobie poradził.

– Uważajcie, teraz wychodzi – powiedział Bosch.

Kiedy licznik pokazał godzinę dwudziestą siedemnaście, kamera ponownie zarejestrowała mężczyznę w drzwiach. Obraz przeskoczył i na następnej klatce mężczyzna był już na dziedzińcu, kierując się w stronę kosza na śmieci, a w następnej sekundzie odchodził od kosza. Potem zniknął. Bosch cofnął taśmę i zatrzymał na ostatnim ujęciu mężczyzny, gdy ten oddalał się od kubła. To był najwyraźniejszy obraz. Wprawdzie rysy intruza były rozmazane, ale można by je zidentyfikować, gdyby mieli porównać twarz z twarzą konkretnej osoby. Mężczyzna był biały, mocno zbudowany i miał ciemne włosy. Był ubrany w koszulkę polo z krótkim rękawem, a na przegubie prawej ręki, tuż nad brzegiem czarnej rękawiczki, widać było zegarek, którego chromowany pasek błyszczał w blasku latarni na dziedzińcu. Nad zegarkiem na przedramieniu ciemniała plama tatuażu. Bosch pokazał Billets wszystkie te szczegóły, dodając, że weźmie taśmę do kryminalistyków, aby sprawdzić, czy da się komputerowo wyostrzyć ostatnią klatkę, która zarejestrowała najlepszy obraz intruza.

– Dobrze – odrzekła Billets. – Jak myślicie, co mógł tam robić?

– Chciał coś znaleźć i zabrać – powiedział Bosch. – Od wejścia do wyjścia minęły niecałe cztery minuty. Niewiele. Zwłaszcza że musiał jeszcze otworzyć wytrychem wewnętrzne drzwi do biura Alisa. Kiedy tam myszkował, strącił z biurka kubek Archway i go rozbił. Zrobił to, po co przyszedł, a potem zebrał skorupy kubka i długopisy i wychodząc, wyrzucił do śmieci. W nocy znaleźliśmy skorupy i długopisy w koszu.

– Są jakieś odciski? – spytała Billets.

– Gdy tylko się zorientowaliśmy, że doszło do włamania, wycofaliśmy się i wezwaliśmy Donovana, żeby przyjechał, gdy skończy z rolls-royce'em. Obejrzał wszystko, ale nie znalazł nic ciekawego. Odkrył tylko odciski Alisa, moje i Kiz. Jak widać na wideo, facet miał rękawiczki.

– Aha.

Bosch mimowolnie ziewnął, a Edgar i Rider poszli w jego ślady. Pociągnął z kubka łyk wystygłej kawy, którą przyniósł do biura. Miał już drgawki od nadmiaru kofeiny, wiedział jednak, że jeśli przestanie ją w siebie pompować, szybko zwali się z nóg.

– Co waszym zdaniem chciał stamtąd wynieść intruz? – zapytała Billets.

– Stłuczony kubek świadczy, że grzebał przy biurku, nie w szafce z dokumentami – odparła Rider. – Wydaje się, że w biurku niczego nie ruszano. Nie ma pustych teczek, nic w tym rodzaju. Przypuszczamy, że chodziło o pluskwę. Ktoś założył podsłuch w telefonie i nie chciał, żebyśmy go znaleźli. Na zdjęciach w biurze widać, że kubek stał tuż obok telefonu i intruz musiał go przypadkiem strącić. Najzabawniejsze jest to, że w ogóle nie sprawdzaliśmy telefonu. Gdyby facet dał sobie spokój z wyciąganiem pluskwy, pewnie nigdy byśmy na to nie wpadli.

– Byłam w Archway – powiedziała Billets. – Dookoła studia jest mur. Mają własną straż. Jak mógłby tam wejść? A może sugerujecie, że to ktoś z firmy?

– Trzeba pamiętać o dwóch rzeczach – rzekł Bosch. – W studiu kręcono zdjęcia w scenografii Nowego Jorku. Czyli przez bramę musiało przechodzić wiele osób. Być może facetowi udało się wśliznąć razem z częścią ekipy filmowej. Na obrazie z kamery widać, że kiedy wyszedł z biura, skierował się na północ. Tam właśnie jest nowojorska scenografia. Brama jest na południu. Na dodatek od północy studio graniczy z cmentarzem Hollywood. Masz rację, tam stoi mur.

Ale na noc cmentarz zamykają i jest ciemno i pusto. Właśnie tam facet mógł przejść przez mur. Bez względu na to, co zrobił, musiał mieć wprawę.

– To znaczy?

– Jeżeli wyjął pluskwę z telefonu Tony'ego Aliso, wcześniej ktoś ją tam musiał założyć.

Billets skinęła głową.

– Jak myślisz, kto to był? – spytała cicho.

Bosch zerknął na Rider, czekając na jej sugestię. Kiedy się nie odezwała, rzekł:

– Trudno powiedzieć. Największy szkopuł to godzina włamania. Aliso nie żył prawdopodobnie już od piątku wieczorem, jego ciało znaleziono dopiero wczoraj o szóstej po południu. Włamanie było trzynaście po ósmej. Czyli po znalezieniu Alisa, kiedy ludzie zaczęli się o tym dowiadywać.

– Ale trzynaście po ósmej jeszcze nie rozmawialiście z żoną?

– Właśnie. Dlatego to mi trochę popsuło plan. Byłem gotowy wziąć na cel żonę i sprawdzić, czy to nie jej sprawka. Teraz nie jestem już taki pewien. Bo jeżeli faktycznie była zamieszana, to włamanie nie ma sensu.

– Mów jaśniej.

– Najpierw trzeba ustalić, dlaczego go podsłuchiwano. A jak brzmi najbardziej prawdopodobna odpowiedź? Żona nasłała na Tony'ego jakiegoś prywatnego detektywa, żeby sprawdził, czy mąż nie robi skoków w bok.

– No tak.

– Zakładając, że tak było, to jeśli żona maczała palce w zapakowaniu męża do bagażnika, po co ona albo detektyw mieliby czekać do wczorajszego wieczoru – już po znalezieniu ciała – żeby wyjąć pluskwę? To nie ma sensu. Chyba że te dwie rzeczy nie są ze sobą związane. Że zabójstwo i podsłuch to dwie różne sprawy. Jasne?

– Chyba tak.

– Dlatego nie wydaje mi się, że powinniśmy wszystko rzucić i wziąć pod lupę tylko żonę. Moim zdaniem to mogła być ona. Ale za dużo jest jeszcze niewiadomych. I to mnie niepokoi. W grę wchodzi coś jeszcze i nie wiemy co.

Billets pokiwała głową i spojrzała na cały zespół.

– Dobrze. Wiem, że brakuje jeszcze konkretów, ale mimo wszystko to dobra robota. Coś jeszcze? Co z odciskami, które Art Donovan zdjął wczoraj z marynarki ofiary?

– Na razie klapa. Sprawdził w AFIS, NCIC, wszędzie, gdzie się dało, ale na nic nie natrafił.

– Cholera.

– Ale odciski nadal są cenne. Jeżeli znajdziemy podejrzanego, mogą o wszystkim rozstrzygnąć.

– Macie coś jeszcze z samochodu?

– Nie – odparł Bosch.
– Tak – powiedziała Rider.
Billets pytająco uniosła brwi.
– Jest jeden odcisk, który Donovan zdjął z wewnętrznej krawędzi klapy bagażnika – wyjaśniła Rider. – Zostawił go Ray Powers, policjant z patrolu, który znalazł ciało. Otwierając bagażnik, przekroczył swoje uprawnienia. I zostawił ślad. Jasne, zaraz przejęliśmy sprawę i nic się nie stało, ale to było partactwo. W ogóle nie powinien dotykać samochodu, tylko nas wezwać.
Billets zerknęła na Boscha, który się domyślił, że porucznik zastanawia się, dlaczego jej o tym nie poinformował. Wbił wzrok w biurko.
– Dobrze, zajmę się tym – oznajmiła Billets. – Znam Powersa. Nie jest żółtodziobem i powinien dobrze znać procedurę.
Bosch mógł bronić Powersa, używając argumentu, jaki wczoraj od niego usłyszał, ale dał sobie spokój. Powers nie był tego wart. Billets ciągnęła:
– To co dalej?
– Mamy mnóstwo roboty – odparł Bosch. – Słyszałem kiedyś historyjkę o rzeźbiarzu, którego ktoś zapytał, jak zmienia kawał granitu w piękny posąg kobiety. Powiedział, że po prostu odłupuje wszystko, co nie jest kobietą. Właśnie to musimy zrobić. Mamy kawał różnych informacji i dowodów. Musimy odłupać wszystko, co się nie liczy i nie pasuje.
Billets uśmiechnęła się, a Bosch poczuł się nagle zakłopotany użytym przez siebie porównaniem, choć uważał je za trafne.
– Co z Las Vegas? – zapytała. – Czy to część posągu, czy kawałek do odłupania?
Teraz uśmiechnęli się Rider i Edgar.
– Na pewno trzeba tam pojechać – powiedział Bosch, starając się ukryć zmieszanie. – Na razie wiemy tylko tyle, że Aliso tam był i zginął krótko po powrocie. Nie wiemy, co tam robił, czy wygrał, czy przegrał, czy ktoś go śledził. Możliwe, że zgarnął całą pulę, ktoś za nim przyjechał aż tutaj i go okradł. W sprawie Las Vegas jest sporo pytań.
– No i ta kobieta – dodała Rider.
– Jaka kobieta? – spytała Billets.
– Racja – przytaknął Bosch. – Z telefonu w biurze Alisa dzwoniono do klubu w północnym Las Vegas. To był ostatni wybrany numer. Zadzwoniłem tam i zdobyłem imię kobiety, z którą się tam chyba spotykał. Layla. W poczcie...
– Layla? Jak z piosenki Claptona?
– Chyba tak. W poczcie głosowej była też wiadomość od kobiety, która się nie przedstawiła. Wydaje mi się, że to mogła być ta Layla. Musimy z nią porozmawiać.
Billets skinęła głową, a kiedy Bosch skończył, przedstawiła im plan bitwy.

– No dobrze – zaczęła. – Po pierwsze, wszyscy dziennikarze mają się zgłaszać tylko do mnie. Przepływ informacji najlepiej się kontroluje, kiedy wychodzą od jednej osoby. Na razie mówimy, że śledztwo się toczy i skłaniamy się ku wersji o porwaniu samochodu i kradzieży. W miarę nieszkodliwe i powinno uspokoić media. Zgadzacie się na to?

Wszyscy troje przytaknęli.

– Zamierzam przedstawić kapitan LeValley mocne argumenty za tym, że powinniśmy dalej prowadzić sprawę. Wygląda na to, że mamy trzy czy cztery tropy, które trzeba dokładnie sprawdzić. Trzeba zacząć łupać ten granit, jak powiedziałby Harry.

Łatwiej byłoby mi przekonać kapitan, gdybyśmy od razu zabrali się do dzieła. Dlatego Harry, jak najszybciej wsiadaj do samolotu i leć do Vegas. Chciałabym, żebyś to ty zbadał ten wątek. Ale jeżeli nic nie znajdziesz, zaraz wracaj. Będziesz nam tu potrzebny. Zgoda?

Bosch skinął głową. Gdyby sam miał decydować, postanowiłby to samo, lecz poczuł się nieswojo, gdy role rozdzielał kto inny.

– Kiz, zajmiesz się finansami denata. Jutro rano chcę wiedzieć wszystko o Anthonym Aliso. Pojedziesz też do domu z nakazem rewizji i jeszcze raz porozmawiasz z żoną. Kiedy będziesz zbierać dokumenty, wypytaj ją dokładniej o ich małżeństwo. Jeśli będziesz miała okazję, może spróbuj ją wziąć na szczerość.

– Sama nie wiem – odrzekła Rider. – Na szczerość już chyba za późno. To inteligentna kobieta, domyśliła się, że chcemy ją wziąć pod lupę. Bezpieczniej będzie, jeżeli ją uprzedzimy o prawach, zanim którekolwiek z nas znowu z nią porozmawia. Wczoraj niewiele brakowało.

– Sama będziesz to musiała ocenić – oświadczyła Billets. – Ale jeśli ją uprzedzisz, pewnie zadzwoni do adwokata.

– Zobaczę, co się da zrobić.

– A ty, Jerry...

– Wiem, wiem. Papierki.

Edgar odezwał się pierwszy raz od piętnastu minut. Bosch pomyślał, że nie mógł już być w gorszym nastroju.

– Owszem, papierki. Ale chcę też, żebyś przyjrzał się jego cywilnym procesom i temu scenarzyście, który miał z Alisem na pieńku. Mam wrażenie, że to najmniej prawdopodobny trop, ale nie wolno niczego zaniedbać. Kiedy to wyjaśnisz, będziemy mogli zawęzić listę.

Edgar niedbałym gestem zasalutował.

– Jeszcze jedno – ciągnęła. – Kiedy Harry będzie ustalał przebieg jego pobytu w Las Vegas, ty ustalisz, co się działo od lotniska. Mamy kwitek z parkingu. Od tego powinieneś zacząć. Kiedy będę rozmawiać z mediami, podam szczegółowy opis samochodu – takich białych rolls-royce'ów nie może być dużo – i powiem, że szukamy osób, które widziały wóz w piątek wieczorem. Że próbujemy odtworzyć trasę ofiary z lotniska. Może dopisze nam szczęście i ludzie trochę pomogą.

– Może – odparł Edgar.
– No to do roboty – zakończyła Billets.
Wszyscy troje wstali, a porucznik została na miejscu. Bosch powoli wyciągał kasetę z magnetowidu, czekając, aż partnerzy opuszczą gabinet i zostanie z Billets sam.
– Słyszałem, że zanim do nas przyszłaś, nie znałaś za dobrze zabójstw od strony praktycznej – powiedział do niej.
– To prawda. Jako detektyw pracowałam tylko w przestępstwach seksualnych, w biurze Doliny.
– Jeśli chcesz wiedzieć, to przydzieliłbym zadania tak samo jak ty.
– Zdenerwowałeś się, że zrobiłam to za ciebie?
Bosch zastanowił się przez chwilę.
– Jakoś to przeżyję.
– Dziękuję.
– Nie ma sprawy. A jeżeli chodzi o odcisk palca Powersa, pewnie bym ci o nim powiedział, ale pomyślałem, że zaczekam na lepszą okazję. Ochrzaniłem go wczoraj za to, że otworzył samochód. Powiedział, że gdyby tego nie zrobił i czekał na nas, samochód pewnie jeszcze by tam stał. To dupek, ale tu akurat miał rację.
– Rozumiem.
– Jesteś wkurzona, że o tym nie powiedziałem?
Billets zastanowiła się przez chwilę.
– Jakoś to przeżyję.

Rozdział 2

Bosch zapiął pas na fotelu przy oknie w samolocie linii Southwest z Burbank do Las Vegas, a kilka minut później zapadł w głęboki sen. Nic mu się nie śniło i ocknął się, czując szarpnięcie w chwili, gdy podwozie dotknęło powierzchni pasa. Kiedy samolot kołował w stronę wyjścia, oprzytomniał zupełnie, czując przypływ energii po godzinnej drzemce.

Wyszedł z terminalu w samo południe, w czterdziestostopniowy upał. Zmierzając na parking, gdzie czekał na niego wynajęty samochód, odniósł wrażenie, jak gdyby gorące powietrze wysysało z niego nowo odzyskaną energię. Odnalazł samochód na wyznaczonym stanowisku, włączył klimatyzację na cały regulator i ruszył w stronę „Mirage".

Bosch nigdy nie przepadał za Las Vegas, choć kiedy prowadził różne sprawy, często musiał tu bywać. To miasto i Los Angeles pod pewnym względem były do siebie podobne; tu także ściągali zdesperowani ludzie. Gdy uciekali z Los Angeles, często przybywali do Vegas, z braku innego schronienia. Pod blichtrem bogactwa, za fasadą energii i seksu, kryła się mroczna dusza. Mimo wysiłków, by przystroić je neonami i ucharakteryzować na centrum rodzinnej rozrywki, miasto wciąż przypominało dziwkę.

Jedynym miejscem, które mogłoby skłonić Boscha do zmiany zdania, był „Mirage". Hotel, czysty, uczciwy i wykwintny, symbolizował nowe Las Vegas. W blasku słońca okna strzelistego gmachu lśniły złotem. Na wystrój kasyna nie żałowano pieniędzy. Gdy Bosch wkroczył do holu, oczarował go widok białych tygrysów na wielkim, oszklonym wybiegu, który mógł wzbudzić zazdrość u dozorcy każdego zoo na świecie. Czekając w kolejce, oglądał ogromne akwarium znajdujące się za recepcją. Rekiny za szybą poruszały się leniwie tam i z powrotem. Zupełnie jak tygrysy.

Gdy nadeszła kolej Boscha, by się zameldować, recepcjonista zauważył adnotację przy jego rezerwacji i wezwał ochronę. Zjawił się kierownik dziennej zmiany, Hank Meyer, który przedstawił się i zapewnił Boscha, że może liczyć na ścisłą współpracę personelu hotelu i kasyna.

– Tony Aliso był naszym dobrym i cenionym klientem – powiedział. – Zrobimy, co w naszej mocy, żeby panu pomóc. Ale moim zdaniem mało prawdopodobne, żeby jego śmierć miała coś wspólnego z pobytem u nas. Prowadzimy najczystszy interes na pustyni.

– Wiem, Hank – odparł Bosch. – I wiem, że nie chcecie narażać na szwank swojej reputacji. Nie spodziewam się znaleźć niczego w „Mirage", ale muszę wykonać rutynowe czynności. Wy też, prawda?

– Tak.

– Znał go pan?

– Nie, nie znałem. Pracuję tu od trzech lat i zawsze jestem na pierwszej zmianie. Z tego, co wiem, pan Aliso grywał przede wszystkim wieczorami.

Meyer miał około trzydziestu lat i miłą powierzchowność, jaką „Mirage" i całe Las Vegas chciały ukazywać światu. Wyjaśnił, że pokój hotelowy, w którym ostatnio mieszkał Aliso, został zaplombowany i czeka na inspekcję Boscha. Dał mu klucz, prosząc o jego zwrot zaraz po zakończeniu oględzin. Dodał, że detektyw będzie mógł przesłuchać krupierów z sali pokerowej i bukmacherów pracujących na nocnej zmianie. Wszyscy znali Alisa, ponieważ był stałym gościem.

– Czy nad stołami pokerowymi jest kamera?

– Hm, owszem, jest.

– Macie zapis wideo z czwartku i piątku wieczorem? Chciałbym go obejrzeć.

– Z tym nie będzie kłopotu.

Bosch umówił się z Meyerem na czwartą w biurze ochrony na drugim piętrze. O tej godzinie przychodziła druga zmiana i mieli się zjawić krupierzy znający Alisa. Meyer obiecał też pokazać Boschowi taśmę wideo zarejestrowaną przez kamerę zamontowaną na suficie w sali do pokera.

Kilka minut później Bosch usiadł na łóżku, rozglądając się po swoim pokoju, który był mniejszy, niż się spodziewał, ale ładny i zdecydowanie najlepiej urządzony ze wszystkich pokoi, jakie kiedykolwiek widział w Las Vegas. Wziął telefon ze stolika, położył sobie na kolanach i zadzwonił na komendę Hollywood, by się zameldować. Odebrał Edgar.

– Tu Bosch.

– Ach, Michał Anioł morderstw i Rodin zabójstw.

– Bardzo śmieszne. Co u was?

– Po pierwsze, Kanar wygrała bitwę – odrzekł Edgar. – Nie przyszedł nikt z RiZ, żeby zakosić nam sprawę.

– To dobrze. A wy? Robicie jakieś postępy?

– Prawie skończyłem uaktualniać księgę morderstwa, ale musiałem ją na razie odłożyć. O wpół do drugiej przychodzi na rozmowę scenarzysta. Mówi, że nie potrzebuje adwokata.

– Dobra, wobec tego nie przeszkadzam. Przekaż porucznik, że się zgłosiłem.

– Jasne, a przy okazji, o szóstej chciałaby znowu pogadać o sprawie. Możesz zadzwonić i przełączymy cię na głośnik.

– Zrobi się.

Bosch siedział przez chwilę na łóżku, marząc, by się na nim rozciągnąć i zasnąć. Wiedział jednak, że nie może sobie na to pozwolić. Musiał ruszać do pracy.

Wstał i rozpakował rzeczy, w szafie powiesił dwie koszule i parę spodni. Bieliznę i skarpety ułożył na półce, po czym wyszedł z pokoju i wjechał windą na ostatnie piętro. Pokój Alisa znajdował się na końcu korytarza. Bosch otworzył drzwi elektronicznym kluczem, który dostał od Meyera, i znalazł się w pokoju dwa razy większym od swojego. Apartament składał się z sypialni z salonem i był wyposażony w jacuzzi zainstalowane przy oknach wychodzących na północny zachód, na pustynię i kakaowe pasmo gór na horyzoncie. W dole widać było basen i hotelowe delfinarium. Spoglądając tam, Bosch ujrzał szary kształt śmigający pod srebrzystą taflą wody. Na tle krajobrazu stworzenie wyglądało niedorzecznie. Bosch czuł się podobnie w apartamencie.

– Delfiny na pustyni – powiedział głośno.

Pokój w każdym mieście mógł uchodzić za luksusowy pod każdym względem i najwyraźniej był przeznaczony dla najbogatszych graczy. Bosch przez kilka chwil stał obok łóżka i rozglądał się wokół. Wszystko było na swoim miejscu. Puszysty włos dywanu ułożył się w równomierne fale po niedawnym odkurzaniu. Bosch przypuszczał, że jeśli znalazł się tu jakikolwiek cenny materiał dowodowy, z pewnością nie został już po nim ślad. Mimo to przystąpił do rutynowych czynności. Zajrzał pod łóżko i do szuflad. Za komodą znalazł pudełko zapałek z restauracji meksykańskiej „Las Fuentes", ale nie miał pojęcia, jak długo tam leżało.

Łazienka od podłogi do sufitu była wyłożona różowym marmurem. Mosiężna armatura. Bosch rozglądał się przez chwilę, ale nie dostrzegł nic ciekawego. Otworzył szklane drzwi kabiny prysznicowej, ale tu także niczego nie znalazł. Kiedy jednak zamykał drzwi, jego wzrok zatrzymał się na otworze odpływowym. Pochylił się, po czym dotknął palcem złotej drobinki, która osadziła się na gumowej uszczelce przy odpływie. Uniósł palec i zobaczył, że błyszczący okruch do niego przywarł. Doszedł do wniosku, że to jedna z drobin brokatu, jakie znaleźli w mankietach spodni Tony'ego Aliso. Teraz musiał tylko ustalić, co to jest i skąd się wziął ten złoty pył.

Miejski departament policji znajdował się na Stewart Street w centrum. Bosch podszedł do biurka dyżurnego i wyjaśnił, że jest policjantem spoza miasta i chciałby poinformować wydział zabójstw o prowadzonym przez siebie śledztwie. Skierowano go do biura detektywów na trzecim piętrze, gdzie kolejny dyżurny zaprowadził go przez pustą salę dochodzeniówki do gabinetu dowódcy. Kapitan John Felton był mocno opalonym, mniej więcej pięćdziesięcioletnim mężczyzną o masywnym karku. Bosch przypuszczał, że w ciągu jednego miesiąca wygłaszał mowę powitalną do co najmniej setki gliniarzy z całego kraju. Na tym polegała specyfika Las Vegas. Felton poprosił Boscha, by usiadł, a potem uraczył go standardową formułką.

– Detektywie Bosch, witam w Las Vegas. Ma pan szczęście, że postanowiłem wpaść do biura w święto, ale musiałem się zająć pilnymi dokumentami. Gdyby nie to, nikogo by pan tu nie zastał. W każdym razie mam nadzieję, że pański pobyt będzie udany i owocny. Jeśli będzie pan potrzebował pomocy, proszę śmiało dzwonić. Niczego nie mogę obiecać, ale jeżeli tylko będę mógł spełnić pańską prośbę, bardzo chętnie to zrobię. Skoro już to sobie wyjaśniliśmy, proszę powiedzieć, co pana do nas sprowadza.

Bosch krótko streścił sprawę. Felton zapisał nazwisko Tony'ego Aliso i informację, gdzie i kiedy ostatnio widziano go w Las Vegas.

– Staram się po prostu odtworzyć przebieg jego pobytu w mieście.

– Myśli pan, że ktoś śledził go u nas, a potem zlikwidował w Los Angeles?

– Na razie nic nie myślę. Nie mamy na to żadnego dowodu.

– I mam nadzieję, że żadnego pan nie znajdzie. Nie chcemy takiej reklamy w Los Angeles. Ma pan coś jeszcze?

Bosch położył na kolanach aktówkę i otworzył.

– Mam dwa zestawy odcisków palców zdjętych z ciała ofiary. Sprawdziliśmy...

– Z ciała?

– Miał na sobie marynarkę z impregnowanej skóry. Znaleźliśmy odciski dzięki laserowi. W każdym razie sprawdziliśmy w bazach danych AFIS, NCIC, Departamentu Sprawiedliwości Kalifornii, wszędzie, gdzie się dało, ale nie udało się ich zidentyfikować. Pomyślałem, że mógłby je pan wrzucić do waszego komputera i zobaczyć, czy coś z tego wyniknie.

Automatyczny system informacji daktyloskopijnej, z którego korzystała policja Los Angeles, stanowił komputerową sieć kilkudziesięciu baz danych w całym kraju, nie obejmował jednak wszystkich systemów. Większość departamentów policji w większych miastach miała własne bazy danych. W Vegas znajdowały się tam odciski osób ubiegających się o pracę w miejskich instytucjach albo kasynach, a także odciski zdejmowane po kryjomu, których policja nie mogła uzyskiwać legalnie, ponieważ ich właściciele znaleźli się tylko w kręgu podejrzanych i nigdy ich nie aresztowano. Bosch miał nadzieję, że Felton sprawdzi właśnie w takiej bazie.

– Dobrze, zobaczę – odrzekł Felton. – Niczego nie mogę obiecać. Pewnie mamy parę takich, których nie znajdzie pan w krajowych sieciach, ale szanse są raczej marne.

Bosch podał mu karty przygotowane przez Arta Donovana.
– A więc zaczyna pan od „Mirage"? – spytał kapitan, odłożywszy karty na biurko.
– Tak. Pokażę zdjęcie Alisa, zrobię rutynowy wywiad, może wpadnę na jakiś ślad.
– Mówi mi pan wszystko, co pan wie, tak?
– Tak – skłamał Bosch.
– Dobrze. – Felton wysunął szufladę biurka, wyciągnął wizytówkę i wręczył Boschowi. – Tu ma pan mój numer służbowy i numer pagera. Proszę dzwonić, gdyby pojawiło się coś nowego. Pager zawsze noszę przy sobie. Jutro rano powinienem już coś wiedzieć w sprawie odcisków.
Bosch podziękował mu i wyszedł. Z holu komendy zadzwonił do wydziału kryminalistycznego w Los Angeles i zapytał Donovana, czy zdążył już zbadać złote drobiny, jakie znaleźli w mankietach spodni Tony'ego Aliso.
– Tak, ale wynik chyba ci się nie spodoba – odrzekł Donovan. – Zwykły brokat. Barwione aluminium. Wiesz, ozdabia się nim kostiumy i sypie na różnych imprezach. Facet pewnie poszedł na przyjęcie, gdzie fruwał taki proszek, nie wiem, może strzelali nim z jakichś rożków, i trochę przyczepiło mu się do ubrania. Część przypuszczalnie strzepnął, ale nie widział okruchów, które wpadły do mankietów. I zostały.
– Aha. Coś jeszcze?
– Hm, nie. Przynajmniej jeżeli chodzi o dowody.
– A jeżeli nie?
– Harry, znasz tego gościa z PZ, z którym wczoraj rozmawiałeś przez telefon, kiedy byliśmy w baraku?
– Carbone'a?
– Tak, Dominika Carbone'a. No więc dzisiaj wpadł do laboratorium. Pytał, co wczoraj udało się nam znaleźć.
Boschowi pociemniało w oczach. Nie odpowiedział, więc Donovan ciągnął:
– Mówił, że przyszedł w innej sprawie i pyta tylko z ciekawości. Ale wiesz co, Harry, wydaje mi się, że to coś więcej niż przelotne zainteresowanie. Rozumiesz, co mam na myśli.
– Tak, rozumiem. Ile mu powiedziałeś?
– No, zanim się zorientowałem, co jest grane, wypsnęło mi się, że zdjęliśmy odciski z marynarki. Przepraszam Harry, ale byłem dumny. Rzadko się zdarza, żeby zdjąć porządne odciski z marynarki ofiary i chyba miałem ochotę się komuś pochwalić.
– W porządku, Art. Powiedziałeś mu, że nic nie trafiliśmy?
– Tak, mówiłem, że okazały się czyste. Ale potem... potem poprosił mnie o kopię zestawu i powiedział, że może uda mu się coś z nimi zrobić, cokolwiek to znaczyło.
– I co zrobiłeś?

– A jak myślisz? Dałem mu kopię karty.
– Co?!
– Żartuję, Harry. Powiedziałem mu, że jeżeli chce dostać odciski, powinien się zgłosić do ciebie.
– To dobrze. Mówiłeś mu coś jeszcze?
– Nic więcej.
– W porządku, Art. Wszystko gra. Odezwę się później.
– Do zobaczenia, Harry. Czekaj, skąd dzwonisz?
– Z Vegas.
– Naprawdę? Wiesz co, postaw za mnie w ruletce pięć dolców na siódemkę. Tylko raz. Oddam ci, jak wrócisz. Chyba żebym wygrał. Wtedy ty mi wypłacisz.

Bosch wrócił do swojego pokoju czterdzieści pięć minut przez zaplanowanym spotkaniem z Hankiem Meyerem. Zdążył wziąć prysznic, ogolić się i przebrać w czystą koszulę. Poczuł się odświeżony i gotowy, by znów stawić czoło żarowi pustyni.

Meyer poprosił do biura bukmacherów i krupierów pracujących w sali pokerowej w czwartek i piątek wieczorem, aby Bosch mógł ich przesłuchać wszystkich po kolei. Zjawiło się sześciu mężczyzn i trzy kobiety. Ośmioro krupierów i bukmacherka, u której Aliso zawsze obstawiał zakłady sportowe. Krupierzy zmieniali się przy sześciu stołach do pokera co dwadzieścia minut. Oznaczało to, że podczas ostatniej wizyty Alisa w Las Vegas cała ósemka rozdawała mu karty, a ponieważ był stałym gościem kasyna, wszyscy go znali.

W obecności siedzącego z boku Meyera Bosch przesłuchał krupierów w godzinę. Udało mu się ustalić, że Aliso zwykle grywał przy stole z limitem pięć do dziesięciu. Każde rozdanie rozpoczynało się od obstawienia pięciodolarowej stawki bazowej, a w każdej rundzie licytacji gracze wchodzili do puli ze stawką w wysokości co najmniej pięciu i maksymalnie dziesięciu dolarów. Dopuszczano trzy podbicia w trakcie jednej rundy. Był to poker siedmiokartowy, czyli w rozdaniu odbywało się pięć rund licytacji. Bosch szybko się zorientował, że jeśli przy stole siedziało ośmiu graczy, pula w każdym rozdaniu mogła bez trudu osiągnąć kwotę kilkuset dolarów. Aliso grał w znacznie poważniejszej lidze niż Bosch, kiedy brał udział w piątkowych partyjkach z kolegami z dochodzeniówki.

Według słów krupierów Aliso grał około trzech godzin w czwartek i wyszedł na czysto. W piątek wczesnym wieczorem spędził przy stole dwie godziny i zakończył grę, jak ocenili pracownicy, z portfelem chudszym o dwa tysiące. Nikt nie przypominał sobie, by podczas poprzednich wizyt w kasynie Aliso wygrał lub przegrał jakąś ogromną sumę. Zawsze odchodził od stołu bogatszy albo biedniejszy o kilka tysięcy. Widocznie wiedział, kiedy trzeba skończyć.

Krupierzy wspomnieli także, że Aliso nie skąpił napiwków. Zwykle przy każdej wygranej dawał im dziesięć dolarów w żetonach i dwadzieścia pięć, kiedy zgarniał wyjątkowo dużą pulę. Właśnie ten zwyczaj zjednał mu pamięć wdzięcznego personelu kasyna. Zawsze grał sam, popijał dżin z tonikiem i gawędził z innymi graczami. W ostatnich miesiącach Aliso zjawiał się podobno w towarzystwie dwudziestokilkuletniej blondynki. Dziewczyna nie grała w pokera, ale spędzała czas przy automatach, do Tony'ego przychodziła tylko wtedy, gdy potrzebowała więcej pieniędzy. Tony nikomu jej nie przedstawiał i żaden z krupierów nie słyszał, jak miała na imię. Bosch zanotował tę informację, dopisując przy niej „Layla?".

Po krupierach przyszła kolej na ulubioną bukmacherkę Alisa. Irma Chantry była mysią blondynką o tlenionych włosach. Gdy tylko usiadła, zapaliła papierosa, a jej głos zdradzał, że w jej życiu rzadko zdarza się chwila bez dymka. Poinformowała Boscha, że Aliso obstawiał u niej wynik meczu Dodgersów w obydwa ostatnie wieczory swojego pobytu w mieście.

– Miał system – wyjaśniła. – Podwajał, dopóki nie wygrał.

– To znaczy?

– Pierwszego dnia postawił tysiąc na wygraną Dodgersów. Przegrali. No więc drugiego wieczoru znowu na nich postawił, tym razem dwa. I wygrali. Czyli po potrąceniu prowizji kasyna był prawie tysiąc do przodu. Tylko że nie odebrał wygranej.

– Nie odebrał?

– Nie. Ale to nic takiego. Dopóki miał kupon, wszystko było w porządku. Mógł przyjść w każdej chwili, wrzucilibyśmy dane do komputera i już. Nieraz już tak robił. Wygrywał, ale odbierał dopiero przy następnej wizycie w kasynie.

– Skąd pani wie, że nie poszedł po wygraną do innego bukmachera?

– Tony nie zrobiłby czegoś takiego. Zawsze odbierał u mnie, bo wtedy mógł mi dać napiwek. Zawsze mówił, że mu przynoszę szczęście.

Bosch zastanowił się przez chwilę. Wiedział, że w piątek wieczorem Dodgersi grali u siebie, a samolot Alisa wyleciał z Las Vegas o dziesiątej. Mógł więc przypuszczać, że kiedy mecz się skończył, Aliso był na lotnisku McCarran International albo już na pokładzie samolotu lecącego do Los Angeles. Ale w jego portfelu ani w kieszeniach nie znaleźli dowodu zawarcia zakładu. Harry znów pomyślał o zaginionej aktówce. Może tam był kupon? Czy potwierdzenie zakładu warte cztery tysiące dolarów minus prowizja kasyna mogło być motywem morderstwa? Wydawało się to mało prawdopodobne, ale warto było się upewnić. Spojrzał na Irmę, która zaciągnęła się papierosem tak łapczywie, że na jej policzkach zobaczył zarys zębów.

– A gdyby ktoś inny odebrał wygraną? U innego bukmachera. Można to jakoś sprawdzić?

Irma zawahała się, ale wtrącił się Meyer.

– Bardzo możliwe – powiedział. – Na każdym kuponie jest numer bukmachera i godzina zawarcia zakładu.

Spojrzał na Irmę.

– Irmo, pamiętasz, ile osób w piątek wieczorem postawiło dwa tysiące na mecz Dodgersów?

– Tylko Tony.

– Zajmiemy się tym – zwrócił się do Boscha Meyer. – Przejrzymy wszystkie kupony zrealizowane od piątku wieczorem. Jeśli ktoś odebrał wygraną pana Alisa, dowiemy się, kiedy to się zdarzyło, i będziemy mieli na wideo osobę, która wypłaciła pieniądze.

Bosch znów popatrzył na Irmę. Tylko ona spośród pracowników kasyna, z którymi rozmawiał, mówiła o Aliso „Tony". Chciał ją zapytać, czy łączyło ich coś więcej poza kontaktami przy okazji zawierania zakładów. Wiedział jednak, że personelowi prawdopodobnie zabraniano zbytniego spoufalania się z gośćmi. Nie mógł jej o to pytać w obecności Meyera i liczyć na szczerą odpowiedź. Odnotował w pamięci, by porozmawiać z Irmą później, po czym zakończył przesłuchanie.

Spoglądając na zegarek, stwierdził, że ma jeszcze czterdzieści minut do konferencji z Billets i resztą zespołu. Zapytał Meyera, czy odnalazł taśmy z zapisem z kamery w sali pokerowej z czwartku i piątku.

– Chciałbym go po prostu zobaczyć w trakcie gry – dodał. – Popatrzeć, jak się zachowywał.

– Rozumiem. Tak, przygotowaliśmy już dla pana te taśmy. Mówiłem, że chcemy ściśle z panem współpracować.

Wyszli z biura, kierując się korytarzem do pokoju technicznego. W pomieszczeniu panował półmrok i cisza, jeśli nie liczyć szumu klimatyzatora. Przy sześciu konsoletach ustawionych w dwóch rzędach siedzieli mężczyźni w szarych marynarkach, a każdy z nich obserwował sześć monitorów umieszczonych nad każdą konsoletą. Ekrany pokazywały widok z góry na różne stoły gry. Tablica z elektronicznymi przełącznikami pozwalała obserwatorowi zmieniać ostrość lub powiększenie obrazu z konkretnej kamery.

– Gdyby chcieli – szepnął do Boscha Meyer – mogliby zajrzeć w karty każdemu graczowi przy każdym stoliku do blackjacka. Niesamowite.

Meyer zaprowadził Boscha do biura szefa techników. W pokoju znajdował się sprzęt wideo oraz rząd szafek z kasetami. Za małym biurkiem siedział inny mężczyzna w szarej marynarce. Meyer przedstawił go jako Carla Smoltza, kierownika.

– Carl, jesteś gotowy?

– Na tym ekranie – oparł Smoltz, wskazując jeden z piętnastocalowych monitorów. – Zaczniemy od czwartku. Poprosiłem tu jednego z krupierów, żeby zidentyfikował faceta. Przychodzi dwadzieścia po ósmej i gra do jedenastej.

Włączył taśmę. Obraz był ziarnisty i czarno-biały, jakością podobny do zapisu z kamery w Archway, tu jednak kamera rejestrowała wszystko w czasie rzeczywistym. Nie było żadnych raptownych przerw. Na ekranie pojawił się mężczyzna, w którym Bosch rozpoznał Alisa, a szef sali zaprowadził go na wolne miejsce przy stole, a potem postawił przed nim stojak z żetonami. Aliso skinął głową i uśmiechnął się do krupierki, którą Bosch wcześniej przesłuchiwał.

– Ile jest w stojaku? – zapytał Bosch.

– Pięćset – odrzekł Smoltz. – Obejrzałem to już w przyspieszonym tempie. Nie dokupuje żetonów, a kiedy wypłaca, ma prawie pełen stojak. Chce pan oglądać w normalnym tempie, czy mam przyspieszyć?

– Proszę przyspieszyć.

Bosch wpatrywał się pilnie w ekran, podczas gdy licznik pokazywał szybko mijające godziny. Zauważył, że Aliso wypił cztery dżiny z tonikiem, szybko pasował w większości licytacji, wygrał pięć dużych pul i przegrał sześć innych. Przy stole niewiele się działo. Smoltz zwolnił odtwarzanie, gdy na zegarze dochodziła jedenasta. Wówczas Aliso wezwał szefa sali, wymienił żetony na gotówkę i zniknął z kadru.

– No dobrze – powiedział Smoltz. – Z piątku mamy dwie taśmy.

– Jak to? – zdziwił się Bosch.

– Grał przy dwóch stołach. Kiedy przyszedł do kasyna, przy stole „pięć do dziesięciu" nie było wolnego miejsca. Mamy tylko jeden, bo niewielu klientów ma ochotę grać o takie stawki. Dlatego najpierw zagrał „jeden do pięciu" i czekał, aż zwolni się miejsce. Na tej taśmie jest zapis z tego tańszego stołu.

Rozpoczęło się drugie nagranie, na którym Bosch zobaczył Alisa w podobnej scenie jak na poprzedniej taśmie. Tym razem Aliso miał na sobie skórzaną marynarkę. Bosch zauważył też, że gdy Aliso wymieniał ukłon i uśmiech z krupierem, skinął także głową kobiecie po przeciwnej stronie stołu. Kobieta odwzajemniła ukłon. Kamera była jednak ustawiona pod takim kątem, że Bosch nie mógł dostrzec jej twarzy. Poprosił Smoltza, aby nie przyspieszał odtwarzania i przez kilka minut oglądał zapis, czekając na jakiś inny znak potwierdzający, że Aliso zna partnerkę od pokera.

Okazało się, że w trakcie gry więcej się już nie porozumiewali. Ale pięć minut później nastąpiła zmiana krupierów i miejsce przy stole zajęła kobieta, z którą Bosch rozmawiał godzinę wcześniej, i powitała się z Alisem i jego partnerką siedzącą naprzeciwko.

– Mógłby pan zatrzymać? – zwrócił się do szefa techników Bosch. Smoltz bez słowa zatrzymał obraz.

– Która to krupierka? – zapytał Bosch.

– Amy Rohrback. Rozmawiał pan z nią.

– Owszem. Hank, mógłby pan ją tu poprosić?

– Hm, oczywiście. Mogę zapytać po co?

– Chodzi mi o tę osobę. – Bosch wskazał na ekranie kobietę siedzącą naprzeciw Alisa. – Przywitała się z Alisem, kiedy usiadł przy stole. Amy Rohrback też się jej ukłoniła. Musi tu często bywać. Znała Alisa i Rohrback. Będę z nią chciał porozmawiać, a krupierka może znać jej nazwisko.

– Dobrze. Pójdę po Amy, ale jeżeli jest w środku gry, trzeba zaczekać.

– W porządku.

Gdy Meyer wyszedł do kasyna, Bosch i Smoltz oglądali dalszą część zapisu wideo w przyspieszonym tempie. Aliso grał przy tańszym stole przez dwadzieścia pięć minut, dopóki nie zjawił się szef sali, który wziął jego żetony i zaprowadził go do droższego stołu z limitem pięć do dziesięciu. Smoltz włożył do odtwarzacza taśmę z kamery nad drugim stołem, gdzie Aliso spędził dwie godziny, sromotnie przegrywając. Podczas gry dokupił jeszcze trzy stojaki z żetonami warte pięćset dolarów, ale szybko je stracił. Wreszcie zostawił kilka pozostałych żetonów jako napiwek, wstał i odszedł od stołu.

Taśma się skończyła, a Meyer i Rohrback wciąż się nie zjawiali. Smoltz zaproponował, że przewinie kasetę z tajemniczą kobietą, aby była gotowa do odtworzenia. Kiedy to zrobił, Bosch poprosił, żeby jeszcze raz pokazał mu zapis w przyspieszonym tempie. Chciał sprawdzić, czy jest choć jeden kadr, w którym widać twarz kobiety. Smoltz włączył odtwarzanie i po pięciu minutach wpatrywania się w szybkie ruchy graczy przy stole Bosch dostrzegł, jak tajemnicza kobieta spogląda w kamerę.

– Tutaj! Niech pan cofnie i zwolni taśmę.

Smoltz spełnił prośbę i Bosch przyglądał się, jak kobieta wyciąga papierosa, zapala go i odchyla głowę, zwracając twarz w stronę obiektywu i wydmuchując dym. Szary obłok przysłonił jej rysy. Ale zanim to się stało, Boschowi wydało się, że ją rozpoznał. Zaniemówił. Smoltz cofnął taśmę do chwili, gdy twarz kobiety była najlepiej widoczna, i zatrzymał obraz. Bosch wpatrywał się w stop-klatkę.

Kiedy Smoltz zaczął mówić, że lepszego ujęcia na pewno nie znajdą, otworzyły się drzwi i wrócił Meyer. Był sam.

– Amy właśnie zaczęła rozdanie, więc będzie mogła przyjść dopiero za jakieś dziesięć minut. Przekazałem jej wiadomość, żeby się tu zjawiła.

– Może pan zadzwonić na dół i to odwołać – rzekł Bosch, nie odrywając wzroku od monitora.

– Naprawdę? Jak to?

– Wiem, kto to jest.

– Kto to jest?

Bosch milczał przez chwilę. Nie wiedział, czy przyczyną był jej widok, gdy zapalała papierosa, czy jakiś głębszy niepokój, ale poczuł ogromną chęć na papierosa.

– Ktoś, kogo kiedyś znałem.

Bosch siedział na łóżku z telefonem na kolanach, czekając na telekonferencję ze swoim zespołem. Myślami był jednak daleko stąd. Wspominał kobietę, która, jak od dawna sądził, na dobre zniknęła z jego życia. Ile to już minęło, cztery, pięć lat? W głowie kłębiło mu się tyle myśli i uczuć, że nie pamiętał dokładnie. W każdym razie szmat czasu. Nie powinien się dziwić, że już wyszła na wolność.

– Eleanor Wish – powiedział głośno.

Myślał o drzewach jakarandy pod jej domem w Santa Monica. Myślał o tym, jak się kochali, o ledwie widocznej bliźnie w kształcie półksiężyca na jej podbródku. Przypomniał sobie, jak go spytała, kiedy się kochali: „Wierzysz, że możesz być sam i nie być samotny?".

Zadzwonił telefon. Bosch ocknął się z zamyślenia i odebrał. To była Billets.

– Harry, zgłaszamy się wszyscy. Dobrze mnie słyszysz?

– Nie bardzo, ale chyba lepiej się nie da.

– Racja, miejski sprzęt. No dobrze, niech każdy na początek zda relację z przebiegu dnia. Harry, chcesz zacząć?

– Zgoda. Nie mam zbyt wiele do powiedzenia.

Przekazał szczegóły swoich dotychczasowych ustaleń, zwracając uwagę na zaginiony kupon z zakładów, którego należało poszukać. Opowiedział o obejrzanych zapisach wideo z kasyna, nie wspominając jednak, że przy stole do pokera rozpoznał Eleanor Wish. Uznał, że nie ma niezbitego dowodu na jej związki z Alisem i na razie może zatrzymać tę informację dla siebie. Na koniec poinformował o swoim planie wizyty w „Dolly" i sprawdzenia, kim jest Layla.

Następny był Edgar. Oznajmił, że scenarzysta został oczyszczony z podejrzeń na podstawie przedstawionego alibi oraz przeczucia Edgara, że choć młody człowiek rzeczywiście miał powody, by szczerze nie znosić Alisa, to nie był jednak osobą, która mogłaby dać wyraz swojej nienawiści, pakując mu w głowę dwie kulki.

Edgar dodał, że rozmawiał z pracownikami stacji obsługi, gdzie Aliso przed wyjazdem do Las Vegas zostawił samochód, aby go umyto i nawoskowano. Zlecenie obejmowało także podstawienie rolls-royce'a na lotnisko. Człowiek, który przyprowadził samochód, twierdził, że Aliso był sam, wydawał się zrelaksowany i nigdzie się nie spieszył.

– To była rutynowa usługa – ciągnął Edgar. – Aliso odebrał wóz i pojechał do domu. Facetowi ze stacji dał dwadzieścia dolców napiwku. Wniosek z tego taki, że musieli go zdjąć w drodze do domu. Przypuszczam, że gdzieś na Mulholland. Pusta droga, dużo niewidocznych zakrętów. Można bez trudu szybko zatrzymać każdy samochód. Pewnie zrobiły to dwie osoby.

– Co człowiek z obsługi mówił o bagażu? – zapytał Bosch.

– A, racja – odrzekł Edgar. – Powiedział, że jeśli dobrze pamięta, Tony miał dwie torby: srebrny neseser i torbę na ramię. Tak jak mówiła jego żona. Niczego nie nadał na bagaż.

Bosch pokiwał głową, mimo że rozmówcy go nie widzieli.

– Co z mediami? – spytał. – Wyszło już jakieś oświadczenie?

– Opracowujemy – włączyła się Billets. – Wydział prasowy jutro z samego rana ogłosi komunikat. Z fotografią rollsa. Do garażu wpuszczą kamery, a ja udzielę krótkiej wypowiedzi. Mam nadzieję, że telewizje podchwycą temat. Coś jeszcze, Jerry?

Edgar poinformował na koniec, że uaktualnił księgę morderstwa i sprawdził połowę listy osób, które wytoczyły Tony'emu procesy cywilne. Pozostałych rzekomo skrzywdzonych przez niego ludzi zamierzał przesłuchać następnego dnia. Dodał też, że dzwonił do biura koronera i dowiedział się, że daty przeprowadzenia sekcji jeszcze nie wyznaczono.

– W porządku – powiedziała Billets. – Kiz, twoja kolej.

Rider podzieliła swój raport na dwie części. Pierwszą poświęciła drugiemu przesłuchaniu Veroniki Aliso. Streściła je w kilku zdaniach, podkreślając, że w porównaniu z wczorajszą rozmową, gdy razem z Boschem zawiadomili ją o śmierci męża, dziś była wyjątkowo małomówna. Rano Veronica odpowiadała na pytania krótko, przytakując lub zaprzeczając, a czasem dodając jakiś szczegół. Była żoną Alisa przez siedemnaście lat. Nie mieli dzieci. Veronica zagrała w dwóch filmach męża, a potem nigdy więcej już nie pracowała.

– Myślisz, że przed rozmową kontaktowała się z adwokatem? – zapytał Bosch.

– Nic o tym nie wspominała, ale wydaje mi się, że tak – odparła Rider. – Wyciągałam z niej odpowiedzi, jakbym wyrywała jej zęby.

– Dobrze, co jeszcze? – wtrąciła Billets, pilnując tempa konferencji.

Rider przeszła do drugiej części raportu ze swojego dochodzenia, obejmującej analizę dokumentów finansowych Anthony'ego Aliso. Mimo kiepskiej jakości połączenia Bosch wyraźnie usłyszał w jej głosie nutę podekscytowania.

– Jego stan posiadania wskazuje, że był wyjątkowo dobrze sytuowany. Na kontach osobistych pięciocyfrowe sumy, zero długów na rachunkach kart kredytowych, dom wart milion dolarów obciążony hipoteką w wysokości siedmiuset tysięcy. Ale to wszystko, przynajmniej tyle udało mi się ustalić. Rolls-royce jest w leasingu, lincoln jego żony jest w leasingu, no i wiemy, że wynajmował biuro.

Zrobiła krótką pauzę.

– Nawiasem mówiąc, Harry, jeżeli będziesz miał czas, mógłbyś coś tam sprawdzić. Obydwa samochody wzięła w leasing jego firma, TNA Productions, od salonu w Vegas. Mógłbyś tam zajrzeć, gdybyś miał chwilę. Salon nazywa się Ridealong Incorporated. Jest przy Industrial Drive dwa tysiące dwa, lokal trzydzieści trzy.

Jego marynarka z notesem w kieszeni wisiała na krześle po drugiej stronie pokoju. Bosch zapisał nazwę salonu i adres w podręcznym bloczku leżącym na nocnym stoliku.

– No dobrze – podjęła Rider. – Jeżeli przyjrzymy się jego interesom, zaczyna się robić ciekawie. Zdążyłam przeczytać dopiero połowę dokumentów, które zabraliśmy z biura, ale widać już, że facet tkwi po uszy w przekrętach dużego kalibru. Nie mam na myśli wyciągania scenariuszy od naiwnych studenciaków. To było tylko niewinne hobby. Mam na myśli pralnię. Wydaje mi się, że był czyjąś przykrywką.

Znów na moment przerwała. Bosch przesunął się na krawędź łóżka, czując przebiegający po plecach dreszczyk podniecenia.

– Mamy deklaracje podatkowe, zamówienia, umowy na wynajem sprzętu i rozliczenia z kilkunastu filmów. Same produkcje wideo. Tak jak mówiła Veronica, miękkie porno. Przejrzałam parę kaset z jego biura, są okropne. Fabuły niewiele, chyba że za fabułę uznać budowanie napięcia do chwili, kiedy główna bohaterka się rozbiera.

Szkopuł w tym, że to, co jest w księgach, ma się nijak do filmów, a największe sumy od TNA Productions trafiały głównie pod adresy korespondencyjne i do firm, które istnieją tylko na papierze.

– Jak to? – spytała Billets.

– Z dokumentów wynika, że na każdy z tych tak zwanych filmów wyłożono od miliona do półtora miliona, ale kiedy popatrzeć na jego produkcję, można się przekonać, że naprawdę kosztował nie więcej niż sto, może dwieście tysięcy. Mój brat jest montażystą i na tyle dobrze znam się na tym biznesie, by wiedzieć, że takich pieniędzy, jakie według ksiąg Aliso wydawał na swoje filmy, nie mógł na nie wydać. Moim zdaniem wykorzystywał cały interes do prania pieniędzy. Ogromnych pieniędzy.

– Konkretnie, Kiz – powiedziała Billets. – Jak miałby to robić?

– Zacznijmy od źródła. Nazwiemy go panem X. Pan X ma milion dolarów, których nie powinien mieć. Zarobił je na narkotykach, wszystko jedno, w każdym razie musi je zalegalizować, żeby złożyć w banku i nie zwrócić niczyjej uwagi. Daje pieniądze Tony'emu Aliso – czyli inwestuje w wytwórnię filmową Tony'ego. Aliso produkuje za tę forsę tani film, wydając mniej niż jedną dziesiątą.

Ale w księgach rachunkowych stoi czarno na białym, że całą sumę pochłonęły koszty produkcji. Firma prawie co tydzień przesyła czeki różnym firmom produkcyjnym, dostawcom rekwizytów, sprzętu filmowego i tak dalej. Każda kwota mieści się w granicach ośmiu, dziewięciu tysięcy, akurat poniżej rządowego limitu, i transakcji nie trzeba zgłaszać.

Bosch słuchał jej w skupieniu, z zamkniętymi oczami. Był pełen podziwu dla umiejętności Rider, która potrafiła wycisnąć to wszystko z suchych dokumentów.

– Po zakończeniu produkcji Tony prawdopodobnie robi kilka tysięcy kopii filmu i sprzedaje albo próbuje sprzedać niezależnym sklepom i dystrybutorom – bo sieci nie przyjęłyby takiego chłamu – i już, koniec przedstawienia. Ale tak naprawdę przepuszcza przez firmę i oddaje panu X, pierwszemu inwestorowi, około osiemdziesięciu centów z każdego dolara, płacąc rachunki wszystkim firmom-słupom. To jak gra w trzy kubki. Ten, kto stoi za tymi firmami, dostaje swoje pieniądze za nigdy niewykonane usługi. Ale teraz pieniądze są legalne. Są czyste i pan X może pójść do każdego banku w Ameryce, wpłacić je na konto, zapłacić od nich podatek, a potem wydać. Tymczasem Tony Aliso za swoją pracę dostaje sowite wynagrodzenie i bierze się do produkcji następnego dzieła. Z papierów wynika, że robił dwa, trzy filmy rocznie, zgarniając za to pół miliona.

Wszyscy milczeli przez chwilę, dopóki ciszy nie przerwała Rider.

– Miał tylko mały kłopot.

– Skarbówkę na karku – zauważył Bosch.

– Tak jest – odrzekła Rider, a Bosch wyobraził sobie uśmiech, jaki w tym momencie rozjaśnił jej twarz. – Wszystko było bardzo zgrabnie pomyślane, ale idylla niedługo miała się skończyć. Urząd skarbowy jeszcze w tym miesiącu chciał obejrzeć księgi Tony'ego i bardzo prawdopodobne, że jeżeli ja wpadłam na ten przekręt w ciągu jednego dnia, federalni wywąchaliby go w godzinę.

– A Tony stałby się niebezpieczny dla pana X – wtrącił Edgar.

– Zwłaszcza gdyby zamierzał współpracować z kontrolerami – dodała Rider.

Ktoś po drugiej stronie gwizdnął. Bosch nie wiedział kto, ale przypuszczał, że Edgar.

– To co robimy, mamy znaleźć pana X? – spytał Bosch.

– Na początek – odparła Rider. – Pracuję nad prośbą, którą rano chcę wysłać faksem do stanowego departamentu przedsiębiorstw. Dołączę listę wszystkich fikcyjnych firm. Może pan X był na tyle głupi, że na wnioskach o ich rejestrację wpisał swoje prawdziwe nazwisko i adres. Pracuję też nad następnym nakazem. Mam anulowane czeki z firmy Tony'ego. Muszę mieć historie rachunków, na które wpłacano te czeki, może się dowiem, dokąd szły pieniądze, kiedy Tony już je wyprał.

– A skarbówka? – spytał Bosch. – Rozmawiałaś już z nimi?

– W święto urząd jest nieczynny. Ale na zawiadomieniu, które dostał pocztą Aliso, w numerze decyzji o kontroli jest kod zarzutu karnego. Dlatego myślę, że nie wybrali go przez przypadek. Sprawę przydzielono kontrolerowi, do którego chcę zadzwonić z samego rana.

– Wiecie co? – powiedział Edgar. – Zaczyna mi się nie podobać, że PZ nie chciał brać tej sprawy. Wszystko jedno, czy Tony zadawał się z makaroniarzami czy nie, ale to na kilometr cuchnie przestępstwem zorganizowanym. I założę się o każde pieniądze, że musieli gdzieś o nim coś słyszeć, od skarbówki czy kogoś innego.

– Chyba masz rację – przytaknęła Billets.

– Zapomniałem wam o czymś powiedzieć – włączył się Bosch. – Rozmawiałem dzisiaj z Artem Donovanem. Mówił, że facet z PZ, do którego wczoraj dzwoniłem, niejaki Carbone, wpadł dzisiaj do kryminalistycznego i zaczął wypytywać Arta o sprawę. Art twierdzi, że facet udawał, jakby w ogóle go to nie interesowało, ale bardzo go interesowało. Rozumiecie, co mam na myśli?

Przez długą chwilę nikt się nie odzywał.

– To co robimy? – zapytał Edgar.

Bosch znów zamknął oczy i czekał na to, co powie Billets. Od jej decyzji zależał los sprawy i opinia Boscha o porucznik. Wiedział, jak postąpiłby jej poprzednik. Zrobiłby wszystko, żeby oddać sprawę przestępczości zorganizowanej.

– Nic – oświadczyła w końcu Billets. – To nasza sprawa i dalej nad nią będziemy pracować. Ale bądźcie ostrożni. Jeżeli PZ ciągle węszy, mimo że jej nie chciał, to znaczy, że dzieje się coś, o czym jeszcze nie wiemy.

Minęła kolejna chwila ciszy. Bosch otworzył oczy. Billets coraz bardziej mu się podobała.

– No dobrze – powiedziała Billets. – Sądzę, że przede wszystkim powinniśmy się skupić na firmie Tony'ego. To najważniejsza rzecz. Harry, możesz szybko załatwić sprawy w Vegas i wracać?

– Jeżeli niczego nie znajdę, jutro przed lunchem powinienem być z powrotem. Ale pamiętacie, wczoraj wieczorem pani Aliso mówiła nam, że Tony zawsze jeździł do Vegas na spotkania z inwestorami. Może właśnie tam rezyduje nasz pan X.

– Możliwe – odparła Billets. – Słuchajcie, to była dobra robota. Tylko tak dalej.

Pożegnali się i Bosch odstawił telefon na stolik. Postępy w śledztwie dodały mu energii. Siedział przez chwilę na łóżku, rozkoszując się pulsującą w żyłach adrenaliną. Od dawna czekał na to uczucie. Zacisnął dłonie w pięści i uderzył nimi o siebie.

Bosch wysiadł z windy i wkroczył do kasyna. Było tu ciszej niż w innych lokalach tego rodzaju, jakie zdarzyło mu się odwiedzić – nie słyszał żadnych okrzyków dobiegających od stołu do gry w kości, nikt nie modlił się głośno, by wypadła siódemka. Bosch uznał, że tutejsi gracze są inni. Przychodzili z pieniędzmi i wychodzili z pieniędzmi, bez względu na to, ile przegrali. Nie wyczuwało się tu atmosfery rozpaczy. Było to kasyno dla wybrańców o grubych portfelach.

Mijając tłum wokół ruletki, Bosch przypomniał sobie prośbę Donovana. Przecisnął się między dwiema palącymi papierosy Azjatkami i poprosił o żeton za pięć dolarów, ale usłyszał, że przy tym stole minimalna stawka wynosi dwadzieścia pięć. Jedna z Azjatek wskazała mu papierosem ruletkę na drugim końcu kasyna.

– Tam pan może postawić pięć – wycedziła z niesmakiem.

Bosch podziękował i ruszył w stronę tańszego stołu. Położył pięciodolarowy żeton na siódemce, przyglądając się wirującej tarczy i metalowej kulce podskakującej na numerach. Niczego nie czuł. Hazardziści z krwi i kości twierdzili, że tak naprawdę w grze nie chodzi o wygraną czy przegraną, ale o chwilę oczekiwania. Te kilka sekund niepewności i nadziei przed otrzymaniem następnej karty, wyrzuceniem kości czy zatrzymaniem się kulki na liczbie wywoływały w nich emocje i uzależniały. Ale u Boscha nie wywoływały niczego.

Kulka zatrzymała się na piątce i Donovan był winien Boschowi pięć dolarów. Bosch odwrócił się i zaczął szukać sali pokerowej. Zobaczył tabliczkę i skierował się we wskazaną stronę. Nie było jeszcze ósmej i przy stołach zostało kilka wolnych miejsc. Bosch powiódł wzrokiem po twarzach graczy, ale nie zauważył Eleanor Wish, choć prawdę mówiąc, nie spodziewał się jej zobaczyć. Poznał krupierów, których wcześniej przesłuchiwał, w tym Amy Rohrback. Miał ochotę zająć jedno z wolnych krzeseł przy jej stoliku i zapytać, skąd zna Eleanor Wish, lecz uznał, że nie powinien zawracać jej głowy podczas pracy.

Gdy zastanawiał się, co robić, podszedł do niego szef sali i zapytał, czy czeka na grę. Bosch poznał w nim człowieka, który na nagraniu wideo prowadził Tony'ego Aliso do stołów.

– Nie, tylko się przyglądam – wyjaśnił. – Ma pan chwilę, zanim zjawi się więcej gości?

– Chwilę na co?

– Jestem z policji. To ja przesłuchiwałem pana pracowników.

– Ach, tak. Hank wspominał mi o panu.

Przedstawił się jako Frank King i Bosch uścisnął mu dłoń.

– Przepraszam, że nie mogłem przyjść. Ale mnie nikt nie zmienia. Musiałem tu być cały czas. Chodzi o Tony'ego A., prawda?

– Owszem, znał go pan?

– Jasne, wszyscy go znaliśmy. Dobry człowiek. Szkoda, że tak się stało.

– Skąd pan wie, co się stało?

Podczas przesłuchań Bosch celowo nie mówił żadnemu z krupierów o śmierci Alisa.

– Od Hanka – odrzekł King. – Podobno go zastrzelili w Los Angeles. Ale jak ktoś mieszka w Los Angeles, robi to na własne ryzyko.

– Pewnie tak. Jak długo go pan znał?

– Od lat. Zanim otworzyli „Mirage", pracowałem we „Flamingo". Tam wtedy mieszkał Tony. Przyjeżdżał do nas od dawna.

– Spotykał się pan z nim czasem? Poza kasynem?

– Raz czy dwa. Ale zwykle przypadkiem. Siedziałem gdzieś i nagle wchodził Tony. Wypiliśmy drinka, pogadaliśmy trochę i tyle. Wie pan, Tony był gościem hotelu, w którym pracuję. Nie byliśmy kumplami, rozumie pan, co mam na myśli.

– Rozumiem. Gdzie pan się z nim spotkał?

– Jezu, nie pamiętam. To musiało być... niech pan chwilę zaczeka.

King wypłacił gotówkę graczowi, który odszedł od stolika Amy Rohrback. Bosch nie miał pojęcia, z jaką sumą mężczyzna przystępował do gry, ale wychodził z czterdziestoma dolarami i markotną miną. King pocieszył go gestem mówiącym „następnym razem będzie lepiej", po czym wrócił do rozmowy z Boschem.

– Widziałem go w jakichś dwóch barach. To musiało być dawno temu. Na pewno raz w barze w „Stardust". Barmanem był tam mój kumpel i od czasu do czasu wpadałem do niego po pracy. Kiedyś zobaczyłem Tony'ego i postawił mi drinka. To było chyba trzy lata temu, co najmniej. Nie wiem, czy przyda się panu ta wiadomość.

– Był sam?

– Nie, z jakąś babką. Taką smarkulą. Nie znałem jej.

– No dobrze, a ten drugi raz?

– Jakoś w zeszłym roku. Na wieczorze kawalerskim – Marty'ego, który prowadzi u nas stół do kości – wszyscy pojechaliśmy się zabawić do „Dolly". To taki klub ze striptizem na północy. I Tony też tam był. Sam. Podszedł i napił się z nami. Właściwie to postawił drinka całemu stolikowi. Było nas chyba ośmiu. Miły facet. Później już go nie widywałem.

Bosch skinął głową. Czyli Aliso bywał u „Dolly" co najmniej od roku. Bosch zamierzał odwiedzić klub i dowiedzieć się, kim jest kobieta o imieniu Layla. Przypuszczał, że to tancerka, a Layla prawdopodobnie nie jest jej prawdziwym imieniem.

– Widywał go pan ostatnio z kimś?

– Pyta pan o babki?

– Tak, krupierzy wspominali, że ostatnio pokazywał się z jakąś blondynką.

– Tak, chyba dwa czy trzy razy widziałem go z tą blondynką. Dawał jej forsę na automaty, a sam grał w karty. Nie wiem, kto to był, jeżeli o to pan pyta.

Bosch pokiwał głową.

– To wszystko? – spytał King.

– Jeszcze jedno. Eleanor Wish, zna ją pan? W piątek wieczorem grała przy tanim stole. Tony przez jakiś czas też tam grał. Wyglądało na to, że się znają.

– Znam jedną Eleanor, która do nas przychodzi. Nazwiska nie znam. Ślicznotka, ciemne włosy, ciemne oczy, no i niezła figura, mimo że trochę, jak to mówią... nadszarpnięta zębem czasu.

King uśmiechnął się, zadowolony ze zgrabnego wyrażenia. Bosch zachował kamienną twarz.

– Opis się zgadza. Jest stałym gościem?

– Tak. Widzę ją raz na tydzień, może trochę rzadziej. O ile wiem, jest stąd. Miejscowi gracze robią rundę po kasynach. Widzi pan, nie wszędzie jest poker. Lokal niewiele na nim zarabia. Prowadzimy go tylko z uprzejmości wobec klientów, ale mamy nadzieję, że będą trochę grać w pokera, a potem dużo w blackjacka. W każdym razie miejscowi robią rundę, żeby nie oglądać cały czas tych samych twarzy przy stole. Jednego wieczoru grają u nas, potem idą do „Harrah's", do „Flamingo", później może do kasyn w centrum. I tak krążą.

– To znaczy, że Eleanor jest zawodowcem?

– Nie, to znaczy, że jest stąd i dużo gra. Nie wiem, czy ma jakieś zajęcie, czy żyje z pokera. Chyba nigdy nie wypłaciłem jej więcej niż dwie stówy. To niedużo. Poza tym słyszałem, że daje personelowi niezłe napiwki. Zawodowcy tego nie robią.

Bosch poprosił Kinga, aby podał nazwy kasyn w mieście prowadzących pokera, po czym podziękował mu za informacje.

– Wie pan, moim zdaniem może się pan przekonać, że znali się z Tonym tylko z widzenia.

– Dlaczego pan tak sądzi?

– Za stara dla niego. Owszem, niczego sobie, ale dla Tony'ego za stara. Wolał młodsze.

Bosch skinął głową i zakończył rozmowę z Kingiem. Następnie przez chwilę krążył po kasynie, bijąc się z myślami. Nie wiedział, co ma począć z Eleanor Wish. Intrygowało go jej nowe zajęcie, a w świetle tego, co King mówił o jej cotygodniowych wizytach w kasynie, znajomość z Alisem wydawała się niewinna. Eleanor najprawdopodobniej nie miała nic wspólnego ze sprawą, mimo to Bosch bardzo chciał z nią porozmawiać. Pragnął jej powiedzieć, jak bardzo mu przykro, że tak się to wszystko skończyło, że stało się tak z jego winy.

Zobaczył rząd automatów telefonicznych obok recepcji i zadzwonił do informacji. Kiedy zapytał o numer Eleanor Wish, głos z taśmy poinformował go, że numer został zastrzeżony na prośbę abonenta. Po chwili namysłu Bosch poszperał w kieszeni marynarki. Znalazł wizytówkę otrzymaną od Feltona, kapitana z policji miejskiej, i zadzwonił pod numer jego pagera. Potem czekał z ręką na słuchawce, by nikt nie mógł skorzystać z telefonu, który zadzwonił po czterech minutach.

– Felton?

– Tak, kto mówi?

– Bosch. Byłem dzisiaj u pana.

– Ach, tak. Kolega z Los Angeles. Nic jeszcze nie mam na temat tych odcisków. Będę wiedział jutro rano.

– Nie, dzwonię w innej sprawie. Zastanawiałem się, czy pan albo któryś z pańskich ludzi ma chody u operatora telefonicznego i mógłby ustalić czyjś numer i adres.

– Zastrzeżony numer?

Bosch miał ochotę powiedzieć, że nie dzwoniłby, gdyby numer nie był zastrzeżony, lecz powstrzymał się od tej uwagi.

– Tak, zastrzeżony.

– O kogo chodzi?

– O osobę z Las Vegas, która grała w pokera z Tonym Aliso w piątek wieczorem.

– No i?

– No i to, kapitanie, że się znali i chciałbym porozmawiać z tą osobą. Jeżeli nie może mi pan pomóc, trudno. Znajdę inny sposób.

Zadzwoniłem, bo mówił pan, żeby dzwonić, kiedy będę czegoś potrzebował. A potrzebuję numeru i adresu. Może pan to zrobić czy nie?

Na kilka chwil w słuchawce zapadła cisza. Wreszcie Felton odezwał się ponownie.

– Dobrze, niech mi pan poda to nazwisko. Zobaczę, co się da zrobić. Gdzie pan będzie?

– Tu i tam. Lepiej ja do pana zadzwonię.

Felton podał mu swój numer domowy, mówiąc, żeby oddzwonił za pół godziny.

Bosch postanowił przeznaczyć ten czas na wizytę w „Harrah's" po drugiej stronie Strip. Zajrzał do sali pokerowej, ale Eleanor Wish tam nie było. Wrócił na bulwar i ruszył do „Flamingo". Zdjął marynarkę, ponieważ wciąż było bardzo ciepło. Miał nadzieję, że zmierzch przyniesie odrobinę chłodu.

Znalazł ją w kasynie we „Flamingo". Grała z pięcioma mężczyznami przy stole „jeden do czterech". Po lewej miała puste krzesło, ale Bosch go nie zajął. Wmieszał się w grupkę stłoczoną wokół ruletki, obserwując Eleanor.

Podczas gry była absolutnie skupiona na kartach. Bosch przyglądał się, jak przeciwnicy rzucają jej ukradkowe spojrzenia, a widząc ich pożądliwy wzrok, doznał dziwnej przyjemności. W ciągu dziesięciu minut Eleanor wygrała jedno rozdanie – z daleka Bosch nie widział, co miała w kartach – i dość szybko spasowała w pięciu innych. Wyglądało na to, że dobrze jej idzie. Na niebieskim suknie, obok pełnego stojaka, stało przed nią sześć piramidek żetonów.

Kiedy wygrała drugie rozdanie – tym razem z wielką pulą – a krupier zaczął przesuwać w jej stronę stos żetonów – Bosch rozejrzał się, szukając automatu telefonicznego. Zadzwonił do Feltona, który podał mu numer i adres Eleanor Wish. Kapitan dodał, że Sands Avenue znajduje się niedaleko bulwaru, w okolicy zamieszkanej głównie przez pracowników kasyn. Bosch nie powiedział mu, że już ją odnalazł. Podziękował i odłożył słuchawkę.

Wrócił do sali pokerowej i zobaczył, że Eleanor już tam nie ma. Pięciu mężczyzn nadal siedziało przy stole, ale grę prowadził nowy krupier, a jej krzesło było puste. Jej żetony także zniknęły. Wypłaciła gotówkę i wyszła z kasyna. Bosch zaklął pod nosem.

– Szukasz kogoś?

Odwrócił się. To była Eleanor. Nie uśmiechała się, spoglądając na niego z rozdrażnieniem, może nawet wyzywająco. Ujrzał maleńką białą bliznę na jej podbródku.

– Eleanor... hm, tak, szukam ciebie.

– Nigdy nie byłeś zbyt subtelny. Zauważyłam cię już po minucie. Wstałabym od razu, ale musiałam coś uświadomić temu facetowi z Kansas. Wydawało mu się, że wie, kiedy blefuję. Gówno wiedział. Tak samo jak ty.

Bosch nie potrafił wykrztusić słowa. Nie tak wyobrażał sobie ich spotkanie i zupełnie się zagubił.

– Posłuchaj, Eleanor... chciałem się tylko dowiedzieć, co u ciebie słychać, po prostu...

– Jasne. I specjalnie przyleciałeś do Vegas, żeby mnie odwiedzić? O co chodzi, Bosch?

Bosch rozejrzał się. Stali w zatłoczonej części kasyna, wśród graczy zmierzających w różne strony. Wszystkie myśli i dźwięki tonęły w kakofonii hałasu automatów, w zgiełku okrzyków szczęściarzy i pechowców.

– Powiem ci. Masz ochotę na drinka, może chciałabyś coś zjeść?

– Wystarczy jeden drink.

– Znasz jakieś spokojne miejsce?

– Nie tutaj. Chodź.

Opuścili kasyno i wyszli w duszne powietrze wieczoru. Słońce już się skryło za horyzontem, a niebo rozświetlały neony.

– W „Caesar's" jest cichy bar. Bez automatów.

Zaprowadziła go na drugą stronę ulicy na ruchomy chodnik, który zawiózł ich przed główne wejście „Caesar's Palace". Minęli recepcję i weszli do okrągłego baru, w którym zobaczyli tylko troje klientów. Eleanor miała rację. To była oaza spokoju, bez pokerowych stołów i automatów do gry. Bosch zamówił piwo, a Eleanor szkocką z wodą. Zapaliła papierosa.

– Kiedyś nie paliłaś – powiedział. – Pamiętam, że byłaś nawet...

– To było dawno. Po co przyjechałeś?

– Prowadzę sprawę.

W drodze do baru Bosch uspokoił się i pozbierał myśli.

– Co to za sprawa i co wspólnego ma ze mną?

– Z tobą nic, ale znałaś człowieka. W piątek wieczorem grałaś z nim w pokera w „Mirage".

Zaciekawiona zmarszczyła czoło. Bosch przypomniał sobie tę uroczą minę, która tak bardzo mu się kiedyś podobała. Zapragnął dotknąć Eleanor, ale się powstrzymał. Musiał pamiętać, że jest teraz zupełnie inną osobą.

– Anthony Aliso – powiedział.

Na jej twarzy odbiło się zdumienie i Bosch natychmiast uwierzył w jego autentyczność. Nie był pokerzystą z Kansas, który nie potrafi przejrzeć blefu. Znał tę kobietę i z wyrazu jej twarzy wyczytał, że naprawdę nic nie wiedziała o śmierci Alisa.

– Tony A... – nie dokończyła.

– Dobrze go znałaś czy spotykaliście się tylko przy stole?

Jej ciemne oczy wpatrzyły się w przestrzeń.

– Widywałam go tylko tam. W „Mirage". Grałam tam w piątki. Wtedy zjawia się dużo nowych twarzy i nowe pieniądze. Zjawiał się dwa razy w miesiącu. Przez jakiś czas myślałam, że jest stąd.

– Jak się przekonałaś, że było inaczej?

– Sam mi powiedział. Dwa miesiące temu poszliśmy na drinka. Przy stolikach nie było miejsc. Zostawiliśmy nazwiska Frankowi, szefowi sali na wieczornej zmianie, żeby przyszedł po nas do baru, kiedy coś się zwolni. Wypiliśmy po drinku i wtedy mi powiedział, że jest z Los Angeles. Mówił, że pracuje w przemyśle filmowym.

– Nic więcej?

– No tak, mówił mi jeszcze inne rzeczy. Pogadaliśmy chwilę, ale naprawdę o niczym ważnym. Czekaliśmy, aż zawołają któreś z nas do stołu.

– I poza grą w ogóle się z nim nie spotykałaś?

– Nie, zresztą co cię to obchodzi? Próbujesz mi wmówić, że jestem podejrzana, bo byłam z tym facetem na drinku?

– Nie, Eleanor, nie próbuję ci niczego wmawiać.

Bosch wyciągnął papierosy i zapalił. Kelnerka w biało-złotej todze przyniosła drinki i na dłuższą chwilę zamilkli. Bosch stracił wenę. Znów nie wiedział, co powiedzieć.

– Widziałem, że całkiem nieźle ci dzisiaj szło – spróbował.

– Lepiej niż zwykle. Ugram limit i kończę.

– Limit?

– Kiedy jestem dwie stówy do przodu, wstaję i wypłacam. Nie jestem zachłanna i wiem, że szczęście nie może trwać cały wieczór. Nigdy nie przegrywam więcej niż sto, a kiedy uda mi się wygrać dwieście, kończę wieczór. Dzisiaj wykonałam normę dość wcześnie.

– Jak się...

Urwał. Znał odpowiedź.

– Jak się nauczyłam tak dobrze grać, żeby pokerem zarabiać na życie? Wystarczy trzy i pół roku w pudle, żeby się nauczyć palić, grać w pokera i robić inne rzeczy.

Patrzyła mu prosto w oczy, jak gdyby chcąc sprowokować go do reakcji. Dopiero po dłuższej chwili odwróciła wzrok i sięgnęła po następnego papierosa. Bosch podał jej ogień.

– Czyli nie masz stałej pracy? Tylko poker?

– Zgadza się. Robię to prawie od roku. Raczej ciężko znaleźć uczciwą pracę, Bosch. Kiedy mówisz, że jesteś byłym agentem FBI, wszystkim zaraz się świecą oczy. Ale szybko gasną, kiedy mówisz, że właśnie cię wypuścili z więzienia federalnego.

– Przykro mi, Eleanor.

– Niepotrzebnie. Nie narzekam. Zarabiam więcej, niż potrzeba na życie, od czasu do czasu spotykam ciekawych ludzi takich jak Tony A., stan nie ściąga podatku dochodowego. Na co mogę narzekać? Chyba tylko na to, że w mieście temperatura nie spada poniżej czterdziestu stopni w cieniu o trzy miesiące za długo.

Gorycz w jej głosie nie uszła jego uwagi.

– Naprawdę mi przykro. Wiem, że to ci w niczym nie pomoże, ale żałuję, że nie mogę zmienić tamtych decyzji. Dowiedziałem się potem wielu nowych rzeczy i dzisiaj rozegrałbym to inaczej. To wszystko, co chciałem ci powiedzieć. Kiedy cię zobaczyłem na nagraniu z kamery, jak grałaś z Tonym Aliso, chciałem cię znaleźć, żeby ci to powiedzieć. Tylko tyle.

Rozgniotła wypalonego do połowy papierosa w szklanej popielniczce i pociągnęła duży łyk szkockiej.

– Chyba powinnam już iść – powiedziała.

Wstała.

– Chcesz, żeby cię gdzieś podwieźć?

– Nie, mam samochód, dziękuję.

Ruszyła z stronę wyjścia z baru, ale po kilku metrach przystanęła i wróciła do stolika.

– Ale wiesz, masz rację.

– W czym?

– W tym, że w niczym mi to nie pomoże.

Po tych słowach wyszła. Bosch patrzył, jak pcha obrotowe drzwi i znika w półmroku wieczoru.

Kierując się wskazówkami, ktore zapisał w biurze Tony'ego Aliso w trakcie telefonicznej rozmowy z Rhondą, Bosch znalazł „Dolly" na Madison w północnym Las Vegas. Był to klub najwyższej kategorii: dwadzieścia dolarów za wstęp, można było zamówić minimum dwa drinki, a gości do stolika prowadził zwalisty mężczyzna w smokingu i wykrochmalonym kołnierzu wrzynającym się w szyję jak garota. Tancerki też należały do najwyższej kategorii. Były młode, piękne i prawdopodobnie niewiele ustępowały talentem i umiejętnościami artystkom występującym w wielkich salach na Strip.

Elegant w smokingu zaprowadził Boscha do stolika rozmiarów talerza, ustawionego niewiele ponad dwa metry od sceny, która na razie była pusta.

– Za dwie minuty wyjdzie nowa tancerka – poinformował Boscha. – Miłej zabawy.

Bosch zastanawiał się, czy nie dać mu napiwku za to, że posadził go tak blisko i że musi się dusić w smokingu, ale porzucił ten pomysł, a mężczyzna nie kręcił się przy nim z wyciągniętą ręką. Ledwie Bosch wyciągnął papierosy, podpłynęła do niego kelnerka w zwiewnej koszulce z czerwonego jedwabiu, szpilkach i czarnych kabaretkach, przypominając mu o wymaganych dwóch drinkach. Bosch zamówił piwo.

Czekając na zamówienie, rozejrzał się po sali. W poniedziałkowy wieczór po długim świątecznym weekendzie ruch był niewielki. Przy stolikach siedziało około dwudziestu mężczyzn, w większości samych. Nie patrzyli na siebie, czekając na taniec następnej nagiej dziewczyny.

Ściana w głębi pomieszczenia i ściany boczne były w całości wyłożone lustrami. Po lewej znajdował się bar, a w głębi widniało łukowe wejście, nad którym świecił czerwony neon WYSTĘPY PRY-

WATNE. Większą część frontowej ściany zajmowała połyskliwa zasłona i scena z wybiegiem sięgającym aż do środka sali. Na wybiegu skupiały się światła kilku mocnych reflektorów zawieszonych na metalowej konstrukcji na suficie. W ich blasku scena jaśniała jak słońce, kontrastując z ciemną i zadymioną widownią.

Didżej siedzący w kabinie po lewej stronie sceny zapowiedział następną tancerkę, Randy. Z głośników buchnęła stara piosenka Eddiego Moneya *Two Tickets to Paradise*, a zza błyszczącej kurtyny wypadła wysoka brunetka w króciutkich dżinsach odsłaniających pośladki i jaskraworóżowym, skąpym topie, i zaczęła się poruszać w rytm muzyki.

Bosch zamarł jak zahipnotyzowany. Kobieta była piękna i pierwsza myśl, jaka mu się nasunęła, gdy ją zobaczył, brzmiała: po co ona to robi? Zawsze uważał, że uroda pomaga kobietom uniknąć wielu życiowych niepowodzeń. Ta kobieta, ta dziewczyna, była piękna, a jednak tu trafiła. Pomyślał, że być może właśnie to naprawdę pociągało mężczyzn. Nie przelotny widok nagiej kobiety, ale jej posłuszeństwo, elektryzująca świadomość, że oto uległa kolejna ofiara. Bosch zaczynał sądzić, że mylił się w ocenie pięknych kobiet.

Kelnerka postawiła na stoliczku dwa piwa, informując Boscha, że płaci piętnaście dolarów. W pierwszej chwili chciał ją poprosić, żeby powtórzyła, ale doszedł do wniosku, że w cenie jest marża za miejsce w pierwszym rzędzie. Wręczył kelnerce dwudziestodolarówkę, a kiedy zaczęła szukać reszty w pliku banknotów na tacy, machnął ręką na znak, żeby dała spokój.

Chwyciła go za ramię i nachyliła się tuż nad jego uchem, eksponując głęboki i dobrze wypełniony dekolt.

– Dziękuję, skarbie. To bardzo miło z twojej strony. Daj znać, jeżeli będziesz czegoś potrzebował.

– Właśnie potrzebuję. Jest dzisiaj Layla?

– Nie, nie ma jej.

Bosch skinął głową, a kelnerka się wyprostowała.

– To może Rhonda? – zapytał.

– Randy jest tam.

Pokazała na scenę, a Bosch pokręcił głową, dając jej znak, żeby się zbliżyła.

– Nie, pytam o Rhondę – jak z piosenki Beach Boysów. Pracuje dzisiaj? Wczoraj była.

– Och, Rhonda. Tak, gdzieś jest. Nie zdążyłeś na jej występ. Pewnie się przebiera.

Bosch sięgnął do kieszeni i położył na tacy pięć dolarów.

– Będziesz tak miła i powiesz jej, że przyjaciel Tony'ego, z którym wczoraj rozmawiała, zaprasza ją na drinka?

– Jasne.

Znów ścisnęła jego ramię i zniknęła. Bosch skupił uwagę na scenie, gdzie Randy właśnie skończyła taniec do pierwszego utworu. Następną piosenką była *Lawyers, Guns and Money* Warrena Zevona. Bosch dawno jej nie słyszał i przypomniał sobie, że w czasach, gdy jeździł jeszcze w patrolu, był to hymn wszystkich mundurowych gliniarzy.

Randy wkrótce zrzuciła ubranie i została naga, mając na sobie tylko podwiązkę na lewym udzie. Wielu mężczyzn wstało i podeszło do wybiegu, po którym tanecznym krokiem przesuwała się w głąb sali. Zaczęli wsuwać za jej podwiązkę dolarowe banknoty. Gdy któryś z mężczyzn dał jej pięć dolarów, Randy pochylała się, opierając się dla utrzymania równowagi o ramię hojnego widza, i całowała go w ucho, wykonując dodatkowy wężowy ruch.

Obserwując ją, Bosch odgadł, skąd mógł się wziąć odcisk małej dłoni na ramieniu Tony'ego Aliso, lecz w tym momencie na krześle obok niego usiadła drobna blondynka.

– Cześć, jestem Rhonda. Spóźniłeś się na mój taniec!

– Słyszałem. Przepraszam.

– Ale za pół godziny znowu wychodzę i robię cały program od początku. Mam nadzieję, że zostaniesz. Yvonne mówiła, że chcesz mi postawić drinka?

Jak na skinienie czarodziejskiej różdżki kelnerka ruszyła w kierunku ich stolika. Bosch pochylił się w stronę Rhondy.

– Posłuchaj, Rhonda, wolałbym odwdzięczyć ci się za występ, zamiast zostawiać pieniądze w barze. Dlatego zrób coś dla mnie i nie przesadzaj.

– Nie przesadzać?

Pytająco zmarszczyła brwi.

– Nie zamawiaj szampana.

– A, nie ma sprawy.

Zamówiła martini i Yvonne zniknęła w mroku sali.

– Nie usłyszałam, jak masz na imię.

– Harry.

– I jesteś znajomym Tony'ego z Los Angeles. Też robisz filmy?

– Niezupełnie.

– To skąd znasz Tony'ego?

– Poznałem go niedawno. Posłuchaj, próbuję znaleźć Laylę, żeby jej przekazać wiadomość. Yvonne mówiła, że nie ma jej dzisiaj w klubie. Nie wiesz, gdzie mogę ją znaleźć?

Bosch zauważył, jak Rhonda sztywnieje. Domyśliła się, że coś jest nie tak.

– Po pierwsze, Layla już tu nie pracuje. Nie wiedziałam o tym, kiedy z tobą wczoraj rozmawiałam, ale odeszła i już nie wróci. A po drugie, jeżeli jesteś przyjacielem Tony'ego, to po co pytasz mnie, jak ją znaleźć?

Nie była taka głupia, jak Bosch sądził. Postanowił niczego nie owijać w bawełnę.

– Nie mogę zapytać Tony'ego, bo go zabili. Chcę znaleźć Laylę, żeby jej o tym powiedzieć i ją ostrzec.

– Co?! – wrzasnęła.

Jej głos przebił się przez łomot muzyki z łatwością pocisku przeszywającego kromkę chleba. Wszyscy na sali, łącznie z nagą Randy, odwrócili się w stronę Rhondy. Na pewno wszyscy pomyśleli, że Bosch właśnie złożył jej niedwuznaczną propozycję, oferując poniżającą cenę za równie poniżający akt.

– Ciszej, Randy – poprosił szybko.

– Jestem Rhonda.

– No to Rhonda.

– Co się stało? Przecież dopiero tu był.

– Ktoś go zastrzelił w Los Angeles, po powrocie. Wiesz, gdzie jest Layla, czy nie? Jeżeli mi powiesz, odwdzięczę się.

– Tak, a kim ty jesteś? Jego przyjacielem czy nie?

– W pewnym sensie jego jedynym przyjacielem. Jestem gliną. Nazywam się Harry Bosch i próbuję ustalić, kto to zrobił.

Wyglądała na bardziej zszokowaną niż przed chwilą, gdy usłyszała o śmierci Alisa. Niektórzy ludzie właśnie tak reagowali na wiadomość, że rozmawiają z policjantem.

– Zachowaj swoją forsę – oświadczyła. – Nie mogę z tobą rozmawiać.

Wstała i szybkim krokiem oddaliła się w stronę drzwi obok sceny. Bosch zawołał ją, lecz jego głos utonął w hałasie muzyki. Rozejrzał się dyskretnie i zauważył, że stojący w półmroku za nim człowiek w smokingu badawczo mu się przygląda. Bosch uznał, że nie będzie czekał na drugi występ Rhondy. Pociągnął jeszcze łyk piwa – drugiej szklanki nawet nie tknął – i podniósł się z krzesła.

Gdy zbliżał się do wyjścia, mężczyzna w smokingu cofnął się i zapukał w lustro za sobą. Dopiero teraz Bosch zorientował się, że w szklanej ścianie są drzwi. Otworzyły się, a elegant postąpił krok naprzód, tarasując mu drogę.

– Będzie pan uprzejmy wejść na moment do biura?

– Po co?

– Proszę wejść. Kierownik chciałby z panem zamienić słowo.

Bosch zawahał się, lecz przez otwarte drzwi zobaczył jasno oświetlone pomieszczenie i mężczyznę w garniturze siedzącego za biurkiem. Przestąpił próg, a człowiek w smokingu wszedł za nim i zamknął drzwi.

Bosch spojrzał na mężczyznę za biurkiem. Był jasnowłosy i solidnie zbudowany. Gdyby doszło do bójki między wykidajłą w smokingu a tak zwanym kierownikiem, nie wiedziałby, na kogo postawić. Obaj wyglądali na brutalnych osiłków.

– Randy właśnie do mnie dzwoniła z garderoby. Mówi, że pytał ją pan o Tony'ego Aliso.

– To była Rhonda.

– Rhonda, Randy, wszystko jedno. Podobno powiedział pan jej, że Aliso nie żyje.

Mówił z akcentem ze Środkowego Zachodu. Bosch przypuszczał, że z południowego Chicago.

– Bo nie żyje.

Blondyn skinął głową elegantowi. Ten w ułamku sekundy uniósł ramię i uderzył Boscha wierzchem dłoni w usta. Bosch poleciał do tyłu, waląc głową w ścianę. Zanim zdążył oprzytomnieć, elegant obrócił go twarzą do ściany i przycisnął całym ciałem. Bosch poczuł na sobie jego ręce szukające broni.

– Dość mędrkowania – oznajmił mu blondyn. – Czemu gadasz z dziewczynami o Tonym?

Zanim Bosch odpowiedział, rewidujące go ręce odnalazły pistolet.

– Ma szelki – zameldował wykidajło w smokingu.

Bosch poczuł, jak wyszarpuje mu broń z kabury. Poczuł też smak krwi i wzbierającą wściekłość. Po chwili ręce odnalazły portfel i kajdanki. Elegant rzucił je na biurko, przytrzymując Boscha jedną ręką. Wykręcając głowę, Bosch patrzył, jak blondyn otwiera portfel.

– To glina, puść go.

Ręka zwolniła uchwyt na jego szyi i Bosch z odrazą odsunął się od wykidajły.

– I to glina z Los Angeles. Hieronymus Bosch. Jak ten malarz, nie? Co malował różne dziwadła.

Bosch patrzył na niego bez słowa. Blondyn oddał mu broń, kajdanki i portfel.

– Dlaczego kazałeś mu mnie uderzyć?

– Pomyliłem się. Większość gliniarzy, którzy tu przychodzą, najpierw się zapowiada, mówią co i jak, a wtedy możemy im pomóc. A ty zakradłeś się chyłkiem, Hieronimie Anonimie. Musimy chronić interes.

Otworzył szufladę i wyciągnął pudełko chusteczek, które podsunął Boschowi.

– Warga ci krwawi.

Bosch wziął całe pudełko.

– A więc to prawda, co mówiłeś dziewczynie. Tony nie żyje.

– Prawda. Jak dobrze go znałeś?

– Nieźle, Bosch. Zakładasz, że go znałem, stawiasz mi pytanie z tezą. Naprawdę nieźle.

– No więc na nie odpowiedz.

– Często bywał w klubie. Zawsze próbował mi podbierać dziewczyny. Wmawiał im, że będą grały w filmach. Wciskał ciągle ten sam kit. Ale dawały się nabrać. W ciągu dwóch ostatnich lat kosztował mnie trzy najlepsze dziewczyny. Są teraz w Los Angeles. Kiedy je tam zawiózł i zrobił z nimi, co chciał, zaraz po kolei puścił je w trąbę. Niczego się nie nauczą.

– Dlaczego pozwalałeś mu przychodzić, skoro podbierał dziewczyny?

– Zostawiał u mnie kupę forsy. Poza tym w Vegas nigdy nie brakuje świeżego towaru. Nigdy.

Bosch spróbował z innej beczki.

– A w piątek? Był w klubie?

– Nie, chyba... a tak, był. Wpadł na chwilę. Widziałem go tutaj.

Wskazał rząd monitorów wideo ukazujących wszystkie zakamarki sali oraz główne wejście. Zestaw był równie imponujący jak aparatura telewizyjna w „Mirage", którą pokazał Boschowi Meyer.

– Pamiętasz, czy był, Gustie? – spytał blondyn eleganta w smokingu.

– Tak, był.

– No to już wiesz. Był.

– I tak całkiem spokojnie przyszedł i wyszedł?

– Zgadza się, całkiem spokojnie.

– To dlaczego wyrzuciłeś Laylę?

Blondyn zacisnął usta w wąską kreskę.

– Już rozumiem – powiedział po chwili milczenia. – Jesteś jednym z tych nawijających cwaniaków, którzy zarzucają sieć i czekają, aż ktoś da się złapać.

– Być może.

– Ale nikt się nie złapał. Fakt, Layla była ostatnią dupą Tony'ego, ale już jej nie ma. I nie wróci.

– Dobra, a co się z nią stało?

– Słyszałeś już. Wyrzuciłem ją. W sobotę wieczorem.

– Za co?

– Za wielokrotne naruszenie zasad. Ale to nie ma znaczenia, bo to nie twoja sprawa, nie sądzisz?

– Nie usłyszałem, jak się nazywasz.

– Bo nie mówiłem.

– Wobec tego będę cię nazywał dupkiem, co ty na to?

– Wszyscy mówią mi Lucky. Możemy wrócić do tematu?

– Oczywiście, że możemy. Opowiedz mi, co się stało z Laylą.

– Jasne. Ale myślałem, że przyszedłeś rozmawiać o Tonym, tak przynajmniej mówiła Randy.

– Rhonda.

– No tak, Rhonda.

Bosch powoli tracił cierpliwość, ale spokojnie patrzył na Lucky'ego i czekał.

– Dobra, o Layli. No więc w sobotę wieczorem pożarła się z jedną z dziewczyn. Zrobiło się trochę nieprzyjemnie i musiałem wybrać. Modesty to jedna z moich najlepszych dziewczyn, najlepszych artystek. Postawiła mi ultimatum: albo odejdzie Layla, albo ona. Musiałem wywalić Laylę. Modesty potrafi w jeden wieczór opchnąć tym frajerom z dziesięć, dwanaście szampanów. Musiałem wziąć jej stronę. Jasne, Layla też nieźle tańczy i jest na co popatrzeć, ale to nie Modesty. Modesty nie ma konkurencji.

Bosch pokiwał głową, nie odzywając się ani słowem. Na razie jego wersja zgadzała się z wiadomością, jaką Layla zostawiła w poczcie głosowej Alisa. Wyciągając z blondyna tę informację, Bosch mógł ocenić, w jakim stopniu może mu wierzyć.

– O co Layla pokłóciła się z tą dziewczyną? – zapytał.

– Nie wiem i nic mnie to nie obchodzi. Zwykła babska awantura. Od początku się nie lubiły. Widzisz, Bosch, każdy klub ma dziewczynę numer jeden. U nas numerem jeden jest Modesty. Layla próbowała ją wygryźć, a Modesty nie chciała, żeby ktoś ją wygryzł. Swoją drogą z Laylą były kłopoty, odkąd przyszła do klubu. Żadnej z dziewczyn nie podobały się jej występy. Kradła innym piosenki, nie przestała sypać proszku na cipę, chociaż jej zabroniłem, mieliśmy z nią same problemy. Cieszę się, że odeszła. Mam na głowie cały lokal. Nie mogę się użerać z gromadką rozpieszczonych pind.

– Proszku?

– Takiego błyszczącego. Sypała go na futerko, żeby połyskiwał w ciemności i w świetle reflektorów. Problem w tym, że ten brokat zostawał na frajerach. Kiedy siadała któremuś na kolanach, facetowi zaczynało się świecić w kroku. Potem wracał do domu, żona zobaczyła i robiła mu piekło. Traciłem klientów. Nie mogę sobie na to pozwolić, Bosch. Jeżeli nie Modesty, pewnie znalazłby się inny powód. Przy pierwszej okazji pozbyłem się Layli.

Bosch zastanowił się przez moment nad tym, co usłyszał.

– No dobrze – rzekł. – Daj mi jej adres i zostawię cię w spokoju.

– Dałbym, ale nie mogę.

– Nie zaczynaj. A już tak miło się rozmawiało. Pokaż mi listę płac. Przecież musi tam być jej adres.

Lucky uśmiechnął się i pokręcił głową.

– Listę płac? Nie płacimy tym pindom ani centa. To one powinny nam płacić. Kiedy do nas przychodzą, za darmo dostają koncesję na zarabianie.

– Musisz mieć numer telefonu albo adres. Chcesz, żeby Gustie trafił do miejskiej za napaść na funkcjonariusza policji?

– Nie mamy jej adresu, Bosch, jak ma cię przekonać? Ani numeru telefonu.

Uniósł ręce w bezradnym geście.

– Nie mam adresu żadnej dziewczyny. Ustalam im po prostu grafik, przychodzą i tańczą. Jeżeli nie przyjdą, więcej nie mają wstępu. W ten sposób wszystko jest proste i przejrzyste. Taką mamy organizację pracy. A jeżeli chodzi o Gustiego, proszę bardzo, możesz oskarżyć go o napaść, skoro nalegasz. Ale pamiętaj, że przyszedłeś tu sam, nikomu nie powiedziałeś, kim jesteś i czego chcesz, w niecałą godzinę wypiłeś cztery piwa i obraziłeś jedną z tancerek. Musieliśmy cię wyprosić. Za godzinę możemy mieć oficjalne zeznania, które to potwierdzą.

Znów uniósł ręce, podkreślając tym gestem, że decyzja należy do Boscha. Harry nie miał wątpliwości, że Yvonne i Rhonda posłusznie potwierdzą taką wersję wydarzeń. Postanowił się wycofać. Uśmiechnął się uprzejmie.

– Dobrej nocy – rzekł i odwrócił się do drzwi.

– Nawzajem, detektywie – powiedział do jego pleców Lucky. – Kiedy będziesz miał wolną chwilę, zapraszam ponownie.

Drzwi otworzyły się same, zapewne sterowane elektronicznie za pomocą włącznika przy biurku. Gustie puścił Boscha przodem. Następnie odprowadził go na parking przed głównym wejściem. Bosch dał kwitek Meksykaninowi o twarzy przypominającej zmięty papier śniadaniowy. W towarzystwie Gustiego czekał na swój samochód.

– Nie gniewa się pan, co? – odezwał się Gustie, gdy samochód już nadjeżdżał. – Nie wiedziałem, że jest pan gliniarzem.

Bosch odwrócił się do niego.

– Nie, pomyślałeś, że jestem zwykłym klientem.

– Właśnie. No i musiałem posłuchać szefa.

Wyciągnął do niego rękę. Bosch kątem oka wciąż widział zbliżający się samochód. Podał rękę Gustiemu i błyskawicznym ruchem przyciągnął go do siebie, w tym samym momencie wymierzając mu cios kolanem w krocze. Gustie wydał głuchy jęk i zgiął się wpół. Bosch puścił jego rękę i naciągnął mu na głowę tył marynarki, unieruchamiając dryblasowi ręce. Potem jeszcze raz wprawił w ruch kolano i poczuł, jak precyzyjnie trafia w twarz Gustiego. Zwalisty mężczyzna oparł się o maskę zaparkowanej przy drzwiach czarnej corvetty. Parkingowy wyskoczył z samochodu Boscha i ruszył na odsiecz szefowi. Meksykanin był starszy i drobniejszy od Boscha. Nie mogło być mowy o wyrównanej walce, a Bosch nie miał ochoty na bójkę z niewinnym świadkiem. Ostrzegawczo uniósł palec, powstrzymując go.

– Nawet nie próbuj – powiedział.

Mężczyzna zatrzymał się, oceniając sytuację i słysząc jęki zaplątanego we własną marynarkę Gustiego. Wreszcie parkingowy uniósł ręce i cofnął się, przepuszczając Boscha.

– Przynajmniej ktoś w tym lokalu potrafi podejmować słuszne decyzje – rzekł Bosch, siadając za kierownicą.

Przez przednią szybę zobaczył, jak ciało Gustiego osuwa się po masce corvetty na jezdnię. Podbiegł do niego parkingowy.

Wyjeżdżając na Madison, Bosch zerknął w lusterko wsteczne. Meksykanin uwalniał głowę Gustiego z marynarki. Na białej koszuli wykidajły Bosch zobaczył krew.

Bosch był zbyt zdenerwowany, aby wrócić do hotelu i położyć się spać. Kłębiły mu się w głowie nieprzyjemne myśli. Wciąż nie dawał mu spokoju widok tańczącej nagiej kobiety. Nawet jej nie znał, ale miał wrażenie, jak gdyby brutalnie naruszył jej prywatność. Był też zły na siebie za zaatakowanie osiłka w smokingu, Gustiego. Ale przede wszystkim wyrzucał sobie, że wszystko od początku do końca rozegrał źle. Pojechał do klubu, żeby dowiedzieć się czegoś o Layli, a wyszedł z niczym. Udało mu się jedynie ustalić prawdopodobną przyczynę obecności drobin brokatu w mankietach spodni Tony'ego Aliso i w kabinie prysznicowej w hotelu. Niewiele. Rankiem musiał wracać do Los Angeles i nie miał nic.

Kiedy dojechał do świateł na początku Strip, zapalił papierosa, po czym wyciągnął notes i otworzył na stronie, gdzie zapisał adres, który przez telefon podał mu Felton.

Na Sands Boulevard skręcił na wschód i wkrótce znalazł się w dzielnicy, w której mieszkała Eleanor Wish. Było to rozległe osiedle ponumerowanych budynków. Odnalazł jej dom dopiero po dłuższej chwili. Siedział w samochodzie i palił, patrząc w oświetlone okna. Nie był pewien, co robi ani czego właściwie chce.

Przed pięciu laty ze strony Eleanor Wish spotkało go najgorsze i najlepsze. Zdradziła go i naraziła na niebezpieczeństwo, ale także ocaliła mu życie. Kochała się z nim. A potem wszystko poszło nie tak. Mimo to często o niej myślał, zastanawiał się „co by było gdyby". Nigdy się od niej nie uwolnił. Dziś wieczorem potraktowała go chłodno, lecz był pewien, że to działa w obie strony i ona także nigdy nie mogła się od niego uwolnić. Wiedział, że stanowiła jego lustrzane odbicie.

Wysiadł z samochodu, wyrzucił niedopałek, podszedł do drzwi i zapukał. Otworzyła niemal od razu, jak gdyby się go spodziewała. Albo kogoś innego.

– Jak mnie znalazłeś? Śledziłeś mnie?

– Nie. Zadzwoniłem do kogoś.

– Co ci się stało w wargę?

– Nic. Zaprosisz mnie?

Odsunęła się, wpuszczając go do środka. Mieszkanie było niewielkie i skromnie urządzone, jakby Eleanor dokupywała sprzęty sukcesywnie, kiedy było ją na to stać. Bosch przede wszystkim zauważył reprodukcję obrazu Hoppera *Nighthawks* na ścianie nad kanapą. Jego widok zawsze poruszał jakąś strunę w jego sercu. Kiedyś u siebie miał taką samą reprodukcję. Dostał ją przed pięciu laty od Eleanor. W prezencie pożegnalnym.

Oderwał wzrok od obrazu, aby na nią spojrzeć. Kiedy ich oczy się spotkały, wiedział już, że w tym, co mu przedtem powiedziała, nie było ani źdźbła prawdy. Przysunął się, położył dłoń na jej szyi i pogładził kciukiem policzek. Uważnie patrzył w jej twarz. Wyczytał z niej zdecydowanie.

– Tym razem to ja długo czekałam – szepnęła.

Przypomniał sobie, że to samo powiedział jej tamtej nocy, kiedy kochali się pierwszy raz. Wieki temu, pomyślał Bosch. Co ja robię? Czy można zaczynać wszystko od początku po tylu latach i tylu zmianach?

Przyciągnął ją do siebie i połączyli się w długim pocałunku. Potem bez słowa zaprowadziła go do sypialni, gdzie szybko rozpięła bluzkę i zrzuciła dżinsy. Znów przylgnęła do niego i pocałowała go. Gorączkowo zdarła z niego koszulę i przywarła do niego. Jej włosy pachniały dymem znad pokerowych stołów, ale gdzieś głębiej wyczuł woń perfum, która przywiodła mu na myśl tamtą noc sprzed pięciu lat. Przypomniał sobie rosnące pod jej oknami drzewa jakarandy sypiące fioletowym śniegiem.

Kochali się z zapamiętaniem, jakiego Bosch dawno nie zaznał. Był to gwałtowny i pośpieszny, czysto fizyczny akt, pozbawiony miłości i wywołany wyłącznie żądzą, a może wspomnieniami. Kiedy Bosch skończył, przyciągnęła go i w spazmatycznym rytmie szczytowała, by po chwili opaść bez sił obok niego. Już potem, w chwili oprzytomnienia, jaka zawsze przychodzi później, poczuli się skrępowani własną nagością i zawstydzeni tym, że parzyli się jak zwierzęta, a teraz patrzą na siebie jak ludzie.

– Zapomniałam zapytać – powiedziała. – Nie jesteś żonaty, prawda?

Zachichotała. Bosch sięgnął na podłogę i z kieszeni marynarki wyciągnął papierosy.

– Nie – odrzekł. – Jestem sam.

– Powinnam się domyślić. Harry Bosch, wielki samotnik. Powinnam się domyślić.

Uśmiechała się do niego w ciemnościach. Zobaczył to, gdy błysnęła zapałka. Zapalił papierosa i podsunął jej. Pokręciła przecząco głową.

– Ile kobiet było po mnie? Powiedz.

– Nie wiem, kilka. Z jedną spędziłem chyba rok. To było najpoważniejsze.

– Co się z nią stało?

– Wyjechała do Włoch.

– Na zawsze?

– Kto to może wiedzieć?

– Jeżeli nie wiesz, to znaczy, że już nie wróci. Przynajmniej nie do ciebie.

– Tak. Rozstaliśmy się dość dawno.

Milczał przez chwilę, a potem spytała go, kto jeszcze.

– Malarka, którą poznałem na Florydzie przy okazji jednej sprawy. Ale to nie trwało długo. Potem znowu ty.

– Co się stało z malarką?

Bosch pokręcił głową, jak gdyby miał dosyć tego wypytywania. Nie miał ochoty analizować historii swoich pechowych romansów.

– Chyba mieliśmy za daleko do siebie – powiedział. – To się nie mogło udać. Nie mogłem wyjechać z Los Angeles, ona nie mogła opuścić Florydy.

Przysunęła się bliżej i pocałowała go w podbródek. Bosch wiedział, że powinien się ogolić.

– A ty, Eleanor? Jesteś sama?

– Tak... Ostatni mężczyzna, z którym się kochałam, był gliną. Delikatnym, ale bardzo silnym. Nie w sensie fizycznym. W życiowym. To było dawno temu. Kiedy oboje musieliśmy zaleczyć rany. Pocieszyliśmy się nawzajem...

Przez długą chwilę patrzyli na siebie w ciemności, a potem Eleanor przytuliła się do niego. Zanim spotkały się ich usta, szepnęła:

– Minęło dużo czasu.

Myślał o tych słowach, gdy go pocałowała i pchnęła na poduszki. Dosiadła go i zaczęła łagodnie kołysać biodrami. Jej włosy opadły mu na twarz, pogrążając go w zupełnych ciemnościach. Przesunął dłońmi po jej ciepłej skórze, od bioder po ramiona, a potem pod spodem, by dotknąć jej piersi. Czuł, że jest gotowa, ale dla niego było za wcześnie.

– O co chodzi, Harry? – wyszeptała. – Chcesz trochę odpocząć?

– Nie wiem.

Wciąż myślał o jej słowach. Minęło dużo czasu. Być może za dużo. Eleanor nie przestawała się kołysać.

– Nie wiem, czego chcę – powiedział. – A ty czego chcesz?

– Zależy mi tylko na tej chwili. Resztę zdążyliśmy już spieprzyć i tylko ona nam została.

Wkrótce był gotów i znów się kochali. Eleanor milczała, poruszając się nad nim łagodnie i bez pośpiechu. Słyszał jej krótki, rytmiczny oddech. Pod koniec, kiedy starał się na nią zaczekać, poczuł na policzku jej łzę. Wyciągnął ręce i otarł jej oczy.

– Już dobrze, Eleanor, już dobrze.

Dotknęła dłonią jego twarzy, badając ją w ciemności niczym ślepiec. Zaraz potem spotkali się tam, gdzie nikt i nic na świecie nie mogło im przeszkodzić. Ani słowa, ani nawet wspomnienia. Byli sami ze sobą. Ta chwila należała tylko do nich.

Bosch drzemał niespokojnie do bladego świtu. Eleanor spała mocno z głową na jego ramieniu, ale gdy w końcu udawało mu się zasnąć, sen nigdy nie trwał długo. Przez większą część nocy leżał, wpatrując się w szary półmrok, czując zapach ich potu i seksu, i zastanawiał się, dokąd prowadzi droga, na jaką właśnie wkroczył.

O szóstej delikatnie wyswobodził się z jej objęć. Kiedy się ubrał, zbudził ją pocałunkiem i powiedział, że musi iść.

– Lecę dzisiaj do Los Angeles, ale chcę wrócić do ciebie jak najszybciej.

Sennie skinęła głową.

– Dobrze, Bosch. Będę czekała.

Na dworze nareszcie było chłodno. Idąc do samochodu, zapalił pierwszego papierosa. Kiedy wyjeżdżał na Sands, kierując się w stronę Strip, zobaczył złoty blask słońca oblewający góry na zachód od miasta.

Główny bulwar wciąż był oświetlony przez milion neonów, choć o tej porze tłum na chodnikach znacznie się przerzedził. Mimo to świetlny spektakl przedstawiał się imponująco. Ulica wyglądała jak zasilany megawatami tunel, który dwadzieścia cztery godziny na dobę mienił się wszystkimi możliwymi barwami i kształtami, kusząc każdego, by dał upust swojej chciwości. Boscha pociągał ten widok tak jak wszystkich zwykłych zjadaczy chleba. Las Vegas przypominało dziwkę z Sunset Boulevard w Hollywood. Nawet szczęśliwi w małżeństwie mężczyźni zerkali na nią, choćby przelotnie, chcąc sobie wyobrazić, jak to jest. Miasto budziło najniższe instynkty. Bezczelnie obiecywało pieniądze i seks. Ale pierwsza obietnica była mirażem, a z drugą wiązało się niebezpieczeństwo, wydatki oraz ryzyko fizyczne i psychiczne. Na tym właśnie polegał prawdziwy hazard w tym mieście.

Kiedy Bosch wszedł do swojego pokoju, zauważył, że w telefonie mruga lampka nieodebranych połączeń. Zadzwonił do centrali i dowiedział się, że o pierwszej i drugiej dzwonił do niego niejaki kapitan Felton, a o czwartej niejaka Layla. Żadne z nich nie zostawiło wiadomości ani numeru. Bosch odłożył słuchawkę, marszcząc brwi. Było jeszcze za wcześnie, żeby dzwonić do Feltona. Ale bardziej ciekawił go telefon od Layli. Jeżeli to była prawdziwa Layla, to skąd wiedziała, jak się ma z nim skontaktować?

Uznał, że mogła uzyskać tę informację od Rhondy. Kiedy rozmawiał z nią z biura Tony'ego Aliso w Hollywood, poprosił Rhondę o wskazówki, jak ma się dostać do klubu z „Mirage". Być może przekazała to Layli. Zastanawiał się, po co Layla mogła dzwonić. Może dopiero od Rhondy dowiedziała się o śmierci Tony'ego.

Mimo to postanowił odłożyć tę kwestię na później. Po rozpoczęciu przez Kizmin Rider badania finansów Alisa punkt ciężkości sprawy zaczął się przesuwać. Rozmowa z Laylą nadal była ważna, lecz teraz Bosch musiał wracać do Los Angeles. Podniósł słuchawkę, zadzwonił do linii Southwest i zarezerwował bilet na lot o wpół do jedenastej, by dotrzeć na komendę Hollywood przed lunchem. Sądził, że będzie miał dość czasu, by skontaktować się z Feltonem i zajrzeć do salonu samochodowego, od którego, według informacji uzyskanych przez Rider, Tony Aliso wziął w leasing swoje samochody.

Bosch rozebrał się i poszedł pod prysznic, by zmyć z siebie pot i ślady minionej nocy. Gdy skończył, owinął się ręcznikiem, a drugim starł z lustra parę, aby się ogolić. Zauważył, że dolna warga spuchła do rozmiarów śliwki i wąsy nie mogły tego zamaskować. Miał zaczerwienione oczy. Wyciągając z kosmetyczki buteleczkę kropli Visine, zastanawiał się, co w jego wyglądzie Eleanor mogła uznać za atrakcyjne.

Kiedy wrócił do pokoju, żeby się ubrać, ujrzał nieznajomego mężczyznę siedzącego na krześle przy oknie. Intruz trzymał w ręku gazetę, którą zaraz odłożył na widok Boscha ubranego tylko w ręcznik.

– Bosch, zgadza się?

Bosch rzucił okiem na komodę, gdzie leżał jego pistolet. Mężczyzna znajdował się bliżej jego broni, lecz Bosch ocenił, że miał szansę pierwszy dopaść komody.

– Spokojnie – powiedział nieznajomy. – Gramy po tej samej stronie. Jestem gliną. Z miejskiej. Przysyła mnie Felton.

– Co robisz w moim pokoju, do cholery?

– Zapukałem, nikt nie otwierał. Usłyszałem prysznic. Wpuścił mnie kolega z dołu. Nie miałem ochoty czekać w holu. Ubierz się i zaraz powiem, o co chodzi.

– Najpierw pokaż jakiś dokument.

Mężczyzna wstał i podszedł do Boscha, sięgając ze znudzoną miną do kieszeni marynarki i wyciągając portfel. Pokazał odznakę i legitymację

– Iverson. Z miejskiej. Przysyła mnie kapitan Felton.

– Z jakiego to ważnego powodu Felton każe swojemu człowiekowi włamywać się do mojego pokoju?

– Przecież się nie włamałem. Dzwoniliśmy całą noc i nikt nie odbierał. Chcieliśmy się przede wszystkim upewnić, czy jesteś cały i zdrowy. A poza tym kapitan chce, żebyś był przy aresztowaniu, dlatego kazał mi cię znaleźć. Musimy zaraz iść. Może się jednak ubierzesz?

– Jakie aresztowanie?

– Właśnie próbuję wyjaśnić, tylko się ubierz. Te odciski palców, które przywiozłeś, to był strzał w dziesiątkę.

Bosch patrzył na niego przez chwilę, po czym wziął z szafy bieliznę i spodnie. Poszedł do łazienki, włożył jedno i drugie.

– Mów – polecił, gdy tylko wrócił do pokoju.

Słuchając Iversona, szybko skończył się ubierać.

– Słyszałeś o Joeyu Markerze?

Bosch zastanowił się przez moment i odparł, że brzmi znajomo, choć nie bardzo kojarzy, gdzie o nim słyszał.

– Joseph Marconi. Nazywają go Joey Marker. To znaczy, kiedyś go tak nazywali, zanim zaczął udawać uczciwego obywatela. Teraz występuje jako Joseph Marconi. A ochrzcili go Markerem, bo zostawiał ślady na każdym, kto wszedł mu w drogę.

– Kim on jest?

– Człowiekiem Outfit na Vegas. Wiesz, co to jest Outfit, nie?

– Chicagowska rodzina mafijna. Kontroluje wszystko albo ma jakieś wpływy wszędzie na zachód od Missisipi. Czyli w Vegas i w Los Angeles też.

– Byłeś chyba niezły z geografii, co? W takim razie nie będę ci musiał dokładnie tłumaczyć co i jak. Znasz zawodników.

– Chcesz powiedzieć, że odciski palców z marynarki mojej ofiary to odciski Joeya Markera?

– Akurat. Nie, ale jednego z jego najwyżej postawionych ludzi. Mówię ci, Bosch, to manna z nieba. Zdejmiemy dzisiaj tego gnoja, wyciągniemy go prosto z łóżka. Przymkniemy go, Bosch, zwerbujemy i zaprowadzi nas prosto do Markera. Facet gra nam na nosie prawie od dziesięciu lat.

– Nie zapomniałeś o czymś przypadkiem?

– Nie, chyba nie... no tak, ty i chłopaki z Los Angeles zasłużyliście na naszą dozgonną wdzięczność.

– Zapomniałeś, że to moja sprawa. Nie wasza. Cholera, wyobrażaliście sobie, że zdejmiecie gościa, nie racząc nawet ze mną porozmawiać?

– Próbowaliśmy się do ciebie dodzwonić. Mówiłem już.

Iverson wyglądał na urażonego.

– No i co? Nie zastaliście mnie i tak po prostu zaczęliście realizować swój plan?

Iverson nie odpowiedział. Bosch zawiązał buty i wstał, gotów do wyjścia.

– Chodźmy. Najpierw zabierz mnie do Feltona. Nie wierzę wam.

W windzie Iverson poinformował go, że choć przyjmuje do wiadomości sprzeciw Boscha, jest już za późno, żeby zmienić plan. Jechali do punktu dowodzenia na pustyni, skąd mieli ruszyć do domu podejrzanego, który mieszkał w pobliżu gór.

– Gdzie jest Felton?

– Na pustyni, na PD.

– Dobrze.

W drodze Iverson prawie cały czas milczał, dzięki czemu Bosch mógł spokojnie przeanalizować nowe fakty. Zdał sobie sprawę, że Tony Aliso mógł prać pieniądze Joeya Markera. Możliwe, że to Marker był panem X, o którym mówiła Rider. Ale pech chciał, że ich procederem zainteresował się urząd skarbowy. Zapowiedziana kontrola stanowiła zagrożenie dla operacji, a tym samym dla Joeya Markera. W odpowiedzi Marker wyeliminował właściciela pralni.

Historia przedstawiała się logicznie, choć wciąż kilka elementów nie pasowało do całości. Na przykład włamanie do biura Alisa dwa dni po jego zabójstwie. Po co ktoś miałby czekać tak długo i dlaczego nie zabrał całej dokumentacji finansowej? Dokumenty – gdyby udało się ustalić związek Markera z fikcyjnymi firmami – stałyby się równie niebezpieczne dla Markera jak sam Aliso. Bosch zastanawiał się, czy morderca i włamywacz to rzeczywiście ta sama osoba. Wszystko wskazywało na to, że nie.

– Jak on się nazywa? Ten facet, którego odciski zidentyfikowaliście?

– Luke Goshen. Mieliśmy go w kartotece, bo musiał zostawić odciski, żeby dostać koncesję na prowadzenie klubu ze striptizem. Lokal należy do Joeya, ale koncesja jest na Goshena. Marker ma czyste rączki. Ale tylko do dzisiaj. Odciski łączą Goshena z morderstwem i Joey jest następny w kolejce.

– Chwileczkę, jak się nazywa ten klub?

– „Dolly". Jest w…
– Północnym Las Vegas. Sukinsyn.
– Coś nie tak?
– Tego Goshena nazywają Lucky?
– Pewnie już go tak nie będą nazywać. Szczęście wyraźnie go opuściło. To znaczy, że go znasz?
– Poznałem tego skurwiela wczoraj wieczorem.
– Kitujesz.
– W „Dolly". Aliso dzwonił tam z Los Angeles. To była ostatnia rozmowa przeprowadzona z jego biura. Dowiedziałem się, że kiedy tu przyjeżdża, spotyka się tam z jedną tancerką. Wczoraj pojechałem się czegoś dowiedzieć, ale spieprzyłem sprawę. Mam pamiątkę po jednym z goryli Goshena.
Bosch dotknął opuchniętej wargi.
– Właśnie się zastanawiałem, skąd to masz. Który ci to zrobił?
– Gustie.
– Cholerny John Flanagan. Do jego tłustego dupska też się dobierzemy.
– John Flanagan? Skąd się wziął Gustie?
– Stąd, że to najgustowniej ubrany bramkarz w całym okręgu. Widziałeś, że nosi smoking. Do pracy musi się ubrać w najlepszym guście. Mam nadzieję, że nie pozwoliłeś sobie bezkarnie obić gęby.
– Zanim odjechałem, mieliśmy małą rozmowę na parkingu.
Iverson zaśmiał się.
– Podobasz mi się, Bosch. Twarda z ciebie sztuka.
– Nie jestem pewien, czy ty mi się podobasz, Iverson. Jakoś ciągle nie umiem się ucieszyć, że próbujecie mi odebrać sprawę.
– Wszyscy skorzystamy. Zamkniesz swoją sprawę, a my zamkniemy parę gnid. Ojcowie miasta będą wniebowzięci.
– Zobaczymy.
– Powinieneś wiedzieć o czymś jeszcze – dodał Iverson. – Kiedy się zjawiłeś, mieliśmy już Lucky'ego na oku. Dostaliśmy cynk.
– Co takiego?
– Ktoś dał nam cynk. Anonimowo. Wiadomość przyszła do biura w niedzielę. Facet się nie przedstawił, ale mówił, że był w klubie dzień wcześniej i słyszał rozmowę dwóch ważniaków o mokrej robocie. Jeden mówił drugiemu Lucky.
– Co jeszcze?
– Była mowa o jakimś gościu w bagażniku, któremu wpakowano kulkę.
– Felton o tym wiedział, kiedy z nim wczoraj rozmawiałem?
– Nie, jeszcze do niego nie dotarło. Dostaliśmy cynk późno wieczorem, jak już się dowiedział, że to odciski Goshena. Wiadomość odebrał człowiek z biura i zamierzał ją sprawdzić. Wysłał komunikat. Trafiłby do Los Angeles i prędzej czy później zainteresowalibyście się sprawą. A tak po prostu jesteś prędzej niż później.

Opuścili już przedmieścia i wyrosły przed nimi czekoladowobrązowe góry. Od czasu do czasu mijali niewielkie skupiska domów – zbudowanych z dala od miasta, które wkrótce i tak miało je wchłonąć. Bosch był już kiedyś w tej okolicy, jechał wówczas do domu emerytowanego policjanta przy okazji pewnego śledztwa. Miał wtedy wrażenie, jak gdyby znalazł się na ziemi niczyjej, i podobnie czuł się teraz.

– Opowiedz mi o Joeyu Markerze – powiedział. – Mówiłeś, że stara się być uczciwym obywatelem?

– Nie, mówiłem, że udaje uczciwego obywatela. To duża różnica. Taki gość nigdy nie potrafi żyć w zgodzie z prawem. Nawet gdyby zaczął się porządnie prowadzić, zawsze będzie śmieciem.

– Co on właściwie robi? Jeżeli wierzyć mediom, makaroniarzy już wyrzucono z miasta, żeby zrobić miejsce prawdziwym Amerykanom.

– Tak, znam tę śpiewkę. Ale to prawda. Przez dziesięć lat Vegas bardzo się zmieniło. Kiedy przyszedłem do firmy, można było wybrać pierwsze z brzegu kasyno i brać się do roboty. Wszędzie były łapska mafii. Jak nie szefowie, to dostawcy albo związki, wszystko jedno. Teraz wszystko jest czyściutkie. Z miasta grzechu zrobił się pieprzony Disneyland. Mamy więcej parków wodnych niż burdeli. Dawniej chyba bardziej mi się podobało. Miasto miało bardziej wyrazisty styl, rozumiesz, co mam na myśli?

– Rozumiem.

– W każdym razie wyrzuciliśmy dziewięćdziesiąt dziewięć procent mafii z kasyn. I bardzo dobrze. Ale ciągle mamy sporo tak zwanej działalności ubocznej. Tu znalazł sobie miejsce Joey. Prowadzi sieć drogich barów ze striptizem, głównie w północnym Vegas, bo alkohol i nagość są tam dozwolone, a kasę daje przede wszystkim alkohol. Trudno mieć wgląd w takie pieniądze. Według naszych ocen zgarnia dwa miliony rocznie z samych klubów. Nasłaliśmy na niego skarbówkę, ale bardzo pilnuje, żeby w księgach wszystko grało.

Przypuszczamy też, że jest właścicielem kilku burdeli na północy. Poza tym standard – lichwa i paserka. Przyjmuje nielegalne zakłady bukmacherskie i ściąga haracz od wszystkiego, co się rusza w mieście. Agencje towarzyskie, kluby peep show i tak dalej. Jest tu królem. Wprawdzie ma zakaz wstępu do wszystkich kasyn, bo podpadł komisji, ale to i tak się nie liczy. Jest królem i koniec.

– Po co mu nielegalne zakłady, skoro człowiek może wejść do każdego kasyna i obstawić każdy mecz, każdy wyścig w całym kraju?

– Żeby postawić w kasynie, trzeba mieć pieniądze. U Joeya nie. Joey przyjmuje zakład. A kiedy będziesz miał pecha i przegrasz, lepiej szybko skombinuj forsę, bo inaczej masz przesrane. Pamiętaj, skąd się wzięła jego ksywka. Powiem tylko, że jego pracownicy podtrzymują tradycję. Widzisz, właśnie w ten sposób dobiera się do ludzi. Robi z nich dłużników, a potem zajmuje im kawałek majątku, na przykład wytwórnię farb w Dayton albo coś innego.

– Może się też dobrać do faceta, który kręci tanie filmy w Los Angeles.

– Coś w tym rodzaju. I na tym to polega. Albo grzecznie dopuszczasz go do interesu, albo ktoś zgruchocze ci kolana czy zrobi coś gorszego. W Vegas ciągle znikają ludzie, Bosch. Z zewnątrz widać śliczne wulkany, piramidy i okręty pirackie, ale pod spodem wciąż jest czarna dziura, w której znikają ludzie.

Bosch podkręcił klimatyzację. Słońce stało już wysoko i zaczynało prażyć pustynię.

– To jeszcze nic – powiedział Iverson. – Zaczekaj do południa. Jeżeli zostaniemy na tej patelni do dwunastej, klima nic nie pomoże. Będzie ze czterdzieści pięć stopni.

– Jak Joey udaje uczciwego obywatela?

– Jak mówiłem, ma udziały w różnych firmach w całym kraju. Dzięki przekrętom udało mu się wkupić do świata legalnego biznesu. Reinwestuje. Pierze brudną forsę i ładuje w legalne przedsięwzięcia, nawet w instytucje charytatywne. Ma salony samochodowe, klub golfowy na wschodzie, nawet skrzydło szpitala nazwali na cześć jego dzieciaka, który się utopił w basenie. W gazetach pokazują, jak przecina wstęgi. Bosch, mówię ci, tego skurwiela trzeba albo przymknąć, albo wręczyć mu klucze do miasta i sam nie wiem, co by było bardziej stosowne.

Iverson pokręcił głową.

Po kilku minutach dotarli na miejsce. Iverson skręcił na posterunek straży pożarnej i podjechał na tyły budynku, gdzie zobaczyli parę samochodów detektywów, a wokół nich stało kilku mężczyzn z papierowymi kubkami kawy w dłoniach. Był wśród nich kapitan Felton.

Bosch zapomniał zabrać z Los Angeles kamizelkę kuloodporną i musiał pożyczyć ją od Iversona. Dostał także plastikową zapinaną bluzę z żółtym napisem LVPD na piersi.

Stali przy taurusie Feltona, omawiając plan akcji i czekając na patrol. Aresztowanie miało zostać dokonane według przepisów Las Vegas, co oznaczało, że przy wejściu do domu musiał być obecny co najmniej jeden zespół umundurowanych funkcjonariuszy.

Bosch zdążył już odbyć „przyjacielską" rozmowę z Feltonem. Weszli na posterunek straży, gdzie Bosch nalał sobie kawy i bez ogródek powiedział kapitanowi, co sądzi o jego decyzji podjętej po zidentyfikowaniu odcisków palców Lucky Luke'a Goshena. Felton udał skruchę, obiecując mu, że od tej chwili będzie współdowodził akcją. Bosch musiał więc ustąpić. Uzyskał to, czego chciał. Dostał przynajmniej słowo kapitana i nie pozostawało mu nic innego, jak tylko się przekonać, czy Felton go dotrzyma.

Poza Feltonem i Boschem przy samochodzie stało jeszcze czterech policjantów. Wszyscy byli z jednostki do spraw przestępczości zorganizowanej. Iverson ze swoim partnerem Cicarellim i druga para, Baxter i Parmelee. Jednostka podlegała Feltonowi, ale pierwsze skrzypce grał Baxter, czarnoskóry mężczyzna z rzadkim wianuszkiem siwych włosów po bokach głowy. Był mocno zbudowany, a jego mina mówiła, że nade wszystko ceni sobie święty spokój. Na Boschu sprawiał wrażenie człowieka, który umie sobie radzić z przemocą i ludźmi używającymi przemocy. To nie było to samo.

Wszyscy znali miejsce akcji. Z ich rozmów Bosch wywnioskował, że obserwowali dom Luke'a Goshena, który znajdował się ponad kilometr na zachód od posterunku strażaków. Baxter pojechał wcześniej na rekonesans i zauważył czarną corvettę Goshena zaparkowaną pod wiatą.

– Co z nakazem? – spytał Bosch.

Oczyma wyobraźni widział już, jak wyrzucają ich z sądu za bezprawne wtargnięcie do domu podejrzanego.

– Odciski w zupełności wystarczyły, żeby wystawić nakaz aresztowania i rewizji – odparł Felton. – Zgłosiliśmy się do sędziego z samego rana. Dostaliśmy też informację, o której Iverson chyba panu wspomniał.

– No dobrze, zidentyfikowaliście odciski, ale to wcale nie znaczy, że on to zrobił. Mamy za słabe podstawy. Działamy za szybko. Zabójstwo było w Los Angeles. Nie mam żadnego dowodu, że Luke Goshen tam był. A wasza informacja? Dostaliście tylko anonimowy telefon, nic więcej. To gówno warte.

Wszyscy spojrzeli na Boscha, jak gdyby właśnie odbiło mu się na balu debiutantów.

– Harry, chodźmy po kawę – rzekł Felton.

– Dzięki, nie mam już ochoty.

– Mimo to chodźmy.

Położył rękę na jego ramieniu i zaprowadził z powrotem do budynku. Przy bufecie, gdzie stał termos z kawą, Felton najpierw nalał sobie jeszcze jeden kubek, a potem powiedział:

– Harry, nie może się pan sprzeciwiać. To najlepsza okazja, dla nas i dla pana.

– Wiem. Po prostu nie mam ochoty tego schrzanić. Nie moglibyśmy zaczekać, aż będziemy pewni, co naprawdę na niego mamy? To moja sprawa, kapitanie, a cały czas pan wydaje dyspozycje.

– Myślałem, że już to sobie wyjaśniliśmy.

– Ja też tak myślałem, ale widzę, że naszą umowę można o kant dupy potłuc.

– Detektywie, pojedziemy tam i zgarniemy sukinsyna, przetrząśniemy mu dom, a potem wsadzimy go do małego pokoiku. Gwarantuję, że jeżeli to nie on, to na pewno sypnie tego, kto to zrobił. Przy okazji wyda nam Joeya Markera. A teraz niech pan wraca do szeregu i do dzieła.

Klepnął Boscha w ramię i wyszedł na parking. Bosch po kilku minutach ruszył za nim. Wiedział, że nie ma sensu wybrzydzać. Kiedy się znalazło na ciele ofiary czyjeś odciski palców, należało bez gadania zdjąć ich właściciela. To było oczywiste. Szczegóły wyciągało się później w trakcie przesłuchania. Ale Bosch nie miał ochoty być biernym świadkiem. To go najbardziej irytowało. Chciał grać pierwsze skrzypce. Tylko że na pustyni czuł się jak ryba wyjęta z wody i trzepocząca na piasku. Wiedział, że powinien zadzwonić do Billets, ale i tak nie mogłaby już niczego zrobić, a on nie miał ochoty się tłumaczyć, że wypuścił z rąk taką okazję.

Kiedy Bosch wyszedł z budynku na rozżarzoną patelnię parkingu, stał już tam radiowóz z dwoma umundurowanymi policjantami z patrolu.

– No dobrze – powiedział Felton. – Jesteśmy w komplecie. Do wozów i po sukinsyna.

Dotarli na miejsce po pięciu minutach. Goshen mieszkał w otoczonym krzewami domu przy Desert View Avenue. Budynek był wprawdzie duży, lecz nie wyglądał na ostentacyjnie okazały. Niecodzienny był tylko widok betonowego muru z bramą, otaczającego półakrową posiadłość. Dom stał pośrodku pustki, mimo to jego właściciel uznał, że musi się od niej odgrodzić.

Zatrzymali samochody na poboczu drogi i wysiedli. Baxter dobrze się przygotował. Z bagażnika swojego caprice wyciągnął dwie składane drabinki, po których mieli się wspiąć na mur. Iverson ruszył pierwszy. Gdy stanął na szczycie muru, postawił drugą drabinkę po drugiej stronie, ale zawahał się przez chwilę.

– Widzieliście jakieś psy?

– Nie ma psów – odrzekł Baxter. – Sprawdzałem rano.

Iverson zszedł, a za nim podążyła reszta. Czekając na swoją kolej, Bosch rozejrzał się i dostrzegł neonową linię demarkacyjną Strip w odległości kilku kilometrów na wschód. Słońce płonęło nad nią jak czerwona kula. Ciepłe powietrze stało się gorące i suche, ostre jak papier ścierny. Bosch pomyślał o kupionym w hotelu sztyfcie do ust o wiśniowym smaku, który miał w kieszeni. Nie chciał go jednak używać przy chłopakach z miejskiej.

Gdy znalazł się po drugiej stronie muru i podchodził do domu, zerknął na zegarek. Dochodziła dziewiąta, ale w środku panowała martwa cisza. Nie słyszeli żadnego ruchu, żadnego dźwięku, nie widzieli świateł. Wszystkie okna były zasłonięte.

– Na pewno jest w domu? – spytał szeptem Baxtera.

– Jest – odparł Baxter, nie zniżając głosu. – O szóstej przeskoczyłem przez mur i dotknąłem maski wozu. Była ciepła. Wrócił niedawno. Idę o zakład, że jeszcze śpi. Dziewiąta to dla tego gościa jak czwarta rano dla normalnych ludzi.

Bosch spojrzał na corvettę. Widział ten samochód poprzedniego wieczoru. Zauważył, że teren za murem porasta gęsta zielona trawa. Jej utrzymanie i podlewanie musiało kosztować fortunę. Posiadłość leżała na pustyni jak ręcznik na piasku. Z tych rozmyślań wyrwał Boscha łomot, gdy Iverson kopniakiem otworzył drzwi.

Z wyciągniętą bronią wpadli do ciemnego domu. Wydając okrzyki „policja!" i „nie ruszać się!", szybko przebiegli korytarz i skręcili w lewo. Bosch podążał za snopami światła latarek rozcinającymi półmrok. Niemal natychmiast usłyszał kobiece wrzaski, a po chwili w pokoju na końcu korytarza zapaliło się światło.

Kiedy stanął na progu, ujrzał Iversona klęczącego na ogromnym łóżku i trzymającego krótką lufę smitha & wessona w odległości piętnastu centymetrów od twarzy Luke'a Goshena. Zwalisty mężczyzna, z którym Bosch miał wątpliwą przyjemność zetknąć się poprzedniego wieczoru, leżał w czarnej jedwabnej pościeli, spoglądając na nich ze spokojem Magica Johnsona wykonującego rzuty osobiste, gdy ważyły się losy meczu. Zerknął nawet na sufit, aby zobaczyć odbicie całej sceny w znajdującym się tam lustrze.

Spokojne nie były natomiast dwie kobiety. Stały nagie po obu stronach łóżka, wrzeszcząc w skrajnym przerażeniu i nie zważając na własną nagość. Wreszcie Baxter zdołał je uciszyć gromkim: „Zamknąć się!".

Cisza w sypialni zapadła dopiero po kilku chwilach. Nikt się nie ruszał. Bosch nie odrywał wzroku od Goshena, bo tylko on mógł stanowić zagrożenie. Za plecami poczuł obecność pozostałych gliniarzy, którzy wcześniej rozbiegli się, by przeszukać dom, a teraz weszli za nim do pokoju wraz z umundurowanymi policjantami z patrolu.

– Twarzą w dół, Luke – rozkazał Iverson. – A wy, dziewczyny, ubierać się. Już!

Jedna z kobiet zaczęła:

– Nie możesz nam...

– Zamknij się! – uciął Iverson. – Bo zabierzemy cię do miasta tak, jak stoisz. Wybieraj.

– Randy! – huknął Goshen. Jego głos zabrzmiał jak wystrzał z armaty. – Zamknij się, do kurwy nędzy, i włóż coś na siebie. Nigdzie cię nie zabiorą. Ty też, Harm.

Wszyscy mężczyźni z wyjątkiem Goshena popatrzyli na drugą kobietę. Wyglądała, jakby ważyła niewiele ponad czterdzieści kilogramów. Miała gładkie blond włosy, drobne piersi, które mogłyby się zmieścić w filiżankach dla dzieci, i okrągły złoty kolczyk ozdabiający przekłutą wargę sromową. Jeśli nawet była ładna, nie można się było o tym przekonać, ponieważ jej twarz wykrzywiał grymas przerażenia.

– Harmony – poprawiła szeptem.

– Ubierz się, Harmony – nakazał Felton. – Obie. Odwróćcie się do ściany i ubierzcie się.

– Niech wezmą swoje rzeczy i wyjdą z pokoju – powiedział Iverson.

Harmony znieruchomiała z jedną nogą w dżinsach, spoglądając na policjantów wydających sprzeczne polecenia.

– To co w końcu mamy robić? – zapytała ze złością Randy. – Może byście się zdecydowali?

Bosch poznał w niej kobietę, która poprzedniego wieczoru tańczyła na scenie „Dolly".

– Zabierzcie je stąd! – ryknął Iverson. – Już!

Policjanci z patrolu ruszyli w stronę nagich kobiet, aby wyprowadzić je z sypialni.

– Same pójdziemy! – krzyknęła Randy. – Nie dotykaj mnie!

Iverson zerwał z Goshena pościel i zaczął mu skuwać ręce za plecami. Jasne włosy Goshena były zaplecione w długi i cienki warkoczyk. Bosch nie zauważył tego przy ich pierwszym spotkaniu.

– Co jest, Iverson? – wymamrotał Goshen z twarzą wtuloną w materac. – Przeszkadza ci goła cipka biegająca po pokoju? Może jesteś ciotuchną?

– Goshen, bądź łaskaw zamknąć ryj.

Goshen odpowiedział mu śmiechem. Był mocno opalony i wydawał się jeszcze potężniej zbudowany, niż Bosch zapamiętał. Jego muskularne ramiona przypominały szynki. Bosch pomyślał, że chyba rozumie, dlaczego Goshen sypia z dwiema kobietami naraz. I dlaczego one tak chętnie skaczą mu do łóżka dwójkami.

Goshen udał, że ziewa, aby dać wszystkim do zrozumienia, że ani trochę nie przestraszył się policyjnego nalotu. Był ubrany tylko w czarne slipy w kolorze pościeli. Na plecach miał tatuaże. Na lewej łopatce symbol procentu, na prawej logo Harleya Davidsona. Jeszcze jeden tatuaż zdobił jego lewe ramię – liczba osiemdziesiąt osiem.

– Co to ma być, twój iloraz inteligencji? – spytał Iverson, uderzając go w wytatuowane ramię.

– Spadaj, Iverson, i wsadź sobie w dupę ten lipny nakaz.

Bosch wiedział, co oznacza tatuaż. Naoglądał się podobnych w Los Angeles. Ósmą literą alfabetu było H. Osiemdziesiąt osiem oznaczało skrót HH, „Heil Hitler". Był to znak, że Goshen przez jakiś czas obracał się w towarzystwie białych rasistów. Ale większość gnojków z takim tatuażem, których widział Bosch, zrobiła go sobie w więzieniu. Wydało mu się dziwne, że Goshen nie był notowany i nie trafił za kratki. Gdyby kiedykolwiek siedział, znaleźliby jego nazwisko w bazie danych AFIS podczas próby zidentyfikowania odcisków palców zdjętych z marynarki Tony'ego Aliso. Odłożył jednak analizę tej zagadki na później, ponieważ w tym momencie Goshen odwrócił głowę i popatrzył prosto na Boscha.

– To ciebie powinni aresztować – powiedział. – Za to, co zrobiłeś Gustiemu.

Bosch nachylił się nad łóżkiem.

– Nie chodzi o wczoraj. Chodzi o Tony'ego Aliso.

Iverson brutalnie odwrócił Goshena na plecy.

– Co mi tu, kurwa, wciskasz? – warknął Goshen. – W tej sprawie jestem czysty. Chcesz mi...

Próbował się podnieść do pozycji siedzącej, ale Iverson pchnął go z powrotem na łóżko.

– Leż spokojnie – rozkazał. – Później posłuchamy twoich żałosnych tłumaczeń. Najpierw trochę się rozejrzymy.

Z kieszeni wyciągnął nakaz i rzucił papier na pierś Goshena.

– Tu masz swój nakaz.

– Nie mogę go przeczytać.

– Nie moja wina, że nie chodziłeś do szkoły.

– Pokaż mi go.

Ignorując go, Iverson spojrzał na pozostałych.

– Dobra, rozdzielamy się i idziemy obejrzeć dom. Harry, zajmiesz się sypialnią i dotrzymasz towarzystwa naszemu przyjacielowi?

– Zgoda.

Iverson zwrócił się do patrolu:

– Chcę, żeby jeden z was tu został. Niech stanie z boku i pilnuje tej gnidy.

Jeden z umundurowanych policjantów skinął głową, a pozostali wyszli z pokoju. Bosch i Goshen spojrzeli na siebie.

– Nie dam rady tego przeczytać – powiedział Goshen.

– Wiem – odparł Bosch. – Już mówiłeś.

– To jakaś cholerna bzdura. Czepiacie się bez sensu. Nic mi nie udowodnicie, bo nic nie zrobiłem.

– Jeśli nie ty, to komu kazałeś? Gustiemu?

– Nie, nikomu. Nie ma mowy, żebyście mnie w to wrobili. Za cholerę. Chcę adwokata.

– Jak tylko cię zapudłujemy.

– Za co?

– Za morderstwo, Lucky.

Goshen wciąż protestował i żądał sprowadzenia adwokata, a tymczasem Bosch, nie zwracając na niego uwagi, zaczął przeszukiwać pokój, zaglądając do szuflad komody. Co kilka sekund zerkał na Goshena. Miał wrażenie, jakby chodził po klatce lwa. Wiedział, że jest bezpieczny, mimo to nie mógł się powstrzymać od sprawdzania, czy wszystko w porządku. Był pewien, że Goshen obserwuje go w lustrach na suficie. Kiedy wreszcie umilkł, Bosch odczekał chwilę, po czym zaczął zadawać pytania. Na pozór mimochodem, nie przerywając rewizji, jak gdyby nie interesowały go odpowiedzi.

– No więc gdzie byłeś w piątek wieczorem?

– Pieprzyłem twoją matkę.

– Ona nie żyje.

– Wiem. Nie bardzo mi się podobało.

Bosch znieruchomiał i popatrzył na niego. Goshen wyraźnie chciał, żeby Bosch go uderzył. Przemoc to była gra, której reguły dobrze rozumiał.

– Gdzie byłeś, Goshen? W piątek wieczorem.

– Pogadaj z moim adwokatem.

– Pogadamy. Ale ty też umiesz mówić.

– W klubie. Pracuję tam, nie pamiętasz?

– Pamiętam. Do której pracowałeś?
– Nie wiem. Do czwartej. Potem pojechałem do domu.
– Tak, jasne.
– To prawda.
– Gdzie byłeś, w biurze za lustrami?
– Zgadza się.
– Ktoś cię widział? Wychodziłeś stamtąd przed czwartą?
– Nie wiem. Pogadaj z moim adwokatem.
– Nie martw się. Pogadamy.

Bosch wrócił do przerwanego zajęcia i otworzył drzwi garderoby. Ubrania zajmowały zaledwie jedną trzecią. Goshen szedł przez życie z niewielkim bagażem.

– Kurwa, mówię ci, że to prawda! – zawołał z łóżka Goshen. – Sprawdź i sam się przekonaj.

Bosch najpierw odwrócił stojące na podłodze dwie pary butów i parę nike'ów, aby obejrzeć podeszwy. Żadna w najmniejszym stopniu nie przypominała śladu znalezionego na zderzaku rolls-royce'a i biodrze Tony'ego Aliso. Zerknął na Goshena, sprawdzając, czy się nie rusza. Leżał spokojnie. Bosch sięgnął na półkę nad wieszakami i zdjął z niej pudełko. Było pełne dużych zdjęć reklamowych przedstawiających tancerki. Kobiety nie były nagie, lecz ubrane w skąpe kostiumy i prowokacyjnie upozowane. Na białym pasku u dołu każdej fotografii wydrukowano imię dziewczyny oraz nazwę „Model A Million" i numer – Bosch przypuszczał, że to miejscowa agencja dostarczająca klubom tancerki. Zaczął przeglądać zawartość pudełka, dopóki nie odnalazł zdjęcia z podpisem „Layla".

Uważnie oglądał zdjęcie kobiety, które szukał poprzedniego wieczoru. Miała długie ciemne włosy z jasnymi pasemkami, pełną figurę, brązowe oczy i zmysłowe, wydatne usta. Na zdjęciu rozchylała je odrobinę, ukazując biel zębów. Była piękna i kogoś mu przypominała, ale nie wiedział kogo. Uznał, że po prostu wygląda tak samo przewrotnie i wyzywająco jak wszystkie kobiety na fotografiach i te, które widział w klubie poprzedniego wieczoru.

Bosch zabrał pudełko do sypialni i postawił je na komodzie. Wyciągnął zdjęcie Layli.

– Co to za zdjęcia, Lucky?

– Wszystkie dziewczyny, które zaliczyłem. A ty, glino? Miałeś tyle? Założę się, że najbrzydsza z nich wygląda lepiej niż najładniejsza z twoich zdobyczy.

– Może jeszcze będziesz chciał porównywać rozmiar fiuta, co? Cieszę się, że zdążyłeś się w życiu naciupciać, Lucky, bo to koniec z kobietami. Jasne, może jeszcze kogoś posuniesz albo ktoś ciebie posunie, ale to raczej nie będą kobiety.

Goshen umilkł, zastanawiając się nad tym, co usłyszał. Bosch położył zdjęcie Layli na komodzie obok pudełka.

– Słuchaj Bosch, powiedz, co na mnie macie, a ja powiem, co wiem, żebyśmy wiedzieli, na czym stoimy. Pomyliliście się. Niczego nie zrobiłem, więc lepiej dajcie sobie spokój i nie marnujcie czasu.

Bosch zbył go milczeniem. Wrócił do garderoby i wspiął się na palce, żeby sprawdzić, czy na półce jest coś jeszcze. Było. Kawałek materiału złożony jak chustka. Zdjął go i rozłożył. Zobaczył na tkaninie plamę oleju. Powąchał i natychmiast rozpoznał tę woń.

Wrócił do Goshena i rzucił w niego szmatką, która trafiła w jego twarz i wylądowała na łóżku.

– Co to jest?

– Nie wiem. Co to jest?

– Szmatka z olejem do konserwacji broni. Gdzie broń?

– Nie mam żadnej broni. To nie moje. Nigdy tego nie widziałem.

– W porządku.

– Co w porządku? Kurwa, nigdy nie widziałem tej szmaty.

– W porządku, Goshen. Nie mówię nic więcej. Nie denerwuj się.

– Trudno się nie denerwować, kiedy mi zawracacie dupę i wtykacie nosy w każdy kąt.

Bosch pochylił się nad nocnym stolikiem. Otworzył górną szufladę, w której znalazł pustą paczkę po papierosach, parę perłowych kolczyków i nienapoczęte pudełko prezerwatyw. Rzucił prezerwatywami w Goshena. Pudełko odbiło się od jego szerokiej piersi i spadło na podłogę.

– Wiesz co, Goshen, nie wystarczy ich kupować. Żeby seks był bezpieczny, trzeba je nakładać.

Otworzył dolną szufladę. Była pusta.

– Dawno tu mieszkasz?

– Wprowadziłem się, kiedy wywaliłem na zbity ryj twoją siostrę. Poszła na ulicę. Ostatni raz, kiedy ją widziałem, stała na Fremont pod „Cortezem".

Bosch wyprostował się i spojrzał na niego. Goshen uśmiechał się do niego. Wyraźnie próbował go sprowokować. Chciał panować nad sytuacją, mimo że leżał skuty na łóżku. Nawet gdyby miał za to zapłacić uszkodzeniem ciała.

– Najpierw moja matka, teraz siostra. Kto następny, żona?

– Tak, dla niej też coś zaplanowałem. Zrobię...

– Zamknij się, dobrze? To nie działa, rozumiesz? Nie uda ci się mnie wkurzyć. Mnie nic nie może wkurzyć. Dlatego przestań się wysilać.

– Każdego można wkurzyć, Bosch. Zapamiętaj to sobie.

Bosch popatrzył na niego, a potem ruszył do łazienki. Było to duże pomieszczenie z osobnym prysznicem i wanną, bardzo podobne do łazienki w pokoju Tony'ego Aliso w „Mirage". Toaleta znajdowała się w wydzielonej kabinie za żaluzjowymi drzwiami. Bosch zaczął właśnie od niej. Szybko zdjął pokrywę spłuczki, lecz nie znalazł tam niczego godnego uwagi. Zanim położył porcelanową pokrywę z powrotem, pochylił się i sprawdził przestrzeń między spłuczką a ścianą. Gdy zobaczył, co tam jest, natychmiast zawołał policjanta pilnującego Goshena w sypialni.

– Tak?

Funkcjonariusz wyglądał na mniej niż dwadzieścia pięć lat. Miał czarną skórę z niemal niebieskawym odcieniem. Ręce swobodnie opierał na pasie, trzymając prawą dłoń kilka centymetrów od kabury z bronią. Była to postawa regulaminowa. Bosch przeczytał nazwisko na plakietce naszytej na mundurze.

– Fontenot, zajrzyj za spłuczkę.

Policjant spełnił polecenie, nie odrywając dłoni od pasa.

– Co to jest? – spytał.

– Zdaje mi się, że broń.

– Odsuń się, żebym mógł ją wyciągnąć.

Bosch wsunął rękę w szparę między ścianą a spłuczką szerokości pięciu centymetrów. Chwycił plastikową torebkę przyklejoną do spłuczki szarą taśmą izolacyjną. Udało mu się ją oderwać i wyjąć. Pokazał torebkę Fontenotowi. Wewnątrz spoczywał oksydowany pistolet wyposażony w dziesięciocentymetrowy tłumik.

– Dwudziestkadwójka? – spytał Fontenot.

– O, tak – odparł Bosch. – Wezwij Feltona i Iversona, dobrze?

– Tak jest.

Bosch wyszedł za Fontenotem z łazienki. Trzymał torebkę z bronią gestem wędkarza trzymającego za ogon złowioną rybę. Kiedy znalazł się w sypialni, nie mógł powstrzymać się od uśmiechu na widok Goshena, który szeroko otworzył oczy.

– To nie moje – zaprotestował natychmiast Goshen. – Jakiś kutas podrzucił! Nie wie... Sprowadź mi tu adwokata, skurwysynu!

Nie zważając na jego słowa, Bosch pilnie obserwował minę Goshena. Zobaczył jakiś błysk w jego oczach, trwający nie dłużej niż sekundę, ale wyraźny. To nie był strach. Bosch nie sądził, by Goshen mógł sobie pozwolić na okazywanie lęku. Nie, to było coś innego. Ale co? Czekał, chcąc jeszcze raz pochwycić to spojrzenie. Wyraz dezorientacji? Rozczarowania? Oczy Goshena nie zdradzały teraz nic poza całkowitą obojętnością. Ale Bosch chyba już odgadł, co w nich dostrzegł. Wyraz zaskoczenia.

Do sypialni wkroczyli Iverson, Baxter i Felton. Kiedy ujrzeli pistolet, Iverson wydał triumfalny okrzyk:

– *Hasta la vista, baby!*

Nie potrafił ukryć radości. Bosch wyjaśnił, gdzie i jak odnalazł broń.

– Palanty nie gangsterzy – oświadczył Iverson, patrząc na Goshena. – Myślisz, że gliniarze nie oglądali *Ojca chrzestnego*? Dla kogo schowałeś tam gnata? Dla Michaela Corleone?

– Mówiłem już, kurwa, że chcę się widzieć z adwokatem! – wrzasnął Goshen.

– Spokojnie, zobaczysz się z adwokatem – odrzekł Iverson. – A teraz wstawaj, szmato. Musisz się ubrać przed podróżą.

Bosch wziął Goshena na muszkę, a Iverson zdjął mu jedną obręcz kajdanek. Następnie obaj wycelowali w niego broń, podczas gdy Goshen wkładał czarne dżinsy, buty i koszulkę – uszytą dla kogoś znacznie drobniejszego.

– Zawsze walicie dzikim tłumem – mówił Goshen, ubierając się. – Gdyby któryś chciał się ze mną spróbować sam na sam, pewnie by zmoczył portki.

Gdy był gotowy, skuli go ponownie i posadzili na tylnym siedzeniu samochodu Iversona. Iverson zamknął broń w bagażniku i wszyscy wrócili do domu. Po krótkiej naradzie w korytarzu ustalono, że Baxter i dwaj inni detektywi zostaną, żeby dokończyć rewizję domu.

– A kobiety? – zapytał Bosch.

– Przypilnuje ich patrol, dopóki chłopcy nie skończą.

– Jasne, ale jak tylko wyjdą, dziewczyny złapią za telefon. Zanim weźmiemy się do roboty, adwokat Goshena skoczy nam do gardeł.

– Zajmę się tym. Goshen ma tylko jeden samochód, nie? Gdzie są kluczyki?

– Na blacie w kuchni – odezwał się jeden z detektywów.

– W porządku – rzekł Iverson. – Idziemy.

Bosch ruszył za nim przez kuchnię, gdzie Iverson zabrał kluczyki z blatu i schował do kieszeni, a potem wyszedł, kierując się w stronę corvetty. Pod wiatą na ścianie wisiały narzędzia. Iverson zdjął z haka łopatę i tak uzbrojony poszedł na tyły domu.

Znalazł miejsce, w którym był podłączony kabel telefoniczny. Zamachnął się łopatą i jednym ruchem odciął dom od linii biegnącej od słupa na ulicy.

– Niesamowite, jakie silne wieją wiatry na otwartej pustyni – powiedział.

Zajrzał za dom.

– Dziewczyny nie mają samochodu ani telefonu – oznajmił. – Do najbliższego domu jest kilometr, do miasta dziesięć. Przypuszczam, że na razie nigdzie się nie ruszą. Będziemy mieli dość czasu.

Iverson z szerokim zamachem cisnął łopatę za mur w rosnące pod domem krzewy. Potem ruszył w stronę swojego samochodu.

– Co o tym wszystkim myślisz? – zapytał Bosch.

– Myślę, że upadek z wysoka zawsze bardziej boli. Goshen jest nasz, Harry. Twój.

– Nie, pytam o broń.

– Co z bronią?

– Sam nie wiem... Wydaje mi się, że to za proste.

– Nikt nie powiedział, że przestępca musi być cwany. Goshen nie jest cwany. Miał po prostu dużo szczęścia. Do dzisiaj.

Bosch skinął głową, ale mimo to coś mu się tu nie podobało. Nie chodziło o to, czy Goshen jest cwany. Przestępcy kierują się instynktem i rutyną. Ukrycie broni w toalecie nie miało sensu.

– Kiedy zobaczył pistolet, zauważyłem coś w jego oczach. Jakby był tak samo zdziwiony jak my.

– Może. Może po prostu jest dobrym aktorem. A może to nie ta broń. Będziesz ją musiał zabrać do zbadania. Najpierw sprawdź, czy to w ogóle ta broń, Harry, a potem będziesz się martwił, czy to nie za proste.

Bosch znów pokiwał głową. Wyciągnął papierosa i zapalił.

– Nie wiem. Mam wrażenie, jakbym coś przegapił.

– Słuchaj, Harry, chcesz zamknąć sprawę czy nie?

– Chcę.

– To wsadźmy Goshena do pokoiku i zobaczymy, co ma do powiedzenia.

Dotarli do samochodu. Bosch zorientował się, że zostawił w domu zdjęcie Layli. Powiedział Iversonowi, żeby uruchomił silnik i chwilę na niego zaczekał. Kiedy wrócił z fotografią, wsiadł i spojrzał na siedzącego z tyłu Goshena, zauważył strużkę krwi cieknącą mu z kącika ust. Zerknął na Iversona, który się uśmiechał.

– Nie wiem, może się uderzył, kiedy wsiadał. Albo zrobił to sobie celowo, żeby wyglądało na moją robotę.

Goshen milczał, a Bosch odwrócił się od niego bez słowa. Iverson wyjechał na drogę i ruszyli w stronę miasta. Temperatura szybko rosła i Bosch czuł, jak przepocona koszula lepi mu się do ciała. Klimatyzacja mozolnie walczyła z żarem, jaki wypełnił wnętrze samochodu, gdy myszkowali w domu. Powietrze było suche jak spróchniałe kości. Bosch wyciągnął wreszcie sztyft do ust i posmarował spieczone wargi. Nie obchodziło go, co sobie pomyślą Iverson i Goshen.

Do biura detektywów wjechali windą, w której Goshen głośno puścił bąka. Następnie Bosch i Iverson zaprowadzili go przez korytarz obok biura do pokoju przesłuchań, niewiele większego od kabiny w toalecie. Przykuli mu ręce do stalowego kółka przyśrubowanego pośrodku stołu i tak go zostawili. Gdy Iverson zamykał drzwi, Goshen zawołał, że chce zadzwonić.

Kiedy szli do gabinetu Feltona, Bosch zauważył, że biuro dochodzeniówki jest prawie puste.

– Ktoś umarł? – zapytał. – Gdzie są wszyscy?

– Pojechali zgarnąć resztę.

– Jaką resztę?

– Kapitan chciał zdjąć twojego kumpla Gustiego i trochę go postraszyć. Zdejmą też dziewczynę.

– Laylę? Znaleźli ją?

– Nie, nie ją. Dziewczynę, którą kazałeś nam wczoraj sprawdzić. Która grała w pokera w „Mirage" z twoją ofiarą. Okazuje się, że są na nią papiery.

Bosch szarpnął Iversona za ramię, zatrzymując go.

– Eleanor Wish? Chcecie zdjąć Eleanor Wish?

Nie czekając na odpowiedź, wyminął Iversona i wpadł do gabinetu Feltona. Kapitan rozmawiał przez telefon i Bosch zaczął nerwowo spacerować przed biurkiem, czekając, aż skończy. Felton pokazał na drzwi, lecz Bosch przecząco pokręcił głową. Kapitan z gniewnym błyskiem w oczach poinformował swojego rozmówcę, że musi kończyć.

– Nie mogę teraz rozmawiać – powiedział. – Nie martw się, wszystko jest pod kontrolą. Pogadamy później.

Odłożył słuchawkę i spojrzał na Boscha.

– O co znowu chodzi?

– Niech pan zadzwoni do swoich ludzi. Niech pan im powie, żeby zostawili Eleanor Wish w spokoju.

– O czym pan mówi?

– Ona nie ma z tym nic wspólnego. Wczoraj ją sprawdziłem.

Felton pochylił się i z namysłem splótł dłonie.

– Co ma pan na myśli, mówiąc, że ją pan sprawdził?

– Przesłuchałem ją. Znała ofiarę z widzenia, nic więcej. Jest czysta.

– Wie pan, kim ona jest, Bosch? Zna pan jej przeszłość?

– Była agentką FBI i rozpracowywała sprawy napadów na banki w Los Angeles. Pięć lat spędziła w więzieniu, skazana za współudział w serii włamań do skrytek bankowych. To nieważne, kapitanie, w tej sprawie jest czysta.

– Moim zdaniem któryś z moich chłopaków powinien ją trochę przycisnąć. Dla pewności.

– Ja jestem pewien. Niech pan posłucha...

Bosch obejrzał się i dostrzegł Iversona, który krążył pod drzwiami gabinetu, próbując podsłuchiwać. Bosch zamknął drzwi, wziął krzesło spod ściany i usiadł na wprost Feltona, pochylając się w jego stronę.

– Kapitanie, znałem Eleanor Wish w Los Angeles. Pracowałem nad tą sprawą skrytek bankowych. Byliśmy... nie tylko partnerami. Potem wszystko się posypało i Eleanor trafiła za kratki. Pierwszy raz po pięciu latach zobaczyłem ją na taśmie z kamery w „Mirage". Dlatego do pana zadzwoniłem. Chciałem z nią porozmawiać, ale nie w związku z tą sprawą. Jest czysta. Odsiedziała swoje i jest czysta. Niech pan dzwoni do swoich ludzi.

Felton milczał. Bosch niemal widział intensywną pracę jego szarych komórek.

– Nie spałem prawie całą noc, zajmując się tą sprawą. Godzinami wydzwaniałem do pana pokoju, ale nikt nie odbierał. Przypuszczam, że nie ma pan ochoty mi powiedzieć, gdzie pan był?

– Nie.

Felton znów się zamyślił, po czym pokręcił głową.

– Nie mogę. Na razie nie mogę jej wypuścić.

– Dlaczego?

– Bo jest coś, o czym pan widocznie nie wie.

Bosch na chwilę zamknął oczy jak chłopiec, który spodziewa się dostać klapsa od rozgniewanej matki i przygotowuje się na ból.

– O czym nie wiem?

– Być może ofiarę znała tylko z widzenia, ale znacznie lepiej znała Joeya Markera i jego zgraję.

Wiadomość była gorsza, niż się spodziewał.

– O czym pan mówi?

– Kiedy wczoraj pan do mnie zadzwonił, podałem paru osobom jej nazwisko. Mamy ją w kartotece. Wielokrotnie widziano ją w towarzystwie niejakiego Terrence'a Quillena, który pracuje dla Goshena, a ten pracuje dla Markera. Wielokrotnie, detektywie Bosch. Wysłałem zespół, żeby poszukał Quillena. Przekonamy się, co ma do powiedzenia.

– Co to znaczy w towarzystwie?

– Według raportów były to kontakty wyłącznie służbowe.

Bosch miał wrażenie, jakby ktoś wymierzył mu potężny cios. To niemożliwe, pomyślał. Spędził z tą kobietą noc. Poczuł się oszukany i zdradzony, choć intuicja mu podpowiadała, że Eleanor nie kłamała i to wszystko jest jakąś straszną pomyłką.

Rozległo się pukanie i do gabinetu zajrzał Iverson.

– Przywieźli resztę, szefie. Wsadzają ich do pokojów przesłuchań.

– Dobrze.

– Będę potrzebny?

– Nie. Zamknij drzwi.

Po wyjściu Iversona Bosch spojrzał na kapitana.

– Jest aresztowana?

– Nie, powiedzieliśmy jej, żeby zgłosiła się dobrowolnie.

– Proszę mi z nią pozwolić porozmawiać.

– Nie sądzę, żeby to było rozsądne.

– Nie obchodzi mnie, czy to rozsądne. Chcę z nią porozmawiać. Jeżeli będzie miała coś do powiedzenia, to mnie na pewno powie.

Felton zastanawiał się przez moment, wreszcie przyzwalająco skinął głową.

– Zgoda. Ma pan piętnaście minut.

Bosch powinien mu podziękować, ale tego nie zrobił. Zerwał się z krzesła i ruszył do wyjścia.

– Detektywie Bosch?

Harry obejrzał się od drzwi.

– Zrobię w tej sprawie, co będę mógł. Ale to oznacza, że będziemy mieli w niej duży udział, rozumie pan?

Bosch nie odpowiedział i wyszedł. Felton nie miał za grosz finezji. Rozumiało się samo przez się, że Bosch jest jego dłużnikiem. Felton musiał to jednak powiedzieć.

W korytarzu Bosch minął pierwszy pokój, w którym umieścili Goshena, i otworzył drugie drzwi. Z rękami przykutymi do stołu siedział tam Gustie Flanagan. Miał zniekształcony nos przypominający kartofel. W nozdrzach tkwiły kawałki waty. Spojrzał na Boscha przekrwionymi oczami i poznał go. Bosch wycofał się bez słowa.

Znalazł Eleanor Wish za drzwiami z numerem trzecim. Miała potargane włosy i widać było, że gliniarze z miejskiej wyciągnęli ją prosto z łóżka. W jej oczach Bosch dostrzegł jednak popłoch zaszczutego zwierzęcia i ten widok poruszył go do głębi.

– Harry! Co oni robią?

Szybko zamknął drzwi maleńkiego pokoiku i podszedł do niej, uspokajającym gestem kładąc dłoń na jej ramieniu i siadając naprzeciw niej.

– Eleanor, przykro mi.

– Co? Co zrobiłeś?

– Wczoraj, kiedy zobaczyłem cię na taśmie w „Mirage", poprosiłem Feltona, tutejszego kapitana, żeby znalazł twój numer i adres, bo były zastrzeżone. Zrobił to. Ale potem bez mojej wiedzy sprawdził twoje nazwisko i wyciągnął kartotekę. Dzisiaj rano na własną rękę wysłał po ciebie swoich ludzi. Wszystko z powodu tej historii z Tonym Aliso.

– Mówiłam ci. Nie znałam go. Raz poszliśmy na drinka. Wezwali mnie tylko dlatego, że przypadkiem znalazłam się przy tym samym stole do pokera co on?

Pokręciła głową, ze zrozpaczoną miną odwracając wzrok. Wiedziała, że tak już będzie zawsze. Kryminalna przeszłość miała się za nią wlec przez całe życie.

– Muszę cię o coś zapytać. Chcę to wyjaśnić, żeby cię stąd wyciągnąć.

– O co?

– Opowiedz mi o Terrensie Quillenie.

Spojrzała na niego zdumiona.

– O Quillenie? Co... to on jest podejrzany?

– Eleanor, znasz zasady. Nie mogę ci o niczym powiedzieć. Ty masz mówić. Po prostu odpowiedz na pytanie. Znasz Terrence'a Quillena?

– Tak.

– Jak go poznałaś?

– Jakieś pół roku temu podszedł do mnie, kiedy wychodziłam z „Flamingo". To był mój czwarty, może piąty miesiąc w Las Vegas. Dopiero się urządzałam i grałam sześć razy w tygodniu. Podszedł do mnie i po swojemu wyjaśnił mi, co i jak. Skądś się o mnie dowiedział. Wiedział, kim jestem i że niedawno wyszłam. Powiedział, że w mieście jest opłata za ochronę. Muszę zapłacić, bo płacą wszyscy miejscowi, a jeżeli się nie zgodzę, będę miała kłopoty. Powiedział, że jeśli zapłacę, będzie mnie pilnował. Gdybym w coś wdepnęła, pomoże mi. Wiesz, na czym to polega. Zwykłe wymuszenie.

Urwała i zaczęła płakać. Bosch musiał się powstrzymać, by nie wziąć jej w ramiona i próbować pocieszać.

– Byłam sama – ciągnęła. – Bałam się. Zapłaciłam. Płacę co tydzień. Co miałam zrobić? Nie miałam nic, nie miałam do kogo pójść.

– Pieprzyć to – mruknął pod nosem Bosch.

Wstał, przecisnął się obok stołu i objął Eleanor, całując ją w czubek głowy.

– Nic złego się nie stanie – szepnął. – Obiecuję ci, Eleanor.

Przez długą chwilę tulił ją do siebie, słuchając jej cichego łkania. Nagle otworzyły się drzwi i stanął w nich Iverson. W zębach trzymał wykałaczkę.

– Wypierdalaj stąd, Iverson.

Detektyw wolno zamknął drzwi.

– Przepraszam – powiedziała Eleanor. – Masz przeze mnie kłopoty.

– Nie, wcale nie przez ciebie. To moja wina. Tylko moja.

Kilka minut później ponownie wkroczył do gabinetu Feltona. Kapitan spojrzał na niego pytająco.

– Opłacała się Quillenowi, żeby dał jej spokój. Dwieście dolarów tygodniowo. To wszystko. Haracz za ochronę. O niczym nie wie. W piątek przypadkiem znalazła się przy tym samym stole co Aliso i grała z nim godzinę. Jest czysta. Proszę ją puścić. Niech pan to powie swoim ludziom.

Felton odchylił się i zaczął postukiwać długopisem w dolną wargę, przybierając pozę najgłębszego namysłu.

– Sam nie wiem – powiedział.

– Wobec tego umówmy się tak. Puści ją pan, a ja zadzwonię do swoich ludzi.

– I co im pan powie?

– Że współpraca z miejską policją układa się doskonale i powinniśmy poprowadzić tę sprawę wspólnie, ponieważ mamy okazję trafić dwa w jednym. Powiem, że przyciśniemy Goshena, żeby za jednym zamachem przyskrzynić też Joeya Markera, bo to zapewne on stoi za zabójstwem Tony'ego Aliso. Zasugeruję, żeby wątek w Las Vegas poprowadziła miejska. Dobrze znacie teren i znacie Markera. Co pan na to?

Felton znów wystukał jakiś sekretny kod na wardze, po czym odwrócił telefon na swoim biurku w stronę Boscha.

– Niech pan dzwoni – powiedział. – Kiedy się pan połączy ze swoim zwierzchnikiem, proszę mi przekazać słuchawkę. Chcę z nim porozmawiać.

– To kobieta.

– Wszystko jedno.

Pół godziny później pożyczonym od miejskiej nieoznakowanym samochodem Bosch wiózł Eleanor Wish, która siedziała obok niego przygnębiona. Rozmowa z porucznik Billets przebiegła na tyle dobrze, że Felton dotrzymał umowy. Eleanor została zwolniona, choć nie można już było naprawić wyrządzonej jej krzywdy. Mimo że z takim trudem udało się jej rozpocząć nowe życie, w jednej chwili została brutalnie pozbawiona dumy, pewności siebie i poczucia bezpieczeństwa. Bosch zdawał sobie sprawę, że to wyłącznie jego wina. Jechał w milczeniu, nie mając pojęcia, co powiedzieć i jak jej dodać otuchy. Bezsilność była tym boleśniejsza, że naprawdę pragnął ją pocieszyć. Do minionej nocy nie widział Eleanor przez pięć lat, ale w głębi duszy nigdy nie przestał o niej myśleć, nawet gdy był z innymi kobietami. Zawsze jakiś wewnętrzny głos szeptał mu, że to ona jest tą jedyną. Nikt inny nie pasował do niego lepiej.

– Zawsze będą po mnie przychodzić – powiedziała cicho.

– Co takiego?

– Pamiętasz ten film z Bogartem, w którym gliniarz mówi: „Aresztujcie tych, co zwykle" i policja jedzie wykonać rozkaz? Odtąd zawsze będę podejrzana. Chyba dopiero teraz zdałam sobie z tego sprawę. Jestem jedną z tych, co zwykle. Powinnam ci chyba podziękować, że mnie sprowadziłeś na ziemię.

Bosch milczał. Nie wiedział, co ma odpowiedzieć, ponieważ miała rację.

Po kilku minutach dotarli do jej domu. Bosch wprowadził ją do środka i posadził na kanapie.

– Dobrze się czujesz?

– Tak.

– W wolnej chwili rozejrzyj się i sprawdź, czy niczego nie zabrali.

– Nie miałam niczego, co mogliby zabrać.

Bosch spojrzał na wiszącą nad jej głową reprodukcję *Nighthawks*. Obraz przedstawiał pustawe bistro w nocy. Przy barze siedzieli mężczyzna i kobieta, a nieco dalej samotny mężczyzna. Bosch zawsze sądził, że przypomina tego samotnika. Teraz patrzył na parę i nie był już taki pewien.

– Eleanor, muszę jechać. Wrócę, kiedy tylko będę mógł.

– Dobrze, Harry, dzięki, że mnie wyciągnąłeś.

– Dasz sobie radę?

– Jasne.

– Obiecujesz?

– Obiecuję.

W miejskiej Iverson czekał na Boscha, aby razem z nim przystąpić do przesłuchania Goshena. Felton zgodził się zostawić Goshena Boschowi. To wciąż była jego sprawa.

W korytarzu przed pokojem przesłuchań Iverson stuknął Boscha w ramię, zatrzymując go pod drzwiami.

– Słuchaj, Bosch, nie wiem, co cię łączy z tą kobietą i chyba nikogo to nie powinno już obchodzić, skoro kapitan ją zwolnił, ale jeżeli mamy razem pracować nad Luckym, myślę, że dobrze będzie oczyścić atmosferę. Nie życzę sobie, żebyś się do mnie zwracał w taki sposób jak przedtem, kiedy kazałeś mi wypierdalać z pokoju.

Bosch zmierzył go badawczym spojrzeniem. Detektyw wciąż miał w ustach wykałaczkę i Bosch zastanawiał się, czy to ta sama co poprzednio.

– Wiesz, Iverson, nawet nie wiem, jak masz na imię.

– John, ale mówią mi Ivy.

– Iverson, ja natomiast nie życzę sobie, żebyś węszył pod gabinetem kapitana albo pokojem przesłuchań. W Los Angeles mamy określenie na gliniarzy, którzy węszą, podsłuchują i zasadniczo zachowują się jak dupki. Nazywamy ich niuchaczami. Mam gdzieś twoją urażoną dumę. Jesteś niuchaczem. Jeżeli będziesz próbował sprawiać mi jakieś problemy, pójdę prosto do Feltona, a wtedy ty będziesz miał problem. Powiem mu, że wlazłeś mi dzisiaj do pokoju. Jeżeli to nie wystarczy, powiem mu, że wczoraj wygrałem w ruletkę sześć stów, ale po twojej wizycie pieniądze zniknęły z komody. Chcesz iść ze mną na to przesłuchanie czy nie?

Iverson złapał Boscha za kołnierz i pchnął go na ścianę.

– Odpieprz się ode mnie, Bosch.

– To ty się ode mnie odpieprz, Ivy.

Na twarz Iversona wolno wypełzł uśmiech. Detektyw zwolnił uchwyt i odsunął się. Bosch poprawił koszulę i krawat.

– No to chodźmy, kowboju – rzekł Iverson.

Gdy wcisnęli się do pokoiku, Goshen miał zamknięte oczy i czekał na nich z nogami opartymi na stole i rękami splecionymi za głową. Iverson spojrzał na wyrwany metal w miejscu, gdzie do blatu było przymocowane kółko. Policzki zapłonęły mu od gniewu.

– Wstawaj, gnojku – rozkazał.

Goshen podniósł się, wyciągając do niego ręce w kajdankach. Iverson wyciągnął kluczyki i rozkuł mu jedną dłoń.

– Spróbujmy jeszcze raz. Siadaj.

Kiedy Goshen spełnił polecenie, Iverson skuł mu ręce za plecami, przekładając łańcuch przez stalowy szczebel oparcia. Potem kopniakiem wysunął krzesło i usiadł obok gangstera. Bosch zajął miejsce naprzeciwko.

– Nieźle, Houdini, dołożyłeś sobie jeszcze zniszczenie mienia publicznego – powiedział Iverson.

– Kurczę, jakiś ty bezwzględny, Iverson. Tak jak ostatnim razem, kiedy przyszedłeś do klubu i zabrałeś Cindę do kabiny fantazji. Zdaje się, że nazwałeś to przesłuchaniem. Ona nazwała to inaczej. Jesteś ciekawy jak?

Iverson spurpurowiał z wściekłości. Goshen dumnie wypiął pierś, uśmiechając się kpiąco na widok zmieszania detektywa.

Bosch pchnął stół, trafiając Goshena w brzuch. Osiłek zgiął się wpół, rozpaczliwie łapiąc oddech. Bosch błyskawicznie zerwał się z miejsca i przypadł do niego, wyciągając z kieszeni łańcuszek z kluczami. Przytrzymując łokciem pochylonego nad blatem Goshena, otworzył scyzoryk i odciął mu warkoczyk. Potem usiadł, a kiedy

Goshen się wyprostował, rzucił na stół przed nim piętnastocentymetrowy kosmyk.

– Warkoczyki wyszły z mody co najmniej trzy lata temu, Goshen. Pewnie nic o tym nie słyszałeś.

Iverson ryknął gromkim śmiechem. Goshen spoglądał na Boscha bladoniebieskimi oczami, w których było tyle życia co w guzikach automatu. Nie powiedział ani słowa. Demonstrował Boschowi, że jest niewzruszony jak kamień. Że umie dużo znieść. Ale Bosch wiedział, że nawet on nie potrafi znieść wszystkiego. Nikt nie potrafi.

– Masz kłopot, Lucky – oznajmił mu Iverson. – Poważne kłopoty. Jesteś...

– Zaraz, zaraz. Nie chce mi się z tobą gadać, Iverson. I nie chce mi się ciebie słuchać. Jesteś mięczakiem. Nie mam dla ciebie szacunku. Rozumiesz? Jeżeli ktoś ma gadać, to on.

Ruchem głowy wskazał Boscha. Zapadła cisza, podczas której Bosch zerknął na Iversona, po czym znów skupił wzrok na Goshenie.

– Idź się napić kawy – powiedział Bosch, nie patrząc na Iversona. – Damy sobie radę.

– Nie, nie zos...

– Idź na kawę.

– Na pewno?

Iverson miał minę, jak gdyby wyrzucono go z bractwa studenckiego, bo chłopcy uznali, że do nich nie pasuje.

– Tak, na pewno. Masz przy sobie druczek o prawach?

Iverson podniósł się z krzesła. Z kieszeni wyciągnął złożoną kartkę i rzucił na stół.

– Będę za drzwiami.

Gdy Goshen i Bosch zostali sami, przez chwilę mierzyli się wzrokiem. Wreszcie Bosch spytał:

– Chcesz zapalić?

– Nie musisz strugać dobrego gliny. Po prostu powiedz co i jak.

Bosch skwitował tę uwagę wzruszeniem ramion i wstał. Stanął za Goshenem, znów sięgając po kluczyki. Tym razem rozkuł mu jedną dłoń. Goshen uniósł ręce i zaczął masować przeguby, pobudzając krążenie. Spojrzał na odcięty kosmyk włosów leżący na stole i cisnął go na podłogę.

– Coś ci powiem, gliniarzu z Los Angeles. Byłem kiedyś w miejscu, gdzie choćby nie wiem, co z tobą robili, nic nie mogło cię zaboleć. Byłem tam i wróciłem.

– Każdy kiedyś był w Disneylandzie, co z tego?

– Nie mówię o cholernym Disneylandzie, dupku. Trzy lata siedziałem w mamrze w Chihuahua. Jeżeli tam mnie nie złamali, tobie też się nie uda.

– Ja też coś ci powiem. Zabiłem w życiu wielu ludzi. Chcę cię tylko uprzedzić. Jeżeli będzie trzeba, nie zawaham się. Ani chwili. Wybij sobie z głowy dobrych i złych gliniarzy, Goshen. Oni są tylko w filmach. W takich filmach, gdzie źli noszą warkoczyki. A tu jest prawdziwe życie. Dla mnie jesteś zerem. Rozgniotę cię jak robaka. Tego możesz być pewien. Tylko od ciebie zależy, ile z ciebie zostanie.

Goshen zastanowił się nad tym przez chwilę.

– Dobra, to już się znamy. Mów. I daj zapalić.

Bosch położył na stole papierosy i zapałki. Goshen poczęstował się jednym. Bosch zaczekał, aż wypali do końca.

– Najpierw musisz poznać swoje prawa. Znasz procedurę.

Bosch rozłożył kartkę pozostawioną przez Iversona i odczytał Goshenowi przysługujące mu prawa. Następnie polecił mu podpisać dokument.

– Wszystko się nagrywa, nie?

– Jeszcze nie.

– No dobrze, mów, co na mnie macie.

– Na ciele Tony'ego Aliso były twoje odciski palców. Broń znaleziona za spłuczką pojedzie dzisiaj do Los Angeles. Odciski to mocna rzecz, naprawdę mocna. Ale jeżeli się okaże, że kulki, które wyciągną z głowy Tony'ego, pasują do broni, już po tobie. Nie obchodzi mnie, jakie alibi sobie wykombinujesz i czy cię będzie bronił sam pieprzony Johnny Cochran. Wtedy nie będziesz już zwykłym zerem. Będziesz udupionym na amen, martwym zerem.

– To nie moja broń. Niech mnie szlag, ktoś ją podrzucił! Obaj o tym wiemy. To nie przejdzie, Bosch.

Bosch patrzył na niego przez chwilę, czując, jak twarz zaczyna mu płonąć z gniewu.

– Chcesz powiedzieć, że ja ją tam wsadziłem?

– Mówię tylko, że oglądałem proces O. J. Simpsona. Tutejsi gliniarze są tacy sami. Nie wiem, czy to ty, czy Iverson czy ktoś inny, ale jakiś kutas ją podrzucił. Tylko to chcę powiedzieć.

Bosch rysował palcem jakiś wzór na blacie stołu i czekał, aż odzyska spokój i będzie mógł panować nad głosem.

– Trzymaj się tej wersji, Goshen, a zobaczysz, dokąd cię to zaprowadzi. Zamkną cię na dziesięć lat, a potem zwiążą pasami i wbiją w ramię igłę. Przynajmniej nie ma już komór gazowych. Macie przyjemniejszy koniec.

Bosch odchylił się do tyłu, lecz miał niewiele miejsca. Oparcie krzesła uderzyło o ścianę. Wyciągnął z kieszeni sztyft i posmarował usta.

– Mamy cię w garści, Goshen. Została ci tylko jedna szansa. Możesz ją nazwać kawałeczkiem przeznaczenia, który jeszcze zależy od ciebie.

– Co to za szansa?

– Dobrze wiesz. Wiesz, o czym mówię. Tacy goście jak ty nie zrobią najmniejszego ruchu bez zgody z góry. Podaj nam nazwisko faceta, który pomógł ci w tej robocie, i nazwisko faceta, który kazał ci wsadzić Tony'ego do bagażnika. Jeżeli się nie dogadamy, nie zobaczysz światełka w tunelu.

Goshen wypuścił powietrze i pokręcił głową.

– Mówię ci, że tego nie zrobiłem. To nie ja!

Bosch nie spodziewał się usłyszeć nic innego. Wiedział, że tak łatwo nie będzie. Musiał go zmęczyć. Konspiracyjnie pochylił się nad stołem.

– Słuchaj, coś ci powiem, żebyś uwierzył, że nie wciskam ci kitu. Może oszczędzimy sobie trochę czasu i ułatwię ci decyzję.

– Mów, ale to i tak niczego nie zmieni.

– W piątek wieczorem Anthony Aliso miał na sobie czarną skórzaną marynarkę. Pamiętasz? Z wąskimi klapami. Taką...

– Tracisz tylko...

– Złapałeś go, Goshen. Tak.

Bosch wyciągnął ręce nad stołem i pokazał mu, łapiąc obiema rękami klapy wyimaginowanej marynarki.

– Pamiętasz? Dalej uważasz, że tracę czas? Pamiętasz, Goshen? Chwyciłeś go. Kto teraz wciska kit?

Goshen pokręcił głową, ale Bosch wiedział, że zdobył punkt. Bladoniebieskie oczy stały się nieobecne, oglądając zapewne wydarzenia z minionego piątku.

– Niesamowity fart. Na impregnowanej skórze zostają aminokwasy. Tak mi powiedział technik. Zdjęliśmy piękne odciski. Na pewno wystarczą prokuratorowi i wielkiej ławie przysięgłych. Wystarczyły, żebym przyjechał do Vegas. Wystarczyły, żebyśmy ci zrobili wjazd do domu i zwinęli cię na dołek.

Zamilkł, czekając, aż Goshen na niego spojrzy.

– A potem trafiła się nam broń w łazience. Jeżeli nie chcesz mówić, możemy zaczekać na wynik z balistyki. Ale przeczucie mi mówi, że mam duże szanse.

Goshen grzmotnął otwartymi dłońmi w stalowy blat stołu. Rozległ się huk jak przy wystrzale.

– To lipa. Podrzuciliście...

Do pokoju wpadł Iverson z pistoletem w dłoni, celując w Goshena. Uniósł broń jak gliniarz w telewizji.

– Wszystko w porządku?

– Tak – odparł Bosch. – Lucky trochę się zdenerwował. Daj nam jeszcze kilka minut.

Iverson wycofał się bez słowa.

– Zgrabnie pomyślana sztuczka, ale nie wyjdzie – powiedział Goshen. – Gdzie telefon? Chcę zadzwonić.

Bosch znów pochylił się nad stołem.

– Pozwolę ci zadzwonić. Ale to dla ciebie koniec. Bo nie zadzwonisz do swojego adwokata, tylko do adwokata Joeya. Będzie reprezentował ciebie, ale obaj dobrze wiemy, że będzie pilnował interesów Joeya.

Bosch wstał.

– W takim razie musimy zadowolić się tobą. Dopilnujemy, żebyś za to beknął.

– Jasne, ale gówno na mnie macie. Odciski palców? Potrzebujecie trochę więcej. Broń jest podrzucona i wszyscy się o tym przekonają.

– Jasne, mów tak dalej. Jutro rano dostanę wiadomość z balistyki. Bosch nie był pewien, czy to do niego dotarło, bo Goshen, nie dając mu dokończyć, krzyknął:

– Człowieku, mam alibi! Gówno mi udowodnicie!

– Tak? Jakie możesz mieć alibi? Skąd w ogóle wiesz, kiedy stuknęli Tony'ego?

– Mówiłeś, że w piątek wieczorem, nie?

– Nic takiego nie powiedziałem.

Goshen przez pół minuty siedział bez ruchu. Bosch dostrzegł jego rozbiegany wzrok. Goshen zdał sobie sprawę, że właśnie przekroczył niewidzialną linię. Zastanawiał się zapewne, jak daleko może się posunąć poza tę granicę. Bosch wysunął krzesło i ponownie usiadł.

– Mam alibi, więc jestem czysty.

– Nie jesteś czysty, dopóki my tak nie zdecydujemy. Co masz do powiedzenia?

– Powiem adwokatowi.

– Sam sobie szkodzisz, Goshen. Dlaczego nie możesz powiedzieć mnie? Nie masz nic do stracenia.

– Z wyjątkiem wolności, nie?

– Mógłbym sprawdzić to twoje alibi. Może wtedy chętniej posłuchałbym historyjki o podrzuceniu broni.

– Jasne, to tak jakby w pierdlu zaczęli rządzić więźniowie. Porozmawiasz z moim adwokatem, Bosch. Rusz dupę i przynieś mi telefon.

Bosch wstał, dając mu znak, żeby założył ręce do tyłu, po czym skuł go i wyszedł z pokoju.

Gdy opowiedział Feltonowi i Iversonowi, jak Goshen wygrał pierwszą rundę, kapitan polecił zanieść do pokoju przesłuchań telefon i pozwolić podejrzanemu skontaktować się z adwokatem.

– Chyba zaczekamy, aż zmięknie – rzekł Felton, kiedy zostali z Boschem sami. – Zobaczymy, jak mu się spodoba za kratkami.

– Mówił mi, że trzy lata siedział w Meksyku.

– Często to mówi, kiedy chce komuś zaimponować. To samo z tatuażami. Kiedy parę lat temu tu się pokazał, dokładnie go prześwietliliśmy i nie znaleźliśmy nic o więzieniu w Meksyku. Z tego, co wiemy, nigdy nie jeździł harleyem i na pewno nie był w żadnym gangu motocyklowym. Wydaje mi się, że po nocy w areszcie okręgowym inaczej zacznie śpiewać. Może przed drugą rundą będziemy mieli balistykę.

Bosch powiedział mu, że chciałby skorzystać z telefonu i spytać swoją przełożoną o plan przeprowadzenia analizy broni.

– Proszę usiąść przy którymś wolnym biurku – odparł Felton. – Niech się pan czuje jak u siebie. Powiem panu, jak to się prawdopodobnie rozegra, i może to pan przekazać porucznik Billets. Przypuszczam, że zadzwoni do Mickeya Torrino, najlepszego adwokata Joeya Markera. Adwokat nie zgodzi się na ekstradycję i zacznie się starać o kaucję. Bez względu na wysokość. Będzie im zależało tylko na tym, żeby wyrwać nam Goshena z rąk i zastanowić się nad decyzją.

– Jaką decyzją?

– Czy go rozwalić, czy nie. Jeśli Joey uzna, że Lucky może sypać, wywiezie go gdzieś na pustynię i więcej go nie zobaczymy. I nikt inny go nie zobaczy.

Bosch skinął głową.

– Niech pan idzie zadzwonić, a ja zadzwonię do prokuratury i dowiem się, czy da się ustalić termin rozprawy ekstradycyjnej. Im szybciej, tym lepiej. Jeżeli zabierze pan Lucky'ego do Los Angeles, będzie skłonniejszy pójść na układ. Oczywiście, jeżeli nie uda się go wcześniej złamać.

– Dobrze byłoby przed ekstradycją mieć wynik z balistyki. Identyfikacja broni przesądzi sprawę. Ale w Los Angeles wszystko musi trochę potrwać, rozumie pan, co mam na myśli? Nie sądzę, żeby zrobili już sekcję.

– Niech pan dzwoni, a potem przeprowadzimy rekonesans.

Bosch usiadł przy pustym biurku obok biurka Iversona. Billets odebrała telefon u siebie i Bosch wyraźnie słyszał, że coś jadła. Szybko przekazał jej wiadomość o swojej nieudanej próbie nakłonienia Goshena do zwierzeń oraz o planach przeprowadzenia przez prokuraturę Las Vegas wniosku o ekstradycję.

– Co zamierzasz zrobić w sprawie broni? – zapytał.

– Chcę ją tu mieć jak najprędzej. Edgar namówił kogoś w biurze koronera, żeby zrobili sekcję dzisiaj po południu. Wieczorem powinniśmy mieć kule. Jeżeli przywieziesz broń, jutro rano damy wszystko balistykom. Jest wtorek. Wątpię, żeby rozprawa odbyła się wcześniej niż w czwartek. Wtedy będziemy już znali wynik analizy.

– W porządku, zaraz wsiadam do samolotu.

– To dobrze.

Bosch wyczuł w jej głosie jakiś zagadkowy ton. Jak gdyby jej uwagi nie zaprzątała balistyka ani posiłek, lecz coś zupełnie innego.

– O co chodzi, poruczniku? – spytał. – Jest coś, o czym powinienem wiedzieć?

Zawahała się przez moment, ale Bosch cierpliwie czekał.

– Rzeczywiście jest coś nowego.

Bosch poczuł falę gorąca na twarzy. Pomyślał, że Felton nabił go w butelkę i powiedział Billets o Eleanor Wish.

– Co?

– Zidentyfikowałam faceta, który był w biurze Tony'ego Aliso.

– To świetnie – odrzekł Bosch z ulgą, zmylony jej ponurym tonem. – Kto to był?

– Nie, nie świetnie. To był Dominic Carbone z PZ.

Bosch zaniemówił na długą chwilę.

– Carbone? Jak to...

– Nie wiem. Badam grunt. Kiedy wrócisz, zastanowimy się, co z tym począć. Goshen nie piśnie ani słowa aż do ekstradycji. Będzie rozmawiał tylko z adwokatem. Wracaj i spróbujemy to jakoś razem rozwiązać. Nie rozmawiałam jeszcze dzisiaj z Kiz i Jerrym. Ciągle pracują nad finansami.

– Jak ci się udało zidentyfikować Carbone'a?

– Szczęście. Po naszej rozmowie niewiele miałam do roboty, a kapitana rano nie było. Pojechałam do śródmieścia i wstąpiłam do centralnej. W PZ mam koleżankę, też porucznika. Lucinda Barnes, znasz ją?

– Nie.

– W każdym razie poszłam się z nią spotkać. Chciałam się trochę rozejrzeć. Pomyślałam, że może uda mi się dowiedzieć, dlaczego nie chcieli wziąć tej sprawy. Siedzimy sobie i gadamy, gdy nagle do biura wchodzi facet. Wygląda znajomo, ale nie mam pojęcia, gdzie go widziałam. Pytam, kto to jest, i Lucinda mówi, że Carbone. Wtedy sobie przypomniałam. To on był na taśmie. Był bez marynarki i miał podwinięte rękawy. Zobaczyłam nawet tatuaż. To on.

– Powiedziałaś o tym tej koleżance?

– Jasne, że nie. Spokojnie wyszłam. Harry, nie podoba mi się, że w sprawie mąci ktoś z firmy. Nie wiem, co robić.

– Coś wykombinujemy. Muszę kończyć. Wrócę jak najszybciej. Tymczasem powinnaś użyć swoich wpływów u balistyków. Powiedz im, że rano zgłosimy się do nich z kodem trzy.

Billets obiecała, że się postara.

Bosch zarezerwował bilet na lot do Los Angeles i ledwie zdążył wrócić taksówką do „Mirage" i pojechać pożegnać się z Eleanor. Kiedy jednak zapukał do jej mieszkania, odpowiedziała mu cisza. Nie wiedział, czym Eleanor jeździ, nie mógł więc sprawdzić, czy na parkingu stoi jej samochód. Wrócił do swojego wozu z wypożyczalni i czekał w nim prawie do ostatniej chwili, gdy uznał, że musi jechać, aby nie spóźnić się na samolot. Na kartce z notesu skreślił do niej parę słów, obiecując, że zadzwoni. Wrócił pod drzwi i wsunął wiadomość w szparę między drzwiami a futryną, tak aby kartka wypadła przy otwarciu drzwi.

Chciał jeszcze zaczekać i z nią porozmawiać, ale nie mógł. Dwadzieścia minut później wyszedł z biura ochrony na lotnisku. Broń znaleziona w domu Goshena spoczywała w jego aktówce, opakowana w torebkę na dowody rzeczowe. Pięć minut później był już na pokładzie samolotu zmierzającego do Miasta Aniołów.

Rozdział 3

Kiedy Bosch wkroczył do gabinetu Billets, porucznik miała zatroskany wyraz twarzy.

– Cześć, Harry.

– Witam, poruczniku. Podrzuciłem broń balistykom. Czekają na kule. Nie wiem, z kim rozmawiałaś, ale ostro wzięli się do roboty.

– To dobrze.

– Gdzie reszta?

– Oboje są w Archway. Kiz spędziła ranek w urzędzie skarbowym, a potem pojechała pomóc Jerry'emu w przesłuchaniu współpracowników Alisa. Wypożyczyłam dwóch ludzi z wydziału oszustw, żeby nam pomogli w pracy przy księgach. Namierzają te fikcyjne firmy, a potem chcą się dobrać do rachunków bankowych. Kiedy zajmiemy konta, może powyłażą z kątów prawdziwi ludzie i zażądają swoich pieniędzy. Przypuszczam, że Joey Marker nie był jedynym klientem, któremu Aliso prał pieniądze. W grę wchodzą za duże kwoty – jeżeli Kiz się nie myli. Aliso prawdopodobnie pracował dla wszystkich karteli mafijnych na zachód od Chicago.

Bosch skinął głową.

– Przy okazji – ciągnęła Billets – powiedziałam Jerry'emu, żeby został w Archway, bo ty pojedziesz na sekcję. O szóstej wszyscy zbierzemy się u mnie i pogadamy o tym, co mamy.

– W porządku, o której jest sekcja?

– O wpół do czwartej. Masz coś w planach?

– Nie. Mogę zapytać, dlaczego zadzwoniłaś do oszustw, a nie do PZ?

– Z oczywistych powodów. Nie wiem, co zrobić z PZ i Carbone'em. Nie wiem, czy zawiadomić wewnętrzny, czy udawać, że nie widzę.

– Nie możemy udawać, że nie widzimy. Mają coś, co będzie nam potrzebne. A jeżeli sprowadzisz wewnętrzny, nastąpi koniec śledztwa. Sprawa utknie na amen.

– Co takiego ma PZ, co ma być nam potrzebne?

– Jeżeli Carbone usuwał z biura pluskwę, to nie ma wątpliwości, że...

– Taśmy. Jezu, zapomniałam o taśmach.

Zamilkli na chwilę. Bosch wreszcie wysunął krzesło i usiadł naprzeciw jej biurka.

– Pozwól mi pogadać z Carbone'em – powiedział. – Może się dowiem, co robili, i zdobędę taśmy. W końcu mamy na nich haka.

– Wiesz, że to może mieć coś wspólnego z komendantem i Fitzgeraldem?

– Niewykluczone.

Billets mówiła o panujących wewnątrz departamentu napięciach między zastępcą komendanta Leonem Fitzgeraldem, naczelnikiem wydziału przestępczości zorganizowanej od ponad dziesięciu lat, a komendantem, który nominalnie był jego zwierzchnikiem. W trakcie szefowania PZ Fitzgerald zdobył sławę, podobnie jak J. Edgar Hoover w FBI, osoby znającej tajemnice, których nie zawaha się użyć do obrony swojej pozycji, swojego wydziału i budżetu. Podejrzewano, że zausznicy Fitzgeralda częściej inwigilują uczciwych obywateli, policjantów i miejskich oficjeli niż gangsterów, których wydział miał tępić. Tajemnicą poliszynela w departamencie był fakt, że między Fitzgeraldem a komendantem toczy się walka o władzę. Komendant chciał krótko trzymać swojego zastępcę i PZ, lecz Fitzgerald nie chciał dać się krótko trzymać. Zależało mu na powiększeniu swoich wpływów. Zależało mu na stanowisku komendanta. Walka polegała głównie na wzajemnym obrzucaniu się epitetami. Komendant nie mógł wyrzucić Fitzgeralda ze względu na przepisy chroniące pracowników służb cywilnych; nie mógł też zdobyć poparcia komisji policyjnej, burmistrza i członków rady miejskiej dla dokonania gruntownej przebudowy wydziału, ponieważ podejrzewano, że Fitzgerald ma grubą teczkę na każdego, w tym także na komendanta. Wszyscy urzędnicy, pochodzący z wyboru i z nominacji, nie wiedzieli, co może być w tych teczkach, ale musieli się liczyć z tym, że skrupulatnie odnotowano w nich najgorsze rzeczy, jakich się w życiu dopuścili. Dlatego nie byli skłonni poprzeć żadnego ruchu przeciwko Fitzgeraldowi, dopóki wraz z komendantem nie uzyskaliby gwarancji bezpieczeństwa.

Tak głosiły krążące w departamencie legendy i plotki, a Bosch dobrze wiedział, że każda legenda i plotka ma jakieś źródło w rzeczywistości. Nie miał ochoty włączać się w wewnętrzny konflikt, podobnie jak Billets, nie widział jednak innej możliwości. Musiał wiedzieć, co knuł PZ i co Carbone próbował ukryć, włamując się do biura w Archway.

– Zgoda – powiedziała Billets po długim namyśle. – Ale bądź ostrożny.

– Gdzie jest kaseta z Archway?

Wskazała sejf stojący na podłodze obok biurka. Przechowywano w nim ważne dowody.

– Będzie bezpieczna – odrzekła.
– Lepiej, żeby była. Przypuszczam, że to jedyna rzecz, która mnie przed nimi ochroni.
Billets skinęła głową. Wiedziała, co ma na myśli.

Wydział przestępczości zorganizowanej mieścił się na trzecim piętrze komendy centralnej w śródmieściu. Biura znajdowały się daleko od głównej siedziby policji w Parker Center, ponieważ PZ prowadził wiele tajnych operacji i nie byłoby rozsądnie organizować działań tego rodzaju w tak zwanym Szklanym Domu, czyli Parker Center. Izolacja wydziału przyczyniała się jednak do pogłębiania przepaści między Leonem Fitzgeraldem a komendantem.
W drodze z Hollywood Bosch obmyślił plan i kiedy dotarł do budki strażnika przy wjeździe, wiedział już, jak wszystko rozegra. Pokazując odznakę posterunkowemu pełniącemu służbę na parkingu, przeczytał nazwisko z plakietki na jego mundurze. Następnie podjechał pod tylne wyjścia z budynku, zatrzymał samochód i wyciągnął telefon. Zadzwonił pod numer centrali PZ i odebrała sekretarka.
– Mówi Trindle z parkingu – powiedział Bosch. – Jest Carbone?
– Tak, jest. Proszę zacze...
– Niech mu pani powie, żeby zszedł na dół. Ktoś mu się włamał do samochodu.
Rozłączył się i czekał. Trzy minuty później otworzyły się jedne z drzwi z tyłu komendy i wybiegł z nich mężczyzna. Bosch rozpoznał w nim człowieka, którego zarejestrowała kamera w Archway. Billets miała absolutną rację. Bosch wrzucił bieg i wolno ruszył za mężczyzną. Kiedy się z nim zrównał, odkręcił okno.
– Carbone?
– Tak, o co chodzi?
Szedł dalej, rzuciwszy Boschowi przelotne spojrzenie.
– Zwolnij. Nikt ci nie rozwalił wozu.
Carbone stanął i uważnie przyjrzał się Boschowi.
– Co takiego?
– To ja dzwoniłem. Chciałem cię wyciągnąć.
– Kim ty, do cholery, jesteś?
– Bosch. Rozmawialiśmy dwa dni temu.
– A, tak. Numer z Alisem.
Nagle przyszło mu do głowy, że Bosch mógł przecież wjechać windą na trzecie, jeżeli chciał się z nim spotkać.
– Co jest, Bosch? O co chodzi?
– Może wsiądziesz? Mam ochotę na przejażdżkę.
– No, nie wiem. Nie podoba mi się ten pomysł.
– Wsiadaj, Carbone. Lepiej będzie, jak mnie posłuchasz.
Ton głosu i spojrzenie Boscha mówiły mu, że nie ma wyboru. Carbone, krępy mężczyzna wyglądający na czterdzieści lat, po chwili

wahania podszedł do drzwi pasażera, obchodząc przód samochodu. Był ubrany w gustowny granatowy garnitur, jakie lubili nosić gliniarze zajmujący się mafią, a kiedy wsiadł, wnętrze auta wypełniła ostra woń wody kolońskiej. Bosch od razu poczuł do niego antypatię.

Wyjechali z parkingu i Bosch ruszył na północ w stronę Broadwayu. Ze względu na spory ruch i dużo pieszych posuwali się dość wolno. Bosch milczał, czekając, aż Carbone zacznie.

– No dobrze, co to za ważna sprawa kazała ci porwać mnie z komendy? – spytał wreszcie.

Bosch minął kolejną przecznicę, nie odzywając się do niego. Chciał go najpierw trochę potrzymać w niepewności.

– Masz kłopoty, Carbone – poinformował go w końcu. – Pomyślałem sobie, że powinienem ci o tym powiedzieć. Widzisz, chcę być życzliwy.

Carbone spojrzał na niego nieufnie.

– Wiem, że mam kłopoty – powiedział. – Płacę alimenty dwóm kobietom, w domu ciągle pękają mi ściany po trzęsieniu ziemi, a związek nie wywalczy nam w tym roku podwyżki. No i co z tego?

– To nie są kłopoty, Carbone. To drobne niedogodności. Mam na myśli prawdziwe kłopoty. Wdepnąłeś w nie, kiedy przedwczoraj włamałeś się do biura w Archway.

Carbone długo milczał, a Bosch nie był pewien, lecz zdawało mu się, że wstrzymuje oddech.

– Nie wiem, o czym mówisz. Odwieź mnie z powrotem.

– Nie, Carbone, odpowiedź nieprawidłowa. Przyjechałem, żeby ci pomóc, nie zaszkodzić. Jestem przyjacielem. To dotyczy też twojego szefa, Fitzgeralda.

– Ciągle nie wiem, o czym mówisz.

– No dobrze, wobec tego powiem ci, o czym mówię. Zadzwoniłem do ciebie w niedzielę wieczorem i spytałem o trupa o nazwisku Aliso. Kiedy oddzwoniłeś, nie tylko powiedziałeś mi, że PZ nie bierze sprawy, ale że nigdy o nim nie słyszałeś. Potem odłożyłeś słuchawkę, pojechałeś prosto do Archway, włamałeś się do jego biura i zdjąłeś pluskwę, którą założyliście w jego telefonie. O tym mówię.

Bosch wreszcie na niego spojrzał i zobaczył minę człowieka, który gorączkowo zastanawia się, jak ma wybrnąć z sytuacji. Wiedział, że trafił.

– Pieprzysz od rzeczy.

– Doprawdy? Posłuchaj, tępaku, kiedy następnym razem wybierzesz się na włam, popatrz w górę. Poszukaj kamer. Pierwsza zasada Rodneya Kinga: nie daj się sfilmować.

Odczekał moment, aby to do niego dotarło, po czym przystąpił do wbijania ostatnich gwoździ do trumny.

– Strąciłeś z biurka kubek i rozbiłeś. Potem wyrzuciłeś go do kubła na zewnątrz, myśląc, że nikt niczego nie zauważy. Podam ci jeszcze jedną zasadę. Jeżeli idziesz się włamywać ubrany w koszulę z krótkim rękawem, weź jakiś plaster i zaklej sobie tatuaż na ręce, rozumiesz? Trudno o lepszy identyfikator, kiedy go pokażesz do kamery. Bo pięknie wyszedłeś na filmie, Carbone, naprawdę pięknie.

Carbone otarł twarz dłonią. Bosch skręcił w Trzecią i wjechali do tunelu pod Bunker Hill. W ciemnościach, jakie spowiły wnętrze samochodu, Carbone spytał:

– Kto o tym wie?

– Na razie tylko ja. Ale nie próbuj żadnych sztuczek. Jeżeli coś mi się stanie, taśmę zobaczy mnóstwo ludzi. Panuję nad tym.

– Czego chcesz?

– Chcę wiedzieć, co kombinowaliście, i chcę dostać wszystkie taśmy z nagraniami jego rozmów.

– To niemożliwe. Nie mogę tego zrobić. Nie mam taśm. To nawet nie była moja sprawa. Zrobiłem, co mi...

– Co ci kazał Fitz. Jasne, wiem. Ale nic mnie to nie obchodzi. Pójdziesz do Fitza czy kogoś, kto to prowadził, i weźmiesz taśmy. Jeżeli chcesz, mogę iść z tobą albo zaczekam w samochodzie. Ale zaraz po nie pojedziemy.

– Nie mogę.

Chciał przez to powiedzieć, że nie może zabrać taśm, nie informując wcześniej Fitzgeralda, że zawalił manewr z włamaniem.

– Będziesz musiał, Carbone. Gówno mnie obchodzi twój los. Okłamałeś mnie i majstrowałeś przy mojej sprawie. Albo przyniesiesz mi taśmy i wyjaśnisz, o co chodziło, albo zrobię trzy kopie filmu z Archway. Jedna trafi do komendanta do Szklanego Domu, druga do Jima Newtona z „Timesa", a trzecia do Stana Chambersa z Kanału 5. Stan jest niezły, będzie wiedział, co z tym zrobić. Wiesz, że to on pierwszy dostał taśmę z pobicia Rodneya Kinga?

– Jezu, Bosch, nie dobijaj mnie!

– Wybór należy do ciebie.

Sekcję przeprowadzał zastępca koronera, Salazar. Gdy Bosch dotarł do prosektorium w szpitalu okręgowym USC, autopsja już się zaczęła. Szybko wymienili pozdrowienia i Bosch ubrany w papierowy fartuch ochronny i plastikową maskę oparł się o stalowy blat, by obejrzeć operację. Nie spodziewał się po niej niczego szczególnego. Właściwie przyjechał tu tylko po kule, mając nadzieję, że przynajmniej jedna będzie się nadawała do analizy porównawczej. Wiadomo było, że mordercy często wybierali dwudziestkidwójki, ponieważ miękkie pociski odbijały się wewnątrz czaszki i ulegały takim zniekształceniom, że stawały się zupełnie nieprzydatne do badań balistycznych.

Swoje długie, ciemne włosy Salazar miał związane i zwinięte pod papierowym czepkiem. Poruszał się na wózku, więc stół został obniżony do poziomu umożliwiającego mu swobodną pracę. Dzięki temu Bosch miał doskonały widok na wszystko, co zastępca koronera robił z ciałem.

Dawniej podczas sekcji Bosch często przekomarzał się i żartował z Salazarem. Ale od wypadku motocyklowego, po którym spędził dziewięć miesięcy na zwolnieniu i wrócił na wózku, Salazar nie był już wesołym facetem i rzadko wdawał się w pogawędki.

Bosch przyglądał się, jak Salazar tępym skalpelem zeskrobuje próbkę białawej substancji z kącików oczu Alisa, którą następnie umieścił na bibułce i położył na szalce Petriego. Płytkę odstawił na tacę obok stojaka z probówkami wypełnionymi krwią, moczem i innymi próbkami materiałów biologicznych, które miały zostać później zbadane.

– Myślisz, że to łzy? – spytał Bosch.

– Chyba nie. Za gęste. Miał coś w oczach albo na skórze. Przekonamy się.

Bosch skinął głową, a Salazar przystąpił do otwarcia czaszki i oględzin mózgu.

– Poszatkowały go na miazgę – zauważył.

Po kilku minutach za pomocą długiej pincety wyciągnął dwa fragmenty kuli i położył w naczyniu. Bosch podszedł bliżej, spojrzał i zmarszczył brwi. Co najmniej jeden z pocisków rozpadł się pod wpływem siły uderzenia. Kawałki nie nadawały się zapewne do analizy porównawczej.

Następnie Salazar wyciągnął całą kulę i odłożył na płytkę.

– Z tym powinno się coś udać – powiedział.

Bosch przyjrzał się pociskowi. Był trochę spłaszczony, ale mniej więcej połowa korpusu pozostała nienaruszona i widać było drobne zadrapania powstałe w chwili wystrzelenia kuli z lufy pistoletu. Widok był zachęcający.

– Może faktycznie się uda.

Sekcja zakończyła się po dziesięciu minutach. W sumie Aliso zajął Salazarowi piętnaście minut. Więcej niż zwykle. Bosch zerknął na grafik leżący na blacie i zobaczył, że to jedenasta autopsja, którą tego dnia przeprowadził Salazar.

Salazar oczyścił pociski i włożył je do plastikowej koperty. Podając ją Boschowi, obiecał, że poinformuje go o wynikach analizy próbek pobranych z ciała zaraz po zakończeniu badań. Wspomniał jeszcze o jednym istotnym jego zdaniem fakcie – siniec na policzku Alisa powstał od czterech do pięciu godzin przed śmiercią. Boscha zaciekawił ten szczegół. Nie wiedział, jak dopasować go do reszty. Oznaczałoby to, że ktoś poturbował Alisa jeszcze w Las Vegas, ale zabójstwa dokonano już w Los Angeles. Podziękował Salazarowi, nazywając go Sally, jak zwracało się do niego wiele osób, po czym ruszył do wyjścia. W korytarzu coś sobie przypomniał i wrócił do prosektorium. Zaglądając do środka, zobaczył, jak Salazar przykrywa zwłoki, pozostawiając na zewnątrz zawieszony na palcu u nogi identyfikator.

– Słuchaj, Sally, facet miał hemoroidy, zgadza się?

Salazar spojrzał na niego zdziwiony.

– Hemoroidy? Nie. Dlaczego pytasz?

– Znalazłem u niego w samochodzie tubkę „Preparation H". W schowku. Zużytą do połowy.

– Hm... nie miał hemoroidów. Nie zauważyłem.

Bosch chciał spytać, czy jest tego pewien, ale wiedział, że w ten sposób obraziłby Salazara. Dał więc spokój i wyszedł.

Pożywkę każdego śledztwa stanowią szczegóły. Każdy jest istotny, żadnego nie wolno przeoczyć i o żadnym nie wolno zapomnieć. Zmierzając w stronę szklanych drzwi wyjściowych biura koronera, Bosch zastanawiał się nad zagadką tubki „Preparation H" znalezionej w schowku rolls-royce'a. Jeśli Tony Aliso nie cierpiał na hemoroidy, to kto używał maści i dlaczego znalazła się w jego samochodzie? Mógłby zlekceważyć ten szczegół jako zupełnie nieistotny, ale to byłoby wbrew jego zasadom. Zdaniem Boscha wszystko miało swoje miejsce w śledztwie. Wszystko.

Był tak zaabsorbowany tą sprawą, że minął szklane drzwi, zszedł po schodach na parking i dopiero wtedy zauważył Carbone'a, który czekał na dole, paląc papierosa. Kiedy Bosch odwiózł go na komendę, detektyw błagał go o dwie godziny, aby zdobyć taśmy z podsłuchu. Bosch zgodził się, ale nie powiedział mu, że jedzie na sekcję. Doszedł więc do wniosku, że Carbone zadzwonił do Hollywood i od Billets lub kogoś innego dowiedział się, gdzie go szukać. Bosch nie zamierzał go o to pytać, nie chcąc zdradzać żadnego zaniepokojenia faktem, że detektyw z PZ tak łatwo go namierzył.

– Bosch.

– Co jest?

– Ktoś chce z tobą pogadać.

– Kto? Kiedy? Chcę taśmy, Carbone.

– Chwila moment, Bosch. W samochodzie.

Zaprowadził go do drugiego rzędu aut na parkingu, gdzie stał samochód z przyciemnianymi szybami i włączonym silnikiem.

– Wskakuj do tyłu – powiedział Carbone.

Bosch nonszalanckim krokiem podszedł do drzwi, wciąż nie okazując żadnych oznak niepokoju. Otworzył i wsiadł. Miejsce z tyłu zajmował Leon Fitzgerald. Ze względu na swój wzrost – ponad metr dziewięćdziesiąt – zastępca komendanta siedział z kolanami wciśniętymi w oparcie fotela kierowcy. Miał na sobie piękny garnitur z niebieskiego jedwabiu, a w palcach trzymał cygaro. Dobiegał sześćdziesiątki i było widać, że jego kruczoczarne włosy są farbowane. Zza okularów w stalowych oprawkach spoglądały jasnoszare oczy. Fitzgerald miał ziemiście bladą cerę. Wyglądał jak człowiek wychodzący z domu tylko w nocy.

– Witam, komendancie – rzekł Bosch z lekkim ukłonem.

Nigdy dotąd nie spotkał Fitzgeralda, lecz dość często widywał go na pogrzebach policjantów i w wiadomościach telewizyjnych. Wydział przestępczości zorganizowanej miał tylko jego twarz. Nikt inny z tajemniczej jednostki nigdy nie wypowiadał się przed kamerą.

– Słyszałem o panu, detektywie Bosch – rzekł Fitzgerald. – I o pańskich wyczynach. Nieraz mi sugerowano, że mógłby pan być świetnym kandydatem na funkcjonariusza naszej jednostki.

– Dlaczego pan nie zadzwonił?

Carbone usiadł za kierownicą i wolno ruszyli przez parking.

– Bo jak już wspomniałem, słyszałem o panu – odparł Fitzgerald. – I wiem, że nigdy nie zostawiłby pan zabójstw. Tropienie zabójców to pańskie powołanie. Mam rację?

– Mniej więcej.

– A zatem porozmawiajmy o zabójstwie, nad którym obecnie pan pracuje. Dom?

Carbone jedną ręką podał mu ponad siedzeniem pudełko na buty. Fitzgerald położył je Boschowi na kolanach. Otworzywszy pudełko, Bosch zobaczył, że jest pełne kaset magnetofonowych opatrzonych datami wypisanymi na taśmie samoprzylepnej.

– Rozmowy z telefonu Alisa? – upewnił się.

– Oczywiście.

– Jak długo go podsłuchiwaliście?

– Tylko przez dziewięć dni. Nie mieliśmy z tego żadnego pożytku, ale taśmy są pańskie.

– Czego chce pan w zamian, komendancie?

– Czego chcę?

Fitzgerald spojrzał przez okno na stację rozrządową w dolinie poniżej parkingu.

– Czego chcę? – powtórzył. – Chcę wiedzieć, kim był morderca, rzecz jasna. Ale chcę też, żeby pan był ostrożny. W ciągu ostatnich kilku lat departament wiele przeszedł. Nie ma potrzeby znowu prać publicznie naszych brudów.

– Chce pan, żebym puścił w niepamięć nadprogramowe działania Carbone'a.

Ani Fitzgerald, ani Carbone nie odpowiedzieli, lecz nie musieli nic mówić. Wszyscy w samochodzie wiedzieli, że Carbone wykonał rozkaz. Prawdopodobnie rozkaz samego Fitzgeralda.

– Wobec tego pan musi odpowiedzieć na kilka pytań.

– Naturalnie.

– Dlaczego Tony'emu Aliso założono podsłuch?

– Z tych samych powodów, dla których innym zakłada się podsłuchy. Dotarły do nas pewne informacje o tym człowieku i chcieliśmy sprawdzić, czy są prawdziwe.

– Jakie informacje?

– Że jest ostatnią kanalią i prowadzi pralnię dla mafii z trzech stanów. Założyliśmy mu teczkę. I gdy zabieraliśmy się do pracy, ktoś go zabił.

– Dlaczego więc nie chcieliście przejąć sprawy, kiedy zadzwoniłem?

Fitzgerald wydmuchał kłąb dymu, który wypełnił wnętrze samochodu.

– Na to pytanie nie ma prostej odpowiedzi, detektywie. Powiem tylko, że doszliśmy do wniosku, iż lepiej będzie, jeżeli pozostaniemy na uboczu.

– Pluskwa była nielegalna, zgadza się?

– Wyjątkowo trudno jest zebrać informacje wymagane przez prawo stanowe, żeby uzyskać zgodę na założenie podsłuchu. Federalni dostają taki nakaz na każde skinienie. My nie, a nie mamy ochoty zawsze współpracować z federalnymi.

– To nie wyjaśnia, dlaczego odmówiliście. Gdybyście przejęli od nas sprawę, moglibyście o wszystkim decydować, zamieść ją pod dywan, zrobić, co by się wam podobało. Nikt by się nie dowiedział o nielegalnym podsłuchu ani o niczym innym.

– Niewykluczone. Być może podjęliśmy złą decyzję.

Bosch uświadomił sobie, że Fitzgerald nie docenił jego zespołu. Sądził, że włamanie do biura Alisa pozostanie niezauważone i nikt nie odkryje udziału jego ludzi w sprawie. Bosch zrozumiał, że ma w ręku potężny argument. Wystarczyłoby szepnąć komendantowi policji słówko o nielegalnym podsłuchu, aby wreszcie mógł się pozbyć Fitzgeralda.

– Co jeszcze pan ma na Alisa? – zapytał. – Musi mi pan powiedzieć wszystko. Jeżeli się dowiem, że coś pan ukrył, wasza robótka na boku wyjdzie na jaw. Rozumie pan, co mam na myśli? Wyjdzie na jaw.

Fitzgerald odwrócił się od okna i spojrzał na Boscha.

– Doskonale rozumiem, co ma pan na myśli. Ale niech się pan nie cieszy, że ma pan w ręku wszystkie karty.

– Wobec tego niech pan pokaże swoje.

– Detektywie, zamierzam lojalnie z panem współpracować, ale powiem panu jedno. Gdyby próbował pan zaszkodzić mnie albo komuś z mojego wydziału, wykorzystując tę informację, potrafię się zrewanżować. Na przykład tym, że zeszłą noc spędził pan w towarzystwie osoby skazanej.

Po tych słowach gęste od dymu powietrze w samochodzie stało się jeszcze cięższe. Bosch oniemiał z gniewu, lecz udało mu się powstrzymać chęć, by udusić Fitzgeralda gołymi rękami.

– W departamencie obowiązuje zakaz świadomego utrzymywania jakichkolwiek stosunków z przestępcami. Jestem pewien, że pan o tym wie, detektywie, i rozumie pan celowość tego przepisu. Gdyby ten fakt wyszedł na jaw, pańska kariera stanęłaby pod znakiem zapytania. Co by się wtedy stało z panem i pańską misją?

Bosch nie odpowiedział. Patrzył na drogę przez przednią szybę samochodu. Fitzgerald nachylił się bliżej, niemal szepcząc mu do ucha.

– Wystarczyła nam godzina, żeby się tego dowiedzieć. A gdybyśmy mieli cały dzień? Cały tydzień? I nie chodzi tylko o pana, drogi przyjacielu. Może pan przekazać swojej pani porucznik, że w departamencie mamy szklany sufit utrudniający awans lesbijkom, zwłaszcza w sytuacji, gdyby to się rozniosło. Jej dziewczyna może zajść wyżej, bo jest czarna. Ale pani porucznik musi polubić Hollywood.

Wyprostował się, dodając już normalnym tonem:

– Zrozumieliśmy się, detektywie Bosch?

Bosch odwrócił się i wreszcie na niego spojrzał.

– Zrozumieliśmy się.

Bosch podrzucił pociski wyciągnięte z głowy Tony'ego Aliso do laboratorium balistycznego w Boyle Heights i zdążył wrócić na komendę Hollywood przed szóstą, kiedy w gabinecie Billets zbierał się zespół śledczy. Przedstawiono mu Russella i Kuhlkena, funkcjonariuszy z oszustw, po czym wszyscy usiedli. Przy stole zajął też miejsce zastępca prokuratora okręgowego. Matthew Gregson pracował w wydziale specjalnym, któremu podlegały śledztwa związane z przestępczością zorganizowaną, a także oskarżenia przeciw policjantom i inne równie delikatne sprawy. Bosch nigdy wcześniej go nie spotkał.

Bosch pierwszy zabrał głos i zdał krótką relację ze swojego pobytu w Las Vegas oraz z przebiegu i wyników sekcji zwłok, dodając, że kule są już u balistyków. Obiecano mu, że wyniki analizy porównawczej będą znane o dziesiątej rano. Nie wspomniał o spotkaniu z Carbone'em i Fitzgeraldem, nie z powodu pogróżek Fitzgeralda – tej wersji Bosch wolał się trzymać – ale dlatego, że o informacjach uzyskanych podczas tego spotkania nie należało dyskutować w tak dużym gronie, a zwłaszcza w obecności prokuratora. Widocznie Billets doszła do tego samego wniosku, ponieważ nie poruszyła tematu.

Kiedy Bosch skończył, nadeszła kolej na Rider. Kiz poinformowała zespół, że rozmawiała z kontrolerem z urzędu skarbowego, któremu przydzielono sprawę TNA Productions, lecz niewiele się dowiedziała.

– Skarbówka prowadzi specjalny program donosów obywatelskich – powiedziała. – Kiedy ktoś zawiadomi urząd o naruszeniu przepisów podatkowych, dostaje część podatku, jaki fiskus stracił na oszustwie. Taki był początek. Problem w tym, że według Hirschfielda – to on dostał sprawę – przyszedł anonim. Ten, kto złożył donos, nie chciał swojej doli. Hirschfield powiedział, że dostali list na trzy strony ze szczegółowym opisem finansowych machlojek Tony'ego Aliso. Nie chciał mi go pokazać, bo, jak twierdził, program wymaga zachowania ścisłej poufności, nawet w przypadku anonimu, a specyficzny język listu mógłby doprowadzić do ustalenia tożsamości autora. Powiedział...

– Bzdura – wtrącił Gregson.

– Prawdopodobnie – zgodziła się Rider. – Ale nic nie mogłam na to poradzić.

– Proszę mi zostawić jego nazwisko i zobaczę, co się da zrobić.

– Oczywiście. W każdym razie dostali list i po wstępnej analizie dokumentów podatkowych TNA z kilku lat uznali, że list trzeba potraktować poważnie. Pierwszego sierpnia wysłali Tony'emu zawiadomienie o kontroli i chcieli się zabrać do firmy pod koniec tego miesiąca. Tyle się dowiedziałam. A, jeszcze jedno. Powiedział mi, że według stempla list został wysłany w Las Vegas.

Bosch bezwiednie pokiwał głową, ponieważ ostatnia informacja zgadzała się z tym, co mówił mu Fitzgerald.

– Teraz współpracownicy Tony'ego Aliso. Jerry i ja spędziliśmy prawie cały dzień na przesłuchiwaniu grupy ludzi, z którymi najczęściej pracował przy produkcji swoich tak zwanych filmów. Talentów do swoich dzieł szukał w szkołach filmowych, mało znanych szkołach aktorskich i barach ze striptizem, ale było pięć osób, które stale naganiały mu nowych ludzi. Przepytaliśmy wszystkich po kolei i wygląda na to, że nie byli wtajemniczeni w sprawy finansowania filmów ani ksiąg prowadzonych przez Tony'ego. Chyba o niczym nie mieli pojęcia. Jerry?

– Zgadza się – przytaknął Edgar. – Moim zdaniem Tony wybrał właśnie ich, bo byli głupi i nie zadawali niewygodnych pytań. Wysyłał ich do USC albo UCLA, żeby znaleźli dzieciaka, który będzie chciał reżyserować czy napisać scenariusz. Jeździli do „Star Strip" przy La Cienega i kusili laski głównymi rolami. I tak to się kręciło. Doszliśmy do wniosku, że Tony nikomu nie pisnął słowa o przekrętach z praniem kasy. Wiedział tylko on i jego klienci.

– A więc możemy przejść do waszych wniosków – powiedziała Billets, patrząc na Russella i Kuhlkena. – Możecie nam już coś powiedzieć?

Kuhlken odparł, że wciąż tkwią po uszy w dokumentach, ale udało im się ustalić, że pieniądze TNA Productions trafiały na konta bankowe fikcyjnych spółek w Kalifornii, Nevadzie i Arizonie, a następnie inwestowano je w inne, jak się wydawało, legalne spółki. Dodał, że dopiero kiedy wszystkie operacje zostaną udokumentowane, będzie można wykorzystać urząd skarbowy i na podstawie ustaw federalnych zająć pieniądze jako środki pochodzące z nielegalnych przedsięwzięć. Russell zaznaczył, że niestety dokumenty dotyczą długiego okresu i zanim uda się podjąć jakieś kroki, upłynie co najmniej tydzień

– Siedźcie nad tym tak długo, jak będzie trzeba – odrzekła Billets, po czym zwróciła się do Gregsona: – I co o tym sądzisz? Co powinniśmy jeszcze zrobić?

Gregson zastanowił się przez chwilę.

– Sądzę, że jest dobrze. Jutro rano zadzwonię do Vegas i dowiem się, kto będzie prowadził sprawę ekstradycji. Powinienem chyba tam pojechać i wszystkiego dopilnować. Niepokoi mnie trochę, że Goshen siedzi tam, a my tutaj. Jeżeli dopisze nam szczęście i wynik z balistyki będzie pozytywny, myślę, że powinniśmy pojechać z Harrym do Vegas i wrócić z Goshenem.

Bosch potakująco skinął głową.

– Po wysłuchaniu waszych relacji mam właściwie tylko jedno pytanie – ciągnął Gregson. – Dlaczego przy tym stole nie siedzi nikt z przestępczości zorganizowanej?

Billets spojrzała na Boscha, niemal niedostrzegalnym skinieniem głowy dając mu znak, aby to on odpowiedział na pytanie prokuratora.

– Od razu zawiadomiliśmy PZ o morderstwie i podaliśmy tożsamość ofiary – rzekł Bosch – ale nie chcieli przejąć sprawy. Powiedzieli, że nic nie słyszeli o Tonym Aliso. Nie dalej jak dwie godziny temu rozmawiałem z Leonem Fitzgeraldem i mówiłem mu, jak to wygląda. Zaoferował fachową pomoc swojego wydziału, ale jego zdaniem śledztwo jest zbyt zaawansowane, żeby wchodzili do niego nowi ludzie. Życzył nam powodzenia.

Gregson patrzył na niego przez długą chwilę, a potem pokiwał głową. Prokurator wyglądał na czterdzieści kilka lat i miał krótko ostrzyżone, prawie zupełnie siwe włosy. Bosch nigdy z nim dotąd nie pracował, lecz nazwisko obiło mu się o uszy. Gregson na tyle dobrze znał stosunki panujące w policji, by wiedzieć, że za słowami Boscha kryje się coś więcej – ale i na tyle dobrze, by na razie nie poruszać tej sprawy. Zresztą Billets nie pozostawiła mu czasu do namysłu.

– No dobrze, przed zakończeniem proponuję małą burzę mózgów – powiedziała. – Jak myślicie, jak to się stało? Zbieramy informacje i dowody, ale nie wiemy, jak to się stało.

Powiodła wzrokiem po twarzach siedzących przy stole. Wreszcie odezwała się Rider.

– Przypuszczam, że wszystko spowodowała kontrola skarbowa. Tony dostał pocztą zawiadomienie i popełnił fatalny błąd. Powiedział temu facetowi z Vegas, Joeyowi Markerowi, że rząd chce mu grzebać w księgach, że przekręty z tanimi filmami wyjdą na jaw. Joey zareagował tak, jak zwykle reagują tacy ludzie. Kazał go sprzątnąć. Wysłał za Tonym swojego człowieka, Goshena, żeby załatwił to daleko od Vegas, a Goshen wpakował Tony'ego do bagażnika.

Pozostali zgodnie przytaknęli. Bosch także skinął głową. Informacje, jakie uzyskał od Fitzgeralda, pasowały do tego scenariusza.

– Plan był niezły – podjął Edgar. – Jedyny błąd to odciski palców, które Artie Donovan zdjął z marynarki. Mieliśmy diabelne szczęście, bo gdybyśmy nie znaleźli odcisków, nie wiedzielibyśmy tego co teraz. To był jedyny błąd.

– Niekoniecznie – odrzekł Bosch. – Odciski na marynarce tylko przyspieszyły sprawę. Miejska w Vegas dostała cynk od informatora, który podsłuchał Lucky'ego Goshena, kiedy mówił o mokrej robocie i wsadzaniu kogoś do bagażnika. Wiadomość w końcu by do nas dotarła.

– Wolę wiedzieć od razu, niż czekać na „w końcu" – powiedziała Billets. – Jakieś inne hipotezy, które warto sprawdzić? Wyłączamy żonę, wściekłego scenarzystę, jego współpracowników?

– Nie ma nic, co szczególnie rzucałoby się w oczy – odparła Rider. – Między żoną a ofiarą na pewno nie było gorącego uczucia, ale na razie nic nie wskazuje na żonę. Poszłam z nakazem do ochrony osiedla i wzięłam rejestr. Wynika z niego, że w piątek jej samochód w ogóle nie wyjeżdżał z Highland Heights.

– A ten list do urzędu skarbowego? – zapytał Gregson. – Kto go wysłał? Autor musiał sporo wiedzieć o jego machinacjach, ale kto to był?

– Być może chodzi o wewnętrzne rozgrywki w grupie Joeya Markera – zauważył Bosch. – Mówiłem już, że kiedy Goshen zobaczył broń, zrobił dziwną minę, potem upierał się, że ktoś ją podrzucił... Nie wiem, może ktoś napisał do skarbówki, bo wiedział, że Tony zostanie po tym sprzątnięty. Potem postarał się, żeby na celowniku znalazł się Goshen. Goshen znika, a ten ktoś zajmuje jego miejsce.

– Chcesz powiedzieć, że Goshen tego nie zrobił? – spytał Gregson, unosząc brwi.

– Nie. Moim zdaniem Goshen pasuje całkiem nieźle. Ale raczej się nie spodziewał, że znajdziemy pistolet za spłuczką. Zresztą po co miałby ją tam chować? To nie miałoby sensu. Powiedzmy, że sprzątnął Tony'ego Aliso na polecenie Joeya Markera. Broń oddał któremuś ze swoich ludzi i kazał mu się jej pozbyć. Tylko że ten ktoś podrzucił mu ją do domu – to ta sama osoba, która najpierw wysłała donos do skarbówki, żeby uruchomić cały plan. Potem zjawiamy się my i zgarniamy Goshena. Facet, który ukrył broń i napisał list, może zająć jego miejsce.

Bosch popatrzył na twarze pozostałych, sprawdzając, czy nadążają za logiką jego wywodu.

– Może celem wcale nie miał być Goshen – powiedziała Rider.

Wszyscy spojrzeli na nią.

– Może chodzi o inną rozgrywkę. Może stoi za tym ktoś, kto chce usunąć Goshena i Joeya Markera, żeby samemu przejąć ich interesy.

– Jak miałby się dobrać do Markera? – spytał Edgar.

– Przez Goshena – odparła.

– Jeżeli wynik z balistyki będzie pozytywny – rzekł Bosch – to Goshena mamy na widelcu. Czeka go zastrzyk albo dożywocie bez możliwości wyjścia. Albo mniejszy wyrok, gdyby chciał nam coś sprzedać.

– Joeya Markera – powiedzieli jednocześnie Gregson i Edgar.

– Kto więc napisał list? – spytała Billets.

– Kto to wie? – odrzekł Bosch. – Za słabo znam ich organizację. Ale gliny z Vegas wspominały o adwokacie. Ten facet pilnuje wszystkich interesów Markera. Na pewno wiedział o przekrętach Alisa. Może to on. W otoczeniu Markera jest pewnie parę osób, które byłyby do tego zdolne.

Wszyscy zamilkli, zastanawiając się nad prawdopodobieństwem takiej wersji wydarzeń i dochodząc do wniosku, że jest duże. Nie było nic więcej do dodania, więc Billets wstała, by zakończyć zebranie.

– Dobrze nam idzie i nie traćmy tempa – powiedziała. – Matthew, dzięki, że przyszedłeś. Gdy rano dostaniemy wynik analizy z balistyki, dowiesz się pierwszy.

Pozostali także zaczęli się podnosić z krzeseł.

– Kiz i Jerry, rzućcie monetą – zwróciła się do nich Billets. – Jedno z was musi pojechać z Harrym do Vegas jako eskorta podejrzanego. Takie są przepisy. Aha, Harry, mógłbyś jeszcze chwileczkę zaczekać? Chcę z tobą porozmawiać o innej sprawie.

Kiedy wszyscy wyszli, Billets poprosiła Boscha, by zamknął drzwi. Zrobił to, a potem usiadł naprzeciw jej biurka.

– Co się właściwie stało? – zapytała. – Naprawdę rozmawiałeś z Fitzgeraldem?

– Właściwie to przede wszystkim on mówił, ale tak, spotkałem się z nim i z Carbone'em.

– No i co?

– Nie mieli zielonego pojęcia o Tonym Aliso, dopóki nie dostali listu, pewnie tego samego, który wysłano do urzędu skarbowego. Dali mi kopię. Są w nim szczegółowe informacje. Tak jak mówiła Kiz, autor świetnie się we wszystkim orientował. List do PZ też został wysłany w Las Vegas i zaadresowany osobiście do Fitzgeralda.

– I w odpowiedzi założyli Tony'emu podsłuch w telefonie.

– Zgadza się, nielegalny podsłuch. Dopiero zaczynali – mam nagrania z dziewięciu dni. Kiedy zadzwoniłem z informacją, że ktoś rozwalił Alisa, wpadli w panikę. Znasz stosunki Fitzgeralda z komendantem. Gdyby wyszło na jaw, że po pierwsze, założyli Tony'emu nielegalny podsłuch, a po drugie, mogli się przyczynić do jego śmierci, bo dowiedział się o tym Joey Marker, komendant nie potrzebowałby niczego więcej, żeby wyrzucić Fitzgeralda i odzyskać kontrolę nad PZ.

– Czyli Fitzgerald wysłał Carbone'a, żeby zdjął podsłuch, a potem udawali głupich.

– Właśnie. Gdyby Carbone zauważył kamerę, o niczym byśmy nie wiedzieli.

– Co za gnojek. Kiedy skończymy, zaraz pójdę z tym do komendanta.

– Hm...

Bosch nie bardzo wiedział, jak to powiedzieć.

– O co chodzi?

– Fitzgerald był na to przygotowany. Zawarłem umowę.

– Co?!

– Zawarłem z nim umowę. Przekazał mi wszystko, taśmy i list. Ale o ich działaniach mamy wiedzieć tylko ty i ja. Nic nie może dotrzeć do komendanta.

– Harry, jak mogłeś? Nie miałeś...

– Fitzgerald ma coś na mnie. Ma też coś na ciebie... i na Kiz.

Zapadła cisza. Bosch zobaczył, jak jej twarz oblewa rumieniec gniewu.

– Bezczelny sukinsyn – syknęła.

Bosch powtórzył jej, co usłyszał od Fitzgeralda. Ponieważ poznał jej tajemnicę, uznał, że powinna wiedzieć o Eleanor. Billets kiwnęła tylko głową. Widać było, że bardziej przejmuje się własnym sekretem i skutkami, jakie może mieć fakt, że dowiedział się o nim Fitzgerald.

– Myślisz, że kazał mnie śledzić?

– Kto wie? Taki facet korzysta z każdej okazji. Trzyma informacje jak pieniądze w banku. Na czarną godzinę. To była dla niego czarna godzina, więc wyciągnął to, co mu było potrzebne. Mam z nim umowę. Zapomnijmy o tym i zajmijmy się sprawą.

Milczała przez chwilę, a Bosch szukał w jej twarzy oznak zakłopotania. Nie znalazł. Billets patrzyła mu prosto w oczy, czekając, czy wyczyta w nich potępienie. Nie wyczytała. Skinęła głową.

– Co jeszcze zrobili, kiedy przyszedł list?

– Niewiele. Wzięli Alisa pod luźną obserwację. Mam notatki. Ale w piątek wieczorem go nie śledzili. Wiedzieli, że poleciał do Las Vegas, więc zamierzali zająć się nim dopiero po święcie, gdyby już wrócił. Dopiero zaczynali, kiedy Aliso zginął.

Znów skinęła głową. Myślami była jednak gdzie indziej. Bosch wstał.

– Posłucham dzisiaj tych taśm. Jest około siedmiu godzin nagrań, ale Fitzgerald mówił, że Aliso rozmawiał głównie ze swoją dziewczyną w Vegas. Niewiele więcej. Mimo to posłucham. Coś jeszcze?

– Nie. Porozmawiamy jutro rano. Chcę dostać wiadomość z balistyki, kiedy tylko będziesz wiedział.

– Nie ma sprawy.

Bosch ruszył do drzwi, lecz Billets go zatrzymała.

– Dziwne, jak czasem trudno odróżnić dobrych od złych.

Spojrzał na nią.

– Tak, dziwne.

Gdy Bosch wreszcie wrócił do siebie, dom wciąż pachniał świeżą farbą. Spojrzał na ścianę, którą zaczął malować trzy dni temu, choć miał wrażenie, że to było bardzo dawno. Dom został odbudowany od fundamentów po trzęsieniu ziemi. Bosch wprowadził się z powrotem przed kilkoma tygodniami, po roku koczowania w hotelu niedaleko posterunku. Zdawało się, jakby trzęsienie ziemi też zdarzyło się bardzo dawno. W tym mieście życie toczyło się szybko. Wszystko, co nie było obecną chwilą, stawało się prehistorią.

Wyciągnął numer telefonu Eleanor Wish, który dostał od Feltona, i zadzwonił, ale nikt nie odbierał. Nie odezwał się nawet automat. Bosch odłożył słuchawkę, zastanawiając się, czy Eleanor przeczytała wiadomość, jaką jej zostawił. Miał nadzieję, że po zakończeniu sprawy może będą razem. Gdyby tak się jednak stało, nie bardzo wiedział, co pocznie z panującym w departamencie zakazem utrzymywania stosunków z osobami skazanymi.

Zastanawiając się nad tym, wrócił myślą do pytania, skąd Fitzgerald dowiedział się o Eleanor i o tym, że spędzili razem noc. Bosch przypuszczał, że zastępca komendanta prawdopodobnie kontaktował się z miejską i o Eleanor Wish poinformowali go Felton lub Iverson.

Bosch zrobił sobie dwie kanapki z wędliną, wziął z lodówki dwie butelki piwa i razem z pudełkiem taśm, które dostał od Fitzgeralda, zaniósł do fotela ustawionego obok wieży stereo. Jedząc, ułożył kasety w porządku chronologicznym i przystąpił do słuchania. Miał przed sobą kserokopię listy połączeń i wydruku z rejestratora numerów, w którym znajdowały się szczegółowe informacje, o której godzinie Aliso dzwonił lub odbierał telefon i z jakim numerem się łączył.

Ponad połowę z nagranych rozmów Aliso odbył z Laylą, dzwoniąc albo do klubu – o czym świadczyła głośna muzyka i hałasy w tle – albo pod inny numer, prawdopodobnie do jej mieszkania. Dziewczyna nigdy się nie przedstawiała, a kiedy Tony dzwonił do klubu i prosił ją do telefonu, używał jej scenicznego pseudonimu – Layla. Rozmawiając z nią, nigdy nie zwracał się do niej po imieniu. Większość rozmów dotyczyła zwykłych, codziennych spraw. Tony najczęściej dzwonił do jej domu wczesnym popołudniem. Raz Layla była na niego zła, ponieważ ją obudził. Aliso usprawiedliwiał się, że już południe, na co ona przypomniała mu, że pracowała w klubie do czwartej. Tony przeprosił ją jak skarcony chłopiec, proponując, że zadzwoni później. I zadzwonił o drugiej.

Poza rozmowami z Laylą były jeszcze telefony do innych kobiet z informacją o godzinie rozpoczęcia zdjęć do jakiejś sceny, którą należało powtórzyć, oraz inne telefony w różnych sprawach związanych z pracą nad filmem. Aliso dzwonił także dwa razy do domu, ale obie rozmowy z żoną były krótkie i rzeczowe. Za pierwszym razem powiedział jej, że wraca do domu, a za drugim, że coś go zatrzymało i nie będzie mógł wrócić na kolację.

Gdy Bosch skończył przesłuchiwać kasety, minęła już północ, a spośród wszystkich telefonów tylko jeden wydawał się mieć jakiekolwiek znaczenie dla sprawy. Aliso zadzwonił do garderoby klubu we wtorek poprzedzający morderstwo. W środku nudnej rozmowy o niczym Layla zapytała, kiedy znów przyjedzie do Vegas.

– W czwartek, skarbie – odparł Aliso. – Dlaczego pytasz, już za mną tęsknisz?

– Nie... to znaczy, tak, jasne, że tęsknię, Tone. Ale Lucky pytał, czy przyjedziesz. Dlatego pytam.

Layla miała niewinnie brzmiący, dziewczęcy głosik, sprawiający nienaturalne wrażenie.

– Powiedz mu, że będę w czwartek wieczorem. Będziesz wtedy w pracy?

– Tak, będę.

Bosch wyłączył wieżę i zamyślił się nad tą rozmową. Wynikało z niej, że Goshen wiedział od Layli o przyjeździe Alisa do Vegas. Informacja niewiele znaczyła, ale mógł z niej skorzystać prokurator, chcąc dowieść, że było to morderstwo z premedytacją. Kłopot w tym, że dowód został zdobyty nielegalnie, a zatem w oczach prawa nie istniał.

Bosch zerknął na zegarek. Było późno, mimo to postanowił zadzwonić. Wstukał numer Layli zapisany na liście przez rejestrator połączeń, który odczytywał wybierane tonowo numery. Po czterech dzwonkach w słuchawce odezwała się kobieta o leniwym, przesyconym erotyzmem głosie, świadczącym o długiej praktyce.

– Layla?

– Nie, Pandora.

Bosch omal nie parsknął śmiechem, ale był zbyt zmęczony.

– Gdzie jest Layla?

– Nie ma jej.

– Mówi Harry, jej znajomy. Layla próbowała się do mnie wczoraj dodzwonić. Wiesz, gdzie ją mogę znaleźć?

– Nie. Nie pokazuje się od dwóch dni. Nie wiem, gdzie jest. Chodzi o Tony'ego?

– Tak.

– Jest roztrzęsiona. Jak będzie chciała porozmawiać, na pewno zadzwoni jeszcze raz. Jesteś w mieście?

– W tej chwili nie. Gdzie mieszkacie?

– Hm, chyba nie powinnam ci mówić.

– Pandoro, czy Layla się czegoś boi?

– Jasne, że się boi. Ktoś zabił starego. Myśli, że ludzie będą podejrzewać, że coś wie, ale ona nic nie wie. Po prostu się boi.

Bosch podał Pandorze swój domowy numer z prośbą, aby Layla do niego zadzwoniła, kiedy się zjawi.

Odłożywszy słuchawkę, znów zerknął na zegarek, po czym wyciągnął z marynarki notes z telefonami. Zadzwonił do Billets i odebrał jakiś mężczyzna. Jej mąż. Bosch przeprosił go, że niepokoi ich tak późno i poprosił do telefonu porucznik Billets. Czekając, zastanawiał się, co mąż wie o swojej żonie i Kizmin Rider. Kiedy w słuchawce odezwała się Billets, Bosch opowiedział jej o zawartości taśm i mizernych wynikach ich przesłuchania.

– Tylko z jednej rozmowy można wywnioskować, że Goshen pytał o Alisa i wiedział o jego przyjeździe. Ale to tyle. Wydaje mi się, że to mało istotny szczegół i poradzimy sobie bez niego. Kiedy znajdziemy Laylę, będziemy mogli wyciągnąć od niej tę samą informację. Legalnie.

– Dobrze, uspokoiłeś mnie.

Bosch usłyszał westchnienie ulgi. Billets obawiała się, że gdyby na taśmach znalazły się ważne informacje, musieliby je przedstawić prokuratorom, co pociągnęłoby za sobą odwet Fitzgeralda i zakończyło jej karierę.

– Przepraszam, że dzwonię tak późno – powiedział Bosch – ale pomyślałem, że będziesz chciała wiedzieć od razu.

– Dzięki, Harry. Do zobaczenia rano.

Rozłączyli się i Bosch jeszcze raz spróbował zadzwonić do Eleanor Wish, ale wciąż nikt nie odbierał. Początkowe uczucie lekkiego niepokoju zaczynało się przeradzać w lęk. Bosch żałował, że nie jest w Las Vegas i nie może wpaść do jej mieszkania i sprawdzić, czy Eleanor jest u siebie i po prostu nie odbiera, czy też stało się coś złego.

Wziął z lodówki jeszcze jedno piwo i wyszedł na taras. Nowy taras był większy niż poprzedni i lepiej widać było z niego przełęcz. W dole panowała ciemność i cisza. Na szum wiecznie dobiegający z autostrady Hollywood od dawna nie zwracał uwagi. Przyglądał się snopom światła reflektorów z Universal Studios przecinających bezgwiezdne niebo i kończył piwo, zastanawiając się, gdzie może być Eleanor.

W środę rano Bosch przyszedł na posterunek o ósmej i wystukał na maszynie raporty z przebiegu dochodzenia w Las Vegas. Następnie zrobił kopie i włożył do skrzynki porucznik Billets, a oryginały wpiął do grubej na dwa centymetry księgi morderstwa, którą prowadził Edgar. W raportach nie wspomniał o rozmowie z Carbone'em i Fitzgeraldem ani o przesłuchaniu taśm z nagranymi przez PZ rozmowami telefonicznymi Alisa. Dość często przerywał pracę, by pójść do dyżurki po kolejne kubki kawy.

O dziesiątej uporał się z robotą papierkową, ale zanim zadzwonił do laboratorium balistycznego, odczekał jeszcze pięć minut. Z doświadczenia wiedział, że nie powinien dzwonić przed wyznaczoną godziną zakończenia analizy. Dla pewności dorzucił jeszcze pięć dodatkowych minut. Minuty nieznośnie się ciągnęły.

Gdy podniósł słuchawkę, Edgar i Rider jak przyciągnięci magnesem zbliżyli się do jego biurka, aby od razu poznać wyniki analizy. Wszyscy wiedzieli, że to rozstrzygający moment dla śledztwa. Bosch poprosił do telefonu Lestera Poole'a, technika, który przeprowadzał badanie. Już nieraz razem pracowali. Poole był karzełkowatym człowieczkiem, którego całe życie obracało się wokół broni, choć jako cywilny pracownik policji sam nie mógł jej nosić. W całym laboratorium balistycznym nie było jednak lepszego fachowca. Ciekawe, że nie reagował, kiedy ktoś zwracał się do niego Les. Upierał się, aby nazywano go Lester, a nawet Poole, ale nie chciał, by zdrabniano jego imię. Kiedyś wyznał Boschowi, że jeżeli będą o nim mówić „Les Poole", to szybko jakiś dowcipniś z departamentu przechrzci go „Ces Poole"*. Nie zamierzał do tego dopuścić.

– Lester, tu Harry – rzekł Bosch, gdy w słuchawce odezwał się technik. – Jesteś dzisiaj bohaterem poranka. Masz coś dla mnie?

– Mam dla ciebie dwie wiadomości, Harry, dobrą i złą.

– Najpierw podaj mi złą.

– Właśnie skończyłem twoją analizę. Nie napisałem jeszcze raportu, ale mogę ci już podać wynik. Broń została wytarta do czysta, nie ma na niej żadnych odcisków i nie da rady jej zidentyfikować. Sprawca wytrawił numer kwasem i nie pomogła żadna moja sztuczka, żeby spróbować go odczytać.

– A teraz dobra.

– Mogę ci powiedzieć, że pociski wyciągnięte z twojej ofiary jak ulał pasują do broni. Nie ma wątpliwości.

Bosch pokazał Edgarowi i Rider uniesiony kciuk. Jego partnerzy przybili piątkę, po czym Rider pokazała kciuk porucznik Billets obserwującej ich przez szybę. Billets natychmiast sięgnęła po telefon. Bosch przypuszczał, że dzwoni do prokuratury, by przekazać szczęśliwą nowinę Gregsonowi.

Poole poinformował Boscha, że raport będzie gotowy przed południem i zostanie przesłany przez policyjnego kuriera. Bosch podziękował mu i odłożył słuchawkę. Wstał uśmiechnięty i razem z Edgarem i Rider wszedł do gabinetu porucznik. Minutę później Billets pożegnała Gregsona i odłożyła słuchawkę.

– Rozmawiałam z bardzo zadowolonym człowiekiem – powiedziała.

– Też bym się nie smucił – zauważył Edgar.

– No dobrze, co teraz? – zapytała Billets.

– Jedziemy po tego pieprzonego pustynnego szczura – oświadczył Edgar.

– Tak też powiedział Gregson. Wybiera się do Vegas przypilnować ekstradycji. Rozprawa jest jutro rano, zgadza się?

– Taki był plan – odparł Bosch. – Myślę, że dobrze byłoby pojechać jeszcze dzisiaj. Jest parę szczegółów, które chciałbym wyjaśnić. Poza tym spróbujemy poszukać dziewczyny i przygotujemy wszystko, żeby wziąć go prosto z sali sądowej, kiedy tylko sędzia da hasło.

– Świetnie – powiedziała Billets. – Zdecydowaliście już, kto pojedzie z Harrym? – spytała Edgara i Rider.

* Cesspool – szambo (przyp. tłum.).

– Ja – odrzekł Edgar. – Kiz jest zajęta papierami finansowymi. Pojadę z Harrym po tego drania.

– Dobrze. Coś jeszcze?

Bosch powiedział im o usunięciu numerów z broni, ale ten fakt nie zdołał zakłócić euforii wywołanej wynikiem analizy balistycznej. Byli coraz bardziej przekonani, że zakończenie sprawy to pestka.

Zamieniwszy jeszcze kilka zdań, zadowoleni z siebie wyszli z gabinetu i Bosch wrócił do telefonu. Zadzwonił do Feltona z miejskiej. Kapitan odebrał natychmiast.

– Felton, mówi Bosch z Los Angeles.

– Bosch, o co chodzi?

– Pomyślałem, że będzie pan chciał wiedzieć. Broń się zgadza. Wystrzelono z niej kule, które zabiły Tony'ego Aliso.

Felton gwizdnął do słuchawki.

– Cholera, fantastycznie. Lucky Luke przestanie się uważać za farciarza, kiedy się dowie.

– Niedługo przyjadę, żeby przekazać mu to osobiście.

– To dobrze. Kiedy pan będzie?

– Jeszcze nie ustaliłem szczegółów. Co z rozprawą o ekstradycję? Jutro rano?

– O ile wiem, nic się nie zmieniło. Każę komuś jeszcze raz sprawdzić. Adwokat Lucky'ego będzie próbował mącić, ale nic nie wskóra. Ten nowy dowód skutecznie go zamknie.

Bosch poinformował go, że rano przyjedzie Gregson, żeby w razie potrzeby pomóc prokuratorowi w Vegas.

– Przypuszczam, że to strata czasu, ale zapraszamy.

– Przekażę mu. Kapitanie, gdyby miał pan kogoś wolnego, jest pewna sprawa, która mi nie daje spokoju.

– Jaka?

– Chodzi o dziewczynę Tony'ego. Była tancerką w „Dolly" do soboty, kiedy Lucky ją wyrzucił. Wciąż chcę z nią porozmawiać. Używa imienia Layla. Wiem tylko tyle. I mam jej telefon.

Podał Feltonowi numer, a kapitan obiecał, że ktoś się tym zajmie.

– Coś jeszcze?

– Tak, jeszcze jedno. Zna pan naszego zastępcę komendanta Fitzgeralda, prawda?

– Oczywiście. Współpracowaliśmy przy paru sprawach.

– Rozmawiał pan z nim ostatnio?

– Hm... nie. Ostatni raz... to było dość dawno.

Bosch uznał, że kłamie, ale dał spokój. Potrzebował pomocy tego człowieka co najmniej przez następną dobę.

– Dlaczego pan pyta, Bosch?

– Bez powodu. Po prostu doradza nam w tej sprawie, to wszystko.

– Dobrze wiedzieć. To bardzo kompetentna osoba.

– Kompetentna. Owszem, to mu trzeba przyznać.

Bosch rozłączył się, po czym zaczął załatwiać szczegóły wyjazdu z Edgarem. Zarezerwował dwa pokoje w „Mirage". Cena przekraczała limit opłat za hotele dla funkcjonariuszy, ale był pewien, że Billets zaakceptuje wysokość rachunków. Poza tym kiedy Bosch był w „Mirage", dzwoniła do niego Layla. Być może spróbuje jeszcze raz się z nim skontaktować.

Na końcu zarezerwował bilety lotnicze na podróż w obie strony dla siebie i Edgara na lot z Burbank. Na czwartek po południu zarezerwował jeszcze jedno miejsce dla Goshena.

Samolot wylatywał o wpół do czwartej, a godzinę później lądował w Las Vegas. Bosch uznał, że będą mieli dość czasu na wszystko, co trzeba zrobić.

Na widok Boscha Nash wyszedł z portierni, witając go uśmiechem. Harry przedstawił mu Edgara.

– Wygląda na to, że wykroił się nam kryminał pierwsza klasa, co?

– Na to wygląda – zgodził się Bosch. – Ma pan jakąś hipotezę, kto zabił?

– Nie mam. Dałem pana dziewczynie rejestr wjazdów, mówiła panu?

– To nie jest moja dziewczyna, Nash. To detektyw. Całkiem niezły zresztą.

– Wiem. Nie miałem nic złego na myśli.

– Czy pani Aliso jest w domu?

– Zaraz zobaczymy.

Nash otworzył portiernię, wszedł i wziął podkładkę z plikiem kartek. Szybko przebiegł ją wzrokiem i zerknął na poprzednią stronę. Następnie odłożył rejestr i wyszedł do nich.

– Powinna być – oświadczył. – Nie wyjeżdżała od dwóch dni.

Bosch podziękował mu skinieniem głowy.

– Muszę do niej zadzwonić – dodał Nash. – Rozumie pan, przepisy.

– Nie ma sprawy.

Nash uniósł szlaban i Bosch wjechał na osiedle.

Veronica Aliso czekała na nich w otwartych drzwiach domu. Miała na sobie obcisłe szare legginsy i długą, luźną koszulkę ozdobioną obrazem Matisse'a. Znów była mocno umalowana. Bosch przedstawił Edgara, po czym Veronica zaprowadziła ich do salonu. Gdy zaproponowała coś do picia, podziękowali.

– W takim razie co mogę dla panów zrobić?

Bosch otworzył notes, wyrwał z niego zapisaną wcześniej kartkę i podał jej.

– To jest numer biura koronera i numer sprawy – powiedział. – Wczoraj przeprowadzono autopsję i może pani odebrać ciało męża. Jeżeli korzysta pani z usług domu pogrzebowego, wystarczy podać im numer sprawy, a wszystkim się zajmą.

Przez długą chwilę wpatrywała się w kartkę.

– Dziękuję – powiedziała w końcu. – Przyjechali panowie tylko po to, żeby mi to dać?

– Nie. Mamy też dla pani wiadomość. Aresztowaliśmy człowieka podejrzanego o zamordowanie pani męża.

Otworzyła szeroko oczy.

– Kogo? Powiedział, dlaczego to zrobił?

– Nazywa się Luke Goshen. Jest z Las Vegas. Słyszała pani kiedyś o nim?

Na jej twarzy odbiło się zdumienie.

– Nie, kto to jest?

– Gangster, pani Aliso. Obawiam się, że pani mąż dość dobrze go znał. Jedziemy po niego do Las Vegas. Jeżeli wszystko pójdzie dobrze, wrócimy z nim jutro. Sprawa trafi do sądu. Najpierw będzie posiedzenie wstępne przed sądem miejskim, a potem, jeśli dojdzie do procesu Goshena, a zakładamy, że dojdzie, odbędzie się rozprawa przed sądem okręgowym Los Angeles. Prawdopodobnie będzie pani musiała złożyć krótkie zeznanie. Zeznawałaby pani jako świadek oskarżenia.

Skinęła głową z nieobecnym wzrokiem.

– Dlaczego to zrobił?

– Jeszcze nie wiemy. Pracujemy nad tym. Wiemy natomiast, że pani mąż prowadził interesy z... hm, pracodawcą tego człowieka. Z niejakim Josephem Marconim. Przypomina pani sobie, czy mąż kiedykolwiek wspominał o Goshenie albo Josephie Marconim?

– Nie.

– Może mówił o Luckym albo Joeyu Markerze?

Przecząco pokręciła głową.

– Jakie interesy? – zapytała.

– Prał ich pieniądze. Inwestował je w produkcję filmów. Na pewno nic pani o tym nie wiedziała?

– Oczywiście, że nie. Czy mam wezwać swojego adwokata? Już mi radził, żebym z panami nie rozmawiała.

Bosch uśmiechnął się uspokajająco i rozłożył ręce.

– Nie, pani Aliso, nie musi pani wzywać adwokata. Staramy się po prostu ustalić fakty. Jeśli coś pani wie o interesach prowadzonych przez męża, pomogłaby nam pani zebrać dowody przeciw Goshenowi i prawdopodobnie przeciw jego pracodawcy. Widzi pani, jeżeli chodzi o morderstwo, w tym momencie mamy Goshena w garści. Tu nie musimy niczego szukać. Wystarczająco obciążają go wynik analizy balistycznej i odciski palców. Ale wiemy, że nie zrobiłby tego, gdyby nie dostał polecenia od Joeya Markera. I do niego właśnie chcemy się dobrać. Im więcej zbierzemy informacji o pani mężu i jego interesach, tym większe mamy szanse dobrać się do Joeya Markera. Dlatego jeśli mogłaby nam pani pomóc, proszę nam powiedzieć, co pani wie.

Zamilkła, spoglądając na złożoną kartkę, którą trzymała w palcach. W końcu kiwnęła głową i popatrzyła na Boscha.

– O jego interesach nic nie wiem – powiedziała. – Ale w zeszłym tygodniu ktoś do niego dzwonił. W środę wieczorem. Mąż odebrał telefon w gabinecie i zamknął drzwi, ale... podeszłam tam i podsłuchałam.

– Co mówił?

– Pamiętam, że zwracał się do rozmówcy Lucky. Długo słuchał, a potem powiedział, że przyjedzie pod koniec tygodnia. I dodał, że zobaczą się w klubie. To wszystko.

Bosch skinął głową.

– Dlaczego nie powiedziała nam pani o tym wcześniej?

– Nie sądziłam, że to ważne. Myślałam... myślałam, że rozmawia z kobietą. Wydawało mi się, że Lucky to kobieta.

– Dlatego podsłuchiwała pani pod drzwiami?

Unikając jego wzroku, przytaknęła.

– Pani Aliso, czy wynajmowała pani kiedyś prywatnego detektywa, żeby śledził męża?

– Nie. Myślałam o tym, ale nikogo nie wynajęłam.

– Czyli podejrzewała pani, że ma romans?

– Romanse, detektywie. Nie tylko podejrzewałam. Wiedziałam. Żona od razu wie.

– Dobrze, pani Aliso. Co jeszcze pani pamięta z tej rozmowy telefonicznej? Mąż mówił coś jeszcze?

– Nie. Tylko to, co powiedziałam.

– Informacja o tym telefonie dałaby nam dodatkowy argument w sądzie, gdybyśmy chcieli udowodnić, że to było morderstwo z premedytacją. To na pewno była środa?

– Tak, bo na drugi dzień mąż wyjechał.

– O której dzwonił Lucky?

– Późno. Oglądaliśmy wiadomości na Kanale 4, czyli było po jedenastej i przed wpół do dwunastej. Chyba nie potrafię podać dokładnej godziny.

– Dziękuję, pani Aliso, to wystarczy.

Bosch spojrzał na Edgara, unosząc brwi. Edgar skinął głową na znak, że mogą iść. Wstali i Veronica Aliso odprowadziła ich do drzwi.

– Aha – powiedział Bosch tuż przed wyjściem. – Mam jeszcze jedno pytanie na temat pani męża. Nie wie pani, czy miał stałego lekarza?

– Owszem, chodził czasem do lekarza. Czemu pan pyta?

– Chciałem go spytać, czy mąż nie cierpiał na hemoroidy.

Spojrzała na niego z miną, jak gdyby miała się roześmiać.

– Hemoroidy? Nie sądzę. Gdyby Tony miał hemoroidy, na pewno by narzekał, często i głośno.

– Naprawdę?

Bosch stał już w drzwiach.

– Naprawdę. Poza tym wspominał pan o autopsji. Chyba lekarz przeprowadzający sekcję mógł panu odpowiedzieć na to pytanie?

Bosch przytaknął. Musiał jej przyznać punkt.

– Chyba tak, pani Aliso. Pytam o to, bo w jego samochodzie znalazłem tubkę maści „Preparation H". Zastanawiałem się, po co ją trzymał, skoro nie była mu potrzebna.

Uśmiechnęła się.

– To stara sztuczka artystów.

– Sztuczka artystów?

– Aktorek, modelek, tancerek i tak dalej. Używają jej ludzie występujący na scenie.

Bosch patrzył na nią, czekając na dalsze wyjaśnienia. Veronica Aliso milczała.

– Nie rozumiem – powiedział. – Po co tego używają?

– Pod oczy, detektywie Bosch. Maść zmniejsza obrzęk, zgadza się? Jeżeli komuś od ciężkiego życia robią się worki pod oczami i posmaruje je tą maścią, są mniej widoczne. Pewnie połowa ludzi w mieście, którzy ją kupują, nie używa jej z zgodnie z przeznaczeniem, ale właśnie pod oczy. Mój mąż... był próżny. Jeżeli jeździł do Las Vegas, żeby spotykać się z jakąś młodą dziewczyną, pewnie też to robił. To w jego stylu.

Bosch skinął głową. Przypomniał sobie niezidentyfikowaną substancję pod oczami Tony'ego Aliso. Człowiek co dzień uczy się czegoś nowego, pomyślał. Będzie musiał zadzwonić do Salazara.

– Jak pani sądzi, skąd się o tym dowiedział?

Już miała odpowiedzieć, ale zawahała się, wzruszając tylko ramionami.

– To hollywoodzki sekret, ale dość dobrze znany – powiedziała. – Mógł się dowiedzieć od każdego.

Od ciebie też, pomyślał Bosch, lecz zachował to dla siebie. Skinął głową i wyszedł.

– Jeszcze jedno – powiedział, zanim zdążyła zamknąć drzwi. – Wiadomość o tym aresztowaniu zapewne dziś albo jutro trafi do mediów. Staramy się kontrolować informacje, ale w tym mieście niczego nie udaje się zbyt długo trzymać w tajemnicy. Powinna być pani na to przygotowana.

– Dziękuję, detektywie.

– Lepiej byłoby pomyśleć o skromnym pogrzebie. W gronie najbliższych. Proszę powiedzieć szefowi domu pogrzebowego, żeby nic o tym nie mówił przez telefon. Pogrzeby to zawsze gratka dla kamer.

Kiwnęła głową i zamknęła drzwi.

W drodze z Hidden Highlands Bosch zapalił papierosa, a jego partner nie zaprotestował.

– Zimna sztuka – powiedział Edgar.

– Owszem – zgodził się Bosch. – Co myślisz o tym telefonie od Lucky'ego?

– Jeszcze jeden kawałek do układanki. Lucky jest udupiony. Nie ma szans.

Bosch pojechał krętą Mulholland wzdłuż grzbietów wzgórz aż do autostrady Hollywood. Bez słowa minęli drogę pożarową, na której znaleziono Tony'ego Aliso. Na autostradzie Bosch skręcił na południe, by dostać się na dziesiątą w centrum i ruszyć na wschód.

– Co jest, Harry? – zaniepokoił się Edgar. – Myślałem, że lecimy z Burbank.

– Nie lecimy. Jedziemy.

– Co takiego?

– Zarezerwowałem bilety na wszelki wypadek, gdyby ktoś chciał sprawdzić. Kiedy przyjedziemy do Las Vegas, będziemy udawać, że przylecieliśmy i wylatujemy z Goshenem zaraz po rozprawie. Nikt nie musi wiedzieć, że będziemy samochodem. Co ty na to?

– Jasne, może być. Zasłona dymna, gdyby ktoś się interesował. Kumam. Z mafią nigdy nic nie wiadomo, nie?

– Z glinami też.

Rozdział 4

Przy średniej prędkości stu czterdziestu na godzinę i z piętnastominutowym przystankiem w McDonaldzie, dotarli do Las Vegas po czterech godzinach. Pojechali na lotnisko McCarran International, zaparkowali w garażu, po czym wyciągnęli z bagażnika aktówki i torby. Edgar zaczekał na zewnątrz, a Bosch wszedł do terminalu i wypożyczył auto u Hertza.

Dotarli do budynku policji miejskiej przed wpół do piątej. Gdy przechodzili przez biuro dochodzeniówki, Bosch zobaczył Iversona siedzącego przy biurku i rozmawiającego ze stojącym obok Baxterem. Na twarzy Iversona pojawił się uśmieszek, lecz Bosch zignorował detektywa, kierując się prosto do gabinetu Feltona. Kapitan siedział za biurkiem nad papierami. Bosch zapukał w otwarte drzwi i wszedł.

– Bosch, gdzie się pan podziewał?

– Załatwiałem różne sprawy.

– To pański prokurator?

– Nie, to mój partner, Jerry Edgar. Prokurator przyjedzie dopiero jutro rano.

Edgar uścisnął rękę Feltonowi, który cały czas patrzył na Boscha.

– Może pan do niego zadzwonić i powiedzieć, żeby nie zawracał sobie głowy.

Bosch patrzył na niego przez chwilę. Wiedział już, dlaczego Iverson się uśmiechał. Coś się musiało stać.

– Kapitanie, ciągle mnie pan zaskakuje – powiedział. – Jaką niespodziankę ma pan tym razem?

Felton odchylił się na krześle. Na brzegu biurka leżało niezapalone cygaro z oślinionym końcem. Kapitan wziął je i zaczął obracać w palcach. Wyraźnie próbował sprowokować Boscha. Ale Bosch nie połknął haczyka i Felton w końcu oznajmił:

– Wasz kumpel Goshen pakuje manatki.

– Zgadza się na ekstradycję?

– Tak, chyba zmądrzał.

Bosch usiadł na wprost biurka, a Edgar zajął krzesło po prawej.

– Wyrzucił nadwornego rzecznika swojego towarzystwa, Mickeya Torrino – ciągnął Felton – i wziął sobie innego adwokata. Niewiele to pomogło, ale ten nowy ma przynajmniej na celu interes Lucky'ego.

– Jakim cudem zmądrzał? – spytał Bosch. – Powiedział mu pan o wyniku z balistyki?

– Oczywiście, że powiedziałem. Kazałem go przyprowadzić i wyłożyłem karty na stół. Powiedziałem mu też, że rozwaliliśmy jego alibi w drobny mak.

Bosch spojrzał na niego, ale nie zadawał żadnych pytań.

– Owszem, Bosch. Nie zbijaliśmy tu bąków. Zabraliśmy się do roboty, żeby pomóc wam rozłożyć go na łopatki. Lucky twierdzi, że w piątek cały czas siedział w klubie i wyszedł dopiero o czwartej. Poszliśmy obejrzeć to jego biuro. Z tyłu są drugie drzwi. Mógł przyjść do pracy i dać nogę. Nikt go nie widział od wyjścia Tony'ego Aliso do czwartej, kiedy zamykał klub. Miał mnóstwo czasu, żeby skoczyć do Los Angeles, załatwić Tony'ego i wrócić ostatnim samolotem. Ale nie mógł przewidzieć wszystkiego. Jedna z dziewczyn, które tam pracują, Modesty, pokłóciła się z inną tancerką i poszła się poskarżyć Lucky'emu. Podobno kiedy zapukała do biura, nikt nie otworzył. No więc powiedziała Gustiemu, że chce się widzieć z szefem, a on na to, że szefa nie ma. To było około północy.

Felton mrugnął do nich, kiwając głową.

– A co wam powiedział Gustie?

– Trzyma gębę na kłódkę. To nas akurat nie dziwi. Ale jeżeli będzie chciał stanąć w sądzie i dać alibi Lucky'emu, można go bez trudu ujaić. Do kartoteki trafił w siódmej klasie i od tego czasu sporo mu się nazbierało.

– Dobrze, mniejsza z nim. Co na to Goshen?

– Jak mówiłem, przywieźliśmy go dzisiaj rano, przedstawiłem mu sytuację i powiedziałem, że ma coraz mniej czasu. Musiał podjąć decyzję i podjął. Zmienił adwokata. Trudno o lepszy sygnał. Moim zdaniem jest gotów do negocjacji. A to znaczy, że dostaniemy i jego, i Joeya Markera, i parę innych gnid z miasta. Wyrwiemy z chicagowskiej rodziny największy kawał od dziesięciu lat. Ku radości wszystkich.

Bosch wstał. Edgar zrobił to samo.

– Już drugi raz mi pan to robi – powiedział spokojnie Bosch, panując nad głosem. – Trzeciego razu nie będzie. Gdzie on jest?

– Spokojnie, Bosch. Przecież mamy wspólny cel.

– Jest tu czy nie?

– Siedzi w pokoju przesłuchań numer trzy. Kiedy zaglądałem tam ostatni raz, był z nim Weiss. Alan Weiss, jego nowy adwokat.

– Goshen złożył jakieś zeznanie?

– Nie, oczywiście, że nie. Wszystkie szczegóły znamy od Weissa. Goshen zgadza się na negocjacje dopiero w Los Angeles. Innymi słowy, rezygnuje z procesu o ekstradycję i zabieracie go do siebie. Wasi ludzie będą musieli nad nim popracować na miejscu. Dzisiaj nasza rola w sprawie się kończy. Włączymy się dopiero, kiedy przyjedziecie po Joeya Markera. Wtedy wam pomożemy. Długo czekałem na ten dzień.

Bosch bez słowa wyszedł z gabinetu. Nie patrząc na Iversona, minął biuro i skierował się do korytarza prowadzącego do pokojów przesłuchań. Uniósł klapkę zasłaniającą okienko w drzwiach i zobaczył siedzącego przy stole Goshena, ubranego w niebieski więzienny kombinezon. Naprzeciw niego siedział drobny mężczyzna w garniturze. Bosch zapukał w szybkę i po chwili otworzył drzwi.

– Mecenasie, możemy porozmawiać na zewnątrz?

– Pan jest z Los Angeles? Najwyższy czas.

– Wyjdźmy stąd.

Kiedy adwokat wstał, Bosch spojrzał na Goshena. Osiłek miał ręce przykute do stołu. Mimo że ostatni raz Bosch widział go zaledwie trzydzieści godzin wcześniej, Goshen bardzo się zmienił. Siedział zgarbiony, sprawiając wrażenie, jak gdyby zapadł się w sobie. Miał szklany wzrok kogoś, kto przez całą noc spoglądał we własną przyszłość. Nie patrzył na Boscha. Kiedy Weiss opuścił pokój, Bosch zamknął drzwi.

Szczupły i opalony Weiss był mniej więcej w wieku Boscha. Harry nie był pewien, ale zdawało mu się, że adwokat nosi peruczkę. Miał okulary w cienkich złotych oprawkach. Bosch miał tylko kilka sekund, by go ocenić, ale uznał, że decyzja o zmianie adwokata była prawdopodobnie dobra dla Goshena.

Po wzajemnych prezentacjach Weiss natychmiast przeszedł do rzeczy.

– Mój klient jest gotowy zgodzić się na ekstradycję, ale muszą panowie działać szybko. Pan Goshen nie czuje się bezpiecznie w Las Vegas, nawet w areszcie. Miałem nadzieję, że jeszcze dziś zgłosimy się do sędziego, niestety, jest już za późno. Ale jutro o dziewiątej rano będę w sądzie. Wszystko jest już ustalone z panem Lipsonem, prokuratorem. O dziesiątej będą mogli panowie zabrać mojego klienta na lotnisko.

– Zaraz, zaraz, mecenasie – odezwał się Edgar. – Skąd nagle taki pośpiech? Dlatego że Luke dowiedział się o wyniku balistyki czy może wiadomość doszła do Markera i Joey uznał, że lepiej zadbać o własne bezpieczeństwo?

– Przypuszczam, że Joeyowi łatwiej byłoby wydać zlecenie na niego tutaj niż w Los Angeles, zgadza się? – dodał Bosch.

Weiss spojrzał na nich jak na formę życia, z którą nigdy się dotąd nie zetknął.

– Pan Goshen nic nie wie o żadnym zleceniu i przypuszczam, że uwagi panów to część rutynowej taktyki zastraszania. Wie natomiast, że przypisuje się mu winę za przestępstwo, którego nie popełnił. Uznał, że w tej sytuacji powinien ściśle współpracować z policją, ale na innym terenie. Nie w Las Vegas. Jedynym miejscem, jakie wchodzi w grę, jest Los Angeles.

– Możemy z nim teraz porozmawiać?

Weiss pokręcił głową.

– Pan Goshen nie powie ani słowa, dopóki nie znajdzie się w Los Angeles. Sprawą na miejscu zajmie się mój brat. Prowadzi tam praktykę. Saul Weiss, może panowie o nim słyszeli.

Bosch słyszał, mimo to przecząco pokręcił głową.

– Przypuszczam, że brat już się skontaktował z prokuratorem Gregsonem. Widzi pan, detektywie, jest pan tylko kurierem. Pańskie zadanie polega wyłącznie na tym, żeby jutro rano zabrać pana Goshena na pokład samolotu i bezpiecznie przewieźć go do Los Angeles. Potem najprawdopodobniej sprawę przejmie ktoś inny.

– Najprawdopodobniej nie – odparł Bosch.

Wyminął adwokata i otworzył drzwi pokoju przesłuchań. Goshen uniósł głowę. Bosch podszedł do stołu. Pochylił się, opierając dłonie o blat. Zanim zdążył się odezwać, Weiss wpadł za nim, ostrzegając od progu:

– Luke, nie mów ani słowa. Ani słowa.

Bosch nie zwracał uwagi na Weissa, patrzył tylko na Goshena.

– Daj mi tylko dowód zaufania, Lucky. Jeżeli chcesz, żebym bezpiecznie odstawił cię do Los Angeles, zrób coś dla mnie. Odpowiedz mi na jedno pytanie. Gdzie...

– I tak cię weźmie, Luke. Nie daj się na to nabrać. Jeżeli mnie nie posłuchasz, nie będę cię mógł reprezentować.

– Gdzie jest Layla? – spytał Bosch. – Nie wyjadę z Las Vegas, dopóki z nią nie porozmawiam. Jeżeli chcesz stąd rano wyjechać, muszę się z nią spotkać jeszcze dzisiaj wieczorem. Nie ma jej w domu. Wczoraj rozmawiałem z jej współlokatorką, Pandorą, która powiedziała, że Layla nie pokazuje się od dwóch dni. Gdzie ona jest?

Goshen popatrzył na Weissa.

– Nie mów ani słowa – ostrzegł Weiss. – Detektywie, gdyby był pan uprzejmy wyjść, chciałbym się naradzić z klientem. Sądzę, że bez kłopotu uzyska pan odpowiedź na swoje pytanie.

– Mam nadzieję.

Bosch wrócił na korytarz do Edgara. Wsunął do ust papierosa, ale nie zapalił.

– Dlaczego Layla jest taka ważna? – zapytał Edgar.

– Nie lubię zostawiać żadnych pytań bez odpowiedzi. Chcę wiedzieć, jaką rolę w sprawie odegrała ta dziewczyna.

Bosch nie powiedział mu o nielegalnie nagranej rozmowie, podczas której na prośbę Goshena Layla pytała Alisa, kiedy przyjedzie do Las Vegas. Gdyby udało im się ją odnaleźć, zamierzał wyciągnąć z niej tę informację w trakcie przesłuchania, nie zdradzając, że już o tym wie.

– Poza tym to będzie test – dodał. – Przekonamy się, jak bardzo Goshen jest skłonny do współpracy.

Z pokoju przesłuchań wyszedł adwokat i zamknął za sobą drzwi.

– Jeżeli jeszcze raz zwróci się pan bezpośrednio do mojego klienta mimo mojego wyraźnego ostrzeżenia, że nie odpowie, będę zmuszony zakończyć jakiekolwiek relacje między nami.

Bosch miał ochotę spytać, jakież to relacje zdążyli już nawiązać, ale dał spokój.

– Odpowie nam?

– Nie, ja odpowiem. Mój klient powiedział, że kiedy wspomniana Layla zaczęła pracować w klubie, kilka razy odwoził ją do domu. Raz poprosiła go, żeby zawiózł ją w inne miejsce, ponieważ chciała uniknąć spotkania z pewną osobą, z którą się wtedy widywała, i podejrzewała, że ta osoba może czekać pod jej mieszkaniem. Pojechali wówczas do domu w północnym Las Vegas. Layla twierdziła, że tam się wychowała. Mój klient nie zna dokładnego adresu, ale pamięta, że dom stał na rogu Donna Street i Lillis. Na północno-wschodnim rogu. Proszę spróbować jej tam poszukać.

Bosch wyciągnął notes i zapisał nazwy ulic.

– Dziękuję, mecenasie.

– Skoro wyciągnął pan już notes, proszę zapisać: sala rozpraw numer dziesięć. Będę tam jutro o dziewiątej. Mam nadzieję, że dołoży pan starań, aby mój klient miał bezpieczną podróż?

– Na tym polega zadanie kuriera, prawda?

– Przepraszam, detektywie. W chwili zdenerwowania człowiek mówi różne rzeczy. Nie chciałem pana urazić.

– Nie czuję urazy.

Bosch wyszedł do głównego biura i skorzystał z telefonu przy pustym biurku, by zadzwonić do Southwest i zmienić rezerwację z trzeciej po południu na dziesiątą trzydzieści rano. Nie patrzył w stronę Iversona, ale czuł, że siedzący pięć metrów od niego detektyw uważnie mu się przygląda.

Bosch odłożył słuchawkę, po czym zajrzał do gabinetu Feltona. Kapitan rozmawiał przez telefon. Bosch zasalutował mu machnięciem ręki i wyszedł.

Wsiedli z Edgarem do wypożyczonego samochodu, postanawiając, że przed próbą odszukania Layli pojadą do aresztu ustalić szczegóły transportu więźnia.

Areszt znajdował się obok gmachu sądu. Pełniący dyżur sierżant Hackett poinformował detektywów w skrócie, jak i gdzie Goshen zostanie im przekazany. Było już po piątej i służbę objęła druga zmiana, co oznaczało, że nazajutrz rano spotkają się z innym sierżantem. Mimo to Bosch czuł się pewniej, poznając całą procedurę wcześniej. Mieli zapakować Goshena do samochodu w zamkniętej strefie z tyłu budynku. Bosch był prawie pewien, że nie będzie żadnych kłopotów. Przynajmniej nie podczas przejmowania więźnia.

Kierując się wskazówkami Hacketta, pojechali do dzielnicy mieszkalnej w północnym Las Vegas i znaleźli dom, do którego Goshen podwiózł kiedyś Laylę. Był to niewielki parterowy budynek z aluminiowymi markizami ocieniającymi wszystkie okna. Pod wiatą przy domu stała mazda RX7.

Drzwi otworzyła im starsza kobieta. Wyglądała na sześćdziesiąt kilka lat i nieźle się trzymała. Bosch dostrzegł pewne podobieństwo między rysami jej twarzy a fotografią Layli. Pokazał kobiecie odznakę.

– Nazywam się Harry Bosch, a to jest Jerry Edgar. Przyjechaliśmy z Los Angeles i szukamy pewnej młodej kobiety, z którą chcemy porozmawiać. Jest tancerką i używa pseudonimu Layla. Zastaliśmy ją?

– Nie mieszka tutaj. Nie wiem, o czym pan mówi.

– Sądzę, że pani wie. Byłbym wdzięczny, gdyby zechciała nam pani pomóc.

– Mówiłam, że jej tu nie ma.

– Słyszeliśmy, że czasem tu nocuje. Zgadza się? Jest pani jej matką? Layla próbowała się ze mną skontaktować. Nie ma żadnego powodu, żeby się bała z nami porozmawiać.

– Przekażę jej, kiedy ją zobaczę.

– Możemy wejść?

Zanim zdążyła odpowiedzieć, Bosch położył dłoń na drzwiach i powoli, ale stanowczo zaczął je otwierać.

– Nie wolno panu...

Nie dokończyła. Wiedziała, że jej słowa nie będą miały żadnego znaczenia. W świecie bez wad policja nie może siłą wchodzić do domu. Ale świat miał wady.

Bosch wszedł i rozejrzał się po wnętrzu. Zobaczył stare meble, które przetrwały znacznie dłużej, niż przewidział ich producent, i zapewne dłużej, niż planowała ich właścicielka, kiedy je kupowała. W pokoju stał standardowy komplet złożony z kanapy i foteli przykrytych wzorzystymi narzutami, które prawdopodobnie miały maskować ich kiepski stan. Obok stał stary telewizor z pokrętłem do przełączania programów. Na stoliku leżały rozłożone kolorowe czasopisma.

– Mieszka pani sama? – zapytał Bosch.

– Owszem, sama – odparła obruszona, jak gdyby pytanie było nietaktem.

– Kiedy ostatni raz widziała pani Laylę?

– Nie ma na imię Layla.

– To było moje drugie pytanie. Jak się nazywa?

– Gretchen Alexander.

– A pani?

– Dorothy Alexander.
– Gdzie ona jest, Dorothy?
– Nie wiem i nie pytałam.
– Kiedy wyjechała?
– Wczoraj rano.

Bosch skinieniem głowy dał znak Edgarowi, który zrobił w tył zwrot i ruszył korytarzem prowadzącym w głąb domu.

– Dokąd on idzie? – zaniepokoiła się kobieta.

– Chce się po prostu rozejrzeć – odrzekł Bosch. – Proszę usiąść i ze mną porozmawiać. Im szybciej skończymy, tym szybciej stąd wyjdziemy.

Wskazał jej fotel i zaczekał, aż usiądzie. Dopiero potem obszedł stolik i zajął miejsce na kanapie. Miała zużyte sprężyny. Zapadł się tak głęboko, że musiał się mocno pochylić, a mimo to zdawało mu się, że ma kolana prawie pod brodą. Wyciągnął notes.

– Nie chcę, żeby grzebał w moich rzeczach – powiedziała Dorothy, spoglądając w stronę korytarza.

– Będzie ostrożny. – Bosch otworzył notes. – Odniosłem wrażenie, jakby na nas pani czekała. Skąd pani wiedziała, że przyjedziemy?

– Wiem tylko tyle, co mi powiedziała Gretchen. Mówiła, że może przyjść policja. Nie mówiła nic, że przyjedzie aż z Los Angeles.

„Angeles" wymówiła przez „g".

– Wie pani, dlaczego przyjechaliśmy?
– Z powodu Tony'ego. Podobno ktoś go zabił.
– Dokąd pojechała Gretchen?
– Nie powiedziała. Może mnie pan pytać bez końca, ale zawsze odpowiem tak samo. Nie wiem.
– To jej samochód stoi pod wiatą?
– Pewnie, że jej. Kupiła go za własne pieniądze.
– Zarobione na striptizie?
– Zawsze powtarzam, że pieniądz to pieniądz, wszystko jedno, jak się go zarobi.

W tym momencie wrócił Edgar i spojrzał na Boscha. Harry dał mu znak, by zdał sprawę z lustracji domu.

– Wygląda na to, że tu była. W drugiej sypialni na nocnym stoliku stoi pełna popielniczka. Na drążku w szafie jest puste miejsce. Ktoś zabrał stamtąd ubrania. Znalazłem jeszcze to.

Wyciągnął dłoń, na której spoczywała oprawiona w ramki owalna fotografia przedstawiająca Tony'ego Aliso i Gretchen Alexander. Obejmowali się uśmiechnięci. Bosch skinął głową i ponownie popatrzył na Dorothy Alexander.

– Skoro opuściła dom, to dlaczego zostawiła samochód?
– Nie wiem. Przyjechała po nią taksówka.
– Gretchen poleciała samolotem?
– Skąd mam wiedzieć, jeżeli nawet nie wiem, dokąd się wybierała?

Bosch wycelował w nią palec jak lufę pistoletu.

– Racja. Mówiła, kiedy wróci?
– Nie.
– Ile lat ma Gretchen?
– Niedługo skończy dwadzieścia trzy.
– Jak przyjęła wiadomość o śmierci Tony'ego?
– Niedobrze. Była zakochana i teraz bardzo cierpi. Martwię się o nią.
– Sądzi pani, że może zrobić sobie krzywdę?
– Nie wiem, co może zrobić.
– Powiedziała pani, że jest zakochana, czy tak pani myślała?
– Nie wymyśliłam tego, sama mi powiedziała. Zwierzyła mi się i to była prawda. Mówiła, że chcą się pobrać.
– Wiedziała, że Tony Aliso jest już żonaty?
– Tak, wiedziała. Ale mówił jej, że już wszystko skończone i to tylko kwestia czasu.
Bosch skinął głową. Zastanawiał się, czy to rzeczywiście prawda. Nie mrzonka, w którą wierzyła Gretchen, lecz prawda, w którą wierzył Tony Aliso. Spojrzał na niezapisaną kartkę w notesie.
– Chyba nie mam więcej pytań – rzekł. – Jerry?
Edgar pokręcił głową, po czym powiedział:
– Chciałbym tylko wiedzieć, dlaczego matka pozwala córce zarabiać w ten sposób. Dlaczego pozwala się jej rozbierać w klubach.
– Jerry, może nie...
– Ona ma talent, proszę pana. Przyjeżdżają tam mężczyźni z całego kraju i kiedy ją zobaczą, wracają. Dla niej. Poza tym nie jestem jej matką. Mogłabym być, ale jej prawdziwa matka zostawiła ją i wyjechała dawno temu. Ta dziewczyna ma talent i koniec, a ja nie zamierzam z wami dłużej rozmawiać. Wyjdźcie z mojego domu.
Wstała, jak gdyby była gotowa siłą zmusić ich do wykonania rozkazu. Bosch uznał, że nie będzie się sprzeciwiać i wstał z kanapy, chowając notes.
– Przepraszam za najście – powiedział, wyciągając z portfela wizytówkę. – Gdyby Gretchen się z panią skontaktowała, proszę jej podać ten numer, dobrze? Dzisiaj wieczorem znowu będę w „Mirage".
– Powiem jej, jeżeli się skontaktuje.
Wzięła wizytówkę i odprowadziła ich do drzwi. Stojąc na progu, Bosch obejrzał się jeszcze.
– Dziękuję, pani Alexander.
– Za co?

Wracając na Strip, przez jakiś czas milczeli. Wreszcie Bosch spytał Edgara, co sądzi o rozmowie.
– Zrzędliwe babsko. Musiałem o to zapytać. Chciałem zobaczyć, jak zareaguje. Poza tym myślę, że ta Layla czy Gretchen to fałszywy trop. Po prostu głupia gęś, którą Tony wodził za nos. Wiesz, zwykle to striptizerki kombinują i bajerują. A tutaj to chyba robił Tony.

– Może.

Bosch zapalił papierosa i znów zamilkł. Nie myślał już o rozmowie z Dorothy Alexander. Uznając, że to koniec pracy na dziś, myślał o Eleanor Wish.

Gdy dotarli do „Mirage", Bosch skręcił na podjazd przed głównym wejściem i zatrzymał się przed drzwiami.

– Harry, co ty wyrabiasz? – zaniepokoił się Edgar. – Kanar może nam zafundować pokoje w „Mirage", ale nie wyłoży firmowej kasy na hotelowy parking.

– Spokojnie, tylko cię podwiozłem. Chcę jeszcze dzisiaj zamienić samochody. Jutro w ogóle nie mam zamiaru zbliżać się do lotniska.

– Jasne, ale w takim razie jadę z tobą, stary. Tu nie ma nic do roboty poza traceniem kasy w automatach.

Bosch otworzył schowek i wcisnął guzik odblokowujący zamek bagażnika.

– Nie, Jed, pojadę sam. Muszę przemyśleć parę spraw. Weź swoje rzeczy z bagażnika.

Edgar przypatrywał mu się przez dłuższą chwilę. Bosch od dawna nie mówił do niego Jed. Edgar chciał coś powiedzieć, ale w końcu się rozmyślił. Otworzył drzwi.

– W porządku, Harry. Będziesz chciał później skoczyć na jakąś kolację czy coś?

– Może. Zadzwonię do twojego pokoju.

– Jak sobie życzysz.

Gdy Edgar zatrzasnął klapę bagażnika, Bosch wyjechał z powrotem na Las Vegas Boulevard i tuszył na północ w stronę Sands. Zapadł zmierzch i gasnące światło dnia ustępowało przed blaskiem neonów. Po dziesięciu minutach Bosch zaparkował przed budynkiem, w którym mieszkała Eleanor Wish. Głęboko nabrał powietrza i wysiadł z samochodu. Musiał wiedzieć. Dlaczego nie odbierała telefonu? Dlaczego nie odpowiedziała na wiadomość?

Podszedł do drzwi i poczuł, jak gdyby jakaś ręka złapała go za żołądek. Kartka, którą dwa dni temu starannie złożył i wsunął w szparę futryny, nadal tam tkwiła. Bosch spojrzał na zniszczoną wycieraczkę i mocno zacisnął powieki. Zalała go fala poczucia winy, które dotąd starał się stłumić. Kiedyś z powodu jego telefonu zginął niewinny człowiek. To był błąd, którego skutków nie mógł przewidzieć, ale stało się i próbował nie tyle o tym zapomnieć, ile jakoś z tym żyć. A teraz Eleanor. Bosch wiedział, co znajdzie za drzwiami. Prosząc Feltona o jej adres i numer telefonu, poruszył lawinę, straszną lawinę, która ją porwała i zaniosła do policyjnego pokoju przesłuchań, miażdżąc jej kruche poczucie godności i wiarę, że wszystkie przykrości ma już za sobą.

Bosch na wszelki wypadek odwrócił wycieraczkę w nadziei, że znajdzie klucz. Klucza nie było. Swój komplet wytrychów zostawił w schowku w samochodzie na lotnisku. Zawahał się przez moment, po czym cofnął się o krok i celując w punkt nad klamką, kopnął obcasem w drzwi. Puściły przy futrynie. Wolno wszedł do mieszkania.

W salonie nie zauważył niczego niepokojącego. Szybko przeciął korytarz i wszedł do sypialni. Łóżko było niepościelone i puste. Bosch stał przez chwilę, ogarniając spojrzeniem cały pokój. Zdał sobie sprawę, że kiedy wyłamał drzwi, wstrzymał oddech. Powoli wypuścił powietrze i zaczął normalnie oddychać. Żyła. Była gdzie indziej, ale żyła. Tak przynajmniej sądził. Usiadł na łóżku, wyciągnął papierosa i zapalił. Uczucie ulgi szybko zagłuszyły wątpliwości i natarczywe pytania. Dlaczego nie zadzwoniła? Nie potraktowała poważnie tego, co między nimi zaszło?

– Halo?

Męski głos dobiegał od wejścia. Bosch przypuszczał, że to ktoś, kto usłyszał trzask wyłamywanych drzwi. Wstał i wyszedł z sypialni.

– Tutaj – powiedział. – Jestem z policji.

Wkroczył do salonu i ujrzał mężczyznę ubranego w nienaganny czarny garnitur, białą koszulę i czarny krawat. Nie spodziewał się takiego widoku.

– Detektyw Bosch?

Bosch zesztywniał i nie odpowiedział.

– Ktoś chciałby z panem porozmawiać.

– Kto?

– Sam panu powie, kim jest i w jakiej sprawie chce się z panem spotkać.

Mężczyzna wyszedł, pozostawiając Boschowi decyzję. Po chwili wahania Bosch ruszył za nim.

Na parkingu stała długa limuzyna z włączonym silnikiem. Mężczyzna w czarnym garniturze podszedł do samochodu i usiadł za kierownicą. Bosch przyglądał mu się przez moment, po czym zbliżył się do limuzyny. Instynktownie uniósł rękę i dotknął marynarki, czując przez materiał uspokajający kształt broni. Kiedy to robił, otworzyły się tylne drzwi i skinął na niego jakiś mężczyzna o surowej, ponurej twarzy. Bosch nie zastanawiał się dłużej. Było już za późno.

Wsiadł do wielkiego samochodu, zajmując miejsce zwrócone w stronę tyłu. Na miękkiej kanapie naprzeciw niego siedzieli dwaj mężczyźni. Ten o surowej twarzy, niedbale rozparty na wygodnym siedzeniu, był ubrany w zwykły, swobodny strój, a drugi, starszy, miał na sobie kosztowny trzyczęściowy garnitur i ciasno zawiązany krawat. Na wyściełanym podłokietniku między nimi spoczywała mała czarna skrzynka z zieloną lampką. Bosch widział już takie skrzynki. Wykrywały fale radiowe emitowane przez elektroniczne urządzenia podsłuchowe. Dopóki paliła się zielona lampka, można było spokojnie rozmawiać, mając niemal pewność, że nikt nie podsłuchuje ani nie nagrywa.

– Witam, detektywie Bosch – powiedział człowiek o surowej twarzy.

– Joey Marker, jak sądzę?

– Nazywam się Joseph Marconi.
– Czym mogę panu służyć, panie Marconi?
– Pomyślałem, że utniemy sobie małą pogawędkę. Pan, ja i mój adwokat.
– Pan Torrino?
Jego towarzysz skinął głową.
– Słyszałem, że stracił pan dzisiaj klienta.
– O tym właśnie chcemy z panem porozmawiać – rzekł Marconi. – Mamy pewien kłopot. Otóż...
– Skąd pan wiedział, że tu jestem?
– Od ludzi, którzy obserwowali dom. Domyślaliśmy się, że pan tu wróci. Zwłaszcza kiedy zostawił pan liścik.
A więc go śledzili. Bosch zastanawiał się tylko od kiedy. Nagle wszystko zrozumiał, w jednej chwili odgadując, jaki jest cel tego spotkania.
– Gdzie jest Eleanor Wish?
– Eleanor Wish? – Marconi posłał adwokatowi pytające spojrzenie, po czym popatrzył na Boscha. – Nie znam jej. Ale przypuszczam, że w końcu się zjawi.
– Czego chcesz, Marconi?
– Chciałem po prostu skorzystać z okazji i pogadać. Spokojnie pogadać. Mamy kłopot i może uda nam się wspólnie z niego wybrnąć. Chcę z panem współpracować, detektywie Bosch. A czy pan chce współpracować ze mną?
– Powtarzam, czego chcecie?
– Zamierzam wszystko wyjaśnić, zanim sprawa wymknie się spod kontroli. Posuwa się pan w niewłaściwym kierunku, detektywie. Jest pan dobrym człowiekiem. Kazałem pana sprawdzić. Ma pan zasady etyczne, a ja potrafię to docenić. Cokolwiek człowiek robi w życiu, musi mieć kodeks etyczny. Pan ma. Ale w tej sprawie zmierza pan w niewłaściwym kierunku. Nie miałem nic wspólnego z historią Tony'ego Aliso.
Bosch pokręcił głową, uśmiechając się kpiąco.
– Posłuchaj, Marconi, nie chcę twojego alibi. Na pewno jest nie do obalenia, ale nic mnie nie obchodzi. Potrafisz pociągnąć za spust nawet z odległości tysiąca kilometrów. Nieraz bywało dalej, rozumiesz, co mam na myśli?
– Detektywie Bosch, coś tu się nie zgadza. Nie wiem, co ten cholerny szpicel wam mówi, ale kłamie. W sprawie Tony'ego A. mam czyste ręce, moi ludzie też. Ma pan okazję naprawić swój błąd.
– Jasne, a jak mam to zrobić? Wypuścić Lucky'ego, żebyś go zabrał prosto z pudła do swojej limuzyny i wywiózł na pustynię? Czy potem jeszcze kiedykolwiek zobaczymy Lucky'ego?
– A chce pan jeszcze kiedykolwiek zobaczyć tę byłą agentkę FBI?
Bosch wpatrywał się w niego, czując narastającą wściekłość, dopóki po karku nie przebiegł mu lekki dreszcz. Wtedy błyskawicz-

nym ruchem wyszarpnął broń, pochylił się i złapał gruby złoty łańcuszek zawieszony na szyi Marconiego, przyciągając go do siebie. Przycisnął lufę do policzka Marconiego.

– Słucham?

– Spokojnie, detektywie – odezwał się Torrino. – Niech pan nie robi niczego pochopnie.

Położył Boschowi dłoń na ramieniu.

– Zabierz rękę, gnojku.

Torrino cofnął dłoń, unosząc obie ręce w geście kapitulacji.

– Chcę tylko uspokoić sytuację, nic więcej.

Bosch wyprostował się, lecz wciąż trzymał w ręku pistolet. Lufa pozostawiła na skórze Marconiego odciśnięty okrągły ślad i odrobinę oleju. Starł ją dłonią.

– Gdzie ona jest, Marconi?

– Podobno chciała na parę dni wyjechać, Bosch. Nie ma powodu tak gwałtownie reagować. Jesteśmy pana przyjaciółmi. Wróci. Skoro jest pan, hm... tak bardzo do niej przywiązany, osobiście mogę zagwarantować, że wróci.

– W zamian za co?

W areszcie dyżur miał jeszcze sierżant Hackett. Bosch oświadczył mu, że musi chwilę porozmawiać z Goshenem w pewnej sprawie dotyczącej względów bezpieczeństwa. Hackett wił się jak piskorz, tłumacząc się przepisami zabraniającymi widzeń po godzinach, ale Bosch dobrze wiedział, że miejscowym czasem wyświadcza się taką przysługę, nie zważając na przepisy. W końcu Hackett ustąpił i zabrał Boscha do pokoju, w którym adwokaci rozmawiali z klientami, i kazał mu zaczekać. Po dziesięciu minutach Hackett wmaszerował do pokoju, eskortując Goshena, posadził go na krześle i przykuł mu jedną dłoń do oparcia. Następnie stanął za podejrzanym i założył ręce.

– Sierżancie, muszę z nim porozmawiać w cztery oczy.

– Nie da rady. Względy bezpieczeństwa.

– I tak nie będziemy rozmawiać – wtrącił Goshen.

– Sierżancie – rzekł Bosch. – Wszystko jedno, czy ten człowiek zechce ze mną rozmawiać, czy nie, zamierzam mu powiedzieć coś, co może pana narazić na niebezpieczeństwo, gdyby wyszło na jaw, że pan to usłyszał. Rozumie pan? Po co brać na siebie dodatkowe ryzyko? Pięć minut. Więcej mi nie trzeba.

Hackett zastanowił się przez chwilę, po czym bez słowa zostawił ich samych.

– Sprytny ruch, Bosch, ale nie zamierzam z tobą rozmawiać. Weiss mówił, że możesz próbować różnych zagrywek. Powiedział, że będziesz chciał się dobrać do konfitur przed czasem. Ale ja w to nie gram. Zawieź mnie do Los Angeles, posadź przed ludźmi, z którymi można negocjować i będziemy negocjować. Każdy dostanie to, czego chce.

– Zamknij się i słuchaj, głupi gnojku. Gówno mnie obchodzą negocjacje. W tym momencie obchodzi mnie tylko jedno: zostawić cię przy życiu czy nie.

Bosch zobaczył, że zdołał wywołać w nim zainteresowanie. Odczekał jeszcze chwilę dla większego efektu, po czym zaczął:

– Goshen, coś ci wyjaśnię. W całym Las Vegas jest tylko jedna osoba, na której mi zależy. Jedna. Gdyby jej tu nie było, całe miasto mogłoby się spalić w słońcu albo wylecieć w powietrze i naprawdę w ogóle bym się tym nie przejął. Ale jest tu osoba, na której mi zależy. I ze wszystkich ludzi w mieście twój pracodawca postanawia porwać właśnie ją, żeby mieć mnie w garści.

Goshen z niepokojem zmrużył oczy. Bosch mówił o jego ludziach. Goshen domyślał się, co usłyszy.

– Umowa jest taka – ciągnął Bosch. – Ty w zamian za nią. Joey Marker powiedział, że jeżeli nie pojedziesz do Los Angeles, moja przyjaciółka wróci. I na odwrót. Rozumiesz, o czym mówię?

Goshen wbił wzrok w stół i wolno pokiwał głową.

– Naprawdę?

Bosch wyciągnął broń i wycelował w niego, trzymając lufę dziesięć centymetrów od jego twarzy. Goshen spojrzał zezem w głąb czarnego otworu.

– Mógłbym ci tu i teraz rozwalić łeb. Hackettowi powiedziałbym, że chciałeś mi odebrać broń. Na pewno by na to poszedł. Zgodził się na nasze spotkanie. Wbrew przepisom. Musiałby na to pójść.

Bosch cofnął broń.

– Albo jutro. Powiem ci, jak to będzie wyglądało. Czekamy na samolot na lotnisku. Nagle wybucha zamieszanie przy automatach. Jakiś frajer rozbił bank, a mój partner i ja popełniamy błąd i patrzymy w tamtą stronę. Tymczasem ktoś – może twój kumpel Gustie – wbija ci w kark sztylet. Koniec z tobą, moja przyjaciółka wraca do domu.

– Czego chcesz, Bosch?

Bosch pochylił się nad stołem.

– Jednego powodu, żebym tego nie zrobił. Gówno mnie obchodzisz, Goshen, żywy czy martwy. Ale nie pozwolę, żeby włos spadł jej z głowy. Popełniałem w życiu błędy. Kiedyś przeze mnie zginął ktoś, kto nie powinien. Rozumiesz? Nie zamierzam więcej do tego dopuścić. To jest odkupienie, Goshen. I jeżeli będę musiał poświęcić taką szmatę jak ty, możesz być pewien, że to zrobię. Jest tylko jedno wyjście. Znasz Joeya Markera. Gdzie może ją trzymać?

– Jezu, nie wiem.

Goshen podrapał się w głowę.

– Myśl, Goshen. Na pewno robił już coś takiego. Dla takich jak wy to normalka. Gdzie przetrzymywałby kogoś, tak żeby nikt go nie znalazł?

– Ma… ma dwie kryjówki. Tę twoją przyjaciółkę wysłał pewnie do Samoańczyków.

– Kto to jest?
– Takie dwa byczki. Samoańczycy. Są braćmi. Mają takie imiona, że nie można ich wymówić. Nazywamy ich Tom i Jerry. Mieszkają w jednej z jego kryjówek. Joey pewnie ukrył ją w ich domu. W drugim domu przeważnie liczy kasę i przyjmuje ludzi z Chicago.
– Gdzie jest dom Samoańczyków?
– W północnym Las Vegas, zresztą niedaleko „Dolly".
Na kartce wyrwanej z notesu, którą podał mu Bosch, Goshen naszkicował mapkę z trasą do domu.
– Byłeś tam, Goshen?
– Tak, parę razy.
Bosch odwrócił kartkę.
– Narysuj mi plan domu.

Bosch zaparkował na podjeździe przed głównym wejściem „Mirage" i wyskoczył z zakurzonego samochodu służbowego, który odebrał wcześniej z lotniska. Zbliżył się do niego pracownik obsługi parkingu, ale Bosch wyminął go w biegu.
– Pańskie kluczyki?
– Zaraz wracam.
Parkingowy zaczął protestować, mówiąc, że nie wolno zostawiać w tym miejscu samochodu, ale Bosch zniknął za obrotowymi drzwiami. Idąc przez kasyno w stronę holu, szukał wśród graczy Edgara, zatrzymując wzrok na każdym wysokim, czarnym mężczyźnie, lecz nie było takich wielu. Nie zauważył Edgara.
W holu podniósł słuchawkę telefonu wewnętrznego, poprosił o połączenie z pokojem Edgara i wydał głośne westchnienie ulgi, gdy jego partner odebrał.
– Jerry, tu Bosch. Potrzebuję twojej pomocy.
– Co jest?
– Czekam na ciebie na podjeździe przed wejściem.
– Teraz? Właśnie przyszedł kelner. Kiedy nie dzwoniłeś, pomyślałem...
– Teraz, Jerry. Zabrałeś z Los Angeles swoją kamizelkę?
– Kamizelkę? Tak. Ale o co...
– Weź ją ze sobą.
Odłożył słuchawkę, zanim Edgar zdążył spytać o coś więcej.
Odwracając się, stanął twarzą w twarz z kimś, kogo znał. Mężczyzna był elegancko ubrany, więc w pierwszej chwili Bosch pomyślał, że to któryś z ludzi Joeya Markera, ale zaraz go rozpoznał. Hank Meyer. Szef ochrony „Mirage".
– Detektywie Bosch, nie spodziewałem się pana.
– Dzisiaj przyjechałem. Mam stąd kogoś zabrać.
– Czyli dopadliście go?
– Chyba tak.
– Gratulacje.

– Hank, spieszę się. Zastawiłem podjazd przed wejściem.

– Ach, więc to pański samochód. Właśnie usłyszałem przez radio komunikat. Tak, tak, proszę zabrać stamtąd wóz.

– Porozmawiamy później.

Bosch próbował go wyminąć.

– Aha, detektywie, chciałem panu tylko powiedzieć, że jeszcze nikt nie odebrał tamtej wygranej.

Bosch zatrzymał się.

– Co takiego?

– Prosił mnie pan, żebyśmy sprawdzili, czy nikt nie wypłacił u bukmacherów wygranego kuponu. Ofiara obstawiła u nas w piątek zwycięstwo Dodgersów, pamięta pan?

– Ach tak, pamiętam.

– No więc przejrzeliśmy taśmy z komputerów i ustaliliśmy numer kuponu. Potem sprawdziłem numer w komputerze. Nikt jeszcze nie odebrał pieniędzy.

– Dobrze, bardzo dziękuję.

– Dzwoniłem dzisiaj do Los Angeles, ale pana nie zastałem. Nie wiedziałem, że pan przyjeżdża. Będziemy pilnować tego kuponu.

– Dziękuję, Hank. Naprawdę muszę już iść.

Bosch ruszył w stronę wyjścia, ale Meyerowi nie zamykały się usta.

– Nie ma za co. To ja dziękuję. Zawsze się cieszymy, gdy mamy okazję pomóc bratnim siłom ochrony porządku publicznego.

Meyer rozpromienił się w uśmiechu. Bosch spojrzał na niego, czując się jak z kulą u nogi. Nie mógł się od niego uwolnić. Skinął głową i szedł dalej, zastanawiając się, kiedy ostatni raz słyszał określenie „bratnie siły ochrony porządku publicznego". Gdy był w połowie holu, obejrzał się przez ramię i zobaczył, że Meyer wciąż za nim drepcze.

– Jeszcze jedno, detektywie Bosch.

Bosch przystanął, ale stracił już cierpliwość.

– Hank, o co chodzi? Muszę stąd jak najszybciej wyjść.

– Tylko chwileczkę. Chciałem pana prosić o przysługę. Przypuszczam, że wiadomość o tym aresztowaniu dostanie się do prasy. Byłbym wdzięczny, gdyby nie wspominano w niej o „Mirage". Nawet o pomocy z naszej strony.

– Nie ma sprawy. Nie powiem o tym ani słowa. Porozmawiamy później, Hank.

Bosch odwrócił się i odszedł. Nie sądził, by w komunikatach prasowych pojawiła się wzmianka o „Mirage", ale rozumiał zaniepokojenie Meyera. Domniemanie winy z powodu związku z przestępcą. Meyer mylił public relations z ochroną kasyna. A może to było jedno i to samo.

Bosch dotarł do samochodu w chwili, gdy z hotelu wyszedł Edgar, niosąc kamizelkę kuloodporną. Parkingowy posłał Boschowi srogie spojrzenie. Bosch wyciągnął pięć dolarów i wręczył mu banknot, ale nie udało mu się go udobruchać. Potem obaj detektywi wskoczyli do samochodu i odjechali.

Kiedy mijali kryjówkę, o której Goshen mówił Boschowi, dom wydawał się pusty. Bosch zatrzymał samochód przecznicę dalej.

– Ciągle nie wiem, czy dobrze robimy, Harry – rzekł Edgar. – Powinniśmy zawiadomić miejską.

– Mówiłem ci. Nie możemy. Marker musi kogoś mieć w miejskiej. Inaczej skąd miałby wiedzieć, że ma ją porwać? Zawiadomimy miejską, Joey się dowie i zabije ją albo zabierze w inne miejsce, zanim miejska zdąży cokolwiek zrobić. Dlatego najpierw wejdziemy, a dopiero potem zawiadomimy miejską.

– Jeżeli w ogóle będzie jakieś potem. Cholera, co chcesz zrobić? Wejść i wszystkich wytłuc? Nie podoba mi się taka kowbojska jazda, Harry.

– Nie, Jerry, masz tylko usiąść za kółkiem, zawrócić samochód i czekać w pogotowiu. Być może trzeba będzie szybko stąd wiać.

Bosch miał nadzieję, że Edgar mu pomoże, ale kiedy po drodze wyjaśnił mu sytuację, przekonał się, że nie może liczyć na jego entuzjazm i pełne poparcie. Dlatego Bosch wybrał plan B, według którego Edgar miał być tylko kierowcą.

Bosch otworzył drzwi i zanim wysiadł, zerknął na Edgara.

– Na pewno będziesz tu czekał?

– Będę. Tylko nie daj się zabić. Nie mam ochoty się z tego tłumaczyć.

– Jasne, postaram się. Pożycz mi tylko kajdanki i otwórz bagażnik.

Bosch wsunął kajdanki Edgara do kieszeni marynarki i podszedł do bagażnika. Wyciągnął kamizelkę kuloodporną i nałożył na koszulę, a potem narzucił marynarkę, by ukryć kaburę. Odsunął matę z dna bagażnika i uniósł koło zapasowe. Pod spodem spoczywał glock 17 opakowany w zatłuszczoną szmatę. Bosch otworzył magazynek i sprawdził, czy na pocisku u góry nie ma śladów rdzy. Następnie wsunął pistolet za pasek. Gdyby doszło do strzelaniny, nie miał zamiaru użyć służbowej broni.

Mijając okno od strony kierowcy, zasalutował Edgarowi i ulicą ruszył w stronę domu.

Kryjówkę urządzono w niewielkim budynku z otynkowanych betonowych bloczków, który niczym nie wyróżniał się z otoczenia. Przeskoczywszy przez metrowy parkan, Bosch wyciągnął zza paska broń i trzymając ją u boku, ruszył wzdłuż bocznej ściany domu. W żadnym z okien od frontu i z boku nie zauważył świateł. Usłyszał jednak przytłumiony dźwięk telewizora. Eleanor tu była. Czuł to. Wiedział, że Goshen powiedział prawdę.

Gdy dotarł do rogu, w ogrodzie za domem ujrzał basen oraz zadaszoną werandę i antenę satelitarną zamontowaną na betonowej płycie. Nowoczesna melina mafii, pomyślał. Nigdy nie wiadomo, na jak długo trzeba się będzie zaszyć, lepiej więc mieć pod ręką pięćset kanałów.

Ogród był pusty, ale gdy Bosch skręcił za róg, zobaczył jasne okno. Idąc wzdłuż muru, podkradł się bliżej. W oknie były opuszczone żaluzje, ale zaglądając przez szpary, Bosch zobaczył dwóch potężnie zbudowanych mężczyzn – zapewne Samoańczyków, o których mówił Goshen. I Eleanor. Samoańczycy siedzieli na kanapie przed telewizorem. Eleanor siedziała na ustawionym obok kuchennym krześle, do którego przykuto ją za przegub i kostkę. Jej twarz przesłaniał abażur lampy podłogowej. Bosch poznał ją jednak po ubraniu, ponieważ miała na sobie te same rzeczy, w których policja miejska zgarnęła ją na posterunek. Wszyscy troje oglądali powtórkę odcinka *Mary Tyler Moore*. Bosch poczuł wzbierający w nim gniew.

Przykucnął pod oknem, zastanawiając się, jak ją stamtąd wyciągnąć. Oparł się o ścianę, patrząc na połyskującą powierzchnię basenu. Wpadł na pewien pomysł.

Zerkając ponownie przez żaluzję, aby się upewnić, czy nikt się ruszył z miejsca, Bosch wrócił za róg domu i podszedł do betonowej płyty, na której stała antena satelitarna. Wsunął broń za pasek, przez chwilę oglądał urządzenie, po czym chwycił talerz i zmienił jego położenie, obracając czaszę do ziemi.

Czekał nie dłużej niż pięć minut, podczas których jeden z Samoańczyków prawdopodobnie majstrował przy telewizorze, usiłując wyregulować obraz. Wreszcie zapaliło się światło za domem, otworzyły się tylne drzwi i na werandę wyszedł jeden z mężczyzn ubrany w koszulę hawajską wielkości namiotu, z długimi ciemnymi włosami spływającymi na ramiona.

Kiedy osiłek stanął przy antenie, najwyraźniej nie bardzo wiedział, co począć. Oglądał ją przez długą chwilę, a potem przeszedł na drugą stronę, jak gdyby miał stamtąd lepszy widok. Stanął odwrócony do Boscha plecami.

Bosch wysunął się zza rogu domu i podszedł do niego. Przyłożył mu lufę glocka do kręgosłupa, który należałoby raczej nazwać grubym kręgoklocem.

– Nie ruszaj się, wielkoludzie – powiedział cicho i spokojnie. – I nic nie mów, jeżeli nie chcesz spędzić reszty życia na wózku, wożąc własne siki w woreczku.

Zaczekał na reakcję. Samoańczyk stał bez ruchu i milczał.

– Jesteś Tom czy Jerry?

– Jerry.

– Dobra, Jerry, teraz podejdziemy do werandy. Idź.

Zbliżyli się do jednego ze stalowych słupków podtrzymujących dach werandy. Bosch cały czas przyciskał lufę do jego koszuli. Następnie wyciągnął z kieszeni kajdanki Edgara. Podał je Samoańczykowi, z trudem dosięgając celu zza jego potężnego cielska.

– Weź to. Przykuj się do słupka.

Czekał, dopóki nie usłyszał szczęku zatrzaskujących się kajdanek, a potem obszedł osiłka i sprawdził, czy są zamknięte, dociskając je wokół grubych nadgarstków.

– Bardzo dobrze, Jerry. Powiedz mi teraz, chcesz, żebym zabił twojego brata? Mógłbym tam wejść, załatwić go i zabrać dziewczynę. Tak by było najłatwiej. Chcesz, żebym tak zrobił?

– Nie.

– W takim razie zrób dokładnie to, co ci powiem. Jeżeli coś spieprzysz, braciszek zginie. A potem ty, bo nie mogę sobie pozwolić na zostawianie świadków. Kapujesz?

– Tak.

– Zawołaj do niego, ale nie wołaj go po imieniu, bo ci nie wierzę. Zapytaj, czy jest już obraz w telewizji. Kiedy powie, że nie, powiedz mu, żeby wyszedł i pomógł ci ustawić antenę. Powiedz, że może spokojnie zostawić dziewczynę samą, bo jest przykuta do krzesła. Jeżeli dobrze się sprawisz, Jerry, wszyscy będą żyć. Jeżeli nie, to parę osób pożegna się ze światem.

– Jak mam go zawołać?

– Może „brachu"? Powinno poskutkować.

Jerry spełnił polecenie i dobrze się sprawił. Po wymianie kilku zdań na werandzie ukazał się jego brat i widząc odwróconego plecami do siebie Jerry'ego, zorientował się, że coś jest nie tak. W tym momencie Bosch zaszedł go z prawej strony i wycelował w niego glocka. Używając własnych kajdanek, przykuł do drugiego słupka werandy brata Jerry'ego, który wydawał się jeszcze potężniejszy i miał na sobie koszulę w bardziej krzykliwych kolorach.

– W porządku, chwila przerwy, chłopaki. Zaraz wracam. Aha, który z was ma kluczyk do kajdanek dziewczyny?

– On – powiedzieli chórem.

– Bądźcie rozsądni, chłopcy. Nie chcę nikomu zrobić krzywdy. Teraz serio, kto ma kluczyk?

– Ja.

Głos dobiegł zza pleców Boscha, od strony drzwi prowadzących na werandę. Bosch znieruchomiał.

– Spokojnie, Bosch. Rzuć broń do basenu i odwróć się, bardzo powoli.

Bosch spełnił polecenie i odwrócił się. Stał przed nim Gustie. Mimo ciemności Bosch dostrzegł w jego oczach radość i nienawiść. Kiedy Gustie wszedł na werandę, Bosch zobaczył w jego dłoni broń. Był zły na siebie za to, że nie wybadał terenu ani nawet nie spytał Jerry'ego, czy poza jego bratem i Eleanor w domu jest ktoś jeszcze. Gustie uniósł broń i wcisnął lufę w policzek Boscha, tuż pod lewym okiem.

– Widzisz, jakie to uczucie?

– Gadałeś z szefem, co?

– Gadałem. Nie jesteśmy głupi, Bosch. To ty jesteś głupi. Wiedzieliśmy, że możesz spróbować wyciąć taki numer. Teraz zadzwonimy do szefa i zobaczymy, co postanowi. Ale najpierw rozkujesz Toma i Jerry'ego. Słyszysz, skurwielu? W tej chwili.

– Jasne, Gustie.

Bosch wahał się, czy nie sięgnąć do marynarki po drugi pistolet, ale wiedział, że to samobójstwo, dopóki Gustie wbija mu lufę w twarz. Powoli sięgnął po kluczyki, gdy nagle kątem oka dostrzegł jakiś ruch po lewej i usłyszał okrzyk:

– Nie ruszaj się, gnojku!

To był Edgar. Gustie ani drgnął. Pat trwał przez kilka chwil, po czym Bosch sięgnął do marynarki, wyciągnął pistolet i przystawił go Gustiemu do szyi. Stali naprzeciw siebie, mierząc się wzrokiem.

– I co ty na to? – odezwał się wreszcie Bosch. – Chcesz spróbować? Zobaczymy, kto pierwszy?

Gustie milczał i do akcji wkroczył Edgar, przykładając mu lufę do skroni. Bosch z uśmiechem wyjął Gustiemu pistolet z dłoni i wrzucił do basenu.

– Tak myślałem.

Zerknął na Edgara i podziękował mu skinieniem głowy.

– Pójdę po nią. Poradzisz sobie z nim?

– Poradzę, Harry. Mam nadzieję, że gruby skurwiel zrobi coś głupiego.

Bosch obszukał Gustiego, ale nie znalazł ukrytej broni.

– Gdzie kluczyk do kajdanek? – spytał.

– Odpierdol się.

– Pamiętasz, co cię spotkało przedwczoraj? Masz ochotę na powtórkę? Gadaj, gdzie ten pieprzony kluczyk.

Bosch przypuszczał, że jego kluczyk też będzie pasował, ale chciał skłonić Gustiego, by oddał mu swój. W końcu osiłek westchnął ciężko i mruknął, że kluczyk leży na blacie w kuchni.

Bosch wszedł do domu, trzymając broń w pogotowiu i szukając kolejnych niespodzianek. Nikogo nie było. Zabrał kluczyk z kuchni i skierował się do pokoju w głębi domu, gdzie była Eleanor. Kiedy stanął na progu i Eleanor uniosła wzrok, ujrzał w jej oczach coś, co przypuszczalnie na zawsze miało mu zapaść w serce. Nie potrafiłby tego ująć w słowa. Spojrzała na niego tak, jak gdyby w jednej chwili przestała się bać i wiedziała, że jest już bezpieczna. Może to był wyraz wdzięczności. Może tak ludzie patrzą na bohaterów. Bosch przypadł do niej i ukląkł przed krzesłem, aby zdjąć kajdanki.

– Eleanor, nic ci nie jest?

– Nic, wszystko w porządku. Wiedziałam, Harry. Wiedziałam, że przyjdziesz.

Uwolnił ją z kajdanek i spojrzał jej w oczy. Szybkim ruchem przytulił ją do siebie.

– Musimy się spieszyć.

Wyszli do ogrodu. W rozgrywającej się tam scenie nie zaszła żadna zmiana.

– Jerry, radzisz sobie z nim? Chcę znaleźć telefon i zadzwonić do Feltona.

– Możesz być...

– Nie – powiedziała stanowczo Eleanor. – Nie dzwoń do nich. Nie chcę.

Bosch spojrzał na nią.

– Eleanor, co ty mówisz? Zostałaś porwana. Gdybyśmy tu nie przyjechali, bardzo możliwe, że jutro wywieźliby cię stąd i użyźnili tobą pustynię.

– Nie chcę glin. Nie chcę znowu przez to przechodzić. Chcę, żeby to się wreszcie skończyło.

Bosch wpatrywał się w nią przez dłuższą chwilę.

– Jerry, radzisz sobie? – spytał.

– Jasne.

Bosch podszedł do Eleanor, chwycił ją za rękę i zaprowadził do domu. Kiedy znaleźli się we wnęce obok kuchni i żaden z mężczyzn na zewnątrz nie mógł ich słyszeć, przystanął i spojrzał na nią.

– Eleanor, o co chodzi?

– O nic. Po prostu nie chcę...

– Zrobili ci krzywdę?

– Nie, tylko...

– Zgwałcili cię? Powiedz prawdę.

– Nie, Harry. Nic z tych rzeczy. Chcę tylko, żeby to się skończyło.

– Posłuchaj, możemy zgarnąć Markera, jego adwokata i tych trzech gnojków z werandy. Dlatego tu jestem. Marker powiedział mi, że cię uprowadził.

– Nie oszukuj się, Harry. Markerowi nic za to nie zrobisz. Co ci właściwie powiedział? I kto miałby być świadkiem? Ja? Jestem przestępcą z wyrokiem, Harry. Na dodatek kiedyś byłam po drugiej stronie. Pomyśl tylko, co adwokat mafii mógłby z tym zrobić.

Bosch milczał. Wiedział, że Eleanor ma rację.

– W każdym razie nie zamierzam się w to pakować – ciągnęła. – Kiedy wyciągnęli mnie z domu i zawieźli na komendę, pozbyłam się złudzeń. Nie mam zamiaru grać po ich stronie. Możesz mnie stąd zabrać?

– Jeżeli jesteś pewna, że właśnie tego chcesz. Potem nie będziesz się już mogła rozmyślić.

– Nigdy nie byłam pewniejsza.

Bosch skinął głową i zaprowadził ją z powrotem na werandę.

– Macie dzisiaj szczęście, chłopaki – powiedział do trzech bandytów. Zwracając się do Edgara, dodał: – Zwijamy się stąd. Później o tym pogadamy.

Edgar bez słowa skinął głową. Bosch zbliżył się do Samoańczyków i zakuł im ręce w ich własne kajdanki, po czym zdjął im swoje i Edgara. Pokazał kluczyk drobniejszemu z dwóch wielkoludów i cisnął go do basenu. Następnie podszedł do ogrodzenia biegnącego za basenem i wyciągnął stamtąd długi kij z siatką na końcu. Kiedy wyłowił z dna basenu glocka, podał go Eleanor. Potem wrócił do Gustiego, który był ubrany całkiem na czarno. Edgar wciąż stał z jego prawej strony, trzymając pistolet przy jego skroni.

– Ledwie cię poznałem bez smokingu, Gustie. Przekażesz Joeyowi wiadomość?

– Jaką?

– Pierdol się. Powtórz mu to.

– Chyba mu się nie spodoba.

– Mało mnie to obchodzi. Ma szczęście, że nie zostawiam mu trzech trupów.

Bosch spojrzał na Eleanor.

– Chcesz coś jeszcze zrobić albo powiedzieć?

Przecząco pokręciła głową.

– Wobec tego idziemy. Kłopot w tym, Gustie, że zabrakło nam jednej pary kajdanek. Masz pecha.

– Jest sznur w...

Końcem rękojeści pistoletu Bosch uderzył go w grzbiet nosa, miażdżąc wszystkie kosteczki, których nie złamał mu w poprzednim starciu sprzed dwóch dni. Gustie osunął się ciężko na kolana i upadł na twarz, waląc głową w płytki na podłodze werandy.

– Harry! Jezu!

Edgar wyglądał na wstrząśniętego brutalnością ataku.

Bosch popatrzył na niego przelotnie i rzucił:

– Chodźmy.

Gdy dotarli do mieszkania Eleanor, Bosch podjechał tyłem prawie pod same drzwi i otworzył bagażnik.

– Mamy mało czasu – powiedział. – Jerry, zostań tu i uważaj, czy nikt się nie zbliża. Eleanor, możesz zapakować do bagażnika wszystko, co się zmieści. Więcej nie możesz zabrać.

Skinęła głową. Zrozumiała. To był koniec jej pobytu w Las Vegas. Po tym, co się zdarzyło, nie mogła tu dłużej zostać. Bosch zastanawiał się, czy Eleanor rozumie też, że to wszystko przez niego. Gdyby jej nie odnalazł, żyłaby tak samo jak do tej pory.

Wszyscy wysiedli i Bosch poszedł z nią do mieszkania. Eleanor przyglądała się przez chwilę wyłamanym drzwiom, dopóki jej nie wyznał, że to jego dzieło.

– Dlaczego to zrobiłeś?

– Bo kiedy się nie odzywałaś, pomyślałem... pomyślałem, że może być inny powód.

Znów skinęła głową. To także zrozumiała.

– Niewiele tego jest – powiedziała, rozglądając się po mieszkaniu. – Na większości rzeczy w ogóle mi nie zależy. Pewnie nie będę potrzebowała całego bagażnika.

Weszła do sypialni, wyciągnęła z szafy starą walizkę i zaczęła pakować ubrania. Gdy walizka była pełna, Bosch zabrał ją do samochodu. Potem wrócił, a tymczasem Eleanor pakowała do dużego pudła resztę ubrań i rzeczy osobiste. Zobaczył, jak wkłada album ze zdjęciami, a potem idzie do łazienki opróżnić apteczkę.

Z kuchni zabrała korkociąg i kubek do kawy ozdobiony widokiem hotelu „Mirage".

– Kupiłam to, kiedy wygrałam tam czterysta sześćdziesiąt trzy dolary – wyjaśniła. – Grałam przy drogim stole i byłam jeszcze zupełnie zielona, ale wygrałam. Chcę o tym pamiętać.

Położyła obydwa przedmioty na szczycie pełnego pudła i oświadczyła:

– To wszystko. Tyle w życiu zdobyłam.

Bosch zatrzymał na moment wzrok na jej twarzy, a potem zaniósł pudło do samochodu. Z trudem upchał je w bagażniku obok walizki. Kiedy skończył, odwrócił się, żeby zawołać Eleanor, ale już przed nim stała z oprawioną reprodukcją *Nighthawks* Edwarda Hoppera w rękach. Trzymała obraz przed sobą jak tarczę.

– Zmieści się jeszcze?

– Jasne. Musi się zmieścić.

Bosch znów zatrzymał samochód na podjeździe przed głównym wejściem do „Mirage" i zobaczył, jak szef obsługi parkingu marszczy brwi, rozpoznawszy jego auto. Bosch wysiadł, mignął mu przed oczami odznaką na tyle szybko, aby szef obsługi parkingu nie zdążył zauważyć, że to nie odznaka policji miejskiej, i wsunął mu w dłoń dwadzieścia dolarów.

– Policja. Wracam za dwadzieścia minut, najwyżej za pół godziny. Muszę tu zostawić samochód, bo będziemy się stąd musieli szybko ewakuować.

Mężczyzna spojrzał na dwudziestkę w swojej dłoni, jak gdyby to była ludzka kupa. Bosch sięgnął do kieszeni, wyciągnął jeszcze dwadzieścia i podał mu.

– W porządku?

– W porządku. Proszę zostawić kluczyki.

– Nie. Kluczyki zabieram ze sobą. Nikomu nie wolno dotknąć samochodu.

Aby dostać się do walizki Eleanor i ukrytego pod spodem zestawu do czyszczenia broni, Bosch musiał wyciągnąć z bagażnika obraz. Potem wtaszczył walizkę do hotelu, zniecierpliwionym gestem odganiając odźwiernego, który próbował mu pomóc. W holu postawił walizkę na podłodze i spojrzał na Edgara.

– Jerry, wielkie dzięki – powiedział. – Byłeś na swoim miejscu. Eleanor pójdzie się teraz przebrać, a potem podrzucę ją na lotnisko. Pewnie wrócę późno. Umówmy się tutaj jutro o ósmej rano. Pojedziemy prosto do sądu.

– Na pewno nie będę ci potrzebny na lotnisku?
– Nie, chyba damy sobie radę. Marker nie będzie już próbował żadnych numerów. Przy odrobinie szczęścia Gustie ocknie się za jakąś godzinę. Pójdę po klucz.

Zostawił z nim Eleanor i ruszył do recepcji. Z powodu późnej pory nie było kolejki. Podając recepcjoniście kartę kredytową, spojrzał na Eleanor, która żegnała się z Edgarem. Podali sobie ręce, ale Eleanor zaraz puściła dłoń Edgara i uściskała go. Edgar wmieszał się w tłum w kasynie.

Eleanor milczała, dopóki nie znaleźli się w pokoju.

– Dlaczego mam dzisiaj jechać na lotnisko? Mówiłeś, że nic już nam nie zrobią.

– Bo chcę być pewien, że jesteś bezpieczna. A jutro nie będę mógł się o to postarać. Rano jadę do sądu, a potem odstawiam Goshena do Los Angeles. Muszę wiedzieć, że nic ci nie grozi.

– Dokąd mam pojechać?

– Mogłabyś się zatrzymać w hotelu, ale wydaje mi się, że lepiej i bezpieczniej będzie w moim domu. Pamiętasz, gdzie to jest?

– Tak. W bok od Mulholland?

– Zgadza się. Woodrow Wilson Drive. Dam ci klucz. Z lotniska weźmiesz taksówkę, a ja przyjadę jutro wieczorem.

– I co potem?

– Nie wiem. Zobaczymy.

Przysiadła na skraju łóżka, a Bosch usiadł obok niej. Otoczył ją ramieniem.

– Nie wiem, czy mogę znowu zamieszkać w Los Angeles.

– Zobaczymy.

Pochylił się i pocałował ją w policzek.

– Nie całuj mnie. Muszę wziąć prysznic.

Znów ją pocałował i pociągnął na łóżko. Tym razem kochali się inaczej. Wolniej i delikatniej, odnajdując swój rytm.

Potem Bosch pierwszy poszedł wziąć prysznic, a kiedy kąpała się Eleanor, wziął olej i szmatkę z podręcznego zestawu i zabrał się do czyszczenia glocka wyłowionego z basenu. Kilka razy wypróbował zamek i spust, aby się upewnić, czy broń działa bez zarzutu. Następnie napełnił magazynek nową amunicją. Podszedł do szafy, wyciągnął plastikową torbę na pranie, włożył do niej pistolet i wsunął do walizki Eleanor, przykrywając go ubraniami.

Po prysznicu Eleanor ubrała się w żółtą letnią sukienkę i zaplotła włosy w warkocz. Bosch z przyjemnością przyglądał się wprawie, z jaką do robiła. Gdy była gotowa, zamknęła walizkę i wyszli z pokoju. Wkładając walizkę do bagażnika, Bosch ujrzał zbliżającego się szefa obsługi parkingu.

– Następnym razem pół godziny to pół godziny. Nie godzina.

– Przepraszam.

– Przepraszam nie wystarczy. Mogłem przez pana stracić pracę.

Nie zwracając na niego uwagi, Bosch wsiadł do samochodu. W drodze na lotnisko usiłował zebrać myśli i ułożyć z nich sensowne zdania, ale w ogóle mu nie wychodziło. Targały nim uczucia, z którymi nie potrafił sobie poradzić.

– Eleanor – powiedział wreszcie. – Wszystko, co się zdarzyło, to moja wina. Chcę ci to jakoś wynagrodzić.

Położyła mu dłoń na udzie. Odwzajemnił gest. Eleanor milczała.

Na lotnisku Bosch zaparkował pod terminalem Southwest i wyciągnął walizkę. Swoją broń i odznakę zamknął w bagażniku, aby nie mieć kłopotów z wykrywaczem metalu przy wejściu.

Za dwadzieścia minut odlatywał ostatni samolot do Los Angeles. Bosch kupił jej bilet i nadał walizkę na bagaż, aby Eleanor nie miała kłopotu z ukrytą tam bronią. Potem odprowadził Eleanor do terminalu, gdzie stała kolejka pasażerów zmierzających do rękawa prowadzącego na pokład samolotu.

Bosch zdjął z kółka klucz do domu i wręczył jej, podając jej dokładny adres.

– Dom wygląda inaczej, niż zapamiętałaś – powiedział. – Tamten zawalił się podczas trzęsienia ziemi. Odbudowałem go i jeszcze nie jest skończony. Ale nadaje się do mieszkania. Pościel... hm, powinienem ją chyba wyprać parę dni temu, ale nie miałem czasu. Świeżą znajdziesz w szafie w korytarzu.

Uśmiechnęła się.

– Nie martw się. Poradzę sobie.

– Posłuchaj, nie sądzę, żebyś musiała się czegoś obawiać, ale na wszelki wypadek masz w walizce mojego glocka. Dlatego nadałem ją na bagaż.

– Wyczyściłeś go, kiedy byłam pod prysznicem, prawda? Kiedy wyszłam, zdawało mi się, że czuję zapach oleju.

Skinął głową.

– Dzięki, ale nie sądzę, żeby mi był potrzebny.

– Pewnie masz rację.

Spojrzała na kolejkę pasażerów. Wchodzili już ostatni. Eleanor musiała iść.

– Jesteś dla mnie bardzo dobry, Harry. Dziękuję.

Zmarszczył brwi.

– Wcale nie taki dobry. Nie potrafię ci wszystkiego wynagrodzić.

Wspięła się na palce i pocałowała go w policzek.

– Do widzenia, Harry.

– Do widzenia, Eleanor.

Patrzył, jak podawała bilet i wchodziła przez drzwi rękawa. Nie oglądała się za siebie, a jakiś wewnętrzny głos szepnął Boschowi, że może już jej więcej nie zobaczyć. Uciszył go jednak i ruszył w powrotem przez niemal puste lotnisko. Prawie wszystkie automaty stały bezczynne i ciche. Bosch poczuł przytłaczające osamotnienie.

W czwartek rano w sądzie pojawił się jeden kłopot, jeszcze przed rozpoczęciem posiedzenia. Weiss po naradzie z klientem wyszedł z aresztu i szybko odnalazł w korytarzu Boscha i Edgara, naradzających się z Lipsonem, miejscowym prokuratorem, który prowadził sprawę ekstradycji. Do sądu nie przyjechał Gregson z prokuratury okręgowej w Los Angeles. Weiss i Lipson zapewnili go, że Goshen nie będzie się sprzeciwiał wnioskowi o wydanie go Kalifornii.

– Detektywie Bosch? – rzekł Weiss. – Właśnie rozmawiałem ze swoim klientem, który poprosił mnie o przekazanie pewnej informacji przed rozprawą. Powiedział, że przed podjęciem decyzji o ekstradycji chce znać odpowiedź na pewne pytanie. Nie wiem, o co chodzi, ale mam nadzieję, że nie kontaktował się pan z moim klientem.

Twarz Boscha przybrała wyraz niepokoju i równocześnie zdziwienia.

– Co takiego chce wiedzieć?

– Pyta, jak się wczoraj skończyło, cokolwiek to może znaczyć. Chciałbym wiedzieć, o co tu chodzi.

– Proszę mu powiedzieć, że wszystko w porządku.

– Co jest w porządku, detektywie?

– Jeżeli pański klient będzie chciał powiedzieć, sam panu powie. Proszę mu tylko przekazać wiadomość.

Weiss pełnym godności krokiem oddalił się w stronę drzwi aresztu.

Bosch zerknął na zegarek. Była za pięć dziewiąta i nie przypuszczał, żeby sędzia zjawił się na sali punktualnie co do minuty. Żaden sędzia tego nie robił. Bosch sięgnął do kieszeni po papierosy.

– Wychodzę zapalić – poinformował Edgara.

Zjechał windą i wyszedł przed gmach sądu. Było już ciepło i zapowiadał się kolejny skwarny dzień. Wrzesień w Las Vegas zawsze był gorący. Bosch cieszył się, że niedługo wyjeżdża z miasta, wiedział jednak, że droga przez pustynię w upale będzie męczarnią.

Zauważył Mickeya Torrino dopiero wówczas, gdy adwokat stanął kilka stóp od niego. Prawnik też palił papierosa przed przystąpieniem do załatwiania kolejnej sprawy mafii. Bosch przywitał go skinieniem głowy, a Torrino odwzajemnił ukłon.

– Chyba już pan słyszał. Nici z naszej umowy.

Torrino rozejrzał się, sprawdzając, czy nikt ich nie obserwuje.

– Nie wiem, o czym pan mówi, detektywie.

– Jasne. Wy nigdy o niczym nie wiecie.

– Wiem tylko, że popełnia pan błąd. Jeżeli oczywiście w ogóle przejmuje się pan takimi drobiazgami.

– Nie sądzę. Przynajmniej nie w ogólnym rozrachunku. Być może nie mamy faktycznego sprawcy, ale mamy gościa, który to zorganizował. I dostaniemy tego, kto wydał polecenie. Kto wie, może uda się nam zgarnąć całą ekipę. Dla kogo będzie pan wtedy pracował, mecenasie? To znaczy, jeśli sam pan nie trafi za kratki.

Torrino skwitował tę uwagę kpiącym uśmieszkiem i pokręcił głową, jakby rozmawiał z naiwnym dzieckiem.

– Nie ma pan pojęcia, w co się pan pakuje. Taki numer nie przejdzie. Będziecie mieli szczęście, jeżeli uda się wam wsadzić Goshena. W najlepszym razie zamkniecie tylko jego. Ale na tym koniec.

– Wie pan, Lucky bez przerwy gada, że ktoś go wrobił. Oczywiście myśli, że my za tym wszystkim stoimy, ale to bzdura. Tak sobie myślę: a jeżeli rzeczywiście ktoś go wrobił? Fakt, muszę przyznać, że trudno zrozumieć, dlaczego trzymał w domu broń, chociaż widziałem już w życiu głupsze postępowanie. Ale jeżeli to pułapka i nie my ją zastawiliśmy, to kto? Po co Joey Marker miałby wrabiać swojego człowieka, skoro wiadomo, że gość może się odgryźć i oskarżyć Joeya? To bez sensu. Przynajmniej z punktu widzenia Joeya. Potem jednak zacząłem się zastanawiać: a gdybym był prawą ręką Joeya, na przykład jego adwokatem, i sam chciał zostać szefem, żeby o wszystkim decydować? Rozumie pan, o czym mówię? To by był doskonały sposób, żeby się pozbyć największego rywala i Joeya za jednym zamachem. Jak pan sądzi, mecenasie, może taki numer przejdzie?

– Jeżeli kiedykolwiek powtórzy pan komuś te bzdury, gorzko pan pożałuje.

Bosch podszedł bliżej, przysuwając twarz do jego twarzy.

– Jeżeli jeszcze raz mi zagrozisz, sam pożałujesz. Jeżeli coś się kiedykolwiek stanie Eleanor Wish, odpowiesz mi za to osobiście, gnojku, i wtedy już nie będziesz żałować, bo to będzie bardzo niewłaściwe słowo.

Torrino cofnął się, przegrywając pojedynek i odwracając wzrok. Bez słowa ruszył do wejścia. Otwierając ciężkie szklane drzwi budynku, obejrzał się na Boscha i po chwili zniknął w środku.

Kiedy Bosch wrócił na trzecie piętro, zobaczył wybiegającego z sali rozpraw Edgara, za którym wyszli Weiss i Lipson. Bosch spojrzał na zegar w korytarzu. Pokazywał pięć po dziewiątej.

– Harry, gdzieś ty był? Wypaliłeś całą paczkę? – zapytał Edgar.

– Co się stało?

– Już po wszystkim. Zgodził się na ekstradycję. Musimy podjechać samochodem od tyłu i iść do biura zwolnień. Dostaniemy go za piętnaście minut.

– Detektywi? – odezwał się Weiss. – Chcę wiedzieć wszystko o szczegółach transportu mojego klienta i środkach bezpieczeństwa, jakie panowie zastosują.

Bosch otoczył Weissa ramieniem i konfidencjonalnie nachylił się do niego. Zatrzymali się przy windach.

– Pierwszy środek bezpieczeństwa polega na tym, że nikomu nie powiemy, jak i kiedy wrócimy do Los Angeles. Panu też nie, panie Weiss. Wystarczy panu informacja, że jutro rano pański klient stanie w sądzie miejskim i zapozna się z zarzutami.

– Chwileczkę, nie może pan...

– Owszem, możemy, panie Weiss – odparł Edgar, kiedy rozsunęły się drzwi windy. – Pana klient nie wniósł sprzeciwu w sprawie ekstradycji i za piętnaście minut przechodzi pod naszą opiekę. Nie zamierzamy ujawniać żadnych informacji na temat środków bezpieczeństwa stosowanych podczas przekazania i transportu więźnia. Przepraszam pana, ale się spieszymy.

Wsiedli do windy, zostawiając go na korytarzu. Kiedy zamykały się drzwi, Weiss zdążył jeszcze krzyknąć, że nie wolno im rozmawiać z jego klientem, dopóki nie spotka się z nim adwokat w Los Angeles.

Pół godziny później wjechali na pustynię, oglądając Strip w lusterku wstecznym.

– Pożegnaj się, Lucky – poradził Bosch. – Więcej tu nie wrócisz.

Gdy Goshen nie odpowiedział, Bosch zerknął w lusterko. Osiłek siedział z ponurą miną z tyłu, mając ręce przykute do grubego łańcucha opinającego go w pasie. Ich oczy się spotkały i Boschowi zdawało się, że mignął w nich ten sam wyraz co w sypialni jego domu, kiedy Goshen zobaczył broń. To trwało jednak zaledwie ułamek sekundy.

– Jedź – powiedział Goshen znów z tą samą obojętną miną. – Nie będziemy tu rozmawiać.

Bosch spojrzał na drogę przed sobą, uśmiechając się.

– Może nie tu, ale jeszcze pogadamy.

Rozdział 5

Kiedy Bosch i Edgar wychodzili z centralnego aresztu dla mężczyzn w śródmieściu Los Angeles, zabrzęczał pager Boscha, który zerknął na numer. Nie rozpoznał go, ale kod centrali 485 mówił mu, że dzwonił ktoś z Parker Center. Bosch wyciągnął telefon z aktówki i oddzwonił pod ten numer. Odebrała porucznik Billets.

– Detektywie, gdzie jesteście?

Zwróciła się do niego, używając stopnia zamiast imienia, odgadł więc, że prawdopodobnie nie była sama. Fakt, że dzwoniła z Parker Center zamiast z Hollywood, oznaczał, że coś się stało.

– W areszcie centralnym. Co jest?

– Jest z wami Luke Goshen?

– Nie, właśnie go zostawiliśmy. Dlaczego pytasz, co się dzieje?

– Proszę mi podać numer aresztowanego.

Bosch zawahał się przez chwilę, lecz przytrzymując telefon brodą, otworzył teczkę i wyciągnął formularz. Podał Billets odczytany z niego numer, jeszcze raz pytając, co się dzieje. Porucznik znów zignorowała pytanie.

– Detektywie – powiedziała – proszę się natychmiast zgłosić w Parker Center. W sali konferencyjnej na szóstym piętrze.

Na szóstym urzędowała administracja. Mieściły się tam także biura wydziału spraw wewnętrznych. Bosch odpowiedział po krótkim wahaniu.

– Jasne, Grace. Jerry też ma się zgłosić?

– Detektyw Edgar może wracać na komendę Hollywood. Skontaktuję się z nim.

– Mamy tylko jeden samochód.

– Niech weźmie taksówkę i wliczy w koszty. Proszę się pospieszyć, detektywie. Czekamy.

– Czekacie? Kto?

Odłożyła słuchawkę, a Bosch przez długą chwilę wpatrywał się w telefon.

– Co jest? – zapytał Edgar.
– Nie wiem.

Bosch wysiadł z windy na szóstym piętrze i pustym korytarzem ruszył w kierunku sali konferencyjnej, która, jak pamiętał, znajdowała się przed wejściem do biura komendanta na końcu korytarza. Pożółkłe linoleum było świeżo wyfroterowane. Idąc ze spuszczoną głową, widział swój cień poruszający się tuż przed nim.

Drzwi sali konferencyjnej były otwarte i gdy Bosch wszedł, zwróciły się na niego oczy wszystkich obecnych. Zobaczył wśród nich porucznik Billets i kapitan LeValley z komendy Hollywood, poznał też twarze zastępcy komendanta Irvina Irvinga oraz niuchacza z wewnętrznego, Chastaina. Pozostali czterej mężczyźni zgromadzeni przy długim stole konferencyjnym wyglądali jednak obco. Widząc ich klasyczne szare garnitury, Bosch doszedł do wniosku, że to federalni.

– Proszę usiąść, detektywie Bosch – rzekł Irving.

Zastępca komendanta wstał i wyprostował się jak struna w zapiętym po szyję mundurze. Jego wygolona czaszka lśniła w blasku jarzeniówek. Irving wskazał Boschowi miejsce u szczytu stołu. Bosch wysunął krzesło i wolno usiadł, zastanawiając się gorączkowo, co jest grane. Zjazd tylu ważniaków i federalnych wskazywał, że chodziło o coś poważniejszego niż sprawa z Eleanor Wish. Coś, co dotyczyło wyłącznie jego. W przeciwnym razie Billets wezwałaby także Edgara.

– Kto umarł? – zapytał Bosch.

Irving zignorował pytanie. Kiedy Bosch zerknął na twarz Billets siedzącej po lewej, porucznik szybko odwróciła wzrok.

– Detektywie, musimy zadać panu kilka pytań na temat pańskiego śledztwa w sprawie Alisa – rzekł Irving.

– Jakie są zarzuty?

– Nie ma żadnych zarzutów – odparł spokojnie Irving. – Musimy wyjaśnić pewne rzeczy.

– Kim są ci ludzie?

Irving przedstawił mu czterech nieznajomych. Bosch się nie mylił, to byli federalni: John Samuels, zastępca prokuratora federalnego z wydziału specjalnego do spraw przestępczości zorganizowanej, oraz trzej agenci FBI z trzech biur terenowych. John O'Grady z Los Angeles, Dan Ekeblad z Las Vegas i Wendell Werris z Chicago.

Żaden z nich nie wyciągnął ręki do Boscha ani nawet nie skinął głową. Wszyscy patrzyli na niego z nieskrywaną pogardą. Taki stosunek federalnych do policji Los Angeles był normą, Bosch nadal jednak nie wiedział, o co chodzi.

– Na początku wyjaśnimy parę szczegółów – zaczął Irving. – Oddaję głos panu Samuelsowi.

Samuels przygładził gęste czarne wąsy i pochylił się nad stołem. Zajmował miejsce dokładnie naprzeciw Boscha na drugim końcu stołu. Leżał przed nim żółty notatnik, lecz Bosch siedział za daleko, by móc odczytać, co w nim jest napisane. Zaznaczając długopisem miejsce w notatkach, prokurator rzekł:

– Zacznijmy od rewizji w domu Luke'a Goshena. Kto dokładnie znalazł broń zidentyfikowaną później jako narzędzie zbrodni, którym zamordowano Anthony'ego Aliso?

Bosch zmrużył oczy. Znów próbował spojrzeć na Billets, ale wbiła wzrok w blat stołu. Patrząc po twarzach pozostałych, dostrzegł szyderczy uśmieszek Chastaina. Temu akurat się nie dziwił. Chastain już się kiedyś próbował do niego dobierać. W departamencie nazywano go Chastain Zasadny. Kiedy funkcjonariuszowi stawiano zarzuty niedopełnienia czy przekroczenia obowiązków służbowych, dochodzenie wydziału spraw wewnętrznych i przesłuchanie przez Radę Praw Obywatelskich kończyło się jednym z dwóch wyroków: zarzuty albo podtrzymywano jako zasadne, albo oddalano jako bezzasadne. Chastain miał na koncie znacznie więcej spraw, w których zarzuty uznano za zasadne. Stąd wzięło się jego przezwisko i nosił je z dumą niczym medal.

– Jeżeli to jest przedmiot wewnętrznego śledztwa, wydaje mi się, że przysługuje mi prawo do reprezentanta – powiedział Bosch. – Nie wiem, o co chodzi, ale o niczym nie muszę wam mówić.

Irving podsunął mu jakąś kartkę.

– Oto rozkaz podpisany przez komendanta, detektywie, który zobowiązuje pana do współpracy z obecnymi tu panami. Jeśli pan odmówi, zostanie pan niezwłocznie zawieszony, bez prawa do pensji. Dopiero wówczas będzie pan mógł uzyskać pomoc od przedstawiciela związku.

Bosch spojrzał na list. Było to urzędowe pismo, jakie już nieraz dostawał. Należało do arsenału środków, z których korzystał departament, przypierając do muru krnąbrnych policjantów i stawiając ich przed prostym wyborem: albo gadasz, albo nie jesz.

– Ja znalazłem broń – powiedział Bosch, nie unosząc głowy znad rozkazu. – Była w łazience, opakowana w plastik i ukryta między spłuczką a ścianą. Ktoś mówił, że w takim samym miejscu gangsterzy schowali broń w *Ojcu chrzestnym*. Ale nie pamiętam tej sceny.

– Czy kiedy rzekomo odnalazł pan broń, był pan sam?

– Rzekomo? Chce pan powiedzieć, że broni tam nie było?

– Proszę tylko odpowiedzieć na pytanie.

Bosch z odrazą pokręcił głową. Nie wiedział, o co chodzi, ale sprawa zaczynała wyglądać gorzej, niż się spodziewał.

– Nie byłem sam. Dom był pełen glin.

– Czy byli z panem w łazience? – zapytał O'Grady.

Bosch popatrzył na niego bez słowa. O'Grady był młodszy od niego co najmniej o dziesięć lat i miał zadbany wygląd, do którego FBI przywiązywało dużą wagę.

– Sądziłem, że pytania zadaje pan Samuels – wtrącił Irving.

– Owszem, zadaję – odparł Samuels. – Czy kiedy odkrył pan broń w łazience, byli z panem inni policjanci?

– Byłem sam. Ale gdy tylko znalazłem pistolet, zanim go w ogóle dotknąłem, wezwałem z sypialni funkcjonariusza z patrolu, żeby był świadkiem. Jeżeli to sprawka adwokata Goshena, który przybiegł się do was poskarżyć i opowiadał, że podrzuciłem broń, to wygaduje bzdury. Broń tam była, poza tym nawet bez niej mamy sporo rzeczy obciążających Goshena. Motyw, odciski palców... po co miałbym podrzucać broń?

– Żeby pójść na łatwiznę – odrzekł O'Grady.

Bosch prychnął gniewnie.

– Jasne, to dokładnie w stylu FBI. Rzucacie wszystko i czepiacie się gliniarza z Los Angeles tylko dlatego, że dostaliście cynk od jakiegoś bydlaka z mafii. Dają wam doroczne nagrody za udupienie gliniarza? Płacą podwójną stawkę, jeżeli to glina z Los Angeles? Pieprz się, O'Grady, rozumiesz?

– Rozumiem. Niech pan po prostu odpowiada.

– Czekam na pytania.

Samuels skinął głową, jak gdyby Bosch zdobył jakiś punkt, po czym wrócił do notatek, przesuwając długopis o linijkę w dół.

– Zanim wszedł pan do łazienki i w wyniku przeszukania znalazł broń, czy wchodził tam wcześniej jakiś inny funkcjonariusz? – spytał.

Bosch próbował sobie przypomnieć, odtwarzając szczegóły akcji policji miejskiej. Był pewien, że tylko na początku ktoś zajrzał do łazienki, sprawdzając, czy ktoś się tam nie ukrywa, a potem nikt tam nie wchodził.

– Nie jestem zupełnie pewien – powiedział. – Ale wątpię. Gdyby nawet ktoś wszedł, nie zdążyłby podrzucić broni. Pistolet na pewno już tam był.

Samuels znów pokiwał głową, zajrzał do notatnika, po czym zwrócił się do Irvinga.

– Komendancie, myślę, że tyle nam na razie wystarczy. Jesteśmy oczywiście wdzięczni za współpracę i przypuszczam, że niedługo znów się spotkamy.

Samuels zaczął się podnosić z miejsca.

– Chwileczkę – powstrzymał go Bosch. – To wszystko? Chce pan tak po prostu wstać i wyjść? O co tu chodzi, do cholery? Należy mi się jakieś wyjaśnienie. Kto złożył skargę, adwokat Goshena? Bo jeżeli tak, zaraz sam na niego złożę skargę.

– O tym powie panu komendant, jeśli uzna to za stosowne.

– Nie, Samuels. Pan mi powie. Zadawał pan pytania, niech teraz pan odpowie na kilka moich.

Samuels przez chwilę stukał długopisem w notatnik, spoglądając na Irvinga. Zastępca komendanta rozłożył ręce, dając mu do zrozumienia, że sam musi podjąć decyzję. Wreszcie Samuels posłał Boschowi groźne spojrzenie.

– Skoro pan nalega, spróbuję wyjaśnić – oznajmił. – Naturalnie nie mogę zdradzić wszystkich informacji.

– Jezu, mógłby pan wreszcie powiedzieć, o co tu chodzi?

Samuels odchrząknął.

– Mniej więcej cztery lata temu powstała grupa specjalna złożona z agentów z Chicago, Las Vegas i Los Angeles, która przystąpiła do realizacji wspólnego zadania nazwanego Operacją Telegraf. Akcja była skromna pod względem osobowym, ale miała ambitny cel. Celem był Joseph Marconi i macki wpływów mafijnych oplatające Las Vegas. Operacja trwała ponad osiemnaście miesięcy, ale udało się nam umieścić w ich szeregach naszego człowieka. Naszego agenta. W ciągu dwóch lat agent osiągnął znaczącą pozycję w organizacji Josepha Marconiego, zdobywając jego całkowite zaufanie. Mniej więcej za cztery, pięć miesięcy mogliśmy zakończyć operację i postawić przed wielką ławą przysięgłych kilkunastu wysokich rangą członków Cosa Nostry z trzech miast, nie licząc rozmaitych powiązanych z nimi złodziei, kasynowych oszustów z kasyn, hochsztaplerów, policjantów, sędziów, adwokatów, a nawet kilku graczy mniejszego kalibru z Hollywood, takich jak Anthony N. Aliso. Nie wspomnę o tym, że dzięki staraniom naszego tajnego agenta i podsłuchom, na które uzyskaliśmy zezwolenie na podstawie zebranych przez niego informacji, o wiele lepiej znamy teraz mechanizmy i zasięg działania jednostek przestępczości zorganizowanej w rodzaju grupy Marconiego.

Samuels perorował, jak gdyby wygłaszał oświadczenie na konferencji prasowej. Zrobił krótką pauzę dla nabrania oddechu, lecz ani na moment nie odrywał wzroku od Boscha.

– Ten agent nazywa się Roy Lindell. Niech pan zapamięta to nazwisko, bo niewątpliwie będzie o nim głośno. Żaden agent nie pracował tak długo pod przykrywką i nie miał tak znaczących wyników. Zauważył pan zapewne, że użyłem czasu przeszłego. Owszem, Lindell nie jest już tajnym agentem, detektywie Bosch. Dzięki panu. Roy używał fałszywego nazwiska Luke Goshen. Lucky Luke Goshen. Tak więc dziękuję, że spieprzył nam pan zamknięcie wspaniałej i ważnej sprawy. Oczywiście dzięki pracy Roya mamy dość dowodów, żeby dobrać się do Marconiego i reszty, ale teraz wszystko zepsuło... zepsuł pan.

Bosch czuł ogarniający go gniew, mimo to starał się zachować spokój i panować nad głosem.

– Sugeruje pan – nie, oskarża mnie pan, że podrzuciłem broń. Otóż myli się pan. Bardzo się pan myli. Powinienem się oburzyć i obrazić, ale w tej sytuacji rozumiem, dlaczego popełnił pan błąd. Zamiast jednak wskazywać na mnie, może przyjrzelibyście się uważniej Goshenowi czy jak on się nazywa. Może powinniście się zastanowić, czy nie siedział za długo w organizacji. Bo ta broń nie została podrzucona. Może...

– Jak śmiesz! – ryknął O'Grady. – Nie waż się w ogóle o nim mówić. Jesteś tylko pieprzonym nędznym gliną! Słyszeliśmy o tobie, Bosch, znamy twoje numery. Tym razem posunąłeś się za daleko. Podłożyłeś świnię niewłaściwej osobie.

– Cofam to, co powiedziałem – odparł z niezmąconym spokojem Bosch. – Czuję się obrażony. I oburzony. Powtarzam, pieprz się, O'Grady. Skoro twierdzisz, że podrzuciłem broń, udowodnij to. Ale najpierw musiałbyś udowodnić, że to ja wpakowałem Tony'ego Aliso do bagażnika. Bo skąd niby wytrzasnąłbym tę broń?

– To akurat łatwe. Mogłeś ją znaleźć w krzakach na tej drodze pożarowej. Wiemy już, że sam ją przeszukiwałeś. Cholernie...

– Panowie – wtrącił Irving.

– Cholernie za to bekniesz, Bosch.

– Panowie!

O'Grady zamknął usta i wszyscy spojrzeli na Irvinga.

– Ponoszą nas nerwy. Kończę to zebranie. Powiem tylko, że zostanie wszczęte dochodzenie wewnętrzne i...

– Prowadzimy własne śledztwo – przerwał mu Samuels. – Tymczasem musimy się zastanowić, jak uratować naszą operację.

Bosch spojrzał na niego z niedowierzaniem.

– Nic nie rozumiecie? – wykrzyknął. – Nie ma żadnej operacji. Wasza gwiazda to morderca. Za długo działał po drugiej stronie, Samuels. Zaczął grać w ich drużynie. Zabił Tony'ego Aliso na polecenie Joeya Markera. Na zwłokach były jego odciski palców. Broń znaleziono w jego domu. Poza tym nie ma alibi. Żadnego. Powiedział mi, że całą noc spędził w pracy, ale wiem, że go tam nie było. Wyszedł, przyjechał tu i po robocie zdążył wrócić.

Bosch ze smutkiem pokręcił głową i dokończył już ciszej.

– Zgadzam się z panem. Wasza operacja wzięła w łeb, ale nie przeze mnie. Sami jesteście sobie winni. Za późno wyciągnęliście go z tego bagna. I zgnił. Pan był jego szefem. I sam pan spieprzył sprawę.

Tym razem Samuels pokręcił głową i uśmiechnął się ze smutkiem. W tym momencie Bosch zdał sobie sprawę, że to nie koniec. Czekała go jeszcze jakaś niespodzianka. Samuels gwałtownym ruchem odwrócił stronę w notatniku i odczytał jeden z zapisków.

– Według protokołu z autopsji śmierć nastąpiła między dwudziestą trzecią w piątek a drugą rano w sobotę. Zgadza się, detektywie?

– Nie wiem, skąd ma pan protokół, bo ja go jeszcze nie widziałem.

– Śmierć nastąpiła między jedenastą a drugą, tak?

– Tak.

– Dan, masz te dokumenty? – zwrócił się do Ekeblada Samuels.

Ekebland wyciągnął z kieszeni marynarki plik złożonych kartek i podał Samuelsowi. Prokurator rozłożył dokumenty, zerknął w nie i rzucił przez stół w stronę Boscha. Harry wziął kartki, ale nawet do nich nie zajrzał. Wpatrywał się w Samuelsa.

– Ma pan przed sobą kopie z ewidencji operacyjnej i protokołu przesłuchania, przygotowane we wtorek rano przez obecnego tu agenta Ekeblada, a także złożone pod przysięgą oświadczenia agentów Ekeblada i Phila Colberta, który wkrótce do nas dołączy. Dowie się pan z nich, że w piątek o północy agent Ekeblad siedział za kierownicą swojego służbowego samochodu zaparkowanego za „Caesar's Palace", tuż przy Industrial Road. Obok siedział jego partner Colbert, a z tyłu agent Roy Lindell.

Zamilkł na chwilę, a Bosch spojrzał w papiery.

– To było comiesięczne spotkanie z Royem. Składał raport. Powiedział Ekebladowi i Colbertowi, że tego wieczoru włożył do neseseru Anthony'ego Aliso czterysta osiemdziesiąt tysięcy dolarów w gotówce pochodzących z różnych interesów Marconiego i wyprawił Alisa do Los Angeles, żeby wyprał pieniądze. Wspomniał przy okazji, że Tony pił tego wieczoru w klubie i za bardzo się rozbrykał z jedną z dziewczyn. Roy, jako żołnierz Joeya Markera i szef klubu, musiał go trochę utemperować. Złapał go za kołnierz i raz mu przyłożył. Zgodzi się pan ze mną, że to wyjaśnia, dlaczego z marynarki denata zdjęto jego odciski palców i skąd się wziął siniec znaleziony podczas autopsji.

Bosch wciąż nie unosił wzroku znad dokumentów.

– Poza tym Roy miał nam dużo do powiedzenia, detektywie. Tak dużo, że spędził w samochodzie półtorej godziny. W żaden sposób nie mógłby zdążyć do Los Angeles i zabić Tony'ego Aliso przed drugą rano czy nawet trzecią. Żeby nie zaczął pan podejrzewać o współudział w morderstwie wszystkich trzech agentów, powinien pan wiedzieć, że ze względów bezpieczeństwa spotkanie było monitorowane przez czterech innych agentów siedzących w drugim samochodzie stojącym na tym samym parkingu.

Samuels zrobił pauzę, po czym podsumował swój wywód.

– Nie ma pan żadnych dowodów. Obecność odcisków można bez trudu wytłumaczyć, a w chwili przestępstwa pański domniemany sprawca siedział w towarzystwie dwóch agentów FBI pięćset pięćdziesiąt kilometrów od miejsca zdarzenia. Nie ma pan nic. Chociaż nie, to nieprawda. Coś pan ma. Podrzuconą broń.

Jak na komendę w tym momencie otworzyły się drzwi z tyłu i Bosch usłyszał za sobą kroki. Patrząc w dokumenty, nie odwrócił się, by sprawdzić, kto wszedł. Uniósł głowę dopiero w chwili, gdy poczuł na ramieniu czyjś silny uścisk. Zobaczył uśmiechniętą twarz agenta specjalnego Roya Lindella stojącego obok drugiego mężczyzny, którym, jak przypuszczał Bosch, był partner Ekeblada, Colbert.

– Bosch – powiedział Lindell. – Masz u mnie strzyżenie.

Na widok człowieka, którego przed chwilą zamknął w areszcie, Bosch na moment oniemiał, ale szybko oswoił się z nową sytuacją. Irving i Billets już wcześniej dowiedzieli się o spotkaniu na parkingu za „Caesar's Palace", przeczytali oświadczenia i uwierzyli w alibi.

Wydali zgodę na zwolnienie Lindella z aresztu. Dlatego właśnie Billets pytała Boscha przez telefon o jego numer.

Bosch odwrócił się od Lindella i spojrzał na Irvinga i Billets.

– Wierzycie w to, prawda? Też sądzicie, że znalazłem broń w krzakach i podrzuciłem do łazienki, żeby jak najszybciej zamknąć sprawę.

Nastąpiła chwila wahania, jak gdyby każde z nich czekało, kto odpowie pierwszy. Wreszcie odezwał się Irving.

– Wiemy tylko, że na pewno nie zrobił tego agent Lindell. Ma solidne alibi. Co do reszty, wolę wstrzymać się z oceną.

Bosch spojrzał na Lindella, który wciąż stał.

– Dlaczego nie powiedziałeś mi, że jesteś z Biura, kiedy siedzieliśmy w pokoju przesłuchań?

– A jak myślisz? Byłem przekonany, że to ty podrzuciłeś pistolet w łazience. Gdybym ci powiedział, że jestem agentem, od razu wszystko byłoby cacy? Akurat.

– Musieliśmy grać dalej, Bosch, żeby zobaczyć, co zrobisz i czy Roy wyjdzie z miejskiej cały i zdrowy – powiedział O'Grady. – A potem na pustyni byliśmy cały czas pół kilometra nad tobą i pół kilometra za tobą. Czekaliśmy. Połowa z nas była gotowa się założyć, że poszedłeś na układ z Joeyem Markerem. Rozumiesz, powiedziało się A, trzeba powiedzieć B, nie?

Zaczynali z niego kpić. Bosch pokręcił głową. Poczuł się zupełnie bezradny.

– Nie rozumiecie, co tu jest grane? To wy poszliście na układ z Joeyem Markerem. Tylko że nie zdajecie sobie z tego sprawy. Tańczycie tak, jak wam zagra. Jezu Chryste! Nie mogę uwierzyć, że to się naprawdę dzieje.

– Dlaczego tańczymy tak, jak nam zagra? – spytała Billets. Był to pierwszy znak, że być może nie przeszła jeszcze na drugą stronę.

Bosch odpowiedział, patrząc na Lindella.

– Nie rozumiesz? Dowiedzieli się o tobie. Wiedzieli, że jesteś agentem. I dlatego wszystko od początku do końca zmontowali.

Ekeblad prychnął szyderczo.

– Niczego nie zmontowali, Bosch – odparł Samuels. – Gdyby odkryli, że Roy jest informatorem, wywieźliby go na pustynię i zakopali. Koniec zagrożenia.

– Nie, bo w grę nie wchodził zwykły informator. Odkryli, że jest agentem federalnym, i wiedzieli, że nie mogą go wywieźć na pustynię. Agenta FBI? Gdyby go załatwili, urządziliby sobie gorsze piekło niż sekta Koresha. Dlatego ułożyli plan. Mieli Lindella u siebie dwa lata i liczyli się z tym, że dużo wie i może wszystkich załatwić. Ale nie mogli go po prostu zabić. Nie agenta. A więc postanowili go zneutralizować. Zepsuć mu opinię. Pokazać, że przeszedł na drugą stronę i jest taki sam jak oni. I gdyby miał zeznawać, wyciągnęliby mu morderstwo Tony'ego Aliso. Przekonaliby przysięgłych, że nie zawahał się przed mokrą robotą, żeby go tylko nie zdemaskowano. Sprzedaliby to przed sądem i mieliby spokój.

Zdawało mu się, że poczęstował ich całkiem przekonującą historyjką, mimo że zmyślił ją na poczekaniu. Pozostali przez kilka chwil przyglądali mu się w milczeniu, po czym odezwał się Lindell.

– Przeceniasz ich, Bosch. Joey nie jest taki sprytny. Znam go. Na pewno nie jest aż tak sprytny.

– A Torrino? Chcesz mi powiedzieć, że nie potrafiłby czegoś takiego wykombinować? Mnie przyszło to do głowy przed chwilą. Kto wie, jak długo siedział nad tym Torrino? Odpowiedz mi na jedno pytanie, Lindell. Czy Joey Marker wiedział, że Tony Aliso miał na karku urząd skarbowy i czekała go kontrola?

Lindell zawahał się, zerkając na Samuelsa, jak gdyby sprawdzał, czy może odpowiedzieć. Bosch czuł strużkę potu spływającą po karku i plecach. Wiedział, że musi ich przekonać, bo inaczej wyjdzie z tej sali bez odznaki. Samuels przyzwalająco skinął głową.

– Jeżeli nawet wiedział, nic mi nie mówił – odrzekł Lindell.

– Może więc o to chodzi – powiedział Bosch. – Może wiedział, ale nie mówił. Joey zdawał sobie sprawę, że ma kłopot z Alisem, i domyślał się, że być może z tobą czeka go większy kłopot. Dlatego usiedli razem z Torrinem i wykombinowali plan, żeby załatwić obie sprawy za jednym zamachem.

Nastąpiła kolejna chwila ciszy, lecz Samuels pokręcił głową.

– To bardzo naciągane, Bosch. Poza tym mamy siedemset godzin nagrań. W zupełności wystarczy, żeby posadzić Joeya, gdyby nawet Roy w ogóle nie zeznawał.

– Po pierwsze, mogli nic nie wiedzieć o taśmach – powiedziała Billets. – A po drugie, gdyby nawet wiedzieli, taśmy byłyby dowodem bez pokrycia. Nie mielibyście taśm bez agenta Lindella. Chcąc przedstawić je sądowi jako dowód, musielibyście przedstawić Lindella. Gdyby go unieszkodliwili, unieszkodliwiliby i taśmy.

Billets wyraźnie wzięła stronę Boscha, co dało mu cień nadziei. Natomiast Samuels zrozumiał, że to sygnał oznaczający koniec zebrania. Wziął notatnik i wstał.

– Widzę, że do niczego nie dojdziemy – oświadczył. – Poruczniku, słucha pani zdesperowanego człowieka. My nie musimy. Komendancie, nie zazdroszczę panu. Ma pan problem i musi pan znaleźć jakiś sposób, by go rozwiązać. Jeżeli w poniedziałek dowiem się, że detektyw Bosch nadal nosi odznakę, pójdę przed wielką ławę przysięgłych i przedstawię zarzut preparowania dowodów i naruszenia praw obywatelskich Roya Lindella. Poproszę też nasz wydział praw obywatelskich, żeby zajął się wszystkimi aresztowaniami, których w ciągu ostatnich pięciu lat dokonał ten funkcjonariusz. Zły policjant nigdy nie podrzuca dowodów tylko raz, komendancie. To się przeradza w nawyk.

Samuels obszedł stół i skierował się do wyjścia. Pozostali także wstali i ruszyli za nim. Bosch miał ochotę skoczyć i zadusić go gołymi rękami, jednak zachował spokój. Odprowadził wzrokiem prokuratora federalnego do drzwi. Samuels w ogóle nie patrzył w jego stronę, tylko tuż przed wyjściem obejrzał się na Irvinga.

– Ostatnią rzeczą, jaką chciałbym zrobić, jest pranie pańskich brudów, komendancie. Ale jeżeli pan tego nie załatwi, nie będę miał innego wyjścia.

Federalni gęsiego opuścili salę konferencyjną, a pozostali milczeli przez długą chwilę, słuchając kroków oddalających się po wyfroterowanym linoleum. Bosch spojrzał na Billets i skinął głową.

– Dzięki, poruczniku.

– Za co?

– Za nadstawienie karku w mojej obronie.

– Po prostu nie wierzę, że to zrobiłeś, i tyle.

– Nie podłożyłbym dowodu najgorszemu wrogowi. Gdybym to zrobił, byłoby po mnie.

Chastain wiercił się na krześle, uśmiechając się pod nosem, co nie uszło uwagi Boscha.

– Chastain, już dwa razy chciałeś się do mnie dobrać i za każdym razem ci nie wyszło – rzekł Bosch. – Nie chcesz zmarnować trzeciej okazji, co? Lepiej odpuść sobie ten raz.

– Słuchaj, Bosch, komendant prosił mnie, żebym uczestniczył w tym zebraniu i zrobiłem to. To jego decyzja, ale moim zdaniem twoja wyssana z palca historyjka to stek bzdur. Zgadzam się z federalnymi. Gdyby to ode mnie zależało, nie pozwoliłbym ci stąd wyjść z odznaką.

– Ale to nie od pana zależy, prawda? – odezwał się Irving.

Kiedy Bosch wrócił do domu, podszedł do drzwi z torbą zakupów i zapukał, ale nikt mu nie otworzył. Odsunął słomianą wycieraczkę i znalazł tam klucz, który dał Eleanor. Gdy go podnosił, ogarnął go smutek. Eleanor nie było.

Przywitał go wyraźny zapach świeżej farby, co go trochę zdziwiło, ponieważ od malowania minęły już cztery dni. Poszedł prosto do kuchni schować zakupy. Gdy skończył, wyciągnął z lodówki butelkę piwa, oparł się o blat i pił wolno, rozkoszując się smakiem. Zapach farby przypomniał mu, że będzie miał teraz dużo czasu na dokończenie remontu domu. Od tej bowiem chwili obowiązywał go ośmiogodzinny dzień pracy.

Znów pomyślał o Eleanor i postanowił sprawdzić, czy nie zostawiła mu żadnej wiadomości albo czy w sypialni nie ma jej walizki. Doszedł jednak tylko do salonu, gdzie przystanął na widok ściany, którą zostawił pomalowaną do połowy, gdy w niedzielę wezwano go na miejsce przestępstwa. Teraz pomalowana była w całości. Stał przed nią dość długo, podziwiając ją jak arcydzieło w muzeum. Wreszcie podszedł do ściany i delikatnie jej dotknął. Farba była świeża, ale już wyschła. Prawdopodobnie nałożono ją zaledwie przed paroma godzinami. Mimo że nikt nie mógł go zobaczyć, twarz Boscha rozjaśnił uśmiech. Przez otaczającą go aurę przygnębienia przebił się promyczek radości. Bosch nie musiał już szukać walizki w sypialni. Pomalowana ściana była znakiem, równie czytelnym jak list. Wiedział, że Eleanor wróci.

Godzinę później, kiedy już rozpakował torbę podróżną i przyniósł resztę rzeczy z samochodu, stanął w ciemności na tarasie. W ręku trzymał drugie piwo i przyglądał się wstędze świateł sunących autostradą Hollywood u stóp wzgórza. Nie miał pojęcia, jak długo Eleanor stała w drzwiach tarasu i patrzyła na niego. Kiedy się odwrócił, po prostu ją zobaczył.

– Eleanor.

– Harry... Myślałam, że wrócisz później.

– Ja też tak myślałem. Ale jestem.

Uśmiechnął się. Chciał podejść i jej dotknąć, ale wewnętrzny głos poradził mu, żeby się nie spieszył.

– Dzięki, że dokończyłaś.

Wskazał butelką w stronę salonu

– Nie ma sprawy. Lubię malować. To mnie odpręża.

– Mnie też.

Patrzyli na siebie przez chwilę.

– Widziałam obraz – powiedziała. – Pasuje.

Bosch wyciągnął wcześniej z bagażnika reprodukcję *Nighthawks* Hoppera i powiesił na świeżo malowanej ścianie. Reakcja Eleanor na widok obrazu miała mu wiele powiedzieć o tym, w jakim są teraz miejscu i dokąd zmierzają.

– To dobrze – odrzekł, kiwając głową i powstrzymując uśmiech.

– Co się stało z tamtym, który ci przysłałam?

Mówiła o bardzo dawnych czasach.

– Trzęsienie ziemi – wyjaśnił.

Skinęła głową.

– Skąd wróciłaś?

– Poszłam wypożyczyć samochód. Wiesz, dopóki nie postanowię, co będę robić. Swój zostawiłam w Las Vegas.

– Możemy polecieć i sprowadzić go tutaj. Tylko po samochód, nie zostawalibyśmy na dłużej.

Przytaknęła.

– Przyniosłam też czerwone wino. Masz ochotę? Może wolisz jeszcze jedno piwo.

– Mam ochotę na to co ty.

– Napiję się wina. Na pewno chcesz?

– Na pewno. Chodźmy otworzyć.

Poszedł za nią do kuchni, otworzył wino, po czym wyciągnął z szafki dwa kieliszki i opłukał. Dawno nie gościł w domu żadnego amatora wina. Eleanor nalała i stuknęli się kieliszkami.

– Jak idzie sprawa? – spytała.

– Nie mam już sprawy.
Zmarszczyła brwi.
– Co się stało? Myślałam, że przywiozłeś podejrzanego.
– Przywiozłem. Ale to już nie jest moja sprawa. Od kiedy się okazało, że podejrzany jest agentem FBI i ma alibi.
– Och, Harry. – Eleanor spuściła oczy. – Masz kłopoty?
Bosch postawił kieliszek na blacie i założył ręce.
– Na razie posadzili mnie przy biurku. Niuchacze z wewnętrznego mają przeprowadzić śledztwo. Razem z federalnymi podejrzewają, że podrzuciłem dowód obciążający tego agenta. Broń. Nie podrzuciłem. Ale chyba zrobił to ktoś inny. Kiedy się dowiem kto, wszystko będzie dobrze.
– Harry, jak to się...
Potrząsnął głową, przysunął się do niej i przycisnął usta do jej warg. Delikatnym ruchem wyjął jej kieliszek z dłoni i postawił na blacie.

Gdy skończyli się kochać, Bosch poszedł do kuchni otworzyć następne piwo i przygotować kolację. Obrał i posiekał cebulę, a także zieloną paprykę. Następnie wrzucił je na patelnię i podsmażył na maśle razem z mielonym czosnkiem i innymi przyprawami. Dorzucił dwie piersi kurczaka i poddusił, dopóki mięso nie zrobiło się białe. Wówczas dodał puszkę włoskiego sosu pomidorowego, puszkę rozdrobnionych pomidorów i jeszcze trochę przypraw. Na koniec dolał odrobinę czerwonego wina i zostawił na wolnym ogniu, nastawiając tymczasem wodę na ryż.
Była to najlepsza kolacja, jaką potrafił przyrządzić. Wolałby upiec coś na grillu na tarasie, ale grill przepadł po zawaleniu się starego domu podczas trzęsienia ziemi. Bosch postawił nowy dom, lecz nie postarał się jeszcze o nowy grill. Wsypując ryż do wrzącej wody, postanowił, że jeśli Eleanor zostanie u niego na dłużej, kupi grill.
– Nieźle pachnie.
Odwrócił się i zobaczył ją w drzwiach kuchni. Miała na sobie dżinsy i dżinsową koszulę. Jej włosy były wilgotne po prysznicu. Patrząc na nią, Bosch znów zapragnął się z nią kochać.
– Mam nadzieję, że smakować też będzie nieźle – powiedział. – To nowa kuchnia, ale nie bardzo jeszcze wiem, jak z niej korzystać. Nigdy nie gotowałem za często.
Uśmiechnęła się.
– Czuję, że będzie dobre.
– Wiesz co, może będziesz mieszać co kilka minut, a ja tymczasem wezmę prysznic.
– Jasne. Nakryję do stołu.
– Zgoda. Pomyślałem sobie, że zjemy na tarasie. Tam przynajmniej nie pachnie tak bardzo farbą.

– Przepraszam.

– Nie, chciałem tylko powiedzieć, że tam będzie miło. Nie skarżę się na zapach farby. Prawdę mówiąc, to był mały fortel. Wiedziałem, że kiedy zobaczysz niedokończoną robotę, nie będziesz się mogła oprzeć.

Uśmiechnęła się.

– Prawdziwy Tomek Sawyer, detektyw trzeciego stopnia.

– Może już niedługo.

Jego uwaga zepsuła tę chwilę i z twarzy Eleanor zniknął uśmiech. Idąc do sypialni, Bosch skarcił się w duchu.

Po prysznicu wrzucił na patelnię ostatni składnik potrawy. Do uduszonego w pomidorach kurczaka dodał garść mrożonego groszku. Następnie zaniósł jedzenie i wino na piknikowy stolik na tarasie i zaprosił Eleanor, by usiadła.

– Przepraszam – dodał. – Zapomniałem o sałatce.

– Niczego więcej mi nie potrzeba.

Zaczęli jeść w milczeniu. Bosch czekał.

– Bardzo smaczne – oceniła w końcu. – Jak to się nazywa?

– Nie wiem. Moja matka nazywała to po prostu specjalnością dnia. Pewnie tak nazwali to danie w restauracji, gdzie pierwszy raz je jadła.

– Rodzinny przepis.

– Jedyny.

Przez kilka minut jedli w ciszy, a Bosch ukradkiem zerkał na nią znad talerza, chcąc sprawdzić, czy naprawdę jej smakuje. Uznał, że raczej tak.

– Harry – powiedziała po chwili Eleanor. – Kim są ci agenci, którzy zajmują się sprawą?

– Taka zbieranina z Chicago, Vegas i Los Angeles.

– Kto jest z Los Angeles.

– Niejaki John O'Grady. Znasz go?

Minęło pięć lat, odkąd odeszła z biura FBI w Los Angeles. Agenci często zmieniali miejsca pracy. Bosch wątpił, by znała O'Grady'ego i rzeczywiście nie znała.

– A John Samuels? Jest zastępcą prokuratora prowadzącym sprawę. Z wydziału PZ.

– Samuelsa znam. A raczej znałam. Przez jakiś czas był agentem. Niezbyt błyskotliwym. Skończył prawo, a kiedy się przekonał, że jest kiepskim śledczym, postanowił zostać oskarżycielem.

Nagle wybuchnęła śmiechem.

– Co?

– Nic. Przypomniałam sobie tylko, co o nim mówili. Trochę wulgarnie.

– Co mówili?

– Dalej nosi wąsy?

– Tak.
– Mówili, że wprawdzie potrafi przygotować akt oskarżenia, ale jeżeli chodzi o prowadzenie śledztwa, nie umiałby znaleźć gówna, nawet gdyby je miał we własnych wąsach.
Znów się roześmiała – odrobinę za głośno, pomyślał Bosch. Uśmiechnął się.
– Może dlatego został prokuratorem – dodała.
Nagle Boschowi przyszło coś do głowy i zamyślił się. Dopiero po chwili usłyszał głos Eleanor.
– Co?
– Wyłączyłeś się. Pytałam, co o tym myślisz. Mnie się wydaje, że to nie był aż taki kiepski żart.
– Nie, myślę właśnie, w jakie bagno wdepnąłem. Nie ma znaczenia, czy Samuels naprawdę wierzy, że mam w tej sprawie brudne ręce. Chce, żebym miał.
– Jak to?
– Przy pomocy swojego tajnego agenta przygotowują sprawy przeciwko Joeyowi Markerowi i jego ekipie. Muszą wyjaśnić, skąd w domu ich człowieka wzięła się broń, której użyto do popełnienia morderstwa. Bo jeżeli tego nie wytłumaczą, adwokaci Joeya wepchną im wszystko do gardła i udowodnią, że ich agent zszedł na złą drogę i jest mordercą gorszym od ludzi, których miał rozpracować. Ta broń to fantastyczna podstawa uzasadnionych wątpliwości. Dlatego wpadli na pomysł, żeby zrzucić winę na policję. Na mnie. Zły glina złej policji z Los Angeles znalazł broń w krzakach i podrzucił facetowi, który jego zdaniem jest sprawcą. Przysięgli łykną to bez problemu. Zrobią ze mnie Marka Fuhrmana* roku.
Z twarzy Eleanor zniknął już uśmiech. Bosch ujrzał w jej oczach zaniepokojenie, ale chyba także smutek. Może zrozumiała, w jakich znalazł się opałach.
– Drugie wyjście to udowodnić, że broń podrzucił Joey Marker albo któryś z jego ludzi, bo skądś się dowiedzieli, że Luke Goshen jest agentem i musieli go skompromitować. Mimo że tak prawdopodobnie było, ten sposób jest trudniejszy. Samuelsowi łatwiej obrzucić błotem mnie.
Spojrzał na niedokończoną kolację i położył na talerzu nóż i widelec. Nie mógł już jeść. Pociągnął łyk wina, lecz nie odstawił kieliszka, tylko trzymał go w dłoni.
– Eleanor, chyba jestem w poważnych tarapatach.
Powoli zaczynała do niego docierać powaga sytuacji, w jakiej się znalazł. Do tej chwili wierzył, że prawda ostatecznie zwycięży, ale teraz uświadomił sobie, jak niewiele prawda może mieć wspólnego z zakończeniem tej historii.

* Policjant, który rzekomo podrzucił w ogrodzie O. J. Simpsona obciążający go dowód – zakrwawioną rękawiczkę (przyp. tłum.).

Spojrzał na Eleanor. Zauważył, że jest bliska płaczu. Próbował się uśmiechnąć.

– Głowa do góry, coś wymyślę – powiedział. – Na razie posiedzę sobie przy biurku, ale nie składam broni. Zamierzam rozgryźć tę sprawę.

Skinęła głową, ale wciąż miała strapioną minę.

– Harry, pamiętasz kiedy pierwszego wieczoru znalazłeś mnie w kasynie, poszliśmy do baru w „Caesar's" i próbowałeś ze mną rozmawiać? Pamiętasz, jak mówiłeś, że gdybyś mógł cofnąć czas, wszystko zrobiłbyś inaczej?

– Tak, pamiętam.

Otarła oczy, zanim zdążyły się w nich ukazać łzy.

– Muszę ci coś powiedzieć.

– Eleanor, możesz mi powiedzieć wszystko.

– Kiedy powiedziałam ci o wymuszaniu haraczu, płaceniu Quillenowi i tak dalej... to nie było wszystko.

Zamilkła, wpatrując się w niego uważnie i starając się odgadnąć jego reakcję. Ale Bosch siedział bez ruchu i czekał.

– Kiedy wyszłam z Frontera i przyjechałam do Las Vegas, nie miałam mieszkania ani samochodu i nikogo nie znałam. Pomyślałam sobie po prostu, że spróbuję. Wiesz, zarabiać na kartach. We Frontera poznałam jedną dziewczynę. Nazywała się Patsy Quillen. Poradziła mi, żebym poszukała jej wujka – Terry'ego Quillena – który miał mnie sprawdzić, zobaczyć, jak gram, a potem mnie jakoś ustawić. Patsy napisała do niego i dała mi referencje.

Bosch słuchał jej w milczeniu. Domyślał się, do czego Eleanor zmierza, ale nie miał pojęcia, po co mu o tym mówi.

– No więc mnie ustawił. Dostałam mieszkanie i trochę pieniędzy na początek. Quillen nic mi nie mówił o Joeyu Markerze, chociaż powinnam wiedzieć, skąd pochodziły pieniądze. Zawsze skądś się biorą. W każdym razie kiedy później powiedział, kto naprawdę mnie ustawił, dodał, że nie muszę się bać, bo organizacja, dla której on pracuje, nie będzie się domagać zwrotu tej forsy. Chcieli tylko procent. Dwieście dolarów tygodniowo. Haracz. Sądziłam, że nie mam wyboru. Przecież wzięłam pieniądze. Zaczęłam więc płacić. Na początku było ciężko. Dwa razy nie dałam rady i w następnym tygodniu musiałam zapłacić podwójnie plus stałą tygodniową stawkę. Kiedy wpadniesz w długi, nie ma wyjścia.

Spojrzała na swoje dłonie i splotła je na stole.

– Do czego cię zmuszali? – spytał cicho Bosch, także odwracając wzrok.

– To nie tak jak myślisz – powiedziała. – Miałam szczęście... wiedzieli o mnie. To znaczy wiedzieli, że byłam agentką. Postanowili wykorzystać moje umiejętności, chociaż sama długo z nich nie korzystałam. Kazali mi śledzić różnych ludzi. Na ogół w kasynach. Ale parę razy śledziłam ich w mieście. Najczęściej nie wiedziałam nawet, kim są i po co zbierałam o nich informacje, po prostu miałam ich na oku. Czasem grałam z nimi przy jednym stole i przekazywałam Terry'emu, czy facet wygrywa, czy przegrywa, z kim rozmawia, opowiadałam o niuansach jego gry... wiesz, tego typu rzeczy.

Kluczyła wokół tematu, odwlekając to, co naprawdę chciała mu powiedzieć, ale Bosch nadal się nie odzywał. Pozwolił jej mówić.

– Dwa razy śledziłam dla nich Tony'ego Aliso. Chcieli wiedzieć to, co zwykle – ile zostawia przy stołach i dokąd chodzi. Ale okazało się, że nie przegrywał. Był całkiem dobry.

– Dokąd chodził, gdy go śledziłaś?

– Och, na kolację, do klubu. Załatwiał różne sprawy.

– Widziałaś go kiedyś z jakąś dziewczyną?

– Raz. Poszłam za nim z „Mirage" do „Caesar's", a potem do pasażu handlowego. Wstąpił do „Spago" na lunch. Był sam, ale potem przyszła młoda dziewczyna. Z początku myślałam, że to panienka, która chciała go zaczepić, ale przekonałam się, że ją zna. Po lunchu wrócili do jego pokoju w hotelu, spędzili tam jakiś czas, a potem pojechali jego wynajętym samochodem do miasta. Dziewczyna poszła na manikiur, później kupili papierosy i wstąpili do banku, gdzie otworzyła sobie konto. To były zwykłe sprawy. Następnie pojechali do klubu nocnego w północnym Las Vegas. Tony Aliso wyszedł stamtąd sam. Domyśliłam się, że dziewczyna jest tancerką.

Bosch skinął głową.

– W zeszły piątek wieczorem też go śledziłaś? – zapytał.

– Nie. Usiedliśmy przy jednym stole przez przypadek. Tylko dlatego, że czekał, aż zwolni się miejsce przy drogim stole. Właściwie nie robiłam dla nich nic mniej więcej od miesiąca, jeżeli nie liczyć cotygodniowej opłaty. Dopóki Terry...

Urwała. Dotarła do punktu, z którego nie było odwrotu.

– Dopóki co, Eleanor?

Spojrzała na gasnący horyzont. W Dolinie powoli zapalały się światła, a niebo miało barwę jasnego różu przetykanego szarością. Bosch nie odrywał wzroku od Eleanor. Zaczęła mówić, oglądając zmierzch.

– Kiedy odwiozłeś mnie do domu z miejskiej, przyszedł do mnie Quillen. I zabrał mnie do domu, w którym mnie znalazłeś. Nie powiedzieli mi, po co mnie tam zabierają, i zabronili wychodzić. Mówili, że jeżeli ich posłucham, nikomu nie stanie się krzywda. Siedziałam tam przez dwa dni. Dopiero drugiego dnia wieczorem nałożyli mi kajdanki. Jak gdyby wiedzieli, że przyjedziesz.

Umilkła, czekając, żeby coś powiedział, ale Bosch nie skorzystał z tej okazji.

– Chcę ci powiedzieć, że tak naprawdę to nie było porwanie.

Znów wbiła wzrok we własne ręce.

– I dlatego nie chciałaś, żebyśmy zawiadomili miejską – rzekł cicho Bosch.

Przytaknęła.

– Nie wiem, czemu od razu nie powiedziałam ci o wszystkim. Naprawdę mi przykro, Harry. Chciałam...

Teraz to Bosch poczuł, jak słowa więzną mu w gardle. Nie dziwił się jej decyzjom i wierzył jej, a nawet współczuł, bo zdawał sobie sprawę, że Eleanor także wdepnęła w bagno. Rozumiał jej przekonanie, że nie miała innego wyjścia, lecz nie pojmował, dlaczego nie mogła mu od razu o wszystkim powiedzieć. To go najbardziej bolało.

– Dlaczego mi nie powiedziałaś? – zdołał wykrztusić. – Czemu nie powiedziałaś o tym pierwszego wieczoru?

– Nie wiem – odrzekła. – Chciałam... chyba miałam nadzieję, że to się skończy i o niczym się nie dowiesz.

– To dlaczego mówisz teraz?

Spojrzała mu prosto w oczy.

– Bo nie mogłam znieść myśli, że nie powiedziałam ci wszystkiego... i dlatego, że kiedy byłam w tym domu, usłyszałam coś, co powinieneś teraz wiedzieć.

Bosch zamknął oczy.

– Przepraszam, Harry. Naprawdę bardzo mi przykro.

Skinął głową. Jemu także było przykro. Przetarł dłońmi twarz. Nie chciał tego usłyszeć, ale wiedział, że musi. Kłębiły się w nim sprzeczne uczucia. Czuł się oszukany, zdradzony, a jednocześnie współczuł Eleanor. Myślał o niej, skupiając się jednocześnie na sprawie. A więc wiedzieli. Ktoś powiedział Joeyowi Markerowi o Eleanor i o nim. Przyszedł mu na myśl Felton i Iverson, potem Baxter i każdy napotkany glina z miejskiej. Ktoś przekazywał Markerowi informacje i postanowili wykorzystać Eleanor jako przynętę. Ale dlaczego? Po co ta cała maskarada? Otworzył oczy i spojrzał szklanym wzrokiem na Eleanor.

– Co takiego usłyszałaś, o czym powinienem wiedzieć?

– To było pierwszego dnia wieczorem. Trzymali mnie w tym pokoiku z tyłu, gdzie stał telewizor i gdzie mnie znalazłeś. Siedziałam tam, a Samoańczycy kręcili się tu i tam. Ale od czasu do czasu gdzieś w głębi domu byli inni ludzie. Słyszałam, jak rozmawiali.

– Gustie i Quillen?

– Nie, Quillen wyszedł. Znam jego głos. Nie sądzę też, żeby to był Gustie. Wydaje mi się, że to był Joey Marker i ktoś jeszcze, pewnie jego adwokat, Torrino. W każdym razie w którymś momencie jeden zwrócił się do drugiego Joe. Dlatego myślę, że to był Marker.

– Dobrze, co dalej? O czym rozmawiali?

– Nie słyszałam wszystkiego. Ale jeden opowiadał drugiemu, Joemu, czego się dowiedział o śledztwie policji. Chyba od kogoś z miejskiej. Ten, którego nazywano Joe, strasznie się zdenerwował, kiedy usłyszał o broni znalezionej w domu Luke'a Goshena. Pamiętam jego słowa. Bardzo dokładnie. Krzyczał. Powiedział: „Jakim cudem znaleźli broń, jeżeli to nie była nasza robota?". Później mówił jeszcze o gliniarzach podrzucających broń i powiedział: „Jeżeli to ma być jakiś szantaż, przekaż naszemu człowiekowi, że się przeliczył i może się odpieprzyć". Potem niewiele już usłyszałam. Ściszyli głosy i ten pierwszy zaczął uspokajać drugiego.

Bosch patrzył na nią przez kilka chwil, starając się przeanalizować tę informację.

– Myślisz, że to mogło być przedstawienie? – zapytał. – Wiesz, takie na twój użytek, bo domyślali się, że powtórzysz mi wszystko, co usłyszałaś?

– Z początku tak właśnie pomyślałam i to był jeszcze jeden powód, dla którego nie powiedziałam ci od razu. Ale nie jestem już taka pewna. Kiedy mnie zabrali z domu i Quillen wiózł mnie do ich kryjówki, zadawałam mu mnóstwo pytań, ale nie odpowiadał. Powiedział mi tylko jedno. Że potrzebują mnie na dzień czy dwa, żeby przeprowadzić na kimś test. Nie wyjaśnił, o co chodzi. Po prostu miał to być test.

– Test?

Bosch wyglądał na zdziwionego.

– Posłuchaj, Harry. Odkąd mnie stamtąd zabrałeś, myślę o tym bez przerwy.

Uniosła palec.

– Zacznijmy od tego, co podsłuchałam. Załóżmy, że to był Joey Marker i jego adwokat, i załóżmy, że to nie było przedstawienie, ale mówili prawdę. Morderstwo Alisa to nie ich robota, tak?

– Załóżmy.

– Spójrz na to z ich punktu widzenia. Nie mieli z tym nic wspólnego, ale gliny zgarniają za to jednego z ich najbardziej zaufanych ludzi. Ze swojego źródła w miejskiej dowiadują się, że sprawa wygląda na łatwiznę. Policja ma odciski palców i broń znalezioną w łazience Goshena. Joey Marker myśli teraz, że albo podrzuciły ją gliny, albo z jakiegoś nieznanego powodu Goshen załatwił Alisa na własną rękę. Tak czy inaczej, na czym przede wszystkim zależałoby Markerowi?

– Na ograniczeniu strat.

– Zgadza się. Musi się dowiedzieć, co się dzieje z Goshenem i jakie są straty. Ale nie może, bo Goshen wziął własnego adwokata. Torrino nie ma do niego dostępu. A więc wybierają inny sposób i razem z Torrinem przygotowują test, żeby sprawdzić, czy Goshen wziął innego adwokata, bo ma zamiar sypać.

– Pójść na ugodę.

– Otóż to. Załóżmy teraz, że mają informację ze swojego źródła w miejskiej, że gliniarz prowadzący sprawę jest związany z kimś, kogo znają i mają w garści. Ze mną.

– A więc zabierają cię do swojej kryjówki i czekają. Bo jeżeli się dowiem, gdzie jest dom, i przyjdę po ciebie albo zawiadomię miejską, że wiem, gdzie jesteś, będą mieli dowód, że tylko Goshen mógł mi o tym powiedzieć. Czyli że mówi. To miał być test, o którym mówił Quillen. Jeżeli nie przyjdę, mogą być spokojni. Bo to znak, że Goshen jest twardy. A jeżeli przyjdę, będą wiedzieli, że muszą szybko znaleźć dojście do Goshena i go załatwić.

– Zgadza się, zanim zacznie mówić. Tak właśnie pomyślałam.

– To by znaczyło, że morderstwo Alisa nie było robotą na zlecenie – przynajmniej nie Markera i jego ludzi – a oni nie mieli pojęcia, że Goshen jest agentem.

Eleanor skinęła głową. Bosch poczuł przypływ energii, jak zawsze gdy pokonywał mętne zawiłości śledztwa i wychodził z mroku.

– Muzyka z kufra była fałszywa – powiedział.

– Co takiego?

– Cały wątek Las Vegas, Joey Marker i tak dalej, to wszystko miało nas zmylić. Poszliśmy w zupełnie złym kierunku. Musi za tym stać ktoś bardzo bliski Tony'emu. Bliski, bo wiedział o brudnych interesach Tony'ego i wszystko spreparował tak, żeby morderstwo wyglądało na robotę mafii. I żeby obciążyć nim Goshena.

Eleanor przytaknęła.

– Dlatego musiałam ci wszystko powiedzieć. Nawet gdyby to miało znaczyć, że...

Bosch spojrzał na nią. Nie dokończyła zdania, a on też nie zamierzał go kończyć.

Wyciągnął papierosa i wsunął do ust, ale nie zapalał. Wziął ze stołu obydwa talerze. Wstając z ławeczki, powiedział:

– Deseru też nie mam.

– Nie szkodzi.

Zaniósł naczynia do kuchni, opłukał i włożył do zmywarki. Nie używał jeszcze nowego urządzenia i dopiero po jakimś czasie zorientował się, jak je obsługiwać. Kiedy włączył zmywarkę, zabrał się do mycia garnka i patelni w zlewie. W tym prostym zajęciu znalazł odprężenie. Eleanor weszła do kuchni z kieliszkiem w ręku i przyglądała mu się przez chwilę.

– Przepraszam cię, Harry – powiedziała.

– Nic się nie stało. Byłaś w trudnej sytuacji i zrobiłaś, co musiałaś. Nikogo nie można za to winić. Na twoim miejscu postąpiłbym pewnie tak samo.

– Chcesz, żebym wyjechała? – spytała po chwili.

Bosch zakręcił wodę i popatrzył na zlew. W lśniącej stali ujrzał swoje niewyraźne odbicie.

– Nie. Nie sądzę.

Bosch zjawił się na posterunku o siódmej rano w piątek z pudełkiem lukrowanych pączków kupionych w Farmers Market na Fairfax. Był pierwszy. Otworzył pudło i postawił na blacie obok automatu do kawy. Wziął jednego pączka, położył na serwetce na swoim stałym biurku i poszedł do dyżurki po kawę z wielkiego termosu. Była o wiele lepsza niż ciecz z automatu w biurze detektywów.

Gdy wrócił z kawą, zabrał pączka na biurko ustawione tuż za barierką recepcji. Do jego nowych obowiązków dyżurnego należało przyjmowanie większości interesantów oraz sortowanie i rozdział wszystkich raportów z poprzedniego dnia. Na szczęście nie musiał się martwić telefonami. Odbierał je pewien starszy mężczyzna z dzielnicy, który pracował na policji jako wolontariusz.

Bosch siedział w biurze sam co najmniej przez piętnaście minut, zanim zaczęli się schodzić pozostali detektywi. Sześć razy usłyszał pytanie, dlaczego siedzi przy biurku dyżurnego, i za każdym razem odpowiadał pytającemu detektywowi, że to skomplikowana sprawa, ale wkrótce powinna się wyjaśnić. Na posterunku nic nie mogło zbyt długo pozostawać w tajemnicy.

O wpół do dziewiątej porucznik z nocnej zmiany przyniósł raporty i uśmiechnął się na widok Boscha. Nazywał się Klein i Bosch znał go od wielu lat.

– Kogo tym razem pobiłeś, Bosch? – zażartował porucznik.

Wiadomo było, że detektyw zajmujący biurko, przy którym siedział teraz Bosch, trafiał tam albo w wyniku rotacji w biurze, albo wówczas gdy toczyło się przeciw niemu dochodzenie wewnętrzne. Najczęściej w drugim przypadku. Ale kpina Kleina świadczyła, że porucznik nie słyszał jeszcze o śledztwie przeciw Boschowi. Harry zbył pytanie uśmiechem, wziął od Kleina gruby plik raportów i zasalutował mu niedbałym ruchem ręki.

Plik, który dał mu Klein, zawierał prawie wszystkie raporty spisane przez funkcjonariuszy patroli z komendy Hollywood w ciągu ostatnich dwudziestu czterech godzin. Później miała nadejść jeszcze jedna porcja od spóźnialskich, ale dokumenty, które Bosch miał w ręku, stanowiły większą część zadań biura na ten dzień.

Siedząc z nosem w papierach i nie zwracając uwagi na gwar rozmów, Bosch przez pół godziny sortował raporty według rodzaju przestępstw. Następnie musiał je wszystkie przejrzeć pod kątem przypuszczalnych związków, jakie mogły mieć ze sobą różne kradzieże, włamania, napady i tak dalej, a potem przekazać odpowiednie raporty detektywom zajmującym się przestępstwami konkretnego typu.

Kiedy uniósł wzrok znad biurka, zobaczył, że porucznik Billets jest już u siebie i rozmawia przez telefon. Nie zauważył, kiedy weszła. W ramach swoich nowych zadań musiał jej złożyć krótki meldunek poranny o raportach, informując o poważnych czy niecodziennych przestępstwach i o wszystkim, co powinna wiedzieć jako szefowa biura dochodzeniowego.

Wrócił do pracy, wybierając na początek raporty o kradzieżach samochodów stanowiące największą część przestępstw popełnionych poprzedniego dnia. W ciągu dwudziestu czterech godzin w Hollywood zgłoszono trzydzieści trzy kradzieże aut. Bosch wiedział, że to wynik poniżej średniej. Przeczytawszy streszczenia raportów, nie znalazł w nich nic istotnego, co mogłoby wiązać ze sobą poszczególne zdarzenia, i przekazał plik dokumentów detektywowi kierującemu sekcją kradzieży samochodów. Wracając na swoje nowe miejsce, zobaczył, że Edgar i Rider stoją przy biurkach w części sali przeznaczonej dla sekcji zabójstw, upychając coś w kartonowym pudle. Podszedł bliżej i zorientował się, że pakują księgę morderstwa oraz pozostałe dokumenty i torebki z dowodami ze sprawy Alisa. Wszystko miało trafić do federalnych.

– Serwus – powiedział Bosch, nie bardzo wiedząc, jak zacząć.

– Cześć, Harry – odrzekł Edgar.

– Jak się czujesz, Harry? – spytała Rider ze szczerą troską w głosie.

– Jakoś się trzymam... Słuchajcie, przykro mi, że zostaliście w to wciągnięci, ale chcę wam powiedzieć, że ich podejrzenia...

– Daj spokój, Harry – przerwał mu Edgar. – Nie musisz nam nic mówić. Oboje wiemy, że to jedna wielka bzdura. W ciągu całej służby nie spotkałem porządniejszego gliniarza niż ty. Reszta to bzdety.

Bosch skinął głową, wzruszony jego deklaracją. Nie spodziewał się usłyszeć tego samego od Rider, ponieważ była to ich pierwsza wspólna sprawa, mimo to jego partnerka oznajmiła:

– Wprawdzie krótko z tobą pracuję, ale z tego, co zdążyłam zauważyć, Jerry ma rację. Zobaczysz, wszystko się uspokoi i wrócimy do sprawy.

– Dzięki.

Bosch chciał już odejść od biurka dyżurnego, ale spojrzał na karton i wyciągnął z niego grubą księgę morderstwa Alisa, której przygotowanie i prowadzenie było zadaniem Edgara.

– Federalni sami po to przyjdą czy macie im wysłać?

– Podobno ktoś ma się zgłosić o dziesiątej – powiedział Edgar.

Bosch zerknął na zegar na ścianie. Była dopiero dziewiąta.

– Mogę to skopiować? Przynajmniej będziemy coś mieli, gdyby sprawa wpadła w czarną dziurę, którą mają w FBI.

– Nie krępuj się – odparł Edgar.

– Salazar przysłał już protokół? – spytał Bosch.

– Z autopsji? Nie, jeszcze nie – odrzekła Rider. – Chyba że właśnie do nas idzie.

Bosch nie powiedział im, że gdyby protokół był w drodze, federalni zdążyliby go już przechwycić. Poszedł z księgą morderstwa do kserokopiarki, rozpiął trzy kółka segregatora i wyciągnął plik raportów. Ustawił kopiowanie obustronne i wsunął dokumenty na tacę automatycznego podajnika. Przed włączeniem maszyny upewnił się, czy na tacy jest papier z trzema otworami. Następnie wcisnął przycisk uruchamiający kopiowanie i czekał, przyglądając się pracy maszyny. Kserokopiarka była darowizną od sieci firm poligraficznych z miasta, która dokonywała regularnych przeglądów i napraw. Było to jedyne nowoczesne urządzenie w biurze, na które prawie zawsze można było liczyć. Po dziesięciu minutach Bosch miał już kopię całej księgi. Włożył oryginały raportów do segregatora i zaniósł do pudła stojącego na biurku Edgara. Następnie wyciągnął z szafki nowy segregator, wpiął kopie i wrzucił do szuflady, na której była naklejona jego wizytówka. Potem poinformował partnerów, gdzie mogą znaleźć kserokopię księgi.

– Harry – szepnęła Rider. – Myślisz o małej samowolce, prawda?
Przyglądał się jej przez chwilę, nie wiedząc, co odpowiedzieć. Pomyślał o jej związku z Billets. Musiał zachować ostrożność.
– Bo jeżeli tak – ciągnęła, wyczuwając chyba jego niepewność – to też się na to piszę. Wiesz, że FBI nie przyłoży się do tego tak jak trzeba. Będą chcieli utrącić sprawę.
– Ja też w to wchodzę – dorzucił Edgar.
Bosch znów się zawahał, spojrzał na partnerów, po czym skinął głową.
– Spotkajmy się o wpół do pierwszej w „Musso's", zgoda? Ja stawiam.
– Przyjdziemy – obiecał Edgar.
Wracając do swojego biurka przy recepcji, Bosch zauważył przez szybę, że porucznik Billets nie rozmawia już przez telefon i przegląda papiery. Drzwi były otwarte i Bosch wszedł, pukając w futrynę.
– Dzień dobry, Harry. – W jej głosie i zachowaniu wyczuwał skrępowanie, jak gdyby była nieco zakłopotana faktem, że jest dyżurnym detektywem. – Stało się coś, o czym powinnam od razu wiedzieć?
– Chyba nie. Nic nadzwyczajnego. Chociaż nie, ktoś grasuje w hotelach na Sunset Strip. Na pierwszy rzut oka wydaje się, że to ta sama osoba. Wczoraj obrobił pokoje w „Chateau" i „Hyatt". Ludzie w ogóle się nie obudzili. Taki sam sposób działania w obu przypadkach.
– Kim są ofiary? Ktoś znany albo ważny?
– Nie sądzę, ale nie czytam „People". Nie umiałbym rozpoznać żadnej sławy, gdyby nawet podeszła i mnie ugryzła.
Billets uśmiechnęła się.
– Jakie straty?
– Nie wiem. Jeszcze nie czytałem tych raportów. Ale nie po to przyszedłem. Chciałem ci jeszcze raz podziękować za to, że się wczoraj dla mnie naraziłaś.
– Nikomu się nie naraziłam.
– Owszem. Broniąc mnie w takich okolicznościach, poważnie nadstawiłaś karku. Naprawdę jestem ci wdzięczny.
– Mówiłam już, że nie wierzę, żebyś to zrobił. Im wcześniej wewnętrzny i biuro zaczną to sprawdzać, tym szybciej przestaną w to wierzyć. A propos, kiedy masz przesłuchanie?
– O drugiej.
– Kto cię będzie bronił?
– Facet, którego znam z rabunków i zabójstw. Nazywa się Dennis Zane. Jest w porządku i będzie wiedział, co robić. Znasz go?
– Nie. Ale daj mi znać, gdybym tylko mogła jakoś pomóc.
– Dzięki, poruczniku.
– Grace.
– Jasne, Grace.
Wracając na swoje miejsce, Bosch myślał o przesłuchaniu u Chastaina. Zgodnie z procedurą miał go reprezentować członek związku, czyli

tak naprawdę kolega detektyw, który występował w podobnej roli jak adwokat, radząc Boschowi, co ma mówić, a czego nie. Był to pierwszy etap wewnętrznego śledztwa i postępowania dyscyplinarnego.

Unosząc wzrok znad biurka, Bosch ujrzał w recepcji kobietę z nastoletnią dziewczyną. Dziewczyna miała zaczerwienione oczy i opuchliznę wielkości śliwki na dolnej wardze, która wyglądała jak ślad po ugryzieniu. Była potargana i wpatrywała się w ścianę za plecami Boscha nieobecnym wzrokiem, jak gdyby patrzyła przez okno. Ale w ścianie nie było okna.

Bosch mógł zapytać, o co chodzi, nie ruszając się z miejsca, ale nie trzeba było zdolności detektywistycznych, aby się domyślić, dlaczego przyszły. Wstał i podszedł do barierki, żeby mogły dyskretnie wszystko wyjaśnić. Ofiary gwałtów zawsze wzbudzały w Boschu najgłębszy smutek. Wiedział, że nie wytrzymałby miesiąca w sekcji przestępstw seksualnych. Wszystkie ofiary, jakie widział, miały takie samo spojrzenie. To był znak, że wszystko w ich życiu zmieniło się na zawsze. Nigdy już nie będą takimi samymi osobami.

Po krótkiej rozmowie z matką i córką Bosch spytał, czy dziewczyna nie potrzebuje pilnej pomocy lekarskiej, ale matka zaprzeczyła. Otworzył bramkę w barierce, wpuścił je do środka i zaprowadził do jednego z trzech pokojów przesłuchań znajdujących się w korytarzu za biurem. Potem wrócił na salę i podszedł do Mary Cantu z przestępstw seksualnych, od lat zajmującej się sprawami, którymi Bosch nie potrafiłby się zajmować nawet przez miesiąc.

– Mary, masz interesantów w trójce – powiedział. – Dziewczyna ma piętnaście lat. To się stało wczoraj wieczorem. Za bardzo zainteresowała się dilerem, który pracował na rogu ulicy. Złapał ją i sprzedał następnemu klientowi razem z działką cracku. Przyszła z matką.

– Dzięki, Bosch. Tego akurat było mi trzeba w piątek. Zaraz idę. Pytałeś, czy mała potrzebuje lekarza.

– Matka powiedziała, że nie, ale przypuszczam, że tak.

– Dobra. Zajmę się tym. Dzięki.

Po powrocie do biurka Bosch przez kilka minut starał się zapomnieć o dziewczynce, a przez kolejne czterdzieści pięć przeczytał resztę raportów i przekazał je odpowiednim sekcjom detektywów.

Gdy skończył, zajrzał przez szybę do gabinetu Billets, która rozmawiała przez telefon, przerzucając jednocześnie stos papierów. Bosch wstał, podszedł do swojej szafki i wyciągnął z szuflady kopię księgi morderstwa. Zaniósł gruby segregator na biurko przy recepcji. Postanowił, że w wolnej chwili zacznie przeglądać raporty z księgi. Sprawa nabrała takiego tempa, że zdążył poświęcić papierom tyle czasu co zwykle. Z doświadczenia wiedział, że kluczem do zamknięcia sprawy jest często znajomość wszystkich szczegółów i niuansów śledztwa. Ledwie zaczął przeglądać pierwsze strony, gdy z recepcji dobiegł go głos, który wydał mu się znajomy.

– Czy to jest to, o czym myślę?

Bosch uniósł wzrok. To był O'Grady, agent FBI. Bosch zaczerwienił się ze wstydu, że został przyłapany na studiowaniu dokumentów. Czuł do agenta coraz większą niechęć.

– Tak, to jest to, o czym myślisz, O'Grady. Miałeś po to przyjść pół godziny temu.

– Mój czas płynie trochę inaczej niż wasz. Miałem dużo rzeczy do zrobienia.

– Jakich na przykład? Hodowałeś nowy warkoczyk swojemu kumplowi Royowi?

– Daj mi ten segregator, Bosch. I resztę.

Bosch nie ruszał się od biurka.

– Po ci te papiery, O'Grady? Wszyscy dobrze wiemy, że zamierzacie utrącić sprawę. Nic was nie obchodzi, kto zabił Tony'ego Alisa, i nawet nie chcecie się tego dowiedzieć.

– Bzdura. Daj mi akta.

O'Grady przechylił się przez barierkę, po omacku szukając przycisku otwierającego bramkę.

– Cholera, coś taki niecierpliwy? – Bosch wstał. – Zaczekaj spokojnie, zaraz ci wszystko przyniosę.

Bosch wrócił z segregatorem do sekcji zabójstw i zasłaniając je plecami przed wzrokiem O'Grady'ego, położył segregator na biurku i wziął karton z oryginałem księgi i pozostałymi aktami spakowanymi przez Edgara i Rider. Po chwili postawił go na blacie przed O'Gradym.

– Musisz podpisać kwit – oznajmił. – Wyjątkowo ostrożnie obchodzimy się z dowodami i uważnie patrzymy na ręce każdemu, kto je przejmuje.

– Jasne. Cały świat się o tym dowiedział po sprawie O. J. Simpsona, nie?

Bosch złapał O'Grady'ego za krawat i szarpnął. Agent nie zdążył położyć rąk na blacie i stracił punkt oparcia. Bosch przyciągnął go do siebie, mówiąc mu prosto do ucha:

– Słucham?

– Bosch, niech cię...

– Harry!

Bosch odwrócił głowę. W drzwiach gabinetu stała Billets. Bosch puścił krawat O'Grady'ego, który gwałtownie się wyprostował. Był purpurowy ze wstydu i złości. Rozluźniając krawat, wrzasnął:

– Jesteś stuknięty, rozumiesz? Pieprzony gnojku!

– Nie wiedziałem, że agenci używają takiego języka – odparł Bosch.

– Harry, usiądź – poleciła Billets. – Ja się tym zajmę.

Podeszła do barierki.

– Musi podpisać pokwitowanie.

– Daj spokój! Ja to załatwię!

Bosch wrócił do biurka i usiadł. Utkwił nieruchome spojrzenie w O'Gradym, podczas gdy Billets szperała w kartonie, szukając spisu dokumentów i pokwitowania przygotowanych przez Edgara. Następnie pokazała O'Grady'emu, gdzie ma podpisać, i kazała mu wyjść.

– Niech pani lepiej na niego uważa – poradził jej, zabierając pudło.

– Lepiej niech pan uważa, agencie O'Grady. Jeżeli usłyszę choć słowo o tym incydencie, złożę na pana skargę za jego sprowokowanie.

– Przecież on to...

– Nic mnie to nie obchodzi, rozumie pan? Nic. Proszę wyjść.

– Wychodzę. Ale niech pani uważa na swojego pupilka. Lepiej, żeby trzymał się od tego z daleka.

O'Grady wskazał na karton. Billets nie odpowiedziała. O'Grady dźwignął pudło i chciał już odejść od barierki, lecz przystanął i jeszcze raz spojrzał na Boscha.

– Bosch, zapomniałem. Mam ci przekazać wiadomość od Roya.

– Agencie O'Grady, proszę natychmiast wyjść! – rzuciła ze złością Billets.

– O co chodzi? – spytał Bosch.

– Kazał cię zapytać, kto jest teraz zerem?

Odwrócił się i ruszył korytarzem do wyjścia. Billets patrzyła za nim, dopóki nie zniknął, po czym obróciła gniewne spojrzenie na Boscha.

– Świetnie się ratujesz, nie ma co – rzekła. – Może pora dorosnąć i skończyć te szczeniackie awantury?

Nie czekała na odpowiedź, ponieważ Bosch nie zamierzał odpowiadać. Wróciła do gabinetu, zatrzaskując drzwi. Po chwili zasłoniła żaluzje. Bosch odchylił się na krześle, splatając dłonie na karku, spojrzał w sufit i głośno westchnął.

Niemal natychmiast po incydencie z O'Gradym Bosch musiał się zająć zgłoszeniem napadu rabunkowego. Cała ekipa sekcji rabunków ruszyła w pościg za skradzionym samochodem, więc Bosch jako dyżurny musiał przesłuchać ofiarę i spisać protokół. Ofiarą napadu padł młody Meksykanin, który sprzedawał mapy z domami gwiazd filmowych na wzgórzach, stojąc na rogu Hollywood Boulevard i Sierra Bonita Avenue. O dziesiątej rano, krótko po tym, jak ustawił swoją tablicę ze sklejki i zaczął machać do przejeżdżających samochodów, zatrzymał się przy nim stary sedan, w którym siedzieli mężczyzna i kobieta. Najpierw spytali, ile kosztują mapy i czy dużo ich sprzedaje, po czym kobieta wycelowała w chłopca pistolet i zabrała mu trzydzieści osiem dolarów. Przyszedł zgłosić kradzież razem z matką. Okazało się, że przed napadem zdążył sprzedać tylko jedną mapę i prawie wszystkie pieniądze, jakie mu zabrano, należały do niego – wziął je, żeby mieć drobne do wydawania reszty. Stracił mnie więcej tyle, ile udawało mu się zarobić w ciągu całego dnia wystawania na rogu i machania ręką.

Ze względu na drobną kwotę i nieudolny sposób przeprowadzenia napadu, Bosch szybko doszedł do wniosku, że sprawcami była para ćpunów szukających łatwego łupu, by kupić heroinę. Nie trudzili się nawet, żeby ukryć tablice rejestracyjne, które chłopak zauważył i zapamiętał, kiedy odjeżdżali.

Po zakończonym przesłuchaniu Bosch podszedł do dalekopisu i wysłał komunikat o poszukiwaniu samochodu wraz z rysopisem podejrzanych. Zorientował się przy tym, że samochód jest już poszukiwany, ponieważ poruszali się nim sprawcy dwóch podobnych napadów dokonanych w zeszłym tygodniu. Chłopak, który stracił całodzienny zarobek, niewiele mógł na tym skorzystać. Złodziei należało zatrzymać, zanim dopadli młodego sprzedawcę map. Ale to było duże miasto, a nie świat bez wad. Bosch nigdy nie przeżywał zbyt długo podobnych rozczarowań.

Biuro zaczynało pustoszeć, gdy detektywi wychodzili na lunch. Bosch zauważył tylko Mary Cantu, która siedziała przy biurku, pracując zapewne nad dokumentami porannej sprawy.

Edgara i Rider już nie było. Widocznie uznali, że lepiej pojechać do restauracji osobno. Zbierając się do wyjścia, Bosch zauważył, że okno gabinetu Billets wciąż jest zasłonięte żaluzją. Wiedział, że porucznik jest jeszcze u siebie. Podszedł do swojego biurka sekcji zabójstw, włożył do aktówki kopię księgi morderstwa, a potem zapukał do gabinetu. Zanim Billets odpowiedziała, otworzył drzwi i zajrzał do środka.

– Idę na lunch, a potem pojadę do centrum na to przesłuchanie w wewnętrznym. Nie będziesz miała nikogo na dyżurze.

– W porządku – odparła. – Po lunchu posadzę tam Edgara albo Rider. I tak nic na razie nie robią, bo czekają na nową sprawę.

– W takim razie do zobaczenia.

– Harry?

– Tak?

– Przepraszam za to, co się stało. Nie za to, co powiedziałam. Tego nie cofam, ale powinnam ci wszystko powiedzieć tutaj, nie przy wszystkich. Przepraszam.

– Nie ma o czym mówić. Miłego weekendu.

– Nawzajem.

– Postaram się, chociaż będzie trudno, poruczniku.

– Grace.

– Grace.

Bosch dotarł do „Musso and Frank's" na Hollywood Boulevard punktualnie o wpół do pierwszej i zaparkował z tyłu. Znana restauracja znajdowała się przy bulwarze od 1924 roku i w latach swojej świetności była lokalem popularnym wśród ówczesnej hollywoodzkiej elity. Rozpisywali się o niej Fitzgerald i Faulkner. Pewnego dnia na bulwarze ścigali się konno Chaplin i Fairbanks, a pokonany miał stawiać kolację. Dziś restauracja żyła głównie przebrzmiałą sławą i wyblakłym urokiem dawnych czasów. Obite skórą kanapy wciąż co dzień w porze lunchu były pełne klientów, a niektórzy z kelnerów sprawiali wrażenie, jak gdyby spędzili tu tyle lat, że zdążyli jeszcze obsługiwać Chaplina. Odkąd Bosch zaczął tu jadać, menu w ogóle się nie zmieniło – szczególna rzecz w mieście, gdzie prostytutki z bulwaru działały dłużej niż większość restauracji.

Edgar i Rider czekali na niego w ulubionym przez klientów okrągłym boksie. Bosch usiadł przy ich stoliku wskazanym przez szefa sali, który był widocznie zbyt stary i zmęczony, aby zaprowadzić go tam osobiście. Oboje pili mrożoną herbatę i Bosch postanowił pójść ich śladem, choć w duchu ubolewał, że nie zamówili najlepszego w mieście martini. Z ich trojga tylko Rider czytała menu. Była nowa i za krótko bywała w „Musso's", żeby wiedzieć, co powinno się jadać na lunch.

– No i co robimy? – spytał Edgar, gdy Rider wciąż przeglądała kartę.

– Zaczynamy od początku – oznajmił Bosch. – Trop w Vegas był fałszywy.

Rider zerknęła na niego znad menu.

– Kiz, odłóż to – poradził. – Zgrzeszysz, jeżeli nie zamówisz zapiekanego kurczaka.

Zawahała się, ale posłusznie odłożyła kartę na stolik.

– Jak to fałszywy? – zapytała.

– Morderca Tony'ego chciał, żebyśmy nim poszli. I podrzucił broń, żeby nas przekonać, że jesteśmy na dobrej drodze. Ale schrzanił sprawę. Nie wiedział, że gość, któremu podrzucił broń, to agent i cała paczka federalnych zapewniła mu alibi. Kiedy się dowiedziałem, że podejrzany jest agentem, zacząłem przypuszczać, że Joey Marker i jego ludzie też się tego domyślili i zmontowali całą akcję, żeby mu zepsuć opinię.

– Moim zdaniem to brzmi całkiem nieźle – rzekł Edgar.

– Brzmiało do wczoraj – odparł Bosch, gdy do stolika podszedł wiekowy kelner w czerwonej marynarce.

– Trzy razy zapiekany kurczak – powiedział do niego Bosch.

– Życzy pan sobie coś do picia? – spytał kelner.

Do diabła z tym, pomyślał Bosch.

– Owszem, martini z trzema oliwkami. Im proszę podać jeszcze mrożoną herbatę. To wszystko.

Kelner skinął głową i odpłynął dostojnym krokiem, niczego nie zapisując w bloczku.

– Wczoraj wieczorem – ciągnął Bosch – dowiedziałem się z pewnego źródła, że Joey Marker nie wiedział, kim jest człowiek, którego znał jako Luke'a Goshena. Nie miał pojęcia, że to informator, a co dopiero agent. Kiedy zgarnęliśmy Goshena, Joey ułożył plan, żeby się przekonać, czy Goshen wytrzyma, czy będzie sypał. Musiał zdecydować, czy dać na niego zlecenie, dopóki był w areszcie.

Przerwał na chwilę, dając im czas do namysłu.

– Widzicie więc, że jeśli dodamy do całości taką informację, druga teoria przestaje wchodzić w grę.

– Co to za źródło? – spytał Edgar.
– Nie mogę wam powiedzieć. Ale gwarantuję, że rzetelne. To prawda.
Zobaczył, jak oboje wbijają wzrok w stolik. Ufali mu, wiedzieli jednak, że informatorzy często potrafią wygadywać wierutne bzdury. Decyzja, by odtąd opierać się tylko na słowach informatora, wiązała się z poważnym ryzykiem.
– No dobrze – powiedział Bosch. – Źródłem jest Eleanor Wish. Jerry, opowiedziałeś Kiz o wszystkim?
Edgar po chwili wahania przytaknął.
– Czyli wiecie, kim jest. Usłyszała to, co wam powiedziałem, kiedy trzymali ją w tamtym domu. Zanim przyjechaliśmy, byli tam Joey i jego adwokat, Torrino. Podsłuchała ich rozmowę i wywnioskowała, że nic nie wiedzieli o Goshenie. Porwanie miało być częścią testu. Zakładali, że o kryjówce mogę się dowiedzieć tylko od Goshena. To był test, czy sypie, czy nie.
Upłynęło parę minut ciszy, podczas których Edgar i Rider przetrawiali nowe informacje.
– Dobra – odezwał się w końcu Edgar. – Rozumiem. Ale jeżeli wątek Vegas miał być jedną wielką zmyłą, jakim cudem agent miał w domu broń?
– To właśnie musimy ustalić. A jeżeli ktoś spoza mafii był blisko Tony'ego i wiedział, po co Tony jeździł do Vegas? Ktoś, kto wiedział, że Tony pierze pieniądze, albo jeździł za nim do Vegas i go śledził. Widział, jak odbierał pieniądze od Goshena. Był o wszystkim świetnie poinformowany i wpadł na pomysł, żeby wrobić Goshena. I zdawał sobie sprawę, że Tony będzie w piątek wracał z walizką pełną forsy?
– Wtedy mógłby zmontować całą historię, pod warunkiem że udałoby mu się dostać do domu agenta i podrzucić broń – odparł Edgar.
– Otóż to. Do domu mógłby się dostać bez kłopotu. Stoi pośrodku pustyni. Goshen całe wieczory i noce spędzał w klubie. Każdy mógł tam wejść, podłożyć broń i się ulotnić. Pytanie tylko kto?
– W grę wchodzi żona albo dziewczyna – powiedział Edgar. – Obie mogły być wtajemniczone.
Bosch skinął głową.
– To którą bierzemy na tapetę? W trójkę nie damy rady z obiema. Zwłaszcza na samowolce.
– Nie musimy – odparł Bosch. – Wydaje mi się, że wybór jest jasny.
– Którą? – spytał Edgar. – Dziewczynę?
Bosch zerknął na Rider, dając jej szansę na odpowiedź. Zauważyła to i zmrużyła oczy, zaczynając się zastanawiać.
– To... to nie może być dziewczyna, bo... bo dzwoniła do Tony'ego w niedzielę rano. Nagrała mu wiadomość w poczcie głosowej. Po co miałaby dzwonić, gdyby wiedziała, że Tony nie żyje?
Bosch skinął głową. Była niezła.

– To mogła być część planu – zauważył Edgar. – Jeszcze jedna zmyłka.

– Możliwe, ale wątpię – rzekł Bosch. – Poza tym wiemy, że w piątek wieczorem była w pracy. Raczej mało prawdopodobne, żeby zdążyła tu wpaść i stuknąć Tony'ego.

– Czyli to żona – powiedział Edgar. – Veronica.

– Zgadza się – przytaknął Bosch. – Wydaje mi się, że nas okłamała. Udawała, że nic nie wie o interesach męża, a doskonale się w nich orientowała. Cały ten plan to chyba jej dzieło. Napisała listy do skarbówki i PZ. Chciała, żeby wokół Tony'ego zrobiło się gorąco, a kiedy zginął, żeby trop prowadził do mafii. Żeby zagrała muzyka z kufra. Podrzucenie broni to był już tylko efektowny dodatek. Znajdziemy ją, świetnie. Nie znajdziemy, będziemy węszyć w Las Vegas, dopóki nie odłożymy sprawy na półkę.

– Chcesz powiedzieć, że wszystko zrobiła sama? – zdziwił się Edgar.

– Nie – odparł Bosch. – Mówię tylko, że moim zdaniem to był jej plan. Ale ktoś musiał jej pomagać. Wspólnik. Morderstwa dokonały dwie osoby, poza tym na pewno sama nie pojechała z bronią do Vegas. Po robocie została w domu i czekała, a wspólnik pojechał podrzucić broń, kiedy Luke Goshen był w klubie.

– Zaraz, zaraz – wtrąciła Rider. – Chyba o czymś zapominamy. Veronice Aliso żyło się całkiem wygodnie. Tony zgarniał grubą forsę ze swojej pralni. Mieli wielki dom na wzgórzach, samochody... po co miałaby zabijać dojną krowę? Ile było w tym neseserze?

– Według federalnych czterysta osiemdziesiąt tysięcy – odrzekł Bosch.

Edgar cicho gwizdnął. Rider pokręciła głową.

– Ciągle czegoś nie rozumiem – powiedziała. – To strasznie dużo, ale Tony zarabiał co najmniej tyle samo rocznie. W kategoriach biznesowych zabójstwo byłoby krótkoterminowym zyskiem i długoterminową stratą. To bez sensu.

– Wobec tego kryje się za tym coś, o czym jeszcze nie wiemy – rzekł Bosch. – Może chciał ją rzucić. Może starsza pani z Vegas miała rację, kiedy nam mówiła, że Tony zamierzał się ożenić z Laylą. A może są jakieś pieniądze, o których nie wiemy. Na razie jednak nikt inny poza Veronicą nie pasuje mi do obrazka.

– A brama wjazdowa na osiedle? – spytała Rider. – Z rejestru wynika, że przez całą noc w piątek nie wyjeżdżała z domu. I nikt jej nie odwiedzał.

– Trzeba nad tym popracować – oznajmił Bosch. – Musiała mieć jakiś sposób, żeby wyjechać i wrócić.

– Co jeszcze? – zapytał Edgar.

– Zaczynamy od początku – odparł Bosch. – Chcę wiedzieć o niej wszystko. Skąd pochodzi, kim są jej znajomi, co robi całymi dniami w domu, co robiła i z kim, kiedy Tony wyjeżdżał.

Rider i Edgar zgodnie kiwnęli głowami.

– Musi mieć wspólnika. I przypuszczam, że to mężczyzna. Założę się, że sama nas do niego zaprowadzi.

Zjawił się kelner z tacą, którą odstawił na wózek. Przyglądali się w milczeniu, jak przygotowuje danie. Na tacy stały trzy naczynia z zapiekankami. Kelner za pomocą widelca i łyżki zdjął z każdej skorupkę ciasta i położył na talerzach. Następnie nabrał nadzienie, przykrywając nim ciasto. Podał zapiekankę wszystkim trojgu, stawiając przed Edgarem i Rider szklanki mrożonej herbaty. Potem nalał Boschowi martini z małej karafki i oddalił się bez słowa.

– Oczywiście wszystko trzeba robić dyskretnie – ciągnął Bosch.

– Jasne – zgodził się Edgar. – Ale Kanar przesunęła nas na górę grafika. Kiedy przyjdzie następne wezwanie, dostaniemy je Kiz i ja. W dodatku będziemy musieli pracować bez ciebie. Trudno będzie ciągnąć obie rzeczy naraz.

– Zróbcie, co się da. Jeżeli trafi się wam nowy trup, bierzcie sprawę, nic na to nie poradzimy. Tymczasem proponuję, żebyście oboje prześwietlili Veronicę. Sprawdźcie, czy uda się coś znaleźć. Macie jakieś swoje źródła w „Timesie" albo innej prasie?

– Znam dwie osoby z „Timesa" – powiedziała Rider. – I kobietę, z którą kiedyś miałam sprawę – była ofiarą. Jest jakąś recepcjonistką w „Variety".

– Ufasz im?

– Chyba mogę im zaufać.

– Zobacz, czy znajdą gdzieś wzmiankę o Veronice. Miała kiedyś swoje pięć minut. Może był o niej jakiś artykuł, może trafimy na nazwiska ludzi, z którymi moglibyśmy pogadać.

– Nie powinniśmy z nią jeszcze raz porozmawiać? – spytał Edgar.

– Chyba jeszcze za wcześnie. Chcę przed tą rozmową już coś mieć.

– A z sąsiadami?

– Z sąsiadami tak. Może Veronica akurat wyjrzy przez okno, zobaczy was i zacznie się zastanawiać. Kiedy tam pojedziecie, może uda się wam jeszcze raz zajrzeć do rejestru w portierni. Pogadajcie z Nashem. Jestem pewien, że się zgodzi i nie będzie żądał następnego nakazu. Zależałoby mi na zapisach z całego roku. Chciałbym wiedzieć, kto ją odwiedzał, zwłaszcza kiedy Tony'ego nie było w mieście. Mamy wyciągi z kart kredytowych Tony'ego i możemy sprawdzić, kiedy wyjeżdżał. Będziecie wiedzieć, kiedy była w domu sama.

Bosch uniósł widelec. Jeszcze nie zaczął jeść, ale całą jego uwagę pochłaniała sprawa i plan działania.

– Potrzeba nam jak najwięcej dokumentów ze sprawy. Na razie mamy tylko kopię księgi morderstwa. Jadę teraz do Parker Center na pogawędkę w wewnętrznym. Wpadnę do szpitala USC i wezmę kopię protokołu z autopsji. Federalni już go mają. Pojadę też pogadać z Donovanem w kryminalistycznym. Zobaczę, czy udało mu się coś ustalić ze śladów zdjętych z samochodu. No i ma ślady butów.

Wezmę kopie. Mam nadzieję, że zdążę, zanim wpadną federalni i zwiną wszystko. O czymś zapomniałem?

Jego partnerzy przecząco pokręcili głowami.

– Chcecie się spotkać po pracy i pogadać o tym, co się udało ustalić?

Przytaknęli.

– W „Cat & Fiddle" o szóstej?

Znów niemo przytaknęli. Byli zajęci jedzeniem. Bosch nabrał na widelec porcję zapiekanki, która zaczynała już stygnąć. Również zamilkł, rozmyślając o sprawie.

– Musi się kryć w szczegółach – powiedział po długiej chwili.

– Co? – spytała Rider.

– Rozwiązanie. W sprawie takiej jak nasza odpowiedź zawsze kryje się w szczegółach. Zobaczysz, kiedy zamkniemy sprawę, odpowiedź będzie w aktach, w księdze. Zawsze tak jest.

Przesłuchanie u Chastaina w wydziale spraw wewnętrznych zaczęło się dokładnie tak, jak Bosch przewidywał. Harry siedział obok Zane'a, swojego obrońcy, przy szarym stoliku w jednym z pokojów przesłuchań. Przed nimi stał stary magnetofon Sony i nagrywał wszystko, co powiedziano w pomieszczeniu. Używając żargonu policyjnego, Chastain brał zeznanie Boscha pod klucz. Utrwalał na taśmie wszystkie jego wyjaśnienia, starając się wyciągnąć z niego jak najwięcej szczegółów. Prawdziwe dochodzenie zacznie się dopiero wówczas, gdy Chastain będzie miał pod kluczem zeznanie Boscha. Wtedy zacznie szukać w nim słabych punktów. Wystarczyło, żeby przyłapał Boscha na jednym kłamstwie, aby Harry trafił przed Radę Praw Obywatelskich. W zależności od wagi i skali kłamstwa Chastain mógł się domagać dla niego kary od zawieszenia aż do zwolnienia ze służby.

Cedząc każde słowo, Chastain czytał monotonnym głosem pytania zapisane w notatniku, a Bosch, powoli i z namysłem, udzielał jak najkrótszych odpowiedzi. Znał zasady tej gry. W ciągu piętnastu minut, jakie im dano przed przesłuchaniem, Zane wyjaśnił Boschowi, jak będzie przebiegała rozmowa i jak powinni ją prowadzić. Niczym dobry adwokat ani razu nie spytał Harry'ego wprost, czy podrzucił broń. Zane'a właściwie to nic nie obchodziło. Uważał wydział spraw wewnętrznych za wroga, za grupę złych gliniarzy, których jedynym celem jest nękanie dobrych gliniarzy. Zane należał do starej szkoły hołdującej przekonaniu, że wszyscy gliniarze są z natury dobrzy i choć czasem pod wpływem pracy stają się źli, to nie powinni ich za to prześladować inni policjanci.

Przez pół godziny wszystko toczyło się zgodnie z rutynową procedurą. Nagle jednak Chastain zupełnie ich zaskoczył.

– Detektywie Bosch, czy zna pan Eleanor Wish?

Zane wyciągnął rękę, zabraniając Boschowi odpowiadać.

– Co to za kit, Chastain?
– Z kim rozmawiałeś, Chastain? – dorzucił Bosch.
– Chwileczkę, Harry – przerwał mu Zane. – Nic nie mów. Co ty kombinujesz, Chastain?
– To, co wynika z rozkazów komendanta. Prowadzę dochodzenie w sprawie postępowania Boscha podczas śledztwa. Jeżeli chodzi o moje źródła informacji, to na tym etapie dochodzenia nie mogę wam ich ujawnić.
– Przesłuchanie miało być w sprawie rzekomego podrzucenia broni, chociaż wszyscy tu wiemy, że to bzdura. O tym mamy rozmawiać.
– Mam jeszcze raz przeczytać rozkaz komendanta? Jest chyba dość jasny.
Zane patrzył na niego przez chwilę.
– Daj nam pięć minut, żebyśmy mogli to omówić. Idź spiłuj sobie zęby, zgoda?
Chastain wstał i wyłączył magnetofon. Wychodząc, obejrzał się na nich z uśmiechem.
– Tym razem mam was obu. Bosch, z tego mi się nie wywiniesz. A Zane... cóż, nie zawsze można wygrywać, prawda?
– O tym wiesz lepiej ode mnie, cholerny świętoszku. Zostaw nas samych.
Po wyjściu Chastaina Zane pochylił się nad magnetofonem, sprawdzając, czy rzeczywiście jest wyłączony. Potem wstał i obejrzał termostat na ścianie, sprawdzając, czy nie ma w nim urządzenia podsłuchowego. Kiedy uznał, że mogą bezpiecznie rozmawiać, zapytał Boscha o Eleanor Wish. Bosch powiedział o swoich spotkaniach z Eleanor w ciągu kilku ostatnich dni, ani słowem nie wspominając jednak o uprowadzeniu i jej wczorajszym wyznaniu.
– Pewnie któryś z miejskiej musiał mu o was powiedzieć – uznał Zane. – Na pewno nic więcej nie wie. Będzie chciał ci wcisnąć zarzut o niedozwolone kontakty. Jeżeli się przyznasz, to cię ma. Ale jeżeli nie uda mu się wyciągnąć nic więcej, to w najlepszym razie lekko dostaniesz po łapach. Pod warunkiem że nie znajdzie nic innego. Ale jeżeli skłamiesz i powiesz mu, że nie byłeś z nią wtedy, kiedy byłeś, to masz problem. Moja rada jest taka. Powiesz mu: tak, znam ją, tak, byłem z nią. Cholera, to nic wielkiego. Powiedz mu, że wszystko już skończone i jak nic więcej nie znajdzie, to niech spada.
– Nie wiem, czy wszystko.
– Co?
– Nie wiem, czy wszystko skończone.
– No to nic mu o tym nie mów, chyba żeby cię zapytał. Wtedy musisz sam zdecydować, ile mu powiesz. Gotowy?
Bosch przytaknął i Zane otworzył drzwi. Chastain siedział za biurkiem w korytarzu.
– Chastain, gdzie się podziewasz? – spytał zrzędliwym tonem Zane. – Czekamy na ciebie i czekamy.

Chastain nie odpowiedział. Wszedł, włączył magnetofon i kontynuował przesłuchanie.

– Tak, znam Eleanor Wish – powiedział Bosch. – Tak, w ciągu kilku ostatnich dni spędziłem z nią pewien czas.

– Ile czasu?

– Nie wiem dokładnie. Dwa wieczory.

– Podczas prowadzenia śledztwa?

– Nie. Wieczorem, kiedy skończyłem pracę. Nie wszyscy tyrają dwadzieścia cztery godziny na dobę jak ty, Chastain.

Bosch posłał mu ponury uśmiech.

– Czy była świadkiem w tej sprawie? – zapytał Chastain tonem sugerującym, że jest wstrząśnięty takim naruszeniem zasad.

– Z początku przypuszczałem, że może być świadkiem. Kiedy ją jednak znalazłem i z nią porozmawiałem, szybko doszedłem do wniosku, że nie jest świadkiem mającym jakikolwiek związek ze sprawą.

– Ale podczas pierwszego spotkania występował pan jako prowadzący dochodzenie w sprawie.

– Zgadza się.

Przed zadaniem następnego pytania Chastain długo sprawdzał coś w notatkach.

– Czy skazana za przestępstwo Eleanor Wish mieszka obecnie w pańskim domu?

Bosch poczuł, jak zaczyna się w nim gotować. Ton Chastaina i jego bezczelność wytrąciły go z równowagi. Starał się zapanować nad sobą.

– Nie potrafię odpowiedzieć na to pytanie – odparł.

– Nie wie pan, czy ktoś mieszka u pana w domu, czy nie?

– Słuchaj, Chastain, spędziła tam wczorajszą noc. To chciałeś usłyszeć? Była u mnie, ale czy dzisiaj będzie, nie mam pojęcia. Ma swoje mieszkanie w Las Vegas. Być może dzisiaj wróci do siebie. Jeżeli chcesz, żebym zadzwonił i zapytał ją, czy oficjalnie u mnie zamieszkała, mogę to zrobić.

– Nie sądzę, żeby to było konieczne. Chyba to mi na razie wystarczy.

Przystąpił do recytowania formułek kończących przesłuchanie w wydziale spraw wewnętrznych.

– Detektywie Bosch, będzie pan informowany o rezultatach dochodzenia dotyczącego pańskiego postępowania. Jeśli departament postawi zarzuty, zostanie pan poinformowany o terminie przesłuchania przed Radą Praw Obywatelskich, w której zasiądą trzej kapitanowie. Będzie pan miał prawo wybrać jednego z nich. Ja wybiorę drugiego, a trzeci zostanie wybrany losowo. Ma pan jakieś pytania?

– Tylko jedno. Jak możesz uważać się za glinę, skoro nie robisz nic innego tylko siedzisz na tyłku i prowadzisz bzdurne dochodzenia w bzdurnych sprawach?

Zane położył Boschowi dłoń na ramieniu, chcąc go uciszyć.

– Nie, w porządku – odrzekł Chastain, dając Zane'owi znak, że nie musi nikogo uspokajać. – Chętnie odpowiem. Często słyszę to pytanie, Bosch. Zabawne, ale zawsze zadają mi je policjanci, w których sprawie prowadzę dochodzenie. Otóż jestem dumny z tego, co robię, bo reprezentuję opinię publiczną, a jeżeli nikt nie będzie kontrolować policji, nikt nie będzie mógł się przeciwstawić nadużywaniu przez nią władzy. Pełnię ważną funkcję społeczną, detektywie Bosch. I jestem z niej dumny. Czy może pan powiedzieć to samo o sobie?

– Jasne, jasne – rzekł Bosch. – Każdy, kto usłyszy to na taśmie, na pewno będzie zachwycony. Mam dziwne wrażenie, że siadasz wieczorami i słuchasz sobie tego sam. Bez końca. Po jakimś czasie zaczynasz w to wierzyć. Ale powiedz mi jedno, Chastain. Kto kontroluje policję, która kontroluje policję?

Bosch wstał i Zane poszedł za jego przykładem. Przesłuchanie było skończone.

Kiedy Bosch opuścił siedzibę wydziału spraw wewnętrznych i podziękował Zane'owi za pomoc, zjechał windą do laboratorium kryminalistycznego na trzecim piętrze, aby zobaczyć się z Artem Donovanem. Kryminalistyk właśnie wrócił z miejsca przestępstwa i przeglądał torebki z materiałem dowodowym, porównując ich zawartość z listą. Na widok nadchodzącego Boscha uniósł głowę.

– Jak się tu dostałeś, Harry?

– Znam kombinację.

Większość detektywów z wydziału rabunków i zabójstw znała szyfr otwierający drzwi laboratorium. Bosch opuścił wydział pięć lat temu, lecz nikt nie zmienił kombinacji cyfr.

– Widzisz, tak się zaczynają kłopoty – rzekł Donovan.

– Jakie kłopoty?

– Wchodzisz, kiedy badam materiał dowodowy. Ani się obejrzę, a jakiś przemądrzały adwokat powie, że dowody zostały zanieczyszczone i przedstawią mnie w telewizji jako ostatniego dupka.

– Masz paranoję, Artie. Poza tym następny proces stulecia będzie najwcześniej za kilka lat.

– Bardzo śmieszne. Czego chcesz, Harry?

– Jesteś dzisiaj drugą osobą, która twierdzi, że powiedziałem coś śmiesznego. Co się dzieje z moim śladem buta i resztą rzeczy?

– Ze sprawy Alisa?

– Nie, ze sprawy Lindbergha. A jak myślisz?

– Słyszałem, że zabrali ci Alisa. Mam wszystko przygotować, bo zgłosi się po to FBI.

– Kiedy?

Donovan po raz pierwszy od wejścia Boscha uniósł wzrok.

– Powiedzieli, że przed piątą kogoś przyślą.

– Czyli dopóki ich nie ma, ta sprawa jest ciągle moja. Ustaliłeś coś z tym butem?

– Nic. Wysłałem kopie do laboratorium biura w Waszyngtonie, żeby spróbowali zidentyfikować markę i model.

– I co?

– I nic. Jeszcze się nie odezwali. Bosch, dobrze wiesz, że policja z całego kraju zasypuje ich różnym badziewiem. Nie słyszałem jeszcze, żeby rzucali wszystko, bo właśnie przyszła przesyłka z Los Angeles. Pewnie dowiem się czegoś dopiero w przyszłym tygodniu. Jeżeli wszystko się dobrze ułoży.

– Cholera.

– Zresztą i tak jest za późno, żeby dzwonić na wschodnie wybrzeże. Może w poniedziałek. Nie wiedziałem, że tak nagle zainteresowałeś się tym butem. Nowoczesna łączność, Harry. Powinieneś czasem z tego korzystać.

– Nieważne, masz jeszcze kopie tych śladów?

– Aha.

– Mogę je dostać?

– Jasna sprawa, ale będziesz musiał zaczekać jakieś dwadzieścia minut, dopóki tego nie skończę.

– Daj spokój, Artie. Na pewno masz je w jakiejś szafce. Zajmie ci to najwyżej pół minuty.

– Odczepisz się wreszcie? – odburknął z irytacją Donovan. – Mówię poważnie, Harry. Zgadza się, kopie są w szafce i mógłbym ci je przynieść za pół minuty. Ale jeżeli choćby na chwilę zostawię tę robotę, to na mnie nie zostawią suchej nitki, kiedy będę zeznawać w tej sprawie. Już słyszę, jak jakiś szczwany adwokacina przejęty świętym oburzeniem mówi: „Chce pan powiedzieć przysięgłym, że w trakcie badania materiału dowodowego w tej sprawie zostawił pan pracę i poszedł po dowody w innej sprawie?". Dzisiaj nie trzeba już być F. Lee Baileyem*, żeby ława łyknęła taką gadkę. Daj mi spokój i wróć za pół godziny.

– W porządku, Artie. Dam ci spokój.

– I zadzwoń, kiedy wrócisz. Nie wchodź od razu. Musimy w końcu zmienić ten szyfr.

Ostatnie słowa powiedział bardziej do siebie niż do Boscha.

Bosch wycofał się z laboratorium, zjechał windą na parter i wyszedł z budynku, żeby zapalić. Musiał odejść na chodnik, ponieważ palenie przed wejściem do Parker Center było od niedawna wzbronione. Tylu pracujących tu policjantów było uzależnionych od nikotyny, że przed głównym wejściem do budynku zawsze stał gęsty tłum, nad którym stale unosił się sinobłękitny obłok dymu. Komen-

* Jeden z obrońców O. J. Simpsona, który szczególnie wsławił się przesłuchaniem detektywa Marka Fuhrmana, zarzucając mu podrzucenie dowodów świadczących przeciwko oskarżonemu (przyp. tłum.).

dant uznał, że to okropny widok, i ustanowił przepis, według którego osoba opuszczająca budynek w celu zapalenia papierosa musiała także opuścić teren siedziby policji. Teraz więc chodnik na Los Angeles Street często wyglądał, jakby odbywała się tu pikieta zorganizowana przez policję – przechadzali się po nim gliniarze, niektórzy ubrani nawet w mundury, brakowało im jedynie tablic z wymalowanymi hasłami. Podobno komendant konsultował się z prokuraturą Los Angeles, sprawdzając, czy nie mógłby zakazać także palenia na chodniku, uzyskał jednak odpowiedź, że chodnik jest poza jego jurysdykcją.

W chwili gdy Bosch odpalał drugiego papierosa od pierwszego, zobaczył zwalistą sylwetkę agenta FBI Roya Lindella, który wolnym krokiem wychodził przez szklane drzwi centrali policji. Na chodniku skręcił w prawo, kierując się w stronę gmachu sądu federalnego. Zmierzał prosto w kierunku Boscha. Zauważył go dopiero z odległości dwóch metrów i na jego widok wzdrygnął się zaskoczony.

– O co chodzi? Czekasz na mnie?

– Nie, palę papierosa, Lindell. Co tu robisz?

– Nie twój interes.

Próbował go wyminąć, lecz Bosch zatrzymał go pytaniem:

– Wstąpiłeś na sympatyczną rozmowę z Chastainem?

– Słuchaj, Bosch, poproszono mnie, żebym złożył oświadczenie, i spełniłem prośbę. Powiedziałem prawdę. Zobaczymy, co się stanie.

– Sęk w tym, że nie znasz prawdy.

– Wiem, że znalazłeś broń, a ja jej tam nie schowałem. Taka jest prawda.

– Przynajmniej jej część.

– Nie znam innej części i to mu powiedziałem. Miłego dnia.

Minął Boscha i ruszył dalej. Harry odwrócił się i zatrzymał go jeszcze raz.

– Takim jak ty wystarczy część prawdy. Mnie nie.

Lindell okręcił się na pięcie i podszedł do Boscha.

– Co to ma znaczyć?

– Sam się domyśl.

– Nie, ty mi powiesz.

– Wszyscy zostaliśmy wykorzystani, Lindell. I dowiem się przez kogo. Kiedy będę wiedział, na pewno dam ci znać.

– Słuchaj, Bosch, nie prowadzisz już tej sprawy. My nad nią pracujemy, dlatego lepiej się do niej nie wpieprzaj.

– Jasne, pracujecie nad nią – odparł sarkastycznie Bosch. – Założę się, że urabiacie sobie ręce po łokcie. Daj znać, kiedy ją zamkniecie.

– Bosch, to nie tak. Naprawdę nam na niej zależy.

– Odpowiedz mi na jedno pytanie, Lindell.

– Jakie?

– Gdy byłeś tajniakiem, czy Tony Aliso kiedykolwiek przyjechał po kasę z żoną?

Lindell milczał przez chwilę, zastanawiając się, czy może powiedzieć. Wreszcie potrząsnął głową.

– Nigdy – rzekł. – Tony zawsze mówił, że nie cierpiała miasta. Pewnie miała za dużo złych wspomnień.

Bosch starał się zachować beztroski ton.

– Wspomnień z Vegas?

Lindell uśmiechnął się.

– Jak na kogoś, kto podobno zna wszystkie odpowiedzi, niewiele wiesz, co? Tony poznał ją w klubie jakieś dwadzieścia lat temu. Na długo przede mną. Była tancerką, a Tony chciał z niej zrobić gwiazdę filmową. Wciskał jej ten sam kit co wszystkim innym po niej. Tylko że chyba zmądrzał i nie żenił się z każdą następną.

– Znała Joeya Markera?

– Z twojego jednego pytania zrobiły się już trzy, Bosch.

– Znała?

– Nie wiem.

– Jak się wtedy nazywała?

– Tego też nie wiem. Na razie, Bosch.

Odwrócił się i odszedł. Bosch cisnął niedopałek na ulicę i wszedł z powrotem do Szklanego Domu. Kilka minut później, gdy zadzwonił do laboratorium i został wpuszczony zgodnie z zasadami, Donovan siedział przy swoim biurku. Wziął z niego cienką teczkę i wręczył Harry'emu.

– Tu masz kopie – powiedział. – To samo wysłałem do biura. Zrobiłem kopię negatywu, a potem pstryknąłem nowy negatyw i wydrukowałem w czarno-białym kontraście do porównania. Powiększyłem je też do normalnego rozmiaru.

Bosch niewiele zrozumiał z tego, co powiedział Donovan, z wyjątkiem ostatniej informacji. Otworzył teczkę. Były w niej dwie kartki papieru kserograficznego z czarnymi odciskami butów. Na obydwu widniał częściowy ślad tego samego prawego buta. Ale między dwoma fragmentami był prawie cały but. Donovan wstał i zajrzał do teczki. Na jednej z kopii wskazał linię na podeszwie. Łuk protektora w pewnym miejscu był przerwany.

– Jeżeli znajdziesz sprawcę i ciągle będzie miał te buty, tym go załatwisz. Widzisz tę przerwaną linię? Nie wygląda na fabryczny wzór. Facet musiał nastąpić na jakieś szkło i rozciął podeszwę. Albo to jakaś wada fabryczna. Ale jeżeli znajdziesz but, będziesz go mógł bez kłopotu zidentyfikować i przymknąć drania.

– Dobra – rzekł Bosch, wciąż patrząc na ślady. – Nie dostałeś z biura nawet żadnej wstępnej analizy?

– Nie bardzo. Znam tam jednego faceta, któremu stale podrzucam takie rzeczy. Spotkałem się z nim na paru konferencjach. W każdym razie dzwonił i potwierdził, że dostali przesyłkę. Obiecał, że zajmie się nią, jak tylko będzie mógł. Powiedział mi tylko, że na pierwszy rzut oka to wygląda na takie lekkie wysokie buty za kostkę, bardzo ostatnio popularne. Wiesz, są wytrzymałe jak buty robocze, ale wygodne jak sportowe.

– Dobra, Artie, dzięki.

Bosch pojechał do szpitala okręgowego USC i postawił samochód na parkingu z tyłu, od strony stacji rozrządowej. Biuro koronera mieściło się na końcu kompleksu medycznego i Bosch wszedł tylnymi drzwiami, mignąwszy strażnikowi odznaką.

Najpierw sprawdził gabinet Salazara, ale był pusty. Zjechał więc do prosektoriów i zajrzał do pierwszego, gdzie stał obniżony stół, na którym zawsze przeprowadzał sekcje Salazar. Zastępca koronera pracował przy kolejnych zwłokach. Bosch wszedł, a Salazar uniósł wzrok znad otwartej klatki piersiowej czarnoskórego mężczyzny.

– Harry, co ty tu robisz? To sprawa biura południowego.

– Chciałem cię spytać o sprawę Alisa.

– Widzisz, że mam zajęte ręce. A w ogóle nie powinieneś tu wchodzić bez maski i fartucha.

– Wiem. Może któryś z twoich asystentów mógłby mi odbić kopię protokołu?

– Jasne. Podobno sprawą zainteresowało się FBI. To prawda, Harry?

– Podobno.

– Zabawne, ale ci agenci w ogóle nie byli łaskawi ze mną rozmawiać. Przyszli, wzięli kopię protokołu i poszli. A tam były gołe fakty. Żadnych ulubionych przez lekarzy refleksji.

– Jakimi refleksjami podzieliłbyś się z nimi, gdyby z tobą chcieli rozmawiać?

– Powiedziałbym im o swoim przeczuciu, Harry.

– Jakim?

Salazar spojrzał na niego znad stołu, ale wciąż trzymał dłonie w gumowych rękawiczkach nad otwartą klatką piersiową, aby krew nigdzie nie kapała.

– Mam przeczucie, że szukacie kobiety.

– Dlaczego?

– Odgadłem z substancji w oczach i pod oczami.

– „Preparation H"?

– Słucham?

– Nic, nieważne. Co tam znalazłeś?

– Po analizie okazało się, że to kapsaicyna. Znalazłem ją też w wymazie z nosa. Wiesz, pod jaką nazwą jest lepiej znana?

– Gaz pieprzowy.

– Cholera, Harry, psujesz mi całą zabawę.

– Przepraszam. Czy ktoś prysnął mu w twarz gazem pieprzowym?

– Tak jest. Dlatego wydaje mi się, że to kobieta. Ktoś, kto albo miał kłopoty z obezwładnieniem ofiary, albo bał się kłopotów. Stąd wniosek, że to kobieta. Poza tym większość kobiet nosi taki gaz w torebkach.

Bosch zastanawiał się, czy do tej większości należy także Veronica Aliso.

– Dobrze wiedzieć, Sally. Coś jeszcze?

– Żadnych niespodzianek. Wyniki testów negatywne.

– Nie było azotanu amylu?

– Nie, ale ta substancja szybko się rozkłada. Rzadko ją znajdujemy. Pociski się przydały? Doszliście do czegoś?

– Tak, doszliśmy. Możesz poprosić kogoś o ten protokół?

– Zawieź mnie do interkomu.

Salazar uniósł dłonie i trzymał je przed sobą, by niczego nie dotknąć, a Bosch popchnął jego wózek do blatu, gdzie stał telefon z podłączonym interkomem. Salazar powiedział mu, który guzik ma wcisnąć, po czym wydał komuś po drugiej stronie polecenie, by natychmiast zrobić kopię protokołu dla Boscha.

– Dzięki – powiedział Bosch.

– Nie ma sprawy. Mam nadzieję, że wam w czymś pomoże. Pamiętaj, szukajcie kobiety, która nosi w torebce gaz pieprzowy. Nie łzawiący. Pieprzowy.

– W porządku.

Zaczynał się weekend i wracając do Hollywood, Bosch przedzierał się przez korki w centrum prawie godzinę. Do pubu „Cat & Fiddle" na Sunset dotarł po szóstej i gdy wszedł przez furtkę do ogródka przed budynkiem, zobaczył przy stoliku Edgara i Rider. Przed nimi stał dzbanek piwa. I nie byli sami. Towarzyszyła im Grace Billets.

Gliniarze z Hollywood często spotykali się w „Cat & Fiddle", ponieważ pub był kilka przecznic od posterunku na Wilcox. Dlatego podchodząc do stolika, Bosch nie wiedział, czy Billets znalazła się tu przez przypadek, czy dowiedziała się o ich samowolnym przedsięwzięciu.

– Siemacie – rzucił, siadając.

Zobaczył na stoliku jedną pustą szklankę i nalał do niej piwa. Potem wzniósł toast za koniec kolejnego tygodnia.

– Harry – powiedziała Rider. – Porucznik wie, co robimy. Chce nam pomóc.

Bosch skinął głową i wolno zwrócił wzrok w stronę Billets.

– Jestem rozczarowana, że nie przyszliście do mnie od razu – oświadczyła. – Ale dobrze was rozumiem. Zgadzam się, że federalni mogą grać na zwłokę we własnym interesie, żeby nie narażać swojej sprawy. Ale zamordowano człowieka. Jeżeli nie chcą szukać zabójcy, nie widzę powodu, czemu my nie mielibyśmy się tym zająć.

Bosch pokiwał głową. Z wrażenia niemal odjęło mu mowę. Wszyscy jego dotychczasowi szefowie byli sztywniakami uważającymi regulamin za wyrocznię. Grace Billets w ogóle ich nie przypominała.

– Oczywiście trzeba bardzo uważać – ciągnęła. – Jeżeli to schrzanimy, nie tylko FBI się na nas wścieknie.

Dawała im w ten sposób do zrozumienia, że stawką w grze jest ich kariera zawodowa.

– Mnie już i tak nic nie pomoże – powiedział Bosch. – Gdyby więc coś poszło nie tak, wszystko wezmę na siebie.

– Bzdury wygadujesz – odparła Rider.

– Wcale nie. Macie przed sobą przyszłość. Mnie już nic nie czeka. Wszyscy dobrze wiemy, że Hollywood to dla mnie ostatni przystanek. Gdyby więc sprawa wzięła w łeb, tylko ja za to odpowiem. Jeżeli się nie zgadzacie, lepiej od razu dajcie sobie spokój.

Upłynęła chwila ciszy, po czym wszyscy troje po kolei przytaknęli.

– No dobrze – podjął Bosch. – Może już mówiliście szefowej, co wam się udało zrobić, ale ja też chciałbym usłyszeć.

– Ustaliliśmy parę rzeczy, chociaż niewiele – odrzekła Rider. – Jerry pojechał na wzgórze pogadać z Nashem, a ja grzebałam w komputerze i rozmawiałam ze znajomym z „Timesa". Najpierw wzięłam raport kredytowy Tony'ego Aliso z TRW i znalazłam tam numer ubezpieczenia Veroniki. Potem chciałam sprawdzić jej historię zatrudnienia w komputerze Wydziału Ubezpieczeń Społecznych i okazało się, że Veronica to nie jest jej prawdziwe imię. Pod jej numerem ubezpieczenia figuruje Jennifer Gilroy urodzona czterdzieści jeden lat temu w Las Vegas. Nic dziwnego, że nie cierpi Vegas. Wychowała się w tym mieście.

– Pracowała gdzieś?

– Nigdzie, dopóki nie przyjechała tu i nie została zatrudniona przez TNA Productions.

– Co jeszcze?

Zanim Rider otworzyła usta, usłyszeli jakiś hałas dobiegający od strony przeszklonych drzwi baru, które otworzyły się gwałtownie. Ukazał się w nich rosły barman popychający znacznie drobniejszego mężczyznę. Klient miał ubranie w nieładzie, był wyraźnie pijany i wykrzykiwał coś o oburzającym braku szacunku. Barman odprowadził go do furtki ogródka i brutalnie wypchnął na ulicę. Gdy tylko się odwrócił, pijaczek wykonał w tył zwrot i zaczął sunąć z powrotem. Barman cofnął się do furtki i pchnął człowieczka tak mocno, że ten klapnął na siedzeniu. Zawstydzony upadkiem, zagroził barmanowi, że jeszcze wróci i mu pokaże. Kilka osób przy stolikach zachichotało. Pijaczek podniósł się i chwiejnym krokiem ruszył na ulicę.

– Wcześnie tu zaczynają – zauważyła Billets. – Mów dalej, Kiz.

– No więc sprawdziłam w NCIC*. Jennifer Gilroy dwa razy została zatrzymana w Vegas za oferowanie płatnego seksu. Ponad dwadzieścia lat temu. Zadzwoniłam tam i poprosiłam o przesłanie zdjęć z kartoteki i raportów. Wszystko mają na mikrofilmach i muszą to najpierw wygrzebać, więc dostaniemy te materiały dopiero w przyszłym tygodniu. Zresztą i tak pewnie nie będzie ich dużo. Według

* National Crime Information Center – Krajowe Centrum Informacji o Przestępczości FBI (przyp. tłum.).

danych w bazie żadna z tych spraw nie trafiła do sądu. Veronica w obu przypadkach poszła na ugodę i zapłaciła grzywnę.

Bosch skinął głową. To był rutynowy sposób załatwiania rutynowych spraw.

– Nic więcej nie mam. Jeżeli natomiast chodzi o „Timesa", niczego nie znalazłam. Mojej znajomej z „Variety" udało się niewiele więcej. O Veronice Aliso ledwie wspomniano w recenzji z *Ofiary pożądania*. Zjechali i film, i ją, ale chciałabym zobaczyć to dzieło. Masz jeszcze kasetę, Harry?

– Leży na moim biurku.

– Rozbiera się w tym filmie? – zainteresował się Edgar. – Jeżeli tak, to też chcę zobaczyć.

Nikt nie zareagował.

– Co jeszcze? – ciągnęła Rider. – Hm, są dwie wzmianki o Veronice w artykułach o premierach filmowych, gdzie piszą, kto na nich był. To wszystko. Kiedy mówiłeś, że miała swoje pięć minut, zdaje się, że pomyliłeś minuty z sekundami. No więc z mojej strony to tyle. Jerry?

Edgar odchrząknął i wyjaśnił, że pojechał do portierni przy bramie Hidden Highlands, ale napotkał problem, bo Nash odmówił pokazania mu pełnego rejestru wjazdów i wyjazdów, dopóki nie zobaczy nowego nakazu. Edgar spędził więc popołudnie na pisaniu nakazu i polowaniu na sędziego, który nie wyjechał jeszcze na weekend. W końcu udało mu się zdobyć podpis i zamierzał dostarczyć nakaz nazajutrz rano.

– Kiz i ja pojedziemy tam rano. Obejrzymy sobie rejestr z bramy, a potem spróbujemy pogadać z jakimiś sąsiadami. Mamy nadzieję, że tak jak mówiłeś, wdowa zobaczy nas z okna i cykor ją obleci. Może spanikuje i popełni jakiś błąd.

Przyszła kolej na Boscha, który zdał relację ze swoich popołudniowych działań, mówiąc o scysji z Royem Lindellem i uzyskanej od niego informacji, że Veronica Aliso rozpoczęła swoją karierę w show-biznesie jako striptizerka w Las Vegas. Powiedział im także o odkryciu Salazara, który ustalił, że Tony Aliso krótko przed śmiercią został zaatakowany gazem pieprzowym, oraz przeczuciu koronera, że napastnikiem mogła być kobieta.

– Salazar sądzi, że najpierw prysnęła mu w twarz gazem, a potem sama go zabiła? – spytała Billets.

– To nie ma znaczenia, bo nie była sama – odparł Bosch.

Położył na kolanach aktówkę i wyciągnął kopie śladów butów zdjętych przez Donovana z ciała ofiary i zderzaka rolls-royce'a. Położył obie kartki pośrodku stołu, aby wszyscy troje mogli je zobaczyć.

– To buty numer jedenaście. Artie twierdzi, że nosił je mężczyzna. Wysoki mężczyzna. A więc kobieta, jeżeli faktycznie tam była, prysnęła mu w twarz gazem, ale robotę dokończył ten facet.

Bosch wskazał na czarny odcisk podeszwy.

– Postawił na nim prawą stopę, żeby się nachylić i strzelić z bliska. Spokojny i skuteczny. Prawdopodobnie zawodowiec. Może ktoś, kogo znała jeszcze z Vegas.

– Ten sam, który podrzucił w Vegas broń? – spytała Billets.

– Tak przypuszczam.

Bosch od czasu do czasu spoglądał na furtkę, na wypadek gdyby wyrzucony z baru pijaczek postanowił wrócić i postawić na swoim. Kiedy jednak zerknął w tę stronę, nie zobaczył pijaczka. Ujrzał Raya Powersa, funkcjonariusza z patrolu, którego twarz mimo późnej pory przysłaniały lustrzane okulary. Rosły policjant wkroczył do ogródka, gdzie czekał już na niego barman, który gestykulując z ożywieniem, opowiedział mu o pijaczku i wygłaszanych przez niego pogróżkach. Powers powiódł spojrzeniem po stolikach i zauważył Boscha i jego towarzyszy. Kiedy w końcu uwolnił się od barmana, zbliżył się do nich wolnym krokiem.

– Proszę, to tak się relaksują mózgi dochodzeniówki – powiedział.

– Zgadza się, Powers – odrzekł Edgar. – Gość, którego szukasz, chyba właśnie sika w krzakach.

– Tak jest, szefie, już po niego idę.

Powers popatrzył na nich ze złośliwym uśmieszkiem. Zatrzymał wzrok na kartkach ze śladami butów i wskazał je podbródkiem.

– Tak opracowujecie strategię śledztwa? Dam wam małą wskazówkę. To są ślady buta.

Uśmiechnął się, dumny z własnej błyskotliwości.

– Jesteśmy po służbie, Powers – powiedziała Billets. – Zajmij się swoją robotą i nie martw się o naszą.

Powers zasalutował.

– Ktoś musi pracować, nie?

Nie czekając na odpowiedź, wyszedł z ogródka.

– Strasznie upierdliwy facet – zauważyła Rider.

– Wkurzył się, bo powiedziałam jego porucznikowi, że zostawił odcisk palca w rolls-roysie – powiedziała Billets. – Chyba dostał za to opieprz. Ale wracajmy do sprawy. Jak sądzisz, Harry? Mamy wystarczające podstawy, żeby się ostro wziąć do Veroniki?

– Sądzę, że powinno wystarczyć. Pojadę z nimi jutro na osiedle zobaczyć, co jest w rejestrze wjazdów i wyjazdów. Może złożymy jej wizytę. Wolałbym tylko mieć w ręku coś konkretnego, żeby było o czym z nią pogadać.

Billets skinęła głową.

– Chcę być o wszystkim na bieżąco informowana. Zadzwoń do mnie w południe.

– Zrobi się.

– Im dłużej będziemy ciągnąć śledztwo na własną rękę, tym trudniej będzie je utrzymać w tajemnicy. Uważam, że w poniedziałek powinniśmy podsumować nasze wnioski i zdecydować, czy przekazujemy je federalnym.

– Nie podoba mi się ten pomysł – oznajmił Bosch, z powątpiewaniem kręcąc głową. – Cokolwiek im damy, schowają to pod sukno i tyle. Jeżeli chcesz zamknąć sprawę, zostaw ją nam i nie dopuszczaj do niej biura.

– Spróbuję, Harry, ale w pewnym momencie to będzie niemożliwe. Prowadzimy na lewo regularne śledztwo. Prędzej czy później nastąpi jakiś przeciek. Moim zdaniem lepiej, żeby to był przeciek kontrolowany i żeby wyszedł ode mnie.

Bosch niechętnie kiwnął głową. Wiedział, że Billets ma rację, ale musiał się przeciwstawić jej propozycji. Prowadził tę sprawę. Należała do niego. A z powodu tego, co się zdarzyło w ciągu zeszłego tygodnia, dotykała go osobiście. Nie miał ochoty oddawać jej nikomu innemu.

Zebrał ze stołu kopie odcisków buta i schował do aktówki. Dopił piwo i zapytał, ile i komu jest za nie winien.

– Ja stawiam – powiedziała Billets. – Kiedy zamkniemy sprawę, postawisz ty.

– Umowa stoi.

Gdy Bosch wrócił do domu, drzwi były zamknięte, ale klucz, który dał Eleanor Wish, leżał pod wycieraczką. Zaraz po wejściu sprawdził, czy na ścianie wisi obraz Hoppera. Wisiał. Ale Eleanor nie było. Bosch szybko przeszukał pokoje, lecz nie znalazł żadnej wiadomości. Zajrzał do szafy. Jej rzeczy zniknęły. Walizka też.

Usiadł na łóżku, myśląc o jej odejściu. Dziś rano niczego nie rozstrzygnęli. Bosch wstał wcześnie i gdy Eleanor leżała, patrząc, jak szykuje się do wyjścia, zapytał ją, co zamierza robić w ciągu dnia. Odrzekła, że nie wie.

I zniknęła. Bosch przetarł twarz. Już zaczynało mu jej brakować. Odtwarzał w pamięci przebieg ich rozmowy poprzedniego wieczoru, uznając, że wszystko rozegrał źle. Decyzja, by przyznać się do współudziału, wiele ją kosztowała. A on ocenił to jedynie w odniesieniu do siebie i sprawy. Nie pomyślał, co to oznacza dla niej. I dla nich.

Bosch rozciągnął się na wznak w poprzek łóżka. Rozłożył ręce, wpatrując się w sufit. Ogarnęło go zmęczenie wywołanie działaniem piwa.

– W porządku – powiedział głośno.

Zastanawiał się, czy zadzwoni, czy znów upłynie pięć lat, zanim znów spotka ją gdzieś przypadkiem. Myślał, ile się zdarzyło w ciągu minionych pięciu lat i jak długo musiał czekać. Poczuł ból w całym ciele. Zamknął oczy.

– W porządku.

Zasnął i śniło mu się, że jest sam na pustyni, a wokół niego jak okiem sięgnąć roztacza się bezludna, pozbawiona dróg ogromna przestrzeń.

Rozdział 6

O siódmej rano w sobotę Bosch wziął dwa kubki kawy i dwa lukrowane pączki kupione w „Bob's" na Farmers Market i pojechał na polankę, gdzie znaleziono zwłoki Tony'ego. Jedząc i pijąc, patrzył na warstwę mgły znad oceanu unoszącą się nad cichym miastem. W blasku wschodzącego słońca wieżowce w centrum przypominały ciemne monolity wyłaniające się z szarego oparu. Widok był piękny i Bosch miał wrażenie, że na całym świecie tylko on go ogląda.

Gdy skończył jeść, otarł z palców lepki lukier serwetką, którą zwilżył w fontannie na Farmers Market. Następnie zapakował papier razem z pustym kubkiem po kawie do torebki i uruchomił samochód.

Zasnął wcześnie wieczorem i zbudził się w ubraniu jeszcze przed świtem. Czuł, że musi wyjść z domu i coś zrobić. Zawsze uważał, że tylko intensywna praca potrafi posunąć śledztwo naprzód. Postanowił zabrać się do dzieła od samego rana i wyruszył na poszukiwania miejsca, w którym mordercy mogli zatrzymać rolls-royce'a Tony'ego Aliso.

Doszedł do wniosku, że porwanie musiało nastąpić na Mulholland Drive niedaleko wjazdu do Hidden Higlands. Przemawiały za tym dwa powody: po pierwsze, polanka, gdzie znaleziono samochód, znajdowała się na drodze odchodzącej od Mulholland. Gdyby Alisa porwano bliżej lotniska, samochód prawdopodobnie zostałby porzucony niedaleko w tamtej okolicy, a nie dwadzieścia pięć kilometrów dalej. Po drugie, łatwiej i bezpieczniej było dokonać porwania na Mulholland pod osłoną ciemności. Na ulicach wokół lotniska, zawsze pełnych ludzi i aut, wiązałoby się to z dużym ryzykiem.

Drugie pytanie brzmiało: czy mordercy jechali za Alisem z lotniska, czy po prostu czekali na niego na Mulholland Drive. Bosch wybrał tę drugą możliwość, wychodząc z założenia, że w grę wchodziła skromna operacja – zaangażowane były najwyżej dwie osoby – a siedzenie komuś na ogonie wzbudziłoby podejrzenia kierowcy, zwłaszcza w Los Angeles, gdzie każdy właściciel rolls-royce'a na pewno słyszał o napadach i kradzieżach samochodów. Bosch przypuszczał, że sprawcy przygotowali na Mulholland pułapkę lub upozorowali jakąś scenę, na której widok Aliso musiał się zatrzymać, mimo że miał w neseserze czterysta osiemdziesiąt tysięcy dolarów. Aby go do tego skłonić, w scenariuszu na pewno wzięła udział Veronica. Oczyma wyobraźni Bosch ujrzał wyłaniające się zza zakrętu reflektory rolls-royce'a, w których blasku nagle pojawia się pani Aliso i szaleńczo macha do kierowcy. Tony musiał się zatrzymać.

Mordercy musieli tak wybrać miejsce zasadzki, by mieć pewność, że Tony będzie je mijał w drodze do domu. Z lotniska przez Mulholland do bramy Hidden Highlands były do wyboru tylko dwie trasy. Pierwsza prowadziła na północ autostradą numer 405 do zjazdu na Mulholland Drive. Wybierając drugą, Tony pojechałby z lotniska na północ La Cienega Boulevard do Laurel Canyon, a potem w górę zbocza aż do Mulholland.

Obie trasy miały wspólny tylko odcinek Mulholland długości półtora kilometra. Ze względu na to, że sprawcy nie mogli wiedzieć, którą drogą Aliso wróci do domu, Bosch nie miał wątpliwości, że zatrzymanie samochodu i porwanie musiało nastąpić właśnie na tym krótkim odcinku krętej drogi, postanowił go więc obejrzeć. Prawie przez godzinę jeździł tam i z powrotem, by w końcu zdecydować się na punkt, który sam by wybrał, gdyby planował czyjeś porwanie. Był to ostry zakręt – agrafka, osiemset metrów od bramy wjazdowej do Hidden Highlands. W okolicy było kilka domów, ale wszystkie stały na skarpie wznoszącej się od południowej strony drogi, wysoko nad jej poziomem. Po drugiej stronie rozciągał się niezabudowany teren opadający stromo aż do parowu gęsto porośniętego eukaliptusami i robiniami. Miejsce było idealne. Ustronne i niewidoczne.

Bosch znów sobie wyobraził, jak Tony Aliso wyjeżdża zza zakrętu i w światłach rolls-royce'a widzi na drodze własną żonę. Zaskoczony hamuje, nie mając pojęcia, co Veronica może tu robić. Wysiada, a z pobocza drogi od strony północnej wyłania się jej wspólnik. Veronica pryska mężowi w twarz gazem pieprzowym, wspólnik podchodzi do samochodu i otwiera bagażnik. Aliso zasłania dłońmi piekące oczy, gdy nagle zostaje brutalnie wepchnięty do bagażnika i skrępowany. Teraz porywacze obawiają się tylko, czy zza zakrętu nie wyjedzie inny samochód i ich nie oświetli. Ale na Mulholland o tak późnej porze to mało prawdopodobne. Cała akcja mogła trwać zaledwie piętnaście sekund. Dlatego postanowili użyć gazu pieprzowego. Nie ze względu na fakt, że napastnikiem była kobieta, ale dlatego, że tak było szybciej.

Bosch zatrzymał samochód na poboczu, wysiadł i rozejrzał się wokół. Miejsce nadawało się doskonale. Było tu cicho jak w grobie. Postanowił wrócić tu w nocy i zobaczyć je w ciemności, by sprawdzić, czy przeczucie go nie myli.

Przeszedł na drugą stronę ulicy i zajrzał do parowu, gdzie według jego teorii miał czyhać wspólnik Veroniki. Szukał jakiegoś miejsca przy samej drodze, w którym mógłby się ukryć mężczyzna. Dostrzegł dróżkę prowadzącą między drzewa i ruszył w tę stronę, szukając śladów. Na ziemi było ich dużo, więc Bosch kucnął, by przyjrzeć im się dokładniej. Ścieżkę pokrywał kurz, który ułatwiał mu rozpoznanie śladów. Znalazł odciski dwóch różnych par butów: starych ze zdartymi obcasami i nowszych, których obcasy pozostawiły na ziemi wyraźne kontury. Żaden z nich nie pasował jednak do wzoru, jakiego szukał – podeszwy buta z przecięciem, które zauważył Donovan.

Bosch podążył wzrokiem w głąb dróżki prowadzącej między drzewa i krzewy. Postanowił zapuścić się parę kroków dalej. Uniósł gałąź robinii i dał nura w gęstwinę. Gdy oczy przyzwyczaiły się do półmroku panującego pod liściastym baldachimem, w odległości kilkunastu metrów dostrzegł jakiś niebieski przedmiot, którego nie potrafił zidentyfikować. Aby się do niego zbliżyć, musiałby zejść z dróżki, lecz postanowił zbadać tajemniczy obiekt.

Zapuściwszy się trzy metry w głąb zarośli, zobaczył, że to kawałek plastikowej plandeki z rodzaju tych, jakie można zobaczyć na dachach w całym mieście, gdy trzęsienie ziemi strąca z domów kominy i powoduje pękanie budynków. Bosch podszedł bliżej i zauważył, że plandeka jest przywiązana za rogi do dwóch drzew i zarzucona na gałąź trzeciego, wskutek czego tworzy niewielki szałas na płaskiej części zbocza. Przyglądał się przez chwilę, lecz nie dostrzegł żadnego ruchu.

Nie mógł cicho podkraść się do szałasu. Ziemię przykrywała gruba warstwa zeschłych liści i gałązek, które szeleściły i trzaskały pod butami. Kiedy Bosch znalazł się trzy metry od plandeki, zatrzymał go ochrypły męski głos:

– Mam broń, skurwiele!

Bosch stanął jak wryty, nieruchomo wpatrując się w szałas. Niebieska plandeka była zawieszona na gałęzi robinii, skutecznie zasłaniając przed jego wzrokiem ukrytego za nią człowieka. Właściciel głosu też prawdopodobnie nie mógł go zobaczyć. Bosch postanowił zaryzykować.

– Ja też mam broń – krzyknął. – I odznakę.

– Policja? Nie wzywałem policji!

W głosie dała się słyszeć nutka histerii i Bosch zaczął podejrzewać, że natknął się na jednego z bezdomnych, których w latach osiemdziesiątych masowo wyrzucano z zakładów psychiatrycznych z powodu gigantycznych cięć budżetowych, co dotykało instytucje pomocy publicznej. Całe miasto się od nich roiło. Stali prawie na każdym większym skrzyżowaniu, trzymając tabliczki i potrząsając kubkami z bilonem, spali pod estakadami albo jak termity zaszywali się w lasach na wzgórzach, gdzie mieszkali w prowizorycznych obozach, parę metrów od rezydencji wartych miliony dolarów.

– Przechodziłem tędy – zawołał Bosch. – Odłóż broń, a zrobię to samo.

Bosch przypuszczał, że człowiek o zalęknionym głosie w ogóle nie ma broni.

– Zgoda. Odkładam.

Bosch odpiął kaburę pod pachą, lecz nie wyciągał pistoletu. Zbliżył się do szałasu, wolno obchodząc pień robinii. Na kocu pod daszkiem z plandeki siedział po turecku mężczyzna o długich siwych włosach i z brodą spływającą na hawajską koszulę z niebieskiego jedwabiu. Miał błędny wzrok. Bosch obrzucił szybkim spojrzeniem jego ręce i okolicę w ich zasięgu, ale nigdzie nie zauważył broni. Nieco uspokojony, powitał mężczyznę skinieniem głowy.

– Dzień dobry – powiedział.

– Nic nie zrobiłem.

– Rozumiem.

Bosch rozejrzał się wokół. Pod plandeką leżały złożone ubrania i ręczniki. Na składanym stoliku stała patelnia, kilka świeczek i puszek z paliwem turystycznym, a obok leżały dwa widelce i łyżka, ale nie było noża. Bosch domyślał się, że mężczyzna ukrywa nóż pod koszulą albo pod kocem. Na stoliku stała także buteleczka wody kolońskiej, którą – sądząc po zapachu – obficie skropiono wnętrze szałasu. Pod plandeką Bosch dostrzegł stare wiadro pełne zgniecionych puszek aluminiowych, stertę gazet i zniszczoną książkę w miękkiej okładce *Obcy w obcym kraju*.

Bosch podszedł bliżej i kucnął jak baseballista szykujący się do złapania piłki. W ten sposób jego twarz znalazła się na wysokości twarzy bezdomnego. Spojrzał za siebie w stronę skraju polanki i zobaczył, że mieszkaniec szałasu urządził tam sobie wysypisko niepotrzebnych rzeczy. Walały się tam worki ze śmieciami i resztki odzieży. U stóp innej robinii Bosch dostrzegł brązowo-zieloną torbę podróżną. Leżała rozpięta, przypominając wypatroszoną rybę. Bosch odwrócił się do mężczyzny. Pod niebieską koszulą we wzór wyobrażający hawajskie dziewczyny na deskach surfingowych gospodarz szałasu nosił dwie inne koszule. Miał brudne spodnie, ale zaprasowane w ostry kant, co rzadko spotykało się u bezdomnych. Buty też wydawały się zbyt lśniące jak na obuwie leśnego człowieka. Bosch przypuszczał, że to on pozostawił niektóre ze śladów na dróżce – te z wyraźnie zarysowanymi obcasami.

– Ładna koszula – zauważył Bosch.

– Jest moja.

– Wiem. Mówię tylko, że jest ładna. Jak się nazywasz?

– George.

– George, a dalej?

– George jak sobie kurde chcesz.

– W porządku, George'u jak sobie kurde chcesz. Może opowiesz mi o tej torbie i swoim ubraniu, co? Masz nowe buty. Skąd się wzięły te wszystkie rzeczy?

– Z dostawy. Teraz są moje.

– Jak to, z dostawy?

– Normalnie, z dostawy. Wszystko dostałem.

Bosch wyciągnął papierosy i poczęstował mężczyznę. Odmówił ruchem ręki.

– Nie stać mnie. Pół dnia musiałbym zbierać puszki, żeby kupić paczkę fajek. Rzuciłem.

Bosch skinął głową.

– Jak długo tu mieszkasz, George?

– Całe życie.

– Kiedy wyrzucili cię z Camarillo?

– Kto ci to powiedział?

To była najbardziej prawdopodobna hipoteza, ponieważ zakład stanowy Camarillo znajdował się najbliżej.

– Ktoś. Kiedy to się stało?

– Jak ci o mnie powiedzieli, to musieli też powiedzieć kiedy. Nie jestem głupi.

– Poddaję się, George. A torba i rzeczy? Kiedy je dostałeś?

– Nie wiem.

Bosch wyprostował się i podszedł do torby. Do uchwytu była przymocowana plakietka z nazwiskiem właściciela. Odwrócił ją i zobaczył nazwisko i adres Anthony'ego Aliso. Zauważył, że pod torbą leży jakieś kartonowe pudło, które częściowo się rozpadło podczas staczania się po stromym zboczu. Bosch odwrócił karton stopą i odczytał napis na boku.

SCOTCH STANDARD HS/T-90 VHS 96 COUNT

Zostawiwszy torbę i pudło, wrócił do George'a i znów przed nim kucnął.

– Może dostawa była w piątek w nocy, co ty na to?

– Wszystko jedno.

– Nie wszystko jedno, George. Jeżeli chcesz, żebym dał ci spokój, i chcesz tu zostać, musisz mi pomóc. Jak strugasz wariata, to mi nie pomagasz. Kiedy była ta dostawa?

George zwiesił głowę na piersi jak skarcony przez nauczyciela chłopiec. Zasłonił oczy dłonią, naciskając powieki kciukiem i palcem wskazującym. Kiedy się odezwał, jego głos brzmiał jak zduszony struną fortepianu.

– Nie wiem. Po prostu mi to zrzucili. Nic więcej nie wiem.

– Kto zrzucił?

George z błyskiem w oczach uniósł głowę i brudnym palcem wskazał w górę. Bosch spojrzał w tę stronę i przez konary drzew zobaczył skrawek błękitnego nieba. Westchnął zirytowany. Rozmowa była bezcelowa.

– A więc zrzuciły ci to ze swojego statku zielone ludziki, tak, George? To mi chcesz wmówić?

– Tego nie powiedziałem. Nie wiem, czy byli zieloni. Nie widziałem ich.

– Ale widziałeś statek kosmiczny?

– Nie. Tego też nie mówiłem. Nie widziałem statku. Tylko światła lądownika.

Bosch przyglądał mu się przez chwilę.

– Pasuje jak ulał – ciągnął George. – Mają taki niewidzialny promień, którym cię mierzą, nawet nie wiesz kiedy, a potem przysyłają ubrania.

– Świetnie.

Zaczynały mu drętwieć kolana. Kiedy się wyprostował, zatrzeszczały boleśnie.

– Robię się za stary na takie bzdury, George.

– Tak mówią policjanci. Kiedy miałem dom, oglądałem *Kojaka.*

– Tak. Wiesz co, jeżeli nie masz nic przeciwko temu, wezmę sobie torbę. I pudło z kasetami.

– Proszę bardzo. Nigdzie się nie wybieram. I nie mam magnetowidu.

Bosch podszedł do kartonu i torby, zastanawiając się, dlaczego je wyrzucono, zamiast po prostu zostawić w rolls-roysie. Po chwili doszedł do wniosku, że musiały być w bagażniku. Żeby zrobić miejsce dla Alisa, mordercy wyciągnęli bagaże i cisnęli do parowu. Spieszyli się. Podjęli decyzję pod wpływem chwili. I to był błąd.

Wziął torbę za róg, uważając, by nie dotknąć uchwytu, choć przypuszczał, że są na niej tylko odciski palców George'a. Pudło było lekkie, ale nieporęczne. Musiał po nie wrócić. Odwrócił się i spojrzał na bezdomnego. Postanowił, że nie będzie mu jeszcze psuł nastroju.

– George, możesz sobie na razie zatrzymać ubrania.

– Dzięki.

– Proszę.

Wspinając się po zboczu, Bosch zastanawiał się, czy wezwać kryminalistyków, żeby zbadali ślady w okolicy, ale wiedział, że to niemożliwe. Gdyby to zrobił, przyznałby się, że kontynuuje śledztwo, które rozkazano mu przerwać.

Nie przejął się tym jednak, ponieważ zanim dotarł do drogi, miał już nowy pomysł. W głowie szybko zaczął mu się układać plan. Bosch poczuł ożywczy przypływ energii. Gdy stanął na płaskim terenie, wykonał w powietrzu triumfalny cios i dziarskim krokiem ruszył do samochodu.

Jadąc do Hidden Highlands, Bosch dopracowywał szczegóły. Miał plan. Do tej pory w trakcie prowadzenia śledztwa, czuł się jak korek na powierzchni oceanu. Miotały nim fale i nad niczym nie potrafił zapanować. Ale teraz miał już pomysł, plan, który przy odrobinie szczęścia może zwabić Veronicę Aliso w pułapkę.

Kiedy dotarł na miejsce, z portierni wyszedł Nash i pochylił się nad otwartym oknem samochodu.

– Dzień dobry, detektywie Bosch.

– Jak leci, kapitanie?

– Pomału. Pańscy ludzie od rana robią tu niezłe zamieszanie.

– Czasem i tak bywa. Co zamierza pan zrobić?

– Chyba im nie zabronię. Chce pan do nich dołączyć czy pojechać do pani Aliso?

– Zamierzam odwiedzić panią Aliso.

– To dobrze. Może nareszcie przestanie mi zawracać głowę. Muszę do niej zadzwonić, rozumie pan.

– Dlaczego zawraca panu głowę?

– Wydzwania do mnie i pyta, po co od samego rana rozmawiacie z sąsiadami.

– I co pan na to?

– Powiedziałem, że taka jest wasza praca, a jak się prowadzi śledztwo w sprawie morderstwa, trzeba rozmawiać z wieloma ludźmi.

– Świetnie. Do zobaczenia.

Nash machnął ręką i otworzył bramę. Bosch pojechał do domu państwa Aliso, lecz zanim dotarł na miejsce, ujrzał Edgara wychodzącego z domu, pod którym stał zaparkowany jego samochód. Bosch zatrzymał się i przywołał go gestem.

– Cześć Harry.

– Macie już coś?

– Nie bardzo. W tych bogatych dzielnicach jest tak samo jak po strzelaninie w South Central. Nikt nie chce rozmawiać, nikt nic nie widział. Zaczynają mnie męczyć ci ludzie.

– Gdzie jest Kiz?

– Pracuje po drugiej stronie ulicy. Spotkaliśmy się na komendzie i przyjechaliśmy jednym samochodem. Gdzieś tam chodzi. Słuchaj, Harry, co o niej sądzisz?

– O Kiz? Wydaje mi się, że jest dobra.

– Nie, nie jako glina. Pytam... no wiesz. Co o niej sądzisz?

Bosch spojrzał na niego.

– Masz na myśli ją i ciebie? Co o tym sądzę?

– Tak. Ją i mnie.

Bosch wiedział, że Edgar rozwiódł się pół roku temu i znów zaczyna się rozglądać. Ale wiedział też o Kiz coś, o czym nie miał prawa mu mówić.

– Nie wiem, Jerry. Partnerzy nie powinni się ze sobą wiązać.

– Pewnie masz rację. Jedziesz odwiedzić wdowę?

– Tak.

– Może lepiej pojadę z tobą. Nigdy nic nie wiadomo. Jak się domyśli, że ją podejrzewamy, może zacząć świrować i próbować cię załatwić.

– Wątpię. Jest za spokojna. Ale chodźmy poszukać Kiz. Myślę, że oboje powinniście przy tym być. Mam pewien plan.

Veronica Aliso czekała na nich w drzwiach.
– Mam nadzieję, że mi wreszcie państwo wytłumaczą, co się dzieje.
– Przepraszam, pani Aliso – rzekł Bosch. – Byliśmy trochę zajęci.
Wprowadziła ich do środka.
– Coś państwu podać? – spytała, oglądając się przez ramię.
– Chyba nie, dziękujemy.
Plan polegał między innymi na tym, aby mówił tylko Bosch. Rider i Edgar mieli milczeć, wzbudzając w Veronice lęk ponurymi spojrzeniami.
Bosch i Rider usiedli na tych samych miejscach co podczas pierwszej wizyty, Veronica Aliso również. Edgar stanął z boku, opierając się ręką o gzyms nad kominkiem z miną, która mówiła, że gdyby mógł wybierać, wolałby spędzać sobotni poranek w zupełnie innym miejscu.
Veronica Aliso była ubrana w dżinsy, jasnoniebieską koszulę i brudne buty na grubej podeszwie. Włosy miała upięte z tyłu. Mimo niedbałego stroju wciąż wyglądała atrakcyjnie. W rozpięciu koszuli Bosch dostrzegł jej dekolt usiany piegami, które, jak pamiętał z filmu, sięgały znacznie niżej.
– Przeszkadzamy pani w czymś? – zapytał. – Zamierzała pani wyjść?
– Chciałam pojechać do stajni w Burbank. Mam tam konia. Ciało męża zostało poddane kremacji i zamierzałam zabrać jego prochy na wzgórza. Uwielbiał wzgórza...
Bosch posępnie skinął głową.
– To nie potrwa długo. Najpierw wyjaśnię, dlaczego rano widziała nas pani na osiedlu. Otóż prowadzimy rutynowe rozmowy. Nigdy nie wiadomo, może ktoś coś widział, może ktoś obserwował dom i zauważył jakiś podejrzany samochód, który nie powinien tu stać. Nigdy nie wiadomo.
– Wydaje mi się, że gdyby tu był jakiś podejrzany samochód, sama mogłabym to państwu wyjaśnić.
– Mam na myśli sytuacje, kiedy nie było pani w domu. Jeżeli pani wychodziła i ktoś odwiedził dom, nie mogłaby pani o tym wiedzieć.
– Przecież ten ktoś musiałby najpierw minąć bramę.
– Wiemy, że to mało prawdopodobne, pani Aliso. Nie mamy jednak nic więcej.
Zmarszczyła brwi.
– Nic więcej? A to, o czym wcześniej mi pan mówił? O tym człowieku z Las Vegas?
– Bardzo przykro mi to mówić, ale ten trop okazał się zupełnie fałszywy. Zebraliśmy sporo informacji o pani mężu i z początku wydawało się, że idziemy we właściwym kierunku. Okazało się jednak, że byliśmy w błędzie. Teraz chyba znaleźliśmy właściwy trop i chcemy nadrobić stracony czas.

Wyglądała, jak gdyby jego słowa wprawiły ją w autentyczne osłupienie.

– Nie rozumiem. Fałszywy trop?

– Jeżeli chce pani posłuchać, spróbuję wyjaśnić. Ale rzecz dotyczy pewnych kompromitujących faktów związanych z pani mężem.

– Detektywie, od kilku dni jestem przygotowana na wszystko. Proszę mówić.

– Pani Aliso, podczas naszej ostatniej wizyty sugerowałem, że pani mąż prowadził interesy z bardzo niebezpiecznymi ludźmi z Las Vegas. Wydaje mi się, że wspominałem o Joeyu Markerze i Luke'u Goshenie.

– Nie przypominam sobie.

Jej mina wciąż wyrażała bezbrzeżne zdumienie. Bosch musiał przyznać, że Veronica jest przekonująca. Może nie udało się jej zrobić kariery filmowej, ale gdy było trzeba, potrafiła doskonale grać.

– Mówiąc wprost, to członkowie mafii – ciągnął Bosch. – Przestępczość zorganizowana. Wszystko wskazuje na to, że pani mąż od dawna dla nich pracował. W Vegas dostawał od mafii pieniądze, które inwestował w produkcję filmów. W ten sposób je prał. Potem wypłacał je gangsterom z powrotem, potrącając sobie honorarium. W grę wchodziły ogromne kwoty i właśnie tu poszliśmy fałszywym tropem. Pani mąż miał mieć kontrolę z urzędu skarbowego. Wiedziała pani o tym?

– Kontrolę? Nic mi nie mówił o żadnej kontroli.

– Tak więc dowiedzieliśmy się o kontroli, która prawdopodobnie ujawniłaby nielegalną działalność pani męża, i doszliśmy do wniosku, że informacja o niej musiała także trafić do ludzi, z którymi prowadził interesy. Dlatego postanowili się go pozbyć, żeby ich machinacje nie wyszły na jaw. Ale wiemy już, że to był błędny wniosek.

– Nie rozumiem. Jest pan tego pewien? To chyba oczywiste, że ci ludzie mieli z tym coś wspólnego.

Przy ostatnim zdaniu trochę się zawahała. W jej głosie zabrzmiał wyraźny ton zniecierpliwienia.

– Powtarzam, też tak sądziliśmy. Nie porzuciliśmy jeszcze tej hipotezy, ale na razie nic jej nie potwierdza. Nasze informacje wskazywały na człowieka, którego aresztowaliśmy w Vegas, wspomnianego przeze mnie Goshena. Okazało się jednak, że ma solidne alibi, którego nie udało się nam podważyć. To nie mógł być on, pani Aliso. Wygląda na to, że ktoś zadał sobie wiele trudu, żeby skierować na niego podejrzenie, podrzucił nawet broń w jego domu, ale wiemy, że to nie Goshen.

Veronica przez chwilę patrzyła na niego szklanym wzrokiem, po czym pokręciła głową. Popełniła pierwszy poważny błąd. Powinna powiedzieć, że jeśli nie Goshen, to mordercą musiał być drugi z wspomnianych przez Boscha gangsterów albo któryś z ich ludzi. Milczenie Veroniki mówiło jednak Boschowi, że wiedziała o pułapce zastawionej na Goshena. Wiedziała już, że plan się nie powiódł, i prawdopodobnie gorączkowo się zastanawiała, co począć.

– I co zamierzacie teraz zrobić? – spytała w końcu.

– Och, musieliśmy go zwolnić.

– Nie, pytam o śledztwo. Co teraz?

– Cóż, właściwie zaczynamy od zera. Zakładamy, że to był zaplanowany napad rabunkowy.

– Mówił pan, że nie zabrano mu zegarka.

– Owszem. Zegarek został. Ale badanie wątku Las Vegas do czegoś się przydało. Dowiedzieliśmy się, że kiedy pani mąż wylądował w piątek wieczorem, miał przy sobie dużo pieniędzy. Zamierzał je wyprać w swojej wytwórni. Mówię o naprawdę wysokiej kwocie. Prawie milion dolarów. Pani mąż...

– MILION dolarów?

To był jej drugi błąd. Szok i nacisk, z jakim wymówiła słowo „milion", zdradzały, że wiedziała, iż Tony miał w neseserze znacznie mniej. Bosch patrzył na jej skonsternowaną minę, wiedząc, że kryje się za nią gonitwa myśli. Przypuszczał – i miał nadzieję – że Veronica zachodzi w głowę, gdzie się podziała reszta pieniędzy.

– Tak – powiedział. – Widzi pani, człowiek, który przekazał pieniądze pani mężowi – ten, którego z początku uważaliśmy za podejrzanego – okazał się agentem FBI rozpracowującym organizację, dla której pracował pani mąż. Dlatego właśnie miał solidne alibi. To on zdradził nam wysokość tej kwoty. Gotówki było tyle, że pani mąż nie mógł jej zmieścić w neseserze. Połowę musiał włożyć do torby.

Zrobił krótką pauzę. Był przekonany, że Veronica ogląda tę scenę w swoim wewnętrznym teatrze. Widział nieobecny wyraz jej oczu, taki sam jak w filmie. Tym razem jednak wszystko działo się naprawdę. Nie skończyli jeszcze rozmawiać, a Veronica układała już nowy plan. Bosch wyraźnie to wyczuwał.

– Czy pieniądze były znaczone? – spytała. – To znaczy, czy FBI potrafiłoby je odszukać i zidentyfikować?

– Niestety, agent miał za mało czasu, żeby je oznaczyć. Szczerze mówiąc, było ich za dużo. Ale transakcję zarejestrowała ukryta w biurze kamera. Nie ma wątpliwości, że Tony wyjechał z Las Vegas z milionem dolarów. Chwileczkę...

Bosch otworzył teczkę i zajrzał do akt.

– Właściwie to był ponad milion. Dokładnie milion i siedemdziesiąt sześć tysięcy. W gotówce.

Veronica wbiła wzrok w podłogę, kiwając głową. Bosch przyglądał się jej w skupieniu, gdy nagle usłyszał jakiś dźwięk dobiegający z głębi domu. Uświadomił sobie, że w domu może być ktoś jeszcze. Zapomnieli o to zapytać.

– Słyszała pani? – spytał Bosch.

– Co?

– Zdawało mi się, że coś usłyszałem. Jest pani sama?

– Tak.
– Zdawało mi się, że słyszałem jakieś stuknięcie.
– Mam się rozejrzeć? – zaproponował Edgar.
– Och, nie – powiedziała szybko Veronica. – To pewnie kot.
Bosch nie pamiętał, by podczas pierwszej wizyty dostrzegł jakiś ślad świadczący o obecności kota w domu. Zerknął na Kiz, która niemal niedostrzegalnie pokręciła głową, dając mu znak, że też nie pamięta żadnego kota. Bosch postanowił na razie zostawić tę zagadkę.
– No więc dlatego rozmawiamy z sąsiadami i dlatego przyjechaliśmy – podjął. – Musimy zadać pani kilka pytań. Być może niektóre z nich będą takie same jak ostatnim razem, ale, jak już mówiłem, w pewnym sensie zaczynamy od początku. Potem będzie pani mogła pojechać do swojej stajni.
– Zgoda. Proszę pytać.
– Czy najpierw mógłbym dostać odrobinę wody?
– Oczywiście. Przepraszam, powinnam była zapytać. Państwo też czegoś sobie życzą?
– Ja dziękuję – odrzekł Edgar.
– Ja też – dodała Rider.
Veronica Aliso wstała i poszła w stronę korytarza. Bosch odczekał moment, po czym też wstał i ruszył za nią.
– Pytała pani – powiedział do jej pleców. – Ale odmówiłem, bo nie sądziłem, że poczuję pragnienie.
Wszedł za nią do kuchni, gdzie Veronica wyjęła szklankę z szafki. Bosch rozejrzał się po przestronnym pomieszczeniu. Zwrócił uwagę na stalowe urządzenia kuchenne i blaty z czarnego granitu. Pośrodku znajdowała się wyspa wyposażona w zlew.
– Wystarczy trochę wody z kranu – oświadczył, biorąc szklankę i napełniając ją nad zlewem.
Odwrócił się, oparł o blat i napił wody. Resztę wylał i postawił szklankę na blacie.
– Nie chce pan nic więcej?
– Nie. Musiałem po prostu zwilżyć gardło.
Uśmiechnął się do niej, lecz Veronica nie odwzajemniła uśmiechu.
– Możemy wrócić do salonu? – spytała.
– Naturalnie.
Wyszedł za nią z kuchni. Stojąc w drzwiach, odwrócił się, spoglądając na podłogę wyłożoną szarymi płytkami. Nie zobaczył tego, co spodziewał się zauważyć.

Przez następne piętnaście minut Bosch powtarzał pytania, które w większości zadał już sześć dni wcześniej i które nie wnosiły do sprawy prawie nic nowego. Był to rutynowy manewr na zakończenie akcji. Pułapka została zastawiona, należało więc wycofać się i czekać. Wreszcie, uznając, że zadał już dosyć pytań, Bosch zamknął notes pełen niepotrzebnych notatek, do których nigdy więcej nie miał zaglądać, i wstał. Podziękował Veronice Aliso za poświęcony im czas, gospodyni odprowadziła troje detektywów do drzwi. Bosch wychodził ostatni i gdy stanął na progu, Veronica pożegnała go słowami, których się spodziewał. Grając swoją rolę, musiała wypowiedzieć tę kwestię.

– Proszę mnie o wszystkim informować na bieżąco, detektywie Bosch. O wszystkim.

Bosch odwrócił się, by na nią spojrzeć.

– Oczywiście. Jeśli coś się zdarzy, dowie się pani pierwsza.

Bosch nie rozmawiał z Edgarem i Rider o przesłuchaniu, dopóki nie zatrzymał samochodu przy ich aucie.

– I co o tym sądzicie? – spytał, wyciągając papierosy.

– Wydaje mi się, że połknęła haczyk – odparł Edgar.

– Tak – zgodziła się Rider. – Zapowiada się ciekawie.

Bosch zapalił papierosa.

– A kot? – zapytał.

– Co, kot? – zdziwił się Edgar.

– Ten hałas w domu. Powiedziała, że to kot. Ale na podłodze w kuchni nie było żadnych kocich misek.

– Może stoją na dworze – zasugerował Edgar.

Bosch pokręcił głową.

– Przypuszczam, że jeśli ktoś trzyma kota w domu, to karmi go też w domu. Na wzgórzach powinno się trzymać koty w domu. Z powodu kojotów. Ja w każdym razie nie lubię kotów. Mam na nie alergię i od razu wiem, czy w domu jest kot. U niej nic nie poczułem. Kiz, ty też nie widziałaś kota, prawda?

– W poniedziałek siedziałam u niej cały ranek i nie zauważyłam żadnego kota.

– Myślisz, że to mógł być ten facet? – spytał Edgar. – Jej wspólnik?

– Może. W każdym razie ktoś tam był. Może jej adwokat.

– Nie, adwokaci nie chowają się po kątach. Wychodzą i atakują.

– Fakt.

– Nie powinniśmy zostać i poobserwować domu, żeby zobaczyć, czy ktoś stamtąd nie wyjdzie? – zapytał Edgar.

Bosch zastanowił się przez chwilę.

– Nie – odparł. – Zauważą nas i zorientują się, że historyjka z pieniędzmi to podpucha. Dajmy sobie spokój. Lepiej się stąd zabierajmy. Musimy się przygotować.

Rozdział 7

Podczas służby w Wietnamie główne zadanie Boscha polegało na walce w labiryncie tuneli rozciągającym się pod wioskami w prowincji Cu Chi. Musiał wejść do podziemnych korytarzy, które nazywali czarnym echem, i żywy wyjść na powierzchnię. Ale akcje w tunelach trwały krótko i podczas oczekiwania na kolejne zadanie Bosch przez całe dnie walczył i czatował pod liściastym dachem dżungli. Pewnego razu wraz z garstką żołnierzy został odcięty od oddziału i spędził całą noc, siedząc w wysokiej trawie, oparty o plecy chłopaka z Alabamy, Donnela Fredricka, i słysząc kroki nadchodzących partyzantów z Wietkongu. Siedzieli i czekali, aż żółtki w końcu ich znajdą. Nie mogli nic zrobić, a walka nie wchodziła w grę, ponieważ było ich za mało. Minuty wlokły się jak godziny. Przeżyli, choć Donnel zginął potem w okopie od pocisku moździerzowego – zabity przez własnych żołnierzy. Bosch zawsze uważał, że tamtej nocy w trawie otarł się o prawdziwy cud.

Gdy samotnie czatował na podejrzanego albo znalazł się w niebezpieczeństwie, przypominał sobie czasem tamtą noc. Myślał też o niej teraz, siedząc po turecku pod pniem eukaliptusa, dziesięć metrów od szałasu skleconego przez bezdomnego George'a. Na ramiona narzucił zielone plastikowe ponczo, które zawsze woził w bagażniku. W kieszeni miał czekoladowo-migdałowe batony Hershey, takie same jak przed laty w dżungli. I tak jak tamtej nocy w trawie, siedział bez ruchu, a czas płynął nieubłaganie wolno. Ciemność rozświetlał tylko przebijający zza liści słaby blask księżyca. Bosch miał ochotę na papierosa, nie mógł jednak błysnąć w mroku zapałką. Od czasu do czasu słyszał Edgara poruszającego się nerwowo na stanowisku dwadzieścia metrów dalej, chociaż nie był pewien, czy to jego partner, czy może jeleń albo kojot.

George mówił, że w lesie są kojoty. Kiedy wsadzili staruszka do samochodu Kiz, aby zawieźć go do hotelu, ostrzegał Boscha przed zagrożeniem. Ale Bosch nie bał się kojotów.

Staruszek nie zgodził się od razu. Był przekonany, że chcą go zabrać z powrotem do Camarillo. Prawdę mówiąc, powinien tam trafić, ale zakład nie przyjąłby go bez rządowego papieru. Postanowili więc zawieźć go na dwie noce do „Marka Twaina" w Hollywood. Hotel był całkiem przyzwoity. Bosch mieszkał tam ponad rok, gdy odbudowywano jego dom. Najgorszy pokój w hotelu bił na głowę leśny szałas. Ale Bosch wiedział, że George może mieć na ten temat inne zdanie.

Ruch na Mulholland osłabł i od wpół do dwunastej mniej więcej co pięć minut jezdnią przejeżdżał jakiś samochód. Bosch nie widział aut, ponieważ siedział poniżej drogi, którą dodatkowo zasłaniały gęste zarośla, ale słyszał odgłos silników i widział na liściach odblask reflektorów, gdy samochody mijały zakręt. Nasłuchiwał ze zdwojoną czujnością, bo w ciągu kwadransa jeden wóz przejechał drogą dwa razy. Bosch odgadł, że to ten sam samochód, ponieważ kierowca utrzymywał wysokie obroty silnika, chcąc zrównoważyć jego nierówną pracę.

A teraz tajemniczy samochód nadjeżdżał po raz trzeci. Bosch usłyszał znajomy warkot, lecz tym razem towarzyszył mu jeszcze jeden odgłos – chrzęst kół na żwirze. Samochód zatrzymał się na poboczu. Po chwili silnik umilkł i nastąpiła cisza przerywana trzaskiem otwieranych i zamykanych drzwi. Bosch przysiadł na piętach i kucnął, czując ból w kolanach. Był gotów. Zerknął w prawo w stronę stanowiska Edgara, ale zobaczył tylko ciemność. Potem spojrzał w górę zbocza, w kierunku skraju drogi, i czekał.

Po chwili w zaroślach zamigotała latarka. Snop światła był skierowany w dół i poruszał się tam i z powrotem, gdy osoba trzymająca latarkę schodziła po stromiźnie. Pod ponczem Bosch ściskał w jednej ręce broń, a w drugiej latarkę, trzymając palec na włączniku.

Światło przestało się poruszać. Bosch domyślił się, że osoba z latarką znalazła miejsce, gdzie powinna leżeć torba Alisa. Po chwili wahania snop światła omiótł zarośla i przez ułamek sekundy oświetlił Boscha. Nie wrócił jednak do niego, lecz zgodnie z przypuszczeniami Boscha zatrzymał się na niebieskiej plandece. Osoba z latarką ruszyła w kierunku szałasu George'a, potykając się po drodze. Zaraz potem Bosch zobaczył światło poruszające się za niebieskim plastikiem. Poczuł w żyłach przypływ adrenaliny. Znów w myślach mignął mu Wietnam. Tym razem przypomniał sobie tunele. Chwile, gdy w ciemnościach zbliżał się do nieprzyjaciela. Strach i dreszcz emocji. Dopiero gdy cały i zdrowy wychodził z mroku na światło dzienne, uświadamiał sobie, że w tunelu towarzyszył mu dreszcz emocji. Szukając podobnych doznań, wstąpił do policji.

Obserwując światło, Bosch wolno wstał, modląc się, by nie zatrzeszczało mu w kolanach. Torbę położyli w szałasie, wypychając ją wcześniej zmiętymi gazetami. Bosch jak najciszej ruszył w kierunku plandeki. Podchodził z lewej. Zgodnie z planem Edgar miał podejść z prawej, ale było za ciemno, by Bosch mógł go zobaczyć.

Będąc w odległości trzech metrów od szałasu, usłyszał przyspieszony oddech osoby ukrytej za plandeką. Po chwili dobiegł go odgłos rozsuwanego zamka błyskawicznego i nagle oddech się urwał.

– Cholera!

W tym momencie Bosch ruszył naprzód. Stając naprzeciw wejścia do szałasu i wyciągając spod poncza broń i latarkę, zorientował się, że rozpoznał ten głos.

– NIE RUSZAĆ SIĘ! POLICJA! – krzyknął Bosch, włączając latarkę. – Wyłaź, Powers.

Niemal równocześnie z prawej rozbłysnęła latarka Edgara.

– Co za... – zaczął Edgar.

W świetle dwóch latarek ujrzeli przykucniętego Raya Powersa. Policjant był w pełnym umundurowaniu, a w rękach miał pistolet i latarkę. W bezbrzeżnym zdumieniu otworzył usta.

– Bosch – wykrztusił. – Co ty tu, kurwa, robisz?

– To my powinniśmy cię o to zapytać, Powers – warknął Edgar. – Wiesz, co zrobiłeś? Wpieprzyłeś się prosto w... a co ty tutaj robisz?

Powers opuścił broń i wsunął do kabury.

– Chciałem... było zgłoszenie. Ktoś musiał was widzieć, jak tu wchodziliście. Dostałem sygnał, że kręcą się tu jacyś dwaj podejrzani goście.

Bosch odsunął się od szałasu, nie opuszczając broni.

– Wyłaź stąd, Powers – powiedział.

Powers spełnił polecenie. Bosch skierował snop światła latarki prosto w jego twarz.

– Kto ci to zgłosił?

– Jakiś facet, który tędy przejeżdżał. Pewnie widział, jak tu wchodziliście. Możesz przestać świecić mi w oczy?

Latarka w dłoni Boscha ani drgnęła.

– Co dalej? – spytał. – Do kogo dzwonił?

Bosch wiedział, że Rider, która ich tu podwiozła, czuwała w samochodzie przy włączonym skanerze radiowym. Gdyby usłyszała taki komunikat, odwołałaby patrol, mówiąc dyspozytorowi z centrali, że to akcja policji.

– Nie dzwonił. Zatrzymał mnie po prostu na drodze.

– Powiedział ci, że właśnie widział dwóch facetów wchodzących do lasu?

– No, nie. Zatrzymał mnie wcześniej. Ale byłem zajęty i dopiero teraz mogłem tu zajrzeć.

Bosch i Edgar weszli do lasu o wpół do trzeciej, w biały dzień, kiedy Powers jeszcze nie był na służbie. Jedynym samochodem, jaki widzieli wtedy w okolicy, był wóz Rider. Bosch wiedział, że Powers kłamie. Wszystko zaczynało się układać w całość. Powers znalazł ciało, jego odcisk palca był w bagażniku, ofiara została zaatakowana gazem pieprzowym, a po morderstwie zdjęto jej kajdanki. Zgadzał się każdy szczegół.

– Wcześniej, to znaczy kiedy? – pytał dalej Bosch.
– Zaraz na początku zmiany. Nie pamiętam, o której dokładnie.
– Za dnia?
– Tak, było jasno. Możesz opuścić tę cholerną latarkę?
Bosch i tym razem nie zareagował.
– Jak się nazywał ten człowiek?
– Nie wiem. Jechał jaguarem i zatrzymał mnie na skrzyżowaniu Laurel Canyon i Mulholland. Powiedział mi, co widział, a ja obiecałem, że przy okazji sprawdzę. No i kiedy tu zszedłem, zobaczyłem torbę. Domyśliłem się, że to torba gościa z bagażnika. Widziałem wasz komunikat o samochodzie i bagażu, wiedziałem, że tego szukacie. Przepraszam, że schrzaniłem wam robotę, ale powinniście zawiadomić dowódcę zmiany, co robicie. Jezu, Bosch, zaraz oślepnę.
– Zgadza się, wszystko schrzaniłeś – rzekł Bosch, opuszczając wreszcie latarkę. Opuścił też broń, lecz nie chował jej do kabury. Trzymał ją w pogotowiu ukrytą pod ponczem. – Możemy się zwijać. Powers, wracaj do radiowozu. Jerry, bierz torbę.
Bosch zaczął się wspinać po zboczu za Powersem, oświetlając jego plecy. Wiedział, że gdyby skuli policjanta przy szałasie, nie udałoby się im go wciągnąć po stromiźnie, zwłaszcza gdyby Powers próbował się szarpać. Musiał więc blefować, pozwalając mu myśleć, że wierzy w jego niewinność.
Na szczycie wzniesienia Bosch zaczekał na Edgara i dopiero wówczas przystąpił do dzieła.
– Wiesz, czego nie rozumiem, Powers? – rzekł.
– Czego, Bosch?
– Nie rozumiem, dlaczego czekałeś do zmroku, żeby sprawdzić zgłoszenie, które dostałeś za dnia. Powiedziano ci, że dwóch podejrzanych osobników weszło do lasu, a ty idziesz zobaczyć dopiero późnym wieczorem.
– Mówiłem już. Nie miałem czasu.
– Pieprzysz, aż zęby bolą, Powers – powiedział Edgar.
Albo właśnie wszystko zrozumiał, albo od początku prowadził tę samą grę co Bosch.
Wzrok Powersa znieruchomiał, jak gdyby policjant spojrzał w głąb siebie, zastanawiając się, co robić. W tym momencie Bosch uniósł broń, celując dokładnie między jego szklane oczy przypominające wrota do pustki.
– Nie myśl tyle, Powers – poradził. – To koniec. Nie ruszaj się. Jerry?
Edgar stanął za plecami wysokiego gliniarza i wyszarpnął mu pistolet z kabury, który rzucił na ziemię. Następnie gwałtownym ruchem pociągnął do tyłu jego ramię i zatrzasnął kajdanki na przegubie, a potem to samo zrobił z drugą ręką i podniósł broń z ziemi. Bosch miał wrażenie, że Powers wciąż wpatrywał się w pustkę. Nagle policjant wrócił do rzeczywistości.

– Będziecie za to mieli przejebane – wycedził głosem drgającym z wściekłości.

– Zobaczymy. Jerry, poradzisz sobie z nim? Chcę wezwać Kiz.

– Spokojna głowa. Niech tylko ruszy palcem. No, Powers, zrób coś głupiego.

– Pierdol się, Edgar! Nie masz pojęcia, co właśnie zrobiłeś. Koniec z tobą, bracie. Koniec!

Edgar milczał. Bosch wyciągnął z kieszeni motorolę, włączył i wcisnął guzik mikrofonu.

– Kiz, jesteś tam?

– Jestem.

– Podjedź. Szybko.

– Już jadę.

Bosch schował radio i przez minutę stali w ciszy, dopóki nie ujrzeli wyłaniającego się zza zakrętu błyskającego niebieskiego światła. Rider zatrzymała się przy nich, a niebieski blask omiatał rytmicznie czubki drzew na zboczu. Bosch uświadomił sobie, że z szałasu George'a odblask na drzewach mógł rzeczywiście wyglądać, jak gdyby rzucały go światła z nieba. I zrozumiał. Statek kosmiczny, o którym mówił George, był radiowozem Powersa. Porwania Alisa dokonano pod pozorem niewinnej kontroli drogowej. Był to doskonały sposób, by zatrzymać człowieka wiozącego prawie pół miliona w gotówce. Powers po prostu czekał na białego rolls-royce'a, prawdopodobnie na rogu Mulholland i Laurel Canyon, a potem ruszył za nim i włączył koguta, kiedy zbliżali się do pustego zakrętu. Tony pomyślał zapewne, że przekroczył prędkość. I posłusznie zjechał na pobocze.

Rider zatrzymała samochód za radiowozem. Bosch otworzył tylne drzwi i spojrzał na nią.

– Co jest, Harry? – zapytała.

– Powers. To Powers.

– O Boże.

– Właśnie. Zabierzcie go z Jerrym na komendę. Ja pojadę radiowozem.

Wrócił do Edgara i Powersa.

– Dobra, jedziemy.

– Wszyscy możecie się pożegnać z robotą – oznajmił Powers. – Wypierdolą was na wasze własne życzenie.

– Resztę opowiesz nam na komendzie.

Bosch szarpnął go za ramię, czując twardość jego mięśni. Razem z Edgarem wepchnęli go na tylne siedzenie samochodu Rider. Edgar wsiadł z drugiej strony, zajmując miejsce obok Powersa.

Patrząc przed otwarte drzwi z tyłu, Bosch własnymi słowami przedstawił procedurę.

– Zabierzcie mu wszystkie zabawki i zamknijcie w pokoju przesłuchań. Dopilnujcie, żeby nie miał kluczyka do kajdanek. Pojadę zaraz za wami.

Zatrzasnął drzwi i dwa razy uderzył w dach. Następnie podszedł do radiowozu, wrzucił torbę na tylne siedzenie i wsiadł. Rider wyjechała na ulicę, a Bosch ruszył za nią. Pomknęli w kierunku Laurel Canyon.

Billets zjawiła się po niecałej godzinie. Kiedy stanęła na progu, wszyscy troje siedzieli przy swoich biurkach. Bosch przeglądał księgę morderstwa razem z Rider, która robiła notatki. Edgar zajął miejsce przy maszynie do pisania. Billets wpadła do biura z miną, z której bez trudu można było wyczytać, co sądzi o sytuacji. Bosch jeszcze z nią nie rozmawiał. To Rider zadzwoniła do niej do domu.

– Co ty wyprawiasz? – spytała Billets, utkwiwszy wściekłe spojrzenie w Boschu.

Dawała mu w ten sposób do zrozumienia, że jeśli spieprzą sprawę, on jako szef zespołu poniesie za to całkowitą odpowiedzialność. Bosch nie miał nic przeciwko temu, po pierwsze dlatego, że było to uczciwe, a po drugie dlatego, że po półgodzinie przeglądania księgi morderstwa i dowodów nabrał większej pewności siebie.

– Co wyprawiam? Przymknąłem mordercę.

– Mówiłam, żebyście prowadzili śledztwo ostrożnie i dyskretnie. Nie mówiłam, żeby przeprowadzać jakąś gówniarską prowokację i zgarniać policjanta! Nie mogę w to uwierzyć.

Billets zaczęła spacerować nerwowo za plecami Rider, nie patrząc na nich. Poza nią i trójką detektywów biuro było puste.

– To Powers, poruczniku – rzekł Bosch. – Jeżeli możemy porozmawiać spokojniej, to...

– Ach, to on, tak? Macie na to dowody? Wspaniale! Zaraz dzwonię do prokuratora i spisujemy listę zarzutów. Bo przez chwilę się obawiałam, że zgarnęliście go z ulicy za nieprawidłowe przechodzenie przez jezdnię.

Znów spojrzała ze złością na Boscha. Przestała nawet spacerować, wbijając w niego świdrujący wzrok. Bosch odparł jak najspokojniej:

– Po pierwsze, to ja postanowiłem, żeby go zdjąć z ulicy. Rzeczywiście, na razie mamy za mało, żeby wzywać prokuratora. Ale zdobędziemy dowody. Nie mam wątpliwości, że to on. On i wdowa.

– Cieszę się, że nie masz wątpliwości, ale sęk w tym, że nie jesteś prokuratorem ani ławą przysięgłych.

Milczał. Nie było sensu odpowiadać. Musiał zaczekać, aż jej gniew osłabnie, żeby mogli rozsądnie porozmawiać.

– Gdzie on jest? – spytała po chwili Billets.

– W trójce – odrzekł Bosch.

– Co powiedzieliście dowódcy zmiany?

– Nic. Powers akurat kończył służbę. Zamierzał zabrać torbę z lasu i odbić kartę. Zgarnęliśmy go, kiedy prawie wszyscy byli jeszcze na odprawie. Zaparkowałem jego wóz i zostawiłem kluczyki w dyżurce. Powiedziałem porucznikowi, że bierzemy Powersa do pomocy, żeby zapukać do kogoś z nakazem w obecności mundurowego. Zgodził się, a potem chyba skończył służbę. Chyba nikt nie wie, że mamy tu Powersa.

Billets zastanawiała się przez chwilę. Kiedy znów się odezwała, jej głos brzmiał spokojniej i bardziej przypominała osobę zajmującą biurko w przeszklonym gabinecie.

– Dobra, idę po kawę i zobaczę, czy ktoś mnie o niego zahaczy. Kiedy wrócę, opowiecie mi wszystko ze szczegółami i pomyślimy, co faktycznie mamy.

Wolnym krokiem skierowała się do korytarza prowadzącego z biura detektywów do dyżurki. Bosch patrzył za nią, a potem podniósł słuchawkę i zadzwonił do biura ochrony hotelu i kasyna „Mirage". Przedstawił się osobie, która odebrała, i powiedział, że musi natychmiast rozmawiać z Hankiem Meyerem. Gdy ochroniarz zauważył, że jest już po północy, Bosch oświadczył, że chodzi o bardzo pilną sprawę i jest pewien, że jeśli Meyer się dowie, kto chciał z nim rozmawiać, na pewno oddzwoni. Bosch podał mu wszystkie numery, pod jakimi można go było znaleźć, pierwszy wymieniając numer na komendzie. Odłożył słuchawkę i wrócił do pracy nad księgą morderstwa.

– Mówiłeś, że jest w trójce?

Bosch uniósł wzrok znad dokumentów. Billets wróciła z kubkiem parującej kawy w ręku. Skinął głową.

– Chcę na niego popatrzeć.

Bosch wstał i poszedł z nią korytarzem, gdzie znajdowało się czworo drzwi pokojów przesłuchań. Drzwi z numerami jeden i dwa były po lewej, a trzy i cztery po prawej. Ale czwartego pokoju przesłuchań nie było. Drzwiami z numerem cztery wchodziło się do klitki, z której przez szybę można było obserwować pokój numer trzy. Po drugiej stronie w trójce w miejscu okna znajdowało się lustro. Billets weszła do czwórki i spojrzała na Powersa. Policjant siedział wyprostowany jak struna przy stole, dokładnie na wprost lustra. Ręce miał skute za plecami. Wciąż miał na sobie mundur, choć zdjęto mu pas z wyposażeniem służbowym. Patrzył przed siebie na własne odbicie w lustrze. Dawało to niesamowity efekt, ponieważ Billets i Bosch mieli wrażenie, że wpatruje się w nich, jak gdyby nic ich nie dzieliło.

Billets milczała, spoglądając na wpatrzonego w nią mężczyznę.

– Wiesz, że dzisiaj ważą się nasze losy, Harry – szepnęła.

– Wiem.

Przez kilka chwil stali przed szybą, dopóki nie zajrzał do nich Edgar, który poinformował Boscha, że dzwoni Hank Meyer. Bosch wrócił do biura, podniósł słuchawkę i powiedział szefowi ochrony, czego potrzebuje. Meyer odparł, że jest w domu i musi pojechać do hotelu, ale odezwie się stamtąd jak najszybciej. Bosch podziękował mu i rozłączył się. Billets usiadła na wolnym krześle przy biurku sekcji zabójstw.

– Dobrze, niech któreś z was opowie mi dokładnie, jak to wyglądało – powiedziała.

Bosch, jako szef zespołu, przez piętnaście minut relacjonował przebieg wydarzeń, od znalezienia torby podróżnej Tony'ego Aliso, przez przygotowanie zasadzki z udziałem Veroniki Aliso do spotkania z Powersem w lesie przy Mulholland, dodając, jak mgliście Powers tłumaczył się ze swojej obecności w tym miejcu.

– Mówił coś jeszcze? – zapytała Billets pod koniec jego opowieści.

– Nic. Jerry i Kiz wsadzili go do pokoju i cały czas tam siedzi.

– Co jeszcze macie?

– Na początek jego odcisk palca na wewnętrznej stronie klapy bagażnika. Poza tym dowód jego związków z wdową.

Billets pytająco uniosła brwi.

– Właśnie nad tym pracowaliśmy, kiedy weszłaś. W niedzielę wieczorem, gdy Jerry sprawdzał w komputerze nazwisko ofiary, znaleźliśmy raport z włamania. Ktoś w marcu obrobił dom Alisa. Jerry ściągnął ten raport, ale nie znaleźliśmy w nim nic ciekawego. Zwykłe włamanie. Okazuje się jednak, że policjantem, który pierwszy rozmawiał z panią Aliso, był Powers. Przypuszczamy, że ich związek zaczął się właśnie od tego włamania. Wtedy się poznali. Potem mamy wpisy z rejestru wjazdów i wyjazdów. Kiedy do Hidden Highlands wjeżdża patrol, ochrona zapisuje numer radiowozu. Według rejestru samochód Powersa – „zebra" – patrolował osiedle wieczorem dwa, trzy razy w tygodniu, zawsze w dniu, kiedy Tony'ego nie było w mieście. O tym wiemy z wyciągów kart kredytowych Tony'ego. Podejrzewam, że Powers wpadał do Veroniki.

– Co jeszcze? – powtórzyła porucznik. – Na razie macie parę niepowiązanych ze sobą przypadkowych faktów.

– Nie ma przypadków – odparł Bosch. – Nie tego rodzaju.

– No więc co jeszcze?

– Jak mówiłem, jego wersja o zgłoszeniu w sprawie jakichś podejrzanych ludzi w lesie to lipa. Przyjechał poszukać torby, bo Veronica mu powiedziała, że warto po nią wrócić. Tylko od niej mógł się dowiedzieć. To on, poruczniku. To on.

Billets zamyśliła się nad tym. Bosch miał nadzieję, że podane przez niego fakty wszystkie naraz zdołają ją przekonać. Na deser zostawił najsmaczniejszy kąsek.

– Jeszcze jedno. Z Veronicą mieliśmy kłopot. Jeżeli brała w tym udział, to jak wydostała się z Hidden Highlands, że nie odnotowano tego na bramie?

– Właśnie.

– Z rejestru wynika, że tego dnia, kiedy popełniono morderstwo, radiowóz „zebra" patrolował osiedle. Dwa razy. Pierwszy raz wjechał o dziesiątej i wyjechał dziesięć po dziesiątej. Potem wrócił o dwudziestej trzeciej czterdzieści osiem i wyjechał cztery minuty później. Odnotowano to jako rutynowy patrol.

– No i co?

– Za pierwszym razem przyjechał po nią. Veronica ukryła się za siedzeniem z tyłu. Było ciemno, więc ochroniarz widział tylko Powersa za kierownicą. Pojechali zaczaić się na Tony'ego, zrobili swoje, a potem Powers odwiózł ją do domu – to ten drugi wpis w rejestrze.

– To by się zgadzało – przytaknęła Billets. – A jak wyglądało samo porwanie?

– Od początku uważaliśmy, że zrobiły to dwie osoby. Najpierw Veronica musiała się dowiedzieć, którym samolotem wraca Tony. Ustalili godzinę. Powers wpadł po nią wieczorem i pojechali na Laurel Canyon i Mulholland, aby poczekać na białego rolls-royce'a. Zapewne około jedenastej. Powers rusza za nim i kiedy Tony zbliża się do zakrętu w lesie, włącza koguta i zatrzymuje go jak do rutynowej kontroli drogowej. Tylko że każe Tony'emu wysiąść i podejść do tyłu samochodu. Może każe mu otworzyć bagażnik, a może sam to robi, nakładając mu wcześniej kajdanki. W każdym razie po otwarciu bagażnika Powers widzi, że ma problem. W bagażniku jest torba i pudło z kasetami wideo, więc Tony nie może się tam zmieścić. Powers ma mało czasu. W każdej chwili zza zakrętu może ktoś wyjechać i oświetlić całą scenę. Powers wywala więc torbę i karton do lasu w parowie. Potem każe Tony'emu wleźć do bagażnika. Tony protestuje, może nawet zaczyna się szarpać. Powers wyciąga gaz pieprzowy i pryska mu w twarz. Tony od razu mięknie, więc już bez kłopotu można go wrzucić do kufra. Być może Powers wtedy zdejmuje mu buty, żeby nie kopał i nie hałasował.

– W tym momencie wyskakuje Veronica – podjęła Rider. – Wsiada do rollsa, a Powers jedzie za nią radiowozem. Wiedzą, dokąd jechać. Potrzebują miejsca, gdzie nikt nie znajdzie samochodu co najmniej przez dwa dni, żeby Powers miał czas pojechać w sobotę do Vegas, podrzucić broń i zostawić parę innych wskazówek – mam na myśli na przykład anonimowy telefon do miejskiej. To właśnie telefon miał wskazać Goshena. Nie odciski palców. Z odciskami mieli po prostu szczęście. Ale uprzedzam fakty. No więc Veronica jedzie rolls-royce'em, a Powers za nią radiowozem. Na polankę nad Hollywood Bowl. Veronica otwiera bagażnik, a Powers nachyla się nad Tonym i wykonuje robotę. A może pakuje mu jedną kulkę i każe Veronice strzelić drugi raz. W ten sposób zostają partnerami na zawsze. Partnerami w zbrodni.

Billets z poważną miną skinęła głową.

– To trochę ryzykowne. A gdyby Powersa wezwali przez radio? Cały plan wziąłby w łeb.

– Też nam to przyszło do głowy. Jerry sprawdził to w dyżurce. W piątek wieczorem szefem zmiany był Gomez. Podobno Powers miał tyle pracy, że zrobił sobie przerwę na kolację dopiero o dziesiątej. Gomes nie pamięta, żeby kontaktował się z nim przed końcem zmiany.

Billets znów skinęła głową.
– A ślady butów? Są jego?
– Tu Powers miał fart – włączył się Edgar. – Ma nowiutkie buty. Wyglądają, jakby je kupił dzisiaj.
– Cholera!
– Taak – zgodził się Bosch. – Pewnie wczoraj wieczorem zobaczył kopie śladów na naszym stoliku w „Cat & Fiddle". Dlatego dzisiaj sprawił sobie nowe buty.
– Kurczę...
– Może jeszcze nie pozbył się starych. Pracujemy nad nakazem rewizji jego domu. Ale nie mieliśmy tylko pecha. Jerry, powiedz o gazie.
Edgar pochylił się nad biurkiem.
– Poszedłem do magazynu i rzuciłem okiem na listę. W niedzielę Powers pobrał wkład z gazem pieprzowym. Ale potem przejrzałem ewidencję raportów u porucznika. W tym czasie służby Powers nie złożył żadnego raportu z użycia broni i środków przymusu.
– Czyli zużył gdzieś gaz, bo wziął z magazynu nowy wkład do miotacza – podsumowała Billets. – Ale nie złożył dowódcy zmiany żadnego raportu na ten temat.
– Zgadza się.
Billets znów się zamyśliła.
– No dobrze – odezwała się po chwili. – Udało się wam szybko zebrać całkiem niezły materiał. Ale to za mało. To same poszlaki, których większość można łatwo utrącić. Nawet gdybyście udowodnili, że Powers spotykał się z wdową, nie możecie udowodnić, że popełnili morderstwo. Odcisk palca na klapie bagażnika to tylko niedbalstwo przy pracy na miejscu przestępstwa. Kto wie, może to rzeczywiście nic więcej.
– Wątpię – rzekł Bosch.
– Twoje wątpliwości nie wystarczą. Co teraz zamierzacie?
– Mamy parę rzeczy do zrobienia. Jerry postara się o nakaz na podstawie tego, co już mamy. Jeżeli dostaniemy się do domu Powersa, może uda się znaleźć buty albo coś innego. Zobaczymy. Czekam też na sygnał z Vegas. Przypuszczamy, że przygotowując plan, Powers musiał raz czy dwa pojechać tam za Tonym. W ten sposób dowiedział się o Goshenie i wybrał go na kozła ofiarnego. Jeżeli Powers chciał być jak najbliżej Tony'ego, tym lepiej dla nas, bo to znaczy, że zatrzymywał się w „Mirage". Każdy musi tam zostawić jakiś ślad. Można płacić gotówką, ale trzeba mieć legalną kartę kredytową, żeby zapłacić za pokój, rozmowy telefoniczne i tak dalej. Innymi słowy, nie można się zameldować pod innym nazwiskiem niż to, które jest na karcie. Kazałem to sprawdzić.
– Na początek nieźle – powiedziała Billets.
Pokiwała głową, przysłaniając usta dłonią, i na długą chwilę wpadła w głębokie zamyślenie.

– A więc nasze zadanie polega teraz na tym, żeby go złamać, zgadza się? – spytała wreszcie.

Bosch przytaknął.

– Prawdopodobnie. Chyba że nakaz coś nam da.

– Nie uda ci się go złamać. To gliniarz, zna wszystkie zagrywki, zna postępowanie dowodowe.

– Zobaczymy.

Zerknęła na zegarek. Bosch spojrzał na swój. Była już pierwsza.

– Pewnie pojawią się kłopoty – rzekła poważnym tonem. – Nie można tego utrzymać w tajemnicy do rana. Będę musiała złożyć oficjalne zawiadomienie o wszystkim, co zrobiliśmy i co zamierzamy. Wtedy musicie się liczyć z tym, że wyłączą nas ze sprawy albo stanie się coś gorszego.

Bosch pochylił się nad biurkiem.

– Wracaj do domu – powiedział do Billets. – W ogóle cię tu nie było. Daj nam tylko tę noc i wróć o dziewiątej rano. Możesz przyprowadzić prokuratora. Najlepiej człowieka, który nie boi się ryzyka. Jeżeli nie znasz takiego, mogę po kogoś zadzwonić. Ale daj nam czas do dziewiątej. Osiem godzin. Wtedy albo będziemy mieli komplet dowodów, albo zrobisz, co będziesz musiała.

Spojrzała uważnie na wszystkich troje po kolei, głęboko nabrała powietrza i wolno odetchnęła.

– Powodzenia – powiedziała.

Skinęła im głową, wstała i wyszła z biura.

Przed drzwiami pokoju przesłuchań Bosch przystanął, porządkując myśli. Wiedział, że wszystko zależy od tego, co się stanie w tym pokoju. Musiał złamać Powersa, a to nie było łatwe zadanie. Miał do czynienia z gliną, który znał wszystkie sztuczki. Ale Bosch musiał znaleźć jakiś słaby punkt i wykorzystać go tak skutecznie, żeby Powers zaczął mówić. Wiedział, że czeka go brutalna walka. Głęboko odetchnął i otworzył drzwi.

Wszedł do pokoju przesłuchań, usiadł naprzeciwko Powersa i położył na stole dwa arkusze.

– Dobra, Powers, przyszedłem ci powiedzieć co i jak.

– Daruj sobie, gnojku. Gadać będę tylko z adwokatem.

– Właśnie po to tu jestem. Możemy o tym spokojnie porozmawiać?

– Spokojnie? Aresztujecie mnie, zgarniacie jak jakiegoś cholernego bandytę, a potem wsadzacie mnie tu na półtorej godziny i idziecie rozmyślać, jak tragicznie daliście dupy, a ty mi mówisz, żebym był spokojny? Na jakiej planecie żyjesz, Bosch? Nie będę spokojny. Wypuść mnie stąd albo dawaj telefon!

– W tym właśnie cały kłopot, prawda? Trzeba podjąć decyzję, czy cię puścić, czy przymknąć. Po to przyszedłem, Powers. Pomyślałem, że możesz nam w tym pomóc.

Powers nie dał się na to złapać. Wbił wzrok w blat stołu. Bosch widział, jak porusza oczami – szybko i niemal niedostrzegalnie – szukając pułapek.

– Sytuacja wygląda tak – ciągnął Bosch. – Jeżeli teraz cię aresztuję i wezwiemy adwokata, wiadomo, że to będzie koniec. Żaden adwokat nie pozwoli klientowi rozmawiać z glinami. Trzeba będzie iść do sądu, a sam wiesz, co to znaczy. Zostaniesz zawieszony bez prawa do pensji. Będziemy wnioskować o odmowę zwolnienia za kaucją, posiedzisz dziewięć, może dziesięć miesięcy i może wszystko się wyjaśni na twoją korzyść. A może nie. Tymczasem znajdziesz się na pierwszych stronach gazet. Zobaczą cię matka, ojciec, sąsiedzi... sam zresztą wiesz, jak to jest.

Bosch wyciągnął papierosa i wsunął do ust. Nie zapalał go i nie zamierzał częstować Powersa. Pamiętał, że kiedy chciał go poczęstować przy pierwszym spotkaniu na miejscu przestępstwa, gliniarz odmówił.

– Mamy drugie wyjście – ciągnął. – Możemy spróbować wyjaśnić wszystko tutaj, na miejscu. Masz przed sobą dwa formularze. W tym wypadku dobrze, że jesteś gliniarzem, bo nie muszę ci niczego tłumaczyć. Na pierwszym są twoje prawa. Wiesz, o co chodzi. Potwierdzasz swoim podpisem, że rozumiesz przysługujące ci prawa, a potem wybierasz: albo ze mną rozmawiasz, albo wzywasz adwokata. Drugi druczek to rezygnacja z pomocy adwokata.

Powers w milczeniu patrzył na kartki. Bosch położył na stole obok nich długopis.

– Kiedy będziesz chciał podpisać, zdejmę ci kajdanki. Widzisz, z drugiej strony to źle, że jesteś gliną, bo nie mogę blefować. Znasz zasady gry. Wiesz, że jeżeli podpiszesz rezygnację i postanowisz mówić, możesz się albo wywinąć, albo pogrążyć... Dam ci czas do namysłu.

– Nie trzeba – odrzekł Powers. – Zdejmij kajdanki.

Bosch stanął za jego plecami.

– Jesteś prawo- czy leworęczny?

– Praworęczny.

Między oparciem krzesła a ścianą ledwie starczyło miejsca, aby zdjąć podejrzanemu kajdanki. Na ogół była to bardzo niebezpieczna sytuacja. Ale Powers był gliną i zapewne doskonale wiedział, że gdyby zaczął stawiać opór, straciłby wszelkie szanse wyjścia z ciasnego pokoju. Musiał też zakładać, że przez szybę ktoś go obserwuje i w razie potrzeby gotów jest interweniować. Bosch uwolnił jego prawą dłoń, zatrzaskując obręcz kajdanek na metalowym oparciu.

Powers skreślił na obu kartkach zamaszysty podpis. Bosch starał się nie okazywać oznak podniecenia. Powers popełnił błąd. Bosch zabrał mu długopis i schował do kieszeni.

– Załóż rękę do tyłu.

– Daj spokój, Bosch. Traktuj mnie po ludzku. Jeżeli mamy gadać, to pogadajmy.

– Załóż rękę do tyłu.

Powers spełnił polecenie, wzdychając z irytacją. Bosch ponownie skuł mu ręce, przekładając łańcuszek kajdanek przez metalowe szczeble oparcia, po czym wrócił na miejsce naprzeciwko Powersa. Odchrząknął, powtarzając w myślach ostatnie szczegóły. Znał swoje zadanie. Musiał sprawić, by Powers uwierzył, że panuje nad sytuacją i ma szansę się wywinąć. Jeśli w to uwierzy, może zacznie mówić. Jeżeli zacznie mówić, Bosch miał nadzieję, że wygra tę bitwę.

– No dobrze – zaczął Bosch. – Najpierw przedstawię ci wszystko tak, jak to widzimy. Jeżeli mnie przekonasz, że się mylimy, wyjdziesz stąd jeszcze przed wschodem słońca.

– Niczego innego nie chcę.

– Powers, wiemy, że miałeś romans z Veronicą Aliso przed śmiercią jej męża. Wiemy, że co najmniej dwa razy przed morderstwem pojechałeś za nim do Vegas.

Powers wciąż wpatrywał się w stół, ale Bosch pilnie obserwował jego oczy poruszające się jak pisaki wariografu. Kiedy wspomniał o Las Vegas, źrenice lekko drgnęły.

– Owszem – ciągnął Bosch. – Mamy potwierdzenie z „Mirage". To było bardzo lekkomyślne z twojej strony, Powers. Zostawiłeś w Vegas ślad, który łączy cię z Alisem.

– Lubię jeździć do Vegas, co z tego? Tony Aliso też tam wtedy był? No popatrz, jaki zbieg okoliczności. Podobno często tam bywał. To wszystko czy masz coś jeszcze?

– Mamy twój odcisk, Powers. Odcisk palca w samochodzie. W niedzielę wziąłeś nowy wkład do miotacza gazu pieprzowego, ale nie złożyłeś żadnego raportu o jego użyciu.

– Przypadkowe opróżnienie pojemnika. Nie złożyłem raportu o użyciu środków przymusu, bo ich nie użyłem. Gówno macie. Odcisk palca? Faktycznie, macie mój odcisk palca. Ale byłem przy tym samochodzie, bo to ja znalazłem ciało, nie pamiętasz? To wszystko śmiechu warte. Chyba lepiej będzie, jak zaryzykuję i wezwę adwokata. Żaden prokurator nie będzie miał ochoty babrać się w takiej śmierdzącej sprawie.

Nie zwracając uwagi na jego kpiny, Bosch kontynuował:

– Wreszcie twoja wizyta w ciemnym lesie. Wcisnąłeś nam jakiś kit o zgłoszeniu, Powers. Zszedłeś do lasu poszukać torby Alisa, bo wiedziałeś, że tam jest i myślałeś, że zostało w niej coś, czego nie zauważyliście z Veronicą. Pół miliona dolarów. Pytanie tylko, czy zadzwoniła do ciebie, żeby ci o tym powiedzieć, czy dzisiaj rano chowałeś się w jej domu, kiedy wpadliśmy z wizytą.

Bosch znów dostrzegł nieznaczne drgnienie źrenic, które zaraz jednak znieruchomiały.

– Powtarzam, chcę wezwać adwokata.

– Pewnie jesteś tylko jej chłopcem na posyłki, zgadza się? Kazała ci iść po pieniądze, a sama czekała w swoim pałacu.

Powers wybuchnął sztucznym śmiechem.
– Dobre, Bosch. Chłopak na posyłki. Żałuję, że prawie w ogóle nie znam tej kobiety. Ale to było niezłe, naprawdę niezłe. Też cię lubię, Bosch, ale muszę ci coś powiedzieć. – Nachylił się nad stołem, ściszając głos. – Kiedy się spotkamy gdzie indziej, w jakimś spokojnym miejscu, sam na sam, dostaniesz wpierdol.
Wyprostował się, kiwając głową. Bosch uśmiechnął się do niego.
– Wiesz, chyba do tej chwili nie byłem pewien. Ale już jestem. Ty to zrobiłeś, Powers. Ty. I nie będzie już żadnego gdzie indziej. Nigdy. Powiedz mi, czyj to był pomysł? To ona pierwsza na niego wpadła czy ty?
Powers wbił ponury wzrok w blat stołu i przecząco pokręcił głową.
– Zobaczymy, czy zgadnę – powiedział Bosch. – Przypuszczam że było tak: wszedłeś do ich wielkiego domu, zobaczyłeś, ile mają forsy, może słyszałeś coś o rolls-roysie Tony'ego i od tego wszystko się zaczęło. Idę o zakład, że to był twój pomysł, Powers. Chyba jednak Veronica wiedziała, że wyskoczysz z czymś takim. Widzisz, to inteligentna kobieta. Wiedziała. I czekała... Ale wiesz co? Nic na nią nie mamy. Absolutnie nic. Rozegrała to po mistrzowsku. Wykorzystała cię od początku do końca. I teraz może być spokojna, a ty... – wycelował palec w pierś Powersa – ...trafisz do pudła. Tego chcesz?
Powers odchylił się z pobłażliwym uśmieszkiem na ustach.
– Nic nie rozumiesz – oznajmił. – Sam jesteś chłopcem na posyłki, ale masz puste przebiegi. Pomyśl. Nie dasz rady wrobić mnie w sprawę Alisa. To ja znalazłem ciało. Ja otworzyłem samochód. Znalazłeś mój odcisk, bo go tam zostawiłem. Jeżeli pójdziesz z tym do prokuratora, wyśmieje cię i wywali na Temple Street. Lepiej przynieś mi telefon, chłopcze na posyłki, i skończmy z tym. No, rusz się.
– Jeszcze nie, Powers – odparł Bosch. – Jeszcze nie.

Bosch siedział przy swoim biurku w sekcji zabójstw ze spuszczoną głową i założonymi rękami. Przy jego łokciu stał pusty kubek po kawie. Na brzegu biurka chybotał się papieros, który spalił się do samego filtra, pozostawiając na drewnie kolejny ślad.
Bosch był sam. Dochodziła szósta i przez wysokie okna na wschodniej ścianie biura zaczynał zaglądać świt. Bosch męczył się z Powersem przez cztery godziny, lecz nie posunął się ani trochę. Ani na moment nie udało mu się wytrącić go z równowagi. Pierwsze rundy pojedynku z pewnością należały do zwalistego gliny.
Bosch nie czuł jednak senności. Po prostu odpoczywał i czekał, cały czas myśląc o Powersie. Nie miał wątpliwości. Wiedział, że w pokoju przesłuchań siedzi w kajdankach właściwy człowiek. Wszystkie dowody – choć było ich tak niewiele – wskazywały na Powersa. Ale nie tylko dowody przekonały Boscha, że się nie myli. Podpowiadało mu to doświadczenie i intuicja. Bosch sądził, że niewinny człowiek nie byłby tak pewny siebie jak Powers. Niewinny

człowiek zdradzałby oznaki lęku i nie pozwoliłby sobie na drwiny. Dlatego Bosch musiał zetrzeć Powersowi z twarzy ten zadowolony uśmieszek i go złamać. Był zmęczony, lecz czuł się na siłach wykonać to zadanie. Martwiło go tylko jedno. Musiał ścigać się z czasem.

Bosch uniósł głowę i spojrzał na zegarek. Za trzy godziny miała przyjść Billets. Wziął pusty kubek, zgarnął do niego niedopałek razem z popiołem i wrzucił do kosza pod biurkiem. Wstał, zapalił kolejnego papierosa i wolnym krokiem ruszył między biurkami. Starał się odzyskać jasność myśli przed następną rundą.

Kiedy przystanął na drugim końcu sali, jego wzrok zatrzymał się na biurku sekcji przestępstw seksualnych i Bosch uświadomił sobie po chwili, że patrzy na polaroidowe zdjęcie dziewczyny, która w piątek przyszła z matką na komendę, aby zgłosić gwałt. Fotografia wraz z innymi zdjęciami była przypięta do teczki, którą detektyw Mary Cantu zostawiła na biurku, by zająć się sprawą w poniedziałek. Bosch odruchowo wyciągnął fotografie spod spinacza i zaczął je przeglądać. Dziewczyna została potraktowana przez napastnika bardzo brutalnie, a wszystkie sińce na jej ciele udokumentowane przez Cantu były smutnym świadectwem zła, jakie działo się w tym mieście. Bosch zawsze wolał mieć do czynienia z ofiarami, które już nie żyły. Myśl o żywych była nie do zniesienia, ponieważ dla nich nie było pociechy. Nigdy nie miały już zaznać spokoju, do końca życia zadając sobie pytanie dlaczego.

Czasem Bosch wyobrażał sobie, że jego miasto przypomina ogromny ściek, do którego spływa całe zło i skupia się w jednym miejscu. Miał wrażenie, że dobrzy ludzie znaleźli się w mniejszości, zdominowani przez łajdaków, kombinatorów, gwałcicieli i morderców. Taki ktoś jak Powers wydawał się naturalnym produktem miasta. Zbyt naturalnym.

Bosch odłożył zdjęcia, zawstydzony bezmyślnym zainteresowaniem podglądacza, jakie wzbudziły w nim cierpienia dziewczyny. Wrócił do swojego biurka, podniósł słuchawkę i zadzwonił pod swój domowy numer. Odkąd wyszedł z domu, upłynęła już prawie doba, i miał nadzieję, że telefon odbierze Eleanor Wish – zostawił klucz pod wycieraczką – albo przynajmniej usłyszy od niej jakąś wiadomość. Po trzech dzwonkach włączyła się automatyczna sekretarka i usłyszał własny głos. Wstukał kod dostępu, ale maszyna poinformowała go, że nie ma żadnych wiadomości.

Stał przez chwilę ze słuchawką przy uchu, myśląc o Eleanor, gdy nagle usłyszał jej głos.

– Harry, to ty?

– Eleanor?

– Tak, Harry.

– Dlaczego nie odbierałaś?

– Nie sądziłam, że to do mnie.

– Kiedy wróciłaś?

– Wczoraj wieczorem. Czekałam na ciebie. Dzięki, że zostawiłeś klucz.

– Proszę... Eleanor, gdzie byłaś?

Odpowiedziała po chwili wahania.

– Pojechałam do Vegas. Musiałam zabrać samochód, wyczyścić konta i tak dalej. A ty gdzie byłeś przez całą noc?

– Pracowałem. Mamy nowego podejrzanego. Siedzi na komendzie. Byłaś w swoim mieszkaniu?

– Nie. Nie miałam po co. Zrobiłam tylko, co trzeba, i wróciłam.

– Przepraszam, że cię obudziłem.

– Nic się nie stało. Martwiłam się o ciebie, ale nie chciałam dzwonić, żeby nie przeszkadzać.

Bosch miał ochotę zapytać, co teraz z nimi będzie, ale na wieść o jej powrocie ogarnęła go taka fala szczęścia, że nie chciał psuć tej chwili.

– Nie wiem, ile to jeszcze może potrwać – powiedział.

Z korytarza z tyłu dobiegł odgłos otwierających się ciężkich drzwi, które zaraz się zatrzasnęły. Zaraz potem Bosch usłyszał tupot zbliżających się kroków.

– Musisz kończyć? – spytała Eleanor.

– Hm...

Do biura weszli Edgar i Rider. Rider trzymała brązową torebkę na dowody z jakimś ciężkim przedmiotem w środku. Edgar taszczył zamknięte pudło kartonowe z wypisanymi flamastrem słowami BOŻE NARODZENIE. Jego twarz promieniała uśmiechem.

– Tak – rzucił do słuchawki Bosch. – Chyba muszę kończyć.

– Dobrze, Harry. Do zobaczenia.

– Będziesz w domu?

– Będę.

– Dobrze, Eleanor. Wrócę jak najszybciej.

Odłożył słuchawkę i spojrzał na partnerów. Edgar wciąż się uśmiechał.

– Mamy dla ciebie prezent świąteczny, Harry – oznajmił. – Przez to pudło Powers trafi do pudła.

– Macie jego buty?

– Nie. Coś lepszego niż buty.

– Pokaż.

Edgar otworzył karton. Zdjął z wierzchu szarą kopertę i przechylił pudło, aby Bosch mógł zobaczyć jego zawartość. Harry gwizdnął.

– Wesołych świąt – rzekł Edgar.

– Policzyliście? – zapytał Bosch, nie odrywając oczu od plików banknotów związanych gumkami.

– Na każdej paczce jest kwota – powiedziała Rider. – Wystarczy je dodać. Równe czterysta osiemdziesiąt tysięcy. Wygląda na to, że to wszystko.

– Niezły prezent, co, Harry? – dorzucił podekscytowany Edgar.

– Niezły. Gdzie to było?

– Na poddaszu – odparł Edgar. – Zajrzeliśmy tam na samym końcu. Wsadziłem głowę na strych i zobaczyłem to pudło tuż przed nosem.

Bosch skinął głową.

– Dobra, co jeszcze?

– To znalazłem pod materacem.

Edgar wyciągnął z koperty plik zdjęć. Były to fotografie formatu sześć na cztery, każda była opatrzona cyfrową datą w lewym dolnym rogu. Bosch rozłożył je na biurku i zaczął oglądać, ostrożnie podnosząc poszczególne zdjęcia za róg. Miał nadzieję, że Edgar obchodził się z nimi równie delikatnie.

Na pierwszym zdjęciu był Tony Aliso wsiadający do samochodu przed głównym wejściem do „Mirage". Na następnym wchodził do klubu „Dolly". Potem było kilka ujęć przed klubem, gdzie Aliso rozmawiał z człowiekiem, którego znał jako Luke'a Goshena. Zdjęcia zrobiono z daleka i w nocy, lecz przed rozświetlonym neonami wejściem było jasno jak w dzień, więc Bosch bez trudu rozpoznał Alisa i Goshena.

Kolejne fotografie przedstawiały to samo miejsce, ale u dołu była inna data. Jedno zdjęcie ukazywało młodą kobietę wychodzącą z klubu i zmierzającą do samochodu Alisa. Bosch poznał ją. To była Layla. Było jeszcze kilka fotografii Tony'ego i Layli przy basenie w „Mirage". Na ostatniej Bosch zobaczył opalonego Tony'ego, który pochylał się nad leżakiem Layli i całował ją w usta.

Bosch spojrzał na Edgara i Rider. Edgar znów się uśmiechnął. Rider nie.

– Tak jak myśleliśmy – powiedział Edgar. – Filował na niego w Vegas. Czyli dokładnie wiedział, jak ma to rozegrać. Razem z wdową. Mamy ich, Harry. Jest premedytacja, czyhanie na ofiarę, wszystko. Leżą na obu łopatkach.

– Być może. – Bosch popatrzył na Rider. – Co z tobą, Kiz?

Pokręciła głową.

– Sama nie wiem. To wydaje się zbyt proste. W domu było czyściutko. Żadnych starych butów, niczego, co mogłoby wskazywać, że Veronica kiedykolwiek tam była. A potem znajdujemy forsę i zdjęcia. Jak gdybyśmy mieli je znaleźć. Po co miałby się pozbywać starych butów, skoro zostawił zdjęcia pod materacem? Pieniądze to rozumiem, ale żeby chować je na strychu? To straszna amatorszczyzna.

Lekceważącym gestem pokazała zdjęcia i gotówkę. Bosch przytaknął skinieniem głowy, odchylając się na krześle.

– Wydaje mi się, że masz rację – powiedział. – Nie jest taki głupi.

Pomyślał o podobieństwie tej sytuacji do znalezienia broni podrzuconej w domu Goshena. To także okazało się zbyt proste.

– Moim zdaniem to sprawka Veroniki – oświadczył Bosch. – Ona go wrobiła. Te zdjęcia były dla niej. Pewnie kazał jej zniszczyć fotografie, ale tego nie zrobiła. Zostawiła je na wszelki wypadek. To prawdopodobnie ona podłożyła je pod materacem i ukryła pieniądze na strychu. Łatwo było się tam dostać?

– Dość łatwo – odrzekła Rider. – Była składana drabinka.
– Chwileczkę, po co miałaby go wrabiać? – spytał Edgar.
– Na początku nie miała takiego zamiaru – wyjaśnił Bosch. – To miało być wyjście awaryjne. Gdyby coś poszło nie tak, gdybyśmy wpadli na właściwy trop, była gotowa, żeby zwalić wszystko na Powersa. Może kiedy wysłała go po torbę do lasu, pojechała do niego z forsą i zdjęciami. Kto wie, kiedy to się zaczęło? Ale założę się, że kiedy powiem Powersowi, co znaleźliście u niego, zrobi wielkie oczy. Co masz w tej torbie, Kiz, aparat?
Przytaknęła, kładąc na biurku zamkniętą torbę.
– Nikon z teleobiektywem, plus kwit zapłaty kartą kredytową.
Bosch skinął głową, pogrążając się w myślach. Szukał pomysłu, jak wykorzystać pieniądze i fotografie, by złamać Powersa. Piłka była po ich stronie. Musieli ją dobrze rozegrać.
– Zaraz, zaraz – odezwał się Edgar ze zdezorientowaną miną. – Ciągle nic nie rozumiem. Dlaczego myślisz, że go wrobiła? Może trzymał u siebie kasę i czekał, aż wszystko się uspokoi, żeby się z nią podzielić? Czemu miałaby go wrabiać?
Bosch zerknął na Rider, po czym znów spojrzał na Edgara.
– Bo Kiz ma rację. To zbyt proste.
– Wcale nie, jeżeli zakładał, że o niczym nie mamy pojęcia i zdawało mu się, że jest bezpieczny, dopóki nie wyskoczyliśmy na niego z krzaków.
Bosch pokręcił głową.
– Nie wiem. Gdyby wiedział, że ma w domu forsę i zdjęcia, zachowywałby się inaczej, kiedy z nim rozmawiałem. Uważam, że to numer Veroniki. Chce zwalić całą winę na niego. Kiedy ją zgarniemy, wciśnie nam jakiś kit, że Powers miał na jej punkcie obsesję. Jeżeli potrafi grać, powie nam, że tak, miała z nim romans, ale szybko z Powersem zerwała. Tylko że on nie chciał się od niej odczepić. Zabił jej starego, żeby mieć ją tylko dla siebie.
Bosch odchylił się na krześle, patrząc na partnerów i czekając na ich reakcję.
– Brzmi nieźle – oceniła Rider. – Mogłoby zadziałać.
– Ale nie uwierzylibyśmy w taką bajeczkę – zauważył Bosch.
– W takim razie co ona z tego miała? – spytał Edgar, nie dając za wygraną. – Forsę podrzuciła Powersowi, to co jej zostało?
– Dom, samochody, polisa – odparł Bosch. – Część firmy... no i szansa, że nic jej nie zrobimy.
Wiedział jednak, że to mało przekonujący argument. Pół miliona dolarów wydawało się zbyt wysoką ceną za wrobienie kogoś w zbrodnię. To był jedyny słaby punkt w jego hipotezie.
– Pozbyła się męża – zasugerowała Rider. – Może to było dla niej najważniejsze.
– Przecież od lat robił skoki w bok – odrzekł Edgar. – Czemu właśnie teraz? Co takiego się stało?

– Nie wiem – powiedziała Rider. – Coś się stało i nie wiemy co. Dlatego musimy to ustalić.

– Powodzenia – odciął się Edgar.

– Mam pomysł – odezwał się Bosch. – Jeżeli ktokolwiek wie, co takiego stało się tym razem, to na pewno Powers. Spróbuję małego blefu. I chyba wiem, jak to zrobię. Kiz, masz jeszcze kasetę z tym filmem Veroniki?

– *Ofiarę pożądania*? Tak, w szufladzie.

– Weź ją i włóż do magnetowidu w gabinecie porucznik. Skoczę po kawę i zaraz do ciebie przyjdę.

Bosch wszedł do pokoju przesłuchań numer trzy z pudłem gotówki, które trzymał odwrócone napisem BOŻE NARODZENIE do siebie. Miał nadzieję, że karton niczym szczególnym się nie wyróżnia. Przyglądając się policjantowi, doszedł do wniosku, że nie poznał kartonu. Powers wyglądał tak samo jak w chwili, gdy Bosch wychodził. Siedział wyprężony jak struna, trzymając ręce za plecami, jak gdyby tak mu było wygodniej. Obrócił na Boscha obojętne oczy, czekając na kolejną rundę. Bosch postawił pudło na podłodze, poza zasięgiem wzroku Powersa, odsunął krzesło i usiadł naprzeciw niego. Sięgnął do kartonu i wyciągnął magnetofon oraz teczkę na akta. Obydwa przedmioty położył na stole.

– Mówiłem ci, Bosch, żadnego nagrywania. Jeżeli za szybą jest włączona kamera, to naruszasz moje prawa.

– Nie ma kamery i nie zamierzam cię nagrywać, Powers. Chciałem ci tylko coś puścić. Na czym skończyliśmy?

– Na tym, że pora się zdecydować. Wóz albo przewóz – wychodzę albo dzwonię po adwokata.

– Pojawiło się parę nowych rzeczy. Pomyślałem sobie, że powinieneś najpierw się o nich dowiedzieć. Rozumiesz, przed taką ważną decyzją.

– Pieprzyć to. Mam dosyć tych bzdur. Przynieś telefon.

– Masz aparat fotograficzny?

– Powiedziałem... aparat fotograficzny?

– Masz aparat? To chyba proste pytanie.

– Tak. Każdy ma aparat fotograficzny. Co z tego?

Bosch przyglądał mu się przez chwilę. Odniósł wrażenie, że szala drgnęła i wolno zaczęła się przechylać w jego stronę. Wyczuł niepewność Powersa. Przywołał na twarz lekki uśmiech. Chciał dać Powersowi do zrozumienia, że w tym momencie sprawa zaczyna wymykać mu się z rąk.

– Kiedy w marcu pojechałeś do Las Vegas, zabrałeś ze sobą aparat?

– Nie wiem. Może. Zawsze zabieram aparat, kiedy jadę na urlop. Nie wiedziałem, że to przestępstwo. Cholerna legislatura, co jeszcze wymyśli?

Bosch nie odwzajemnił jego uśmiechu.
– Tak to nazywasz? – spytał cicho. – To był urlop?
– Tak, właśnie tak to nazywam.
– Zabawne, bo Veronica nazwała to inaczej.
– Nic o tym nie wiem. Poza tym prawie jej nie znam.
Na ułamek sekundy odwrócił wzrok od Boscha. Zrobił to po raz pierwszy i Bosch znów poczuł, że zaczyna zyskiwać przewagę. Był na dobrej drodze. Czuł to.
– Oczywiście, że wiesz, Powers. I bardzo dobrze ją znasz. Właśnie nam o wszystkim opowiedziała. Siedzi teraz w drugim pokoju. Okazuje się, że była słabsza, niż sądziłem. Stawiałem raczej na ciebie. Wiesz, zwykle pozory mylą. Myślałem, że pierwszy pękniesz, ale to była ona. Edgar i Rider właśnie ją złamali. Niesamowite, jak zdjęcia z miejsca zbrodni działają na nieczyste sumienie. Powiedziała nam wszystko, Powers. Wszystko.
– Pieprzysz od rzeczy, Bosch, i powoli robisz się nudny. Gdzie ten telefon?
– Według niej wyglądało to tak. Poznaliście...
– Nie chcę tego słuchać.
– Poznaliście się, kiedy przyjechałeś do niej spisać raport po włamaniu. Od słowa do słowa i zaczął się romansik. Niezapomniana przygoda. Tylko że Veronica szybko się opamiętała i zerwała z tobą. Ciągle kochała swojego Tony'ego. Wiedziała, że on błądzi, że ma swoje słabostki, ale zdążyła się przyzwyczaić. Potrzebowała go. A więc dała ci kosza. Ale ty nie dałeś się tak łatwo zbyć. Wydzwaniałeś do niej, śledziłeś ją, kiedy wyjeżdżała z domu. Zaczęła się bać. Ale co mogła zrobić? Iść do Tony'ego i powiedzieć mu, że facet, z którym miała romans, nie chce się od niej odczepić? Nie...
– Bzdury wygadujesz, Bosch. Śmiechu warte!
– Potem zacząłeś śledzić Tony'ego. Bo to on ci przeszkadzał. A więc odrobiłeś zadanie domowe. Pojechałeś za nim do Vegas i przyłapałeś go na gorącym uczynku. Wiedziałeś już, co robi i jak możesz go sprzątnąć, żeby naprowadzić nas na fałszywy trop. O takiej robocie mówi się „muzyka z kufra". Ale nie umiałeś jej czysto zagrać, Powers. I wpadłeś. Załatwimy cię dzięki Veronice.
Powers wpatrywał się w stół. Miał mocno napiętą skórę wokół oczu i ust.
– Niedobrze mi się robi od tych bzdetów – rzekł, nie podnosząc głowy. – Nie mam ochoty cię dłużej słuchać. W drugim pokoju nikogo nie ma. Veronica siedzi w swoim wielkim domu na wzgórzu. To najstarszy numer na świecie.
Powers spojrzał na niego, uśmiechając się krzywo.
– Chcesz wciskać taki kit gliniarzowi? Nie wierzę. Jesteś beznadziejny. Ośmieszasz się.
Bosch sięgnął do magnetofonu i wcisnął przycisk odtwarzania. W maleńkim pokoiku zabrzmiał głos Veroniki Aliso.

– To był on. Zupełnie oszalał. Nie zdążyłam go powstrzymać. A potem nie mogłam nikomu nic powiedzieć, bo... bo wyglądałoby na to, jakbym to...

Bosch wyłączył magnetofon.

– Wystarczy – powiedział. – Żałuję, że w ogóle ci to puściłem, bo to wbrew moim zasadom. Ale pomyślałem, tak między nami glinami, że powinieneś wiedzieć, na czym stoisz.

Bosch przyglądał się w milczeniu, jak Powers zaczyna kipieć z wściekłości. Dostrzegł to w jego oczach. Powers nie poruszył ani jednym mięśniem, mimo to wydawało się, że w jednej chwili zesztywniał jak kawał drewna. W końcu ochłonął, odzyskując panowanie nad sobą.

– To tylko słowa – szepnął. – Żaden dowód. Bosch, to tylko jej fantazja. Jej słowa przeciwko moim.

– Możliwe. Ale mamy jeszcze to.

Bosch otworzył teczkę i rzucił na stół plik zdjęć. Następnie rozłożył je, żeby Powers mógł je dokładnie obejrzeć.

– To chyba wystarczająco potwierdza jej słowa, nie sądzisz?

Kiedy Powers oglądał zdjęcia, znów wydawało się, że za moment wybuchnie, ale tym razem też udało mu się pohamować gniew.

– Gówno potwierdza – rzekł. – Mogła je sama zrobić. Każdy mógł je zrobić. I tylko dlatego, że dała wam parę... Zupełnie was omotała, co? Łykacie w ciemno wszystko, co wam powie.

– Można by tak przypuszczać, ale widzisz, to nie ona dała nam zdjęcia.

Bosch ponownie sięgnął do teczki i wyjął kopię nakazu rewizji. Położył dokument na fotografiach.

– Pięć godzin temu wysłaliśmy ten papier faksem do domu sędziego Warrena Lamberta w Palisades. Odesłał z podpisem. Edgar i Rider spędzili pół nocy w twoim miłym bungalowie w Hollywood. Wśród rzeczy, które stamtąd przynieśli, był aparat Nikon z teleobiektywem. I te zdjęcia. Znaleźli je pod materacem.

Zrobił pauzę, patrząc w ciemniejące oczy i czekając, aż jego słowa dotrą do Powersa.

– Ach, jeszcze jeden drobiazg. – Bosch sięgnął pod stół i wyciągnął karton. – Było na strychu, obok zabawek na choinkę.

Wysypał na stół zawartość pudła. Pieniądze wylądowały na blacie i na podłodze. Bosch potrząsnął kartonem, upewniając się, czy to już wszystko, po czym cisnął na podłogę puste pudło. Zerknął na Powersa, który wodził wściekłym spojrzeniem po grubych paczkach banknotów. Bosch wiedział już, że wygrał. Przeczucie podpowiadało mu, że zawdzięcza to Veronice Aliso.

– Szczerze mówiąc, nie sądzę, żebyś był aż tak głupi – rzekł cicho Bosch. – Żebyś trzymał w domu zdjęcia i forsę. Jasne, widziałem w życiu większe idiotyzmy. Ale byłbym się gotów założyć, że nic o tym nie wiedziałeś, bo nie ty ukryłeś to wszystko w domu. Zresztą mnie i tak nie robi to żadnej różnicy. Mamy ciebie, możemy zamknąć sprawę i nic więcej mnie nie obchodzi. Miło by było mieć coś na Veronicę, ale trudno. Będzie nam tylko potrzebne jej zeznanie. Razem ze zdjęciami i resztą wystarczy, żebyś beknął za to morderstwo. Na dodatek mamy jeszcze premedytację i czyhanie na ofiarę – to szczególne okoliczności, Powers. Czeka cię albo czapa, albo DBW.

Ostatni skrót, znany policjantom i przestępcom, oznaczał dożywocie bez warunku.

– Tak czy inaczej – ciągnął Bosch – chyba pójdę po telefon, żebyś mógł zadzwonić do adwokata. Lepiej wybierz kogoś dobrego. Żadnego z tych efekciarzy, którzy bronili O. J. Simpsona. Musisz mieć prawnika, który potrafi zadbać o twoje interesy poza salą rozpraw. Negocjatora.

Wstał i odwrócił się do drzwi. Kładąc dłoń na klamce, spojrzał jeszcze na Powersa.

– Wiesz, wcale się z tego nie cieszę, Powers. Jesteś gliniarzem i miałem nadzieję, że to ty będziesz miał fart, nie ona. Mam wrażenie, jakbyśmy trafili w niewłaściwą osobę. Ale tak to już jest w wielkim mieście. Kogoś trzeba trafić.

Odwrócił się i otworzył drzwi.

– Suka! – powiedział cicho, lecz dobitnie Powers.

Potem szepnął pod nosem coś niezrozumiałego. Bosch spojrzał na niego, wiedząc, że nie powinien się teraz odzywać.

– To był jej pomysł – rzekł Powers. – Od początku do końca. Zrobiła mnie na szaro, a teraz robi was.

Bosch czekał, ale nie usłyszał niczego więcej.

– To znaczy, że chcesz ze mną porozmawiać?

– Tak, Bosch, usiądź. Może coś sobie wyjaśnimy.

O dziewiątej porucznik Billets siedziała przy biurku w swoim gabinecie, a Bosch informował ją o ostatnich wydarzeniach. Miał w dłoni pusty styropianowy kubek, ale nie wyrzucił go do śmieci, bo chciał, żeby coś mu przypominało, że musi się napić kawy. Był wykończony i miał mocno podkrążone oczy. W ustach czuł kwaśny smak po kawie i papierosach. Od dwudziestu godzin jadł tylko batoniki, więc żołądek w końcu zaprotestował. Mimo to Bosch był zadowolony. Wygrał ostatnią rundę z Powersem, a w tej bitwie liczyła się tylko ostatnia runda.

– A więc powiedział ci wszystko? – zapytała Billets.

– Podał mi swoją wersję – poprawił Bosch. – Całą winę zrzuca na Veronicę, zresztą wcale się nie dziwię. Cały czas myśli, że Veronica siedzi w pokoju obok i zrzuca całą winę na niego. Zrobił z niej straszną czarną wdowę, a z siebie niewiniątko, które w życiu nie skalało się nieczystą myślą, dopóki jej nie spotkało.

Uniósł kubek do ust, lecz zaraz się zorientował, że jest pusty.

– Ale kiedy ją zgarniemy i Veronica dowie się, że Powers mówi, pewnie poznamy jej wersję.

– Kiedy Jerry i Kiz po nią pojechali?

Bosch zerknął na zegarek.

– Jakieś czterdzieści minut temu. Powinni zaraz być.

– Dlaczego ty nie pojechałeś?

– Nie wiem. Pomyślałem, że skoro ja wziąłem na siebie Powersa, oni powinni wziąć ją. Rozdzieliłem zadania.

– Lepiej uważaj. Jeżeli dalej będziesz taki wspaniałomyślny, stracisz opinię twardziela.

Bosch uśmiechnął się, spoglądając w pusty kubek.

– Jak więc z grubsza przedstawia się jego wersja? – spytała Billets.

– Z grubsza tak, jak przypuszczaliśmy. Pojechał do niej spisać raport z włamania i taki był początek. Twierdzi, że zaczęła go podrywać i zanim się obejrzał, już byli razem. Zaczął coraz częściej patrolować osiedle, a ona wpadała do jego bungalowu rano, kiedy Tony jechał do pracy albo siedział w Vegas. Z tego, co mówi Powers, wynika, że to ona go złowiła. Spodobał mu się wyrafinowany seks. I wkrótce wpadł po uszy.

– A potem poprosiła go, żeby śledził Tony'ego.

– Zgadza się. Pierwszy wyjazd do Vegas był zupełnie niewinny. Powers śledził go, a potem wrócił z plikiem zdjęć Tony'ego z dziewczyną i mnóstwem pytań, z kim się Tony spotyka i po co. Nie był głupi. Domyślił się, w co Tony może się bawić. Mówi, że Veronica we wszystko go wtajemniczyła, znała każdy szczegół i wiedziała, jak się nazywa każdy gangster. Powiedziała mu też, o jakie pieniądze chodzi. Wtedy zrodził się plan. Veronica mówiła Powersowi, że Tony musi zginąć, a potem będą tylko oni i mnóstwo pieniędzy. Mówiła mu, że Tony podbierał forsę. Ciągnął lewą kasę z lewej kasy. Od lat. W grę wchodziły dwa miliony plus to, co mieli zabrać Tony'emu, kiedy go załatwią.

Bosch wstał i kontynuował opowieść, spacerując przed biurkiem. Gdyby siedział, zmęczenie mogłoby go pokonać.

– No więc Powers wyjechał drugi raz. Miał przeprowadzić rekonesans. Wyśledził też faceta, od którego Tony odbierał pieniądze, Luke'a Goshena. Powers najwyraźniej nie miał pojęcia, że to agent. Oboje z Veronicą postanowili, że Goshen zostanie kozłem ofiarnym, i ułożyli plan, żeby morderstwo wyglądało na robotę mafii. Żebyśmy usłyszeli muzykę z kufra.

– To dość skomplikowane.

– Faktycznie. Powers twierdzi, że plan był wyłącznie dziełem Veroniki, i wydaje mi się, że tu mówi prawdę. Moim zdaniem Powers jest cwany, ale nie do tego stopnia. Pomysł był jej, a Powers bardzo chętnie go zrealizował. Tylko że Veronica zostawiła sobie furtkę, o której Powers nic nie wiedział.

– Bo sam był tą furtką.

– Zgadza się. Rzuciła go na pożarcie, ale miała go poświęcić tylko wtedy, gdybyśmy wpadli na ich trop. Mówił, że dał jej klucz do domu. Ma bungalow na Sierra Bonita. Pewnie w tym tygodniu wpadła do niego, schowała zdjęcia pod materacem i podrzuciła na strychu karton z forsą. Sprytna pułapka. Kiedy Jerry i Kiz przywiozą tu Veronicę, domyślam się, co nam powie. Będzie nam chciała wmówić, że to wszystko on, że się w niej zadurzył, że mieli romans, ale szybko z nim zerwała. Wtedy rozwalił jej męża. A gdy zdała sobie sprawę, co się stało, nie mogła nic zrobić. Zmusił ją do posłuszeństwa. Nie miała wyboru. Był gliniarzem i powiedział jej, że jeżeli nie będzie grzeczna, zrzuci całą winę na nią.

– Całkiem niezła historyjka. Przysięgli nawet mogliby w nią uwierzyć.

– Być może. Dlatego mamy jeszcze parę rzeczy do zrobienia.

– Co z tą lewą forsą Tony'ego?

– Dobre pytanie. Na rachunkach Alisa nie ma śladu kwoty, o której mówi Powers. Podobno według Veroniki pieniądze są w jakiejś skrytce depozytowej, ale nie powiedziała mu gdzie. Musimy ją znaleźć.

– Jeżeli ta forsa w ogóle istnieje.

– Wydaje mi się, że istnieje. Veronica podrzuciła Powersowi pół miliona. To wysoka cena za wrobienie wspólnika, chyba że akurat ma się gdzieś odłożone dwa miliony. To właśnie trzeba...

Bosch wyjrzał przez szybę wychodzącą na biuro. Do gabinetu porucznik zmierzali Edgar i Rider. Nie było z nimi Veroniki Aliso. Widząc ich miny, Bosch od razu się domyślił, co usłyszy.

– Zniknęła – oznajmił Edgar.

Bosch i Billets patrzyli na nich bez słowa.

– Chyba zwiała wczoraj wieczorem – ciągnął Edgar. – Samochody zostały, ale w domu nikogo nie ma. Weszliśmy tylnymi drzwiami i było pusto.

– Zabrała rzeczy, biżuterię? – spytał Bosch.

– Chyba nic. Po prostu zniknęła.

– Sprawdziliście na bramie?

– Jasne. Wczoraj miała dwóch gości. Najpierw piętnaście po czwartej przyjechał kurier od adwokata. Z Legal Eagle. Był u niej jakiś kwadrans. Potem, późnym wieczorem, odwiedził ją jakiś facet. John Galvin. Veronica wcześniej dzwoniła na portiernię i kazała go wpuścić, kiedy się zjawi. Ochrona spisała numer rejestracyjny i sprawdziliśmy go. Auto z wypożyczalni Hertza w Vegas. Puścimy informację o poszukiwaniu wozu. W każdym razie Galvin siedział u niej do pierwszej w nocy. Zwinął się mniej więcej wtedy, kiedy zgarnialiśmy w lesie Powersa. Veronica pewnie wyjechała razem z nim.

– Zadzwoniliśmy do ochroniarza, który miał wtedy służbę – powiedziała Rider. – Nie pamiętał, czy Galvin wyjeżdżał sam czy nie. Nie potrafił sobie przypomnieć, czy widział w nocy panią Aliso, ale mogła się schować na tylnym siedzeniu.

– Wiemy, kim jest jej adwokat? – zapytała Billets.
– Owszem – odparła Rider. – Neil Denton z Century City.
– Dobra, Jerry, zajmiesz się tym samochodem z Hertza, a ty, Kiz, spróbujesz wybadać Dentona i dowiesz się, jaką to ważną sprawę miał do Veroniki, żeby wysyłać do niej kuriera w sobotę.
– W porządku – powiedział Edgar. – Ale mam złe przeczucie. Pewnie rozpłynęła się w powietrzu.
– W takim razie trzeba przetrząsnąć powietrze – odparła Billets. – Bierzcie się do roboty.
Edgar i Rider ruszyli do swoich biurek, a Bosch stał, zastanawiając się w milczeniu nad najnowszym rozwojem wypadków.
– Chyba powinniśmy byli kogoś przy niej zostawić? – odezwała się Billets.
– Teraz wydaje mi się, że tak, ale prowadziliśmy śledztwo na lewo. Nie mieliśmy ludzi. Poza tym dopiero od dwóch godzin coś na nią mamy.
Billets ze zbolałą miną przytaknęła.
– Jeżeli w ciągu piętnastu minut nie trafią na żaden ślad, trzeba będzie nadać komunikat.
– Owszem.
– A wracając do Powersa, myślisz, że może coś przed nami ukrywać?
– Trudno powiedzieć. Prawdopodobnie tak. Ciągle nie wiemy, dlaczego właśnie teraz.
– To znaczy?
– To znaczy, że Aliso jeździł do Vegas od lat i przywoził walizki pieniędzy. Według Powersa podbierał kasę też od lat, nie mówiąc o jego licznych przygodach z kobietami. Veronica musiała o tym wszystkim wiedzieć. Dlaczego więc postanowiła się go pozbyć akurat teraz, a nie w zeszłym czy w przyszłym roku?
– Może miała już dość. Może nadszedł właściwy moment. Zjawił się Powers i wszystko zaskoczyło.
– Niewykluczone. Pytałem Powersa, ale twierdzi, że nie wie. Przypuszczam jednak, że coś ukrywa. Spróbuję z nim jeszcze raz pogadać.
Billets nie odpowiedziała.
– Kryje się za tym coś jeszcze, o czym nic nie wiemy – ciągnął Bosch. – Jakaś tajemnica. Mam nadzieję, że Veronica nam ją wyjawi. Jeżeli ją znajdziemy.
Billets niecierpliwie machnęła ręką.
– Masz Powersa na taśmie? – spytała.
– Audio i wideo. Kiz oglądała go z czwórki. Kiedy tylko powiedział, że chce mówić, włączyła sprzęt.
– Poinformowałeś go jeszcze raz o prawach? Na taśmie?
– Tak, wszystko jest jak trzeba. Jeśli chcesz obejrzeć, zaraz przyniosę.

– Nie. Nie mam go w ogóle ochoty oglądać. Niczego mu chyba nie obiecywałeś, co?

Bosch chciał odpowiedzieć, lecz urwał w pół słowa. Usłyszał stłumiony krzyk, który na pewno wydał Powers, wciąż zamknięty w pokoju numer trzy. Bosch wyjrzał przez szybę i zobaczył, że Edgar wstaje od biurka i idzie do korytarza sprawdzić, o co chodzi.

– Pewnie chce adwokata – rzekł Bosch. – Trochę na to za późno... w każdym razie, nie, niczego nie obiecywałem. Powiedziałem mu tylko, że pogadam z prokuratorem o odstąpieniu od szczególnych okoliczności, chociaż to będzie trudne. Po tym, co mi powiedział, mamy spory wybór. Porozumienie przestępcze, czyhanie na ofiarę, może morderstwo na zlecenie.

– Powinnam chyba sprowadzić prokuratora.

– Tak. Jeżeli nikt konkretny nie przychodzi ci na myśl albo nie masz żadnych długów wdzięczności, spróbuj ściągnąć Rogera Goffa. To sprawa akurat dla niego, poza tym od pewnego czasu jestem mu coś winien. Na pewno tego nie schrzani.

– Znam Rogera. Poproszę o niego... Muszę też zawiadomić górę. Nie co dzień masz okazję dzwonić do zastępcy komendanta z informacją, że jego ludzie prowadzili śledztwo, którego zabroniono im prowadzić, a w dodatku aresztowali gliniarza. I to ni mniej, ni więcej, tylko za morderstwo.

Bosch uśmiechnął się. Nie byłby zachwycony perspektywą takiej rozmowy.

– Tym razem smród się rozniesie – zauważył. – Kolejna wpadka departamentu. A propos, Edgar i Kiz nie skonfiskowali tego, bo to nie ma związku ze sprawą, ale w domu Powersa znaleźli straszne rzeczy. Różne nazistowskie i rasistowskie rekwizyty. Możesz uprzedzić górę. Niech zrobią z tym, co zechcą.

– Dzięki za informację. Pogadam z Irvingiem. Jestem pewna, że nie będzie miał ochoty wyciągać tego na światło dzienne.

Do gabinetu zajrzał Edgar.

– Powers mówi, że musi iść do kibla i dłużej nie wytrzyma.

Patrzył na Billets.

– To go zaprowadź – odparła.

– Tylko nie zdejmuj mu bransoletek – dodał Bosch.

– Jak ma sikać z rękami na plecach? Chyba się nie spodziewasz, że będę mu trzymać? Nie ma mowy.

Billets parsknęła śmiechem.

– Po prostu skuj mu ręce z przodu – rzekł Bosch. – Za sekundę do was przyjdę.

– Dobra, będę w trójce.

Edgar wyszedł i Bosch patrzył, jak znika w korytarzu prowadzącym do pokojów przesłuchań.

Bosch spojrzał na Billets, która wciąż uśmiechała się po komicznych protestach Edgara. Twarz mu spoważniała.

– Kiedy będziesz dzwonić do szefostwa, możesz mnie wykorzystać.

– To znaczy?

– Nie mam nic przeciwko temu, żebyś im powiedziała, że o niczym nie wiedziałaś, dopóki dziś rano nie zadzwoniłem do ciebie ze złą wiadomością.

– Nie wygłupiaj się. Zamknęliśmy sprawę i zdjęliśmy z ulicy gliniarza mordercę. Jeżeli nie zrozumieją, że wszystko dobre co się dobrze kończy... to pieprzyć ich.

Bosch uśmiechnął się i skinął głową.

– Jesteś w porządku, poruczniku.

– Dzięki.

– Zawsze do usług.

– Nie poruczniku, tylko Grace.

– Jasne, Grace.

Dochodząc do wniosku, że bardzo podoba mu się taka szefowa jak Billets, Bosch pokonał krótki korytarz prowadzący do pokojów przesłuchań i przez otwarte drzwi wszedł do trójki. Edgar zatrzaskiwał właśnie kajdanki na przegubach Powersa. Policjant miał ręce z przodu.

– Zrób coś dla mnie, Bosch – powiedział Powers. – Pozwól mi skorzystać z kibla w korytarzu od frontu.

– Dlaczego?

– Żeby nie widział mnie żaden z chłopaków. Nie chcę się tak nikomu pokazywać. Poza tym możecie mieć kłopoty, jeżeli ludziom nie spodoba się ten widok.

Bosch skinął głową. Powers miał dużo racji. Gdyby zabrali go na zaplecze z tyłu, zobaczyliby ich wszyscy policjanci z dyżurki i zaczęliby się dopytywać, a niektórzy, nie wiedząc, o co chodzi, mogliby zareagować dość nerwowo. Toaleta w głównym korytarzu była przeznaczona dla interesantów, lecz w niedzielny poranek najprawdopodobniej nie było tam nikogo, mogli więc bezpiecznie zaprowadzić do niej Powersa.

– Dobra, idziemy – rzucił Bosch. – Do holu.

Minęli główną recepcję i biura administracyjne, dziś puste i zamknięte. Bosch zaczekał z Powersem w korytarzu, a Edgar sprawdził toaletę.

– Pusto – zameldował, przytrzymując im drzwi.

Bosch wszedł za Powersem. Wysoki glina skierował się do ostatniego z trzech pisuarów. Bosch stanął przy drzwiach, natomiast Edgar zajął pozycję naprzeciw Powersa przy rzędzie umywalek. Kiedy Powers skończył, podszedł do umywalki. Bosch zauważył, że ma rozwiązane sznurowadło u prawego buta, Edgar także to dostrzegł.

– Zawiąż but, Powers – powiedział Edgar. – Jeszcze się potkniesz, upadniesz i pokiereszujesz sobie buziuchnę. Nie chcę wysłuchiwać potem żadnych lamentów o brutalności policji.

Powers przystanął, spojrzał na sznurowadło, a potem na Edgara.
– Jasne – odparł.
Najpierw umył ręce i wytarł papierowym ręcznikiem, po czym oparł stopę o brzeg umywalki, by zawiązać but.
– Nowe buty – zauważył Edgar. – Ciągle się rozwiązują, co?
Bosch nie widział twarzy Powersa, ponieważ gliniarz stał odwrócony tyłem do drzwi. Ale patrzył na Edgara.
– Odpierdol się, czarnuchu.
W oczach Edgara w jednej chwili odmalowała się wściekłość i odraza, jak gdyby dostał w twarz. Posłał Boschowi przelotne spojrzenie, sprawdzając, czy ma coś przeciwko temu, by uderzył Powersa. Ale Powersowi wystarczyła ta krótka chwila. Jednym skokiem rzucił się na Edgara, przyduszając go całym ciężarem ciała do ściany wyłożonej białymi kaflami. Uniósł ręce w kajdankach, lewą łapiąc Edgara za przód koszuli, a prawą przyciskając lufę małej broni do szyi oszołomionego detektywa.
Bosch zdążył pokonać połowę odległości dzielącej go od nich, gdy nagle zauważył broń i usłyszał krzyk Powersa:
– Cofnij się, Bosch. Cofnij się, albo twój partner zginie. Chcesz tego?
Powers odwrócił głowę, patrząc na Boscha. Harry przystanął, unosząc obie ręce.
– Dobrze – powiedział Powers. – Powiem ci teraz, co masz zrobić. Bardzo powoli wyciągnij broń i wrzuć do pierwszej umywalki.
Bosch ani drgnął.
– Słyszysz? Zrób to, ale już.
Powers dobitnie wymawiał każde słowo, uważając, by zbytnio nie podnosić głosu.
Bosch popatrzył na maleńki pistolet w ręku Powersa. Poznał ravena kalibru .25, ulubioną zapasową broń glin z patroli jeszcze w czasach, gdy sam chodził w mundurze. Pistolet był wprawdzie mały – w dłoni Powersa wyglądał jak zabawka – lecz bardzo skuteczny i doskonale mieścił się w skarpecie albo wysokim bucie, a po opuszczeniu nogawki spodni był prawie niewidoczny. Uświadamiając sobie, że Edgar i Rider niedokładnie przeszukali Powersa, Bosch pomyślał, że strzał z ravena z tak bliskiej odległości oznaczałby dla Edgara pewną śmierć. Instynkt nie pozwalał mu pozbyć się broni, ale Bosch nie miał wyboru. Powers był zdesperowany, a człowiek w takim stanie rzadko się zastanawia. Jest gotów na wszystko. Jest gotów zabić. Bosch dwoma palcami wyciągnął broń i wrzucił do umywalki.
– Doskonale. Teraz połóż się pod umywalkami.
Bosch spełnił plecenie, nie odrywając oczu od Powersa.
– Edgar – zwrócił się do niego Powers. – Teraz twoja kolej. Rzuć broń na podłogę.
Pistolet Edgara ze stukotem wylądował na płytkach.

– I kładź się obok swojego partnera. Właśnie tak.

– Powers, oszalałeś – powiedział Bosch. – Dokąd chcesz iść. Nie możesz uciec.

– Kto mówi o ucieczce, Bosch? Wyciągnij kajdanki i zakuj lewą rękę.

Gdy Bosch posłusznie zatrzasnął kajdanki na lewym przegubie, Powers kazał mu je przełożyć za rurą syfonową pod jedną z umywalek. Następnie polecił Edgarowi przykuć prawą dłoń do tych samych kajdanek. Kiedy i to się stało, Powers uśmiechnął się zwycięsko.

– Bardzo dobrze. To powinno was tu zatrzymać na parę minut. Teraz kluczyki. Obaj. Rzućcie je na podłogę.

Powers wziął kluczyki Edgara i zdjął sobie kajdanki. Szybkim ruchem rozmasował nadgarstki, pobudzając krążenie. Uśmiechał się, choć Bosch podejrzewał, że nawet nie zdaje sobie z tego sprawy.

– Sprawdzimy.

Sięgnął do umywalki po pistolet Boscha.

– Ładne cacko, Bosch. Dobra waga i nieźle leży w ręce. Znacznie lepszy niż mój. Mogę sobie pożyczyć na chwilę?

Bosch domyślił się, co zamierza zrobić Powers. Chciał zabić Veronicę. Bosch pomyślał o Kiz siedzącej przy biurku, tyłem do barierki w recepcji. I o Billets w gabinecie. Nie zdążyłyby go w porę zauważyć.

– Jej tu nie ma, Powers – powiedział.

– Co? Kogo nie ma?

– Veroniki. To był blef. W ogóle jej nie zgarnęliśmy.

Powers milczał, a jego uśmiech ustąpił miejsca wyrazowi głębokiego skupienia. Bosch wiedział, o czym myśli.

– Głos na taśmie był z filmu. Nagrałem go z taśmy wideo. Jeżeli pójdziesz do pokojów przesłuchań, wpadniesz w pułapkę. Nikogo tam nie ma. I nie ma stamtąd wyjścia.

Bosch dostrzegł to samo napięcie skóry wokół ust i oczu Powersa, które widział podczas przesłuchania. Twarz gliny pociemniała z gniewu, lecz nieoczekiwanie pojawił się na niej uśmiech.

– Cwany z ciebie skurwiel, Bosch. Naprawdę? Mam uwierzyć, że jej tam nie ma? Może to właśnie jest podpucha. Rozumiesz, co mówię?

– To nie jest podpucha. Naprawdę jej tam nie ma. Po tym, co nam powiedziałeś, chcieliśmy ją zgarnąć. Godzinę temu pojechaliśmy na wzgórze, ale w domu też jej nie znaleźliśmy. Wyjechała wczoraj wieczorem.

– Jeżeli jej tu nie ma, to skąd...

– To akurat nie był blef. Pieniądze i zdjęcia były w twoim domu. Jeżeli nie ty je tam schowałeś, to ona. Wrobiła cię. Odłóż broń i spokojnie zacznijmy od początku, co ty na to? Przeprosisz Edgara za to, co do niego powiedziałeś, i zapomnimy o tym incydencie.

– Ach tak. Zapomnisz o ucieczce, ale wsadzisz mnie za morderstwo.

– Mówiłem, że chcemy pogadać z prokuratorem. Właśnie do nas jedzie. To przyjaciel. Potraktuje cię uczciwie. Zależy nam, żeby znaleźć Veronicę.

– Pierdolony gnoju! – huknął Powers, lecz zaraz zapanował nad głosem. – Nie rozumiesz, że mnie też zależy, żeby ją znaleźć? Wydaje ci się, że ze mną wygrałeś? Myślisz, że złamałeś mnie w tym pokoiku? Nie wygrałeś, Bosch. Mówiłem, bo chciałem mówić. To ja cię złamałem, ale nawet o tym nie wiesz. Zacząłeś mi ufać, bo byłem ci potrzebny. W ogóle nie powinieneś ruszać kajdanek, bracie.

Zamilkł na chwilę, żeby dotarło do nich to, co powiedział.

– Idę teraz spotkać się z tą dziwką i zamierzam się na nie stawić, choćby nie wiem co. Jeżeli jej tu nie ma, to pójdę jej poszukać.

– Może być wszędzie.

– Ja też, Bosch, poza tym ona się mnie nie spodziewa. Muszę iść.

Z kubła na śmieci Powers wyciągnął plastikowy worek i wysypał jego zawartość na podłogę. Następnie włożył do worka pistolet Boscha, a potem odkręcił krany nad wszystkimi trzema umywalkami. Toaletę wypełnił szum wody, odbijający się echem od wykafelkowanych ścian. Powers złapał broń Edgara i wrzucił do worka. Potem kilka razy okręcił worek wokół pistoletów, ukrywając je. Ravena schował do kieszeni spodni, aby był pod ręką, cisnął kluczyki od kajdanek do pisuaru i dwa razy spuścił wodę. Nie patrząc na mężczyzn skutych pod umywalkami, skierował się do drzwi.

– Adios, palanty – rzucił przez ramię i wyszedł.

Bosch spojrzał na Edgara. Wiedział, że gdyby zaczęli krzyczeć, prawdopodobnie nikt by ich nie usłyszał. Była niedziela, skrzydło administracyjne świeciło pustkami. W biurze siedziały tylko Billets i Rider. Ich krzyk utonąłby w szumie wody. Billets i Rider na pewno uznałyby, że to wrzaski pijanych z izby wytrzeźwień.

Bosch okręcił się i oparł stopami o ścianę pod umywalkami. Chwycił rurę syfonu, aby wykorzystując nogi jako dźwignię, spróbować wyrwać syfon. Ale rura była gorąca.

– Skurwysyn! – wrzasnął Bosch, puszczając syfon. – Odkręcił gorącą wodę.

– Co robimy? Zaraz nam zwieje.

– Masz dłuższe ręce. Może uda ci się zakręcić wodę. Nie mogę złapać syfonu, jest za gorący.

Z pomocą Boscha, który włożył lewą rękę niemal po łokieć za syfon, Edgar zdołał dotknąć kranu. Po kilku sekundach zakręcił wodę, która ciekła już tylko wąskim strumyczkiem.

– Teraz odkręć zimną – polecił Bosch. – Trzeba to schłodzić.

Znów minęło kilka sekund, ale Bosch był już gotów ponowić próbę. Chwycił syfon i mocno zaparł się nogami o ścianę. Edgar zrobił to samo, mocno zaciskając dłonie na rurze. Dzięki ich połączonym wysiłkom syfon puścił przy uszczelce pod umywalką. Woda chlusnęła na ich skute ręce. Zerwali się na nogi i ślizgając się na mokrych kafelkach, podbiegli do pisuaru. Bosch zobaczył kluczyki na kratce odpływu. Chwycił je i manipulując w zamku, wreszcie zdołał się wyswobodzić. Podał kluczyki Edgarowi i rzucił się do drzwi, rozpryskując wodę, która zalała już całą podłogę.

– Zakręć wodę – krzyknął od progu.

Pobiegł przez korytarz i przesadził barierkę recepcji w biurze detektywów. Sala była pusta, a przez szybę zobaczył, że w gabinecie Billets też nie ma nikogo. Po chwili usłyszał głośne walenie i stłumione krzyki Billets i Rider. Gdy wbiegł do korytarza, zobaczył, że pokoje przesłuchań są otwarte z wyjątkiem jednego. A więc Powers mimo wszystko szukał Veroniki, zamknąwszy przedtem Billets i Rider w trójce. Bosch otworzył drzwi pokoju numer trzy, po czym pędem wrócił do biura i pobiegł do tylnego wyjścia z budynku. Pchnął ciężkie metalowe drzwi prowadzące na parking. Sięgając instynktownie do pustej kabury, rozejrzał się po parkingu, zaglądając do otwartych garaży. Nigdzie nie było śladu Powersa, ale przy dystrybutorze paliwa stali dwaj funkcjonariusze z patrolu. Bosch zatrzymał na nich wzrok.

– Widzieliście Powersa?

– Tak – odezwał się starszy z nich. – Właśnie odjechał. Naszym samochodem. Co tu się, kurwa, dzieje?

Bosch nie odpowiedział. Zamknął oczy, pochylił głowę i zaklął pod nosem.

Sześć godzin później Bosch, Edgar i Rider siedzieli przy swoich biurkach, oglądając w milczeniu przebieg zebrania w gabinecie porucznik. W ciasnym pomieszczeniu jak pasażerowie autobusu tłoczyli się Billets, kapitan LeValley, zastępca komendanta Irving, trzej funkcjonariusze z wydziału spraw wewnętrznych, w tym Chastain, oraz komendant ze swoim asystentem administracyjnym. Przeprowadzono telefoniczną konsultację z zastępcą prokuratora okręgowego Rogerem Goffem – przez otwarte drzwi Bosch usłyszał jego głos w głośniku. Potem jednak drzwi zostały zamknięte i Bosch domyślił się, że w gabinecie właśnie ważą się losy trojga detektywów.

Komendant stał pośrodku pokoju z założonymi rękami i opuszczoną głową. Zjawił się ostatni i wyglądał, jak gdyby sam wysłuchiwał reprymendy. Od czasu do czasu kiwał głową, ale niezbyt często się odzywał. Bosch wiedział, że głównym tematem ich rozmowy jest kwestia Powersa. Na wolności był gliniarz morderca. Ogłoszenie tego w mediach równałoby się niemal samobiczowaniu, lecz Bosch nie widział innego sposobu. Przetrząsnęli wszystkie możliwe miejsca, gdzie mógłby się ukryć Powers, ale nigdzie go nie znaleźli. Zarekwirowany przez niego radiowóz znaleziono porzucony na wzgórzach przy Farenholm Drive. Nikt nie wiedział, dokąd mógł się stamtąd udać... Zespoły obserwacyjne postawione przed jego bungalowem, domami Veroniki Aliso oraz jej adwokata, Neila Dentona, wróciły z niczym. Przyszła pora na media, należało pokazać twarz złego gliny w wiadomościach o szóstej. Bosch przypuszczał, że powodem obecności komendanta był zamiar zwołania konferencji prasowej. W przeciwnym razie szef pozostawiłby całą sprawę Irvingowi.

Bosch zorientował się, że Rider coś do niego powiedziała.

– Słucham?

– Pytałam, co będziesz robił z wolnym czasem.

– Nie wiem. Zależy, ile nam dadzą. Jeżeli tylko jeden OCS, skończę remont domu. Jeżeli więcej niż dwa, będę się musiał rozejrzeć za jakimś zarobkiem.

OCS, czyli okres czynnej służby, wynosił piętnaście dni. W przypadku poważnego wykroczenia funkcjonariuszowi zwykle w takich jednostkach liczono karę zawieszenia. Bosch był prawie pewien, że komendant nie wymierzy im niższej kary.

– Chyba nas nie wywali, co, Harry? – zaniepokoił się Edgar.

– Wątpię. Ale wszystko zależy od tego, jak mu to powiedzą.

Bosch znów popatrzył w okno gabinetu, napotykając spojrzenie komendanta. Szef odwrócił wzrok. To był zły znak. Bosch nie poznał go osobiście i nie spodziewał się, by to kiedykolwiek nastąpiło. Komendant przyszedł do departamentu z zewnątrz, by uspokoić atmosferę w mieście. Nie z powodu wyjątkowych umiejętności administracyjnych, ale dlatego, że policja potrzebowała kogoś z zewnątrz. Był potężnie zbudowanym, czarnoskórym mężczyzną, ze sporym brzuchem. Gliniarze, którzy go nie lubili – a takich było wielu – często nazywali go Wódz Lawina Błotna. Bosch nie wiedział, jak nazywali go gliniarze, którzy go lubili.

– Chciałam cię przeprosić, Harry – powiedziała Rider.

– Za co? – zdziwił się Bosch.

– Za to, że nie znalazłam u niego broni. Obszukałam go. Przejechałam mu rękami po nogach, ale musiałam przegapić. Nie wiem, jak to się stało.

– Była taka mała, że zmieścił ją w bucie – odrzekł Bosch. – To nie tylko twoja wina, Kiz. Wszyscy mamy coś na koncie. Ja i Jerry spieprzyliśmy sprawę w toalecie. Powinniśmy bardziej na niego uważać.

Skinęła głową, ale Bosch widział, że nie udało mu się jej pocieszyć. Zauważył, że zebranie u porucznik Billets zbliża się do końca. Komendant ze swoim asystentem, LeValley oraz gliny z wewnętrznego wyszli z biura głównym wejściem. Musieli nadłożyć sporo drogi, jeśli ich samochody stały zaparkowane za komendą, ale w ten sposób mogli uniknąć przejścia obok sekcji zabójstw i spotkania z Boschem i jego partnerami. Jeszcze jeden zły znak.

W gabinecie pozostali tylko Irving i Billets. Porucznik spojrzała na Boscha i gestem przywołała całą trójkę. Wolno wstali i ruszyli do gabinetu. Edgar i Rider usiedli, ale Bosch wolał stać.

– Proszę, komendancie – powiedziała Billets, oddając głos Irvingowi.

– Tak, przedstawię wam sprawę w taki sam sposób, jak przedstawiono ją mnie – zaczął Irving.

Zerknął na kartkę, na której skreślił parę notatek.

– Za prowadzenie nielegalnego dochodzenia oraz zaniedbanie procedury służbowej podczas rewizji i transportu więźnia, każde z was zostaje zawieszone bez prawa do pensji na dwa okresy czynnej służby i zawieszone z prawem do pensji na dwa kolejne okresy czynnej służby. Kary mają być odbywane kolejno. W sumie dwa miesiące. Plus oczywiście nagana z wpisem do akt. Zgodnie z procedurą przysługuje wam odwołanie do Rady Praw Obywatelskich.

Zrobił pauzę. Kara była surowsza, niż Bosch się spodziewał, ale zachował kamienną twarz. Usłyszał ciężkie westchnienie Edgara. Odwołanie niewiele by dało, ponieważ rada rzadko uchylała dyscyplinarne decyzje komendanta. Dwaj spośród trzech zasiadających w niej kapitanów musieliby głosować przeciw przełożonemu. Uchylenie wyroku wydziału wewnętrznego to była zupełnie inna sprawa, natomiast uchylenie wyroku komendanta oznaczało polityczne samobójstwo.

– Jednakże decyzją komendanta – ciągnął Irving – kary zawieszenia nie zostają chwilowo wprowadzone. Czekamy na dalszy rozwój wypadków i wtedy je ocenimy.

Nastąpiła chwila ciszy, podczas której wszyscy troje roztrząsali sens ostatniego zdania.

– Co to znaczy? – zapytał Edgar.

– To znaczy, że komendant daje wam szansę – wyjaśnił Irving. – Chce się przekonać, jak sprawa się rozwiąże w ciągu najbliższych dni. Każde z was ma jutro przyjść do pracy i dalej prowadzić śledztwo. Rozmawialiśmy z prokuraturą. Są gotowi postawić zarzuty Powersowi. Jutro z samego rana zawieziecie im papiery. Wysłaliśmy już komunikat i komendant za dwie godziny spotka się z mediami. Jeżeli będziemy mieli szczęście, znajdziemy Powersa, zanim on znajdzie tę kobietę albo wyrządzi inną szkodę. Wtedy i wy będziecie mieli szczęście.

– Co z Veronicą Aliso, nie zamierzają stawiać jej zarzutów?

– Jeszcze nie. Dopóki nie będziemy mieli Powersa. Goff twierdzi, że bez Powersa taśma z zeznaniem jest nic niewarta. Nie będzie mógł jej wykorzystać przeciw Veronice Aliso, jeśli Powers nie zjawi się w sądzie i nie będzie zeznawał przeciw niej.

Bosch wbił wzrok w podłogę.

– Czyli bez niego nic jej nie zrobimy.

– Na to wygląda.

Bosch kiwnął głową.

– Co on im powie? – spytał. – Mam na myśli komendanta.

– Prawdę. O was będzie mówił z jednej strony dobrze, z drugiej trochę gorzej. Ogólnie rzecz biorąc, to kiepski dzień dla departamentu.

– Dlatego dostajemy dwa miesiące? Bo jesteśmy posłańcami?

Irving przez chwilę mierzył go zimnym wzrokiem, zaciskając szczęki.

– Nie zamierzam zniżać się do poziomu pańskiego pytania, dlatego nie odpowiem.

Patrząc na Rider i Edgara, dodał:

– Jesteście już wolni. Z detektywem Boschem muszę omówić jeszcze inną sprawę.

Kiedy wyszli, Bosch przygotował się na przyjęcie większej dawki złości Irvinga z powodu swojej ostatniej uwagi. Nie miał pojęcia, dlaczego mu się wyrwała. Miał przecież świadomość, że go sprowokuje.

Ale kiedy Rider zamknęła drzwi, Irving rzeczywiście przeszedł do innej sprawy.

– Detektywie, chciałem pana poinformować, że rozmawiałem z federalnymi i ostatecznie rozstrzygnęliśmy wszelkie wątpliwości.

– Jak to?

– Powiedziałem im, że w świetle dzisiejszych wydarzeń jest jasne – jasne jak słońce – że nie miał pan nic wspólnego z podrzuceniem broni w domu tego człowieka. Powiedziałem, że to był Powers i zamknęliśmy tę część dochodzenia wewnętrznego w pańskiej sprawie.

– Świetnie, komendancie. Dziękuję.

Sądząc, że to koniec, Bosch ruszył do drzwi.

– Detektywie, to jeszcze nie wszystko.

Bosch odwrócił się do niego.

– Rozmawiając ze mną, komendant oświadczył, że niepokoi go jeszcze jeden aspekt pańskiego postępowania.

– Jaki?

– W dochodzeniu wszczętym przez detektywa Chastaina ujawniono informację o pańskich związkach z osobą skazaną wyrokiem sądowym. Mnie także martwi ta wiadomość. Chciałbym uzyskać od pana zapewnienie, że ta sytuacja nie będzie dłużej trwać. Chciałbym także przekazać to zapewnienie komendantowi.

Bosch milczał przez chwilę.

– Nie mogę dać panu żadnego zapewnienia.

Irving spojrzał w podłogę. Mięśnie jego szczęk znów zaczęły pracować.

– Rozczarowuje mnie pan, detektywie Bosch – oznajmił wreszcie. – Departament zawsze był wobec pana życzliwy. Ja także. W trudnych sytuacjach stawałem po pańskiej stronie. Nie jest pan zgodnym człowiekiem, ale ma pan talent, którego w moim przekonaniu departament i miasto potrzebują. Czyżby chciał pan zrazić do siebie mnie i innych funkcjonariuszy departamentu?

– Niekoniecznie.

– Wobec tego posłuchaj dobrej rady, synu. Wiesz, co należy zrobić. Nie mam nic więcej do powiedzenia na ten temat.

– Tak jest.

– To wszystko.

Wróciwszy do domu, Bosch zobaczył zaparkowanego przed nim zakurzonego forda escorta. Samochód miał tablice rejestracyjne z Nevady. W domu Eleanor Wish siedziała przy stole w małej jadalni nad kolumną drobnych ogłoszeń w niedzielnym „Timesie". W popielniczce obok gazety leżał zapalony papieros, a Eleanor zakreślała czarnym pisakiem niektóre ogłoszenia. Bosch poczuł, jak serce żywiej mu zabiło. Jeżeli szukała pracy, oznaczało to, że być może zamierzała zatrzymać się tu na dłużej i zostać w Los Angeles, czyli zostać z nim. Na dodatek w domu unosił się zapach włoskiej restauracji, gęsty od czosnku.

Podszedł do stołu, położył jej dłoń na ramieniu i niepewnie pocałował ją w policzek. Pogłaskała jego rękę. Prostując się, Bosch zauważył jednak, że Eleanor nie czyta ogłoszeń o pracy, tylko oferty wynajmu umeblowanych mieszkań w Santa Monica.

– Co się pichci? – spytał.

– Mój sos do spaghetti. Pamiętasz?

Skinął głową, choć szczerze mówiąc, nie pamiętał. We wspomnieniach z dni spędzonych z nią przed pięciu laty główną rolę grała Eleanor, chwile kiedy byli ze sobą blisko i to, co działo się potem.

– Jak było w Las Vegas? – spytał, żeby coś powiedzieć.

– Vegas jak Vegas. Miasto, za którym nie da się tęsknić. Nie będę płakać, jeżeli już nigdy więcej tam nie pojadę.

– Szukasz mieszkania?

– Pomyślałam, że się rozejrzę.

Kiedyś mieszkała w Santa Monica. Bosch przypomniał sobie jej sypialnię z balkonem. Czuł stamtąd zapach morza, a kiedy wychylił się przez balustradę, mógł dojrzeć Ocean Park Boulevard. Wiedział, że dziś nie mogłaby sobie pozwolić na taki dom. Prawdopodobnie szukała czegoś na wschód od Lincoln.

– Wiesz, że nie ma pośpiechu – rzekł. – Możesz zostać u mnie. Ładny widok, spokojna okolica. Możesz... nie wiem, nie musisz się spieszyć.

Uniosła głowę, jak gdyby chciała coś powiedzieć, ale się rozmyśliła.

– Chcesz piwo? – zapytała tylko. – Kupiłam jeszcze parę butelek. Są w lodówce.

Skinął głową, uznając, że sama powinna wybrać moment na rozmowę o przyszłości, i poszedł do kuchni. Na blacie zobaczył elektryczny garnek z kamionki, zastanawiając się, czy kupiła go na miejscu, czy przywiozła z Vegas. Otworzywszy lodówkę, uśmiechnął się. Dobrze go znała. Kupiła henry'ego weinharda. Wziął dwie butelki i zaniósł do jadalni. Otworzył piwo i podał jej, po czym otworzył swoje. Zaczęli mówić jednocześnie.

– Przepraszam, mów – powiedziała.

– Nie, ty.

– Na pewno?

– Tak, słucham.
– Chciałam cię zapytać, jak dzisiaj poszło.
– Hm, i dobrze, i źle. Złamaliśmy faceta i wszystko nam opowiedział. Wydał żonę.
– Żonę Tony'ego Aliso?
– Tak. To był jej plan, od początku do końca. Według niego. Wątek Vegas to był fałszywy trop.
– Wspaniale. To co było źle?
– Po pierwsze, nasz podejrzany to glina i...
– O, cholera!
– A jeszcze gorzej, że nam dzisiaj uciekł.
– Uciekł wam? Jak to wam uciekł?
– To znaczy dał nogę z komendy. Miał ukryty w bucie pistolet, małego ravena. Nie zauważyliśmy broni, kiedy go zgarnęliśmy. Edgar i ja poszliśmy z nim do ubikacji i po drodze musiał sobie nadepnąć na sznurowadło. Celowo. Kiedy Edgar to zauważył i kazał mu zawiązać but, facet wyciągnął ravena. Urwał się nam, wyskoczył na parking i zabrał radiowóz. Ciągle był w mundurze.
– Jezu, i dotąd go nie znaleźli?
– To było osiem godzin temu. Rozpłynął się w powietrzu.
– Dokąd mógłby pojechać radiowozem i w mundurze?
– Samochód porzucił – wóz już znaleźli – i wątpię, czy jeszcze ma na sobie mundur. Zdaje się, że należał do jakiejś ultraprawicowej grupy rasistowskiej. Pewnie zna ludzi, którzy dadzą mu ubrania, o nic nie pytając.
– To musi być jakiś superglina.
– Tak. Zabawne, bo to on znalazł ciało. Wiesz, w zeszłym tygodniu. Miał wtedy służbę. Był gliniarzem, więc w ogóle nie brałem go pod uwagę. Uznałem wtedy, że to dupek, ale był dla mnie po prostu gliniarzem, który znalazł trupa. Musiał się zorientować. Wybrał godzinę w taki sposób, żebyśmy się musieli spieszyć. Sprytnie to wymyślił.
– Albo wymyśliła.
– Tak, raczej to drugie. W każdym razie bardziej denerwuje mnie to, że wtedy nie zwróciłem na niego uwagi, niż to, że dzisiaj pozwoliłem mu uciec. Powinienem o nim pomyśleć. Często sprawcą okazuje się ten, kto znalazł ciało. Przez jego mundur zupełnie o tym zapomniałem.
Wstała od stołu i podeszła do niego. Zarzuciła mu ręce na szyję i uśmiechnęła się.
– Nie martw się. Dopadniesz go.
Skinął głową. Pocałowali się.
– Co wcześniej chciałeś powiedzieć? – zapytała. – Kiedy oboje zaczęliśmy mówić naraz?
– Och... już nie pamiętam.
– W takim razie to nie było nic ważnego.
– Chciałem ci powiedzieć, żebyś ze mną została.

Oparła głowę o jego pierś, tak że nie widział jej oczu.
– Harry...
– Żebyśmy mogli zobaczyć, jak to się ułoży. Mam wrażenie... jakby tych pięciu lat w ogóle nie było. Chcę... po prostu chcę być z tobą. Zajmę się tobą. Będziesz bezpieczna i będziesz miała mnóstwo czasu, żeby wszystko zacząć od początku. Znajdziesz pracę, zrobisz, co zechcesz.
Odsunęła się, aby spojrzeć mu w oczy. Ostrzeżenie, jakie dał mu Irving, było ostatnią rzeczą, o jakiej teraz myślał. Zależało mu tylko, żeby była blisko niego, i był gotów zrobić wszystko, aby spełnić to pragnienie.
– Harry, minęło tyle czasu. Nie możemy od razu rzucać się na głęboką wodę.
Bosch skinął głową, spuszczając oczy. Wiedział, że Eleanor ma rację, ale nic go to nie obchodziło.
– Chcę tylko ciebie, Harry. Ale działajmy wolno i ostrożnie. Żebyśmy byli pewni. Oboje.
– Ja już jestem pewien.
– Tak ci się tylko wydaje.
– Do Santa Monica jest stąd bardzo daleko.
Roześmiała się i pokręciła głową.
– W takim razie kiedy mnie odwiedzisz, będziesz musiał zostać na noc.
Znów pokiwał głową i przez długą chwilę tulili się do siebie.
– Przy tobie potrafię zapomnieć o wielu rzeczach, wiesz? – szepnął jej do ucha.
– Ja też – odrzekła.

Kiedy się kochali, zadzwonił telefon, ale gdy włączył się automat, nikt nie zostawił wiadomości. Potem, gdy Bosch wyszedł spod prysznica, Eleanor powiedziała mu, że znów ktoś dzwonił, ale ponownie nie zostawił wiadomości.
Wreszcie gdy Eleanor poszła ugotować makaron, telefon odezwał się po raz trzeci i Bosch zdążył odebrać, zanim odezwała się sekretarka.
– Bosch?
– Tak, kto mówi?
– Roy Lindell, pamiętasz mnie. Luke Goshen.
– Pamiętam. To ty wcześniej dzwoniłeś dwa razy?
– Tak, dlaczego nie odebrałeś?
– Byłem zajęty. Czego chcesz?
– A więc to ta suka.
– Słucham?
– Żona Tony'ego.
– Tak.
– Znałeś tego Powersa?

– Nie bardzo. Z widzenia.

Bosch nie zamierzał mu mówić nic, o czym Lindell jeszcze nie wiedział.

Lindell wydał głośne, świadczące o znudzeniu westchnienie.

– Taa... kiedyś Tony mówił mi, że bardziej boi się żony niż Joeya Markera.

– Naprawdę? – zainteresował się nagle Bosch. – Tak powiedział? Kiedy?

– Nie wiem. Raz gadaliśmy w klubie i powiedział w rozmowie. Pamiętam, że lokal był zamknięty. Tony czekał na Laylę i gadaliśmy.

– Lindell, wielkie dzięki za tę informację. Co jeszcze powiedział?

– Hej, przecież mówię, Bosch. Wcześniej nie mogłem. Grałem rolę, a w takiej sytuacji nie puszcza się glinom pary z ust. A potem... potem pomyślałem, że próbujesz mnie zgnoić. I też nie zamierzałem puścić pary z ust.

– A teraz jesteś mądrzejszy.

– Taa... Słuchaj, Bosch, ktoś inny w ogóle by się do ciebie nie odezwał. Ale ja dzwonię. Myślisz, że kiedyś odezwie się do ciebie ktoś z FBI i powie: może jednak pomyliliśmy się co do ciebie? Daj spokój. Ale wiesz, podoba mi się twój styl. Zabierają ci sprawę, a ty masz ich gdzieś i dalej robisz swoje. Potem zgarniasz gnojka. Trzeba mieć jaja i styl, Bosch. Ja się na tym znam.

– Znasz się. Świetnie, Roy. Co jeszcze Tony Aliso mówił ci o swojej żonie?

– Niewiele. Mówił, że była zimna. I że miała go w garści. Krótko go trzymała i tyle. Nie mógł się rozwieść, bo straciłby połowę forsy. Poza tym bał się, że mogłaby gadać na prawo i lewo o jego interesach i wspólnikach. Rozumiesz, co mam na myśli.

– Dlaczego nie poszedł do Joeya i nie poprosił, żeby ją załatwił?

– Chyba dlatego, że znała Joeya z dawnych czasów i Joey ją lubił. To on poznał z nią Tony'ego. Tony wiedział, że gdyby poszedł z tym do Joeya, żona zaraz by się dowiedziała. A gdyby się zwrócił do kogoś innego, to i tak odpowiadałby przed Joeyem. W takich sprawach zawsze ostatnie słowo należało do Joeya, a on nie miałby ochoty, żeby Tony bawił się w jakieś numery na boku, bo mogłoby to narazić ich interes z pralnią.

– Jak dobrze twoim zdaniem żona znała Markera? Myślisz, że mogłaby do niego uciec?

– Nie ma mowy. Zabiła kurę znoszącą złote jaja. Dzięki Tony'emu Joey miał legalną kasę. A dla niego kasa zawsze ma pierwszeństwo.

Przez chwilę obaj milczeli.

– Co teraz z tobą będzie? – przerwał ciszę Bosch.

– Pytasz o moją sprawę? Dzisiaj wracam do Vegas. Jutro rano idę przed wielką ławę przysięgłych. Przypuszczam, że będę u nich siedział co najmniej przez dwa tygodnie. Mam dużo do opowiedzenia. Przed świętami powinniśmy mieć pod choinką Joeya i jego załogę przewiązanych śliczną wstążeczką.

– Mam nadzieję, że bierzesz do Vegas swoich ochroniarzy.

– O, tak. Nie będę sam.

– Powodzenia, Lindell. Pomijając wszystkie te bzdury, też podoba mi się twój styl. Powiedz mi tylko, dlaczego puściłeś farbę o kryjówce i Samoańczykach? Wypadłeś z roli.

– Musiałem, Bosch. Napędziłeś mi stracha.

– Naprawdę myślałeś, że cię rozwalę?

– Nie byłem pewien, ale tym akurat się nie przejmowałem. Cały czas mieli mnie na oku ludzie, o których nic nie wiedziałeś. Byłem za to pewien, że tamci rozwalą dziewczynę. Jestem agentem. Nie mogłem do tego dopuścić. To był mój obowiązek. No więc ci powiedziałem. Zdziwiłem się tylko, że od razu się nie domyśliłeś, kim jestem.

– W ogóle nie przyszło mi to do głowy. Byłeś niezły.

– Po prostu nabierałem ludzi, których musiałem nabierać. Na razie, Bosch.

– Jasne. Lindell?

– Tak.

– Czy Joey Marker nie podejrzewał, że Tony A. podbiera mu kasę?

Lindell roześmiał się.

– Nie dajesz za wygraną, co, Bosch?

– Chyba nie.

– Ta informacja jest przedmiotem śledztwa i oficjalnie nie mogę ci nic powiedzieć.

– A nieoficjalnie?

– Nieoficjalnie w ogóle ci tego nie mówiłem i nigdy ze mną o tym nie rozmawiałeś. Ale fakt, Joey podejrzewał o to wszystkich. Nikomu nie ufał. Ile razy przychodziłem do niego z pluskwą, pociłem się jak mysz. Nigdy nie wiedziałem, czy za chwilę mnie nie obszuka. Byłem u niego ponad rok, a mimo to co pewien czas wycinał taki numer. Musiałem nosić pluskwę pod pachą. Spróbuj kiedyś nagrywać spod pachy. Mówię ci, nic przyjemnego.

– A Tony?

– Do tego zmierzam. Jasne, że Joey podejrzewał Tony'ego. Mnie zresztą też. Musisz wiedzieć, że istniała dozwolona kwota. Joey zdawał sobie sprawę, że każdy musi z czegoś żyć. Ale chyba się zorientował, że Tony bierze więcej, niż powinien. Nigdy mi o tym nie mówił, ale wiem, że parę razy przysłał kogoś do LA, żeby powęszył wokół Tony'ego. I znalazł dojście do banku Tony'ego w Beverly Hills. Joey dostawał kopie miesięcznych wyciągów.

– Tak?

– Tak. Gdyby coś na kontach się nie zgadzało, od razu by wiedział.

Bosch zastanawiał się przez chwilę, ale nie bardzo wiedział, o co jeszcze mógłby zapytać.

– Czemu o to pytasz, Bosch?

– Nie wiem, myślę o pewnym szczególe. Powers wiedział od żony, że Tony zgarnął jakieś dwa miliony. Gdzieś je ukrył.

Lindell gwizdnął do słuchawki.

– Niezła kasa. Joey na pewno by się połapał i raz dwa załatwiłby Tony'ego. To znacznie więcej niż dozwolona kwota.

– Podejrzewam, że zebrało się po paru latach. Mógł ściągać po kawałeczku. Poza tym prał pieniądze przyjaciołom Joeya z Chicago i Arizony, zapomniałeś? Im też mógł trochę skubnąć.

– Wszystko możliwe. Słuchaj, Bosch, daj znać, jak to się wszystko skończyło. Mam samolot.

– Jeszcze jedno.

– Bosch, muszę jechać na Burbank.

– Słyszałeś kiedyś w Vegas o niejakim Johnie Galvinie?

Było to nazwisko człowieka, który ostatni odwiedził Veronicę Aliso przed jej zniknięciem. Po chwili wahania Lindell odrzekł, że nie zna nikogo takiego. Bosch zwrócił jednak uwagę na tę chwilę wahania.

– Na pewno?

– Nigdy nie słyszałem o takim gościu, rozumiesz? Muszę kończyć.

Odłożywszy słuchawkę, Bosch otworzył aktówkę na stole w jadalni i wyciągnął notes, by zapisać kilka informacji uzyskanych od Lindella. Z kuchni wyszła Eleanor, niosąc serwetki i sztućce.

– Kto to był?

– Lindell.

– Kto?

– Agent, który grał Luke'a Goshena.

– Czego chciał?

– Chyba przeprosić.

– Niespotykana rzecz. FBI zwykle nikogo za nic nie przeprasza.

– To nie był oficjalny telefon.

– Ach tak. Czyli telefon podtrzymujący piękną męską przyjaźń.

Bosch uśmiechnął się na to trafne określenie.

– Co to jest? – spytała, kładąc sztućce na stole i wyjmując z teczki *Ofiarę pożądania*. – O, film Tony'ego Aliso?

– Tak. Część jego hollywoodzkiej spuścizny. Występuje w nim Veronica. Miałem oddać tę kasetę Kiz.

– Widziałeś to już?

Bosch skinął głową.

– Też chciałabym obejrzeć. Podobał ci się?

– Dość kiepski, ale możemy włączyć, jeżeli masz ochotę.

– Na pewno nie masz nic przeciwko temu?

– Na pewno.

Podczas kolacji Bosch podzielił się z nią nowymi informacjami na temat sprawy. Eleanor zadawała niewiele pytań, aż w końcu zamilkli. Sos boloński i makaron linguini przygotowane przez Eleanor były wyśmienite i Bosch przerwał ciszę, żeby jej o tym powiedzieć.

Eleanor otworzyła czerwone wino, które też było wyśmienite, o czym Bosch także jej powiedział.

Potem wstawili naczynia do zlewu i poszli do salonu obejrzeć film. Bosch położył rękę na oparciu kanapy, delikatnie dotykając szyi Eleanor. Oglądanie filmu po raz drugi szybko go znudziło, zaczął więc rozmyślać o wydarzeniach tego dnia. Najwięcej uwagi poświęcił pieniądzom. Zastanawiał się, czy są już w posiadaniu Veroniki, czy jeszcze czekają w miejscu, do którego musiała pójść. Uznał, że nie ma ich w Los Angeles. Zdążyli już sprawdzić wszystkie konta w miejscowych bankach.

Pozostawało więc Las Vegas. Z dokumentów wynikało, że w ciągu ostatnich dziesięciu miesięcy Tony Aliso bywał tylko w Los Angeles i Las Vegas. Jeżeli założył sobie jakiś lewy fundusz, musiał mieć do niego dostęp. Jeśli więc pieniędzy nie było tu, musiały znajdować się tam. A ponieważ Veronica dopiero dziś opuściła dom, Bosch doszedł do wniosku, że jeszcze nie miała tych pieniędzy.

Z zamyślenia wyrwał go dzwonek telefonu. Podniósł się z kanapy i poszedł odebrać w kuchni, żeby nie przeszkadzać Eleanor w oglądaniu filmu. Dzwonił Hank Meyer z „Mirage", ale nie przypominał Hanka Meyera. Miał głos przerażonego chłopca.

– Detektywie Bosch, mogę panu zaufać?

– Oczywiście, Hank. O co chodzi?

– Coś się stało. To znaczy, pojawiło się coś nowego. Bo przez pana dowiedziałem się o czymś… o czym nie powinienem wiedzieć. Żałuję, że to wszystko… nie wiem, co o tym…

– Zaraz, chwileczkę, Hank. Uspokój się i powiedz, co takiego się stało. Spokojnie. Mów i razem coś wymyślimy. Cokolwiek to jest, na pewno da się załatwić.

– Jestem w biurze. Zadzwonili do mnie do domu, bo zostawiłem w komputerze znacznik przy kuponie, który należał do ofiary.

– Zgadza się, pamiętam.

– Ktoś dzisiaj wypłacił wygraną.

– Dobrze, ktoś wypłacił wygraną. Kto?

– Widzi pan, zostawiłem w komputerze znacznik skarbowy, to znaczy, że kasjer miał poprosić wypłacającego o prawo jazdy i numer ubezpieczenia, rozumie pan… do celów podatkowych. Mimo że kupon był wart tylko cztery tysiące, postawiłem znacznik.

– W porządku, kto wypłacił kupon?

– Niejaki John Galvin. Miał w dokumentach adres w Las Vegas.

Bosch pochylił się nad kuchennym blatem, przyciskając słuchawkę do ucha.

– Kiedy to się stało? – spytał.

– Dzisiaj, wpół do dziewiątej. Niecałe dwie godziny temu.

– Nie rozumiem, Hank. Dlaczego tak się denerwujesz?

– Zostawiłem w komputerze polecenie, żeby skontaktowano się ze mną zaraz po wypłacie wygranej z tego kuponu. I dostałem wiadomość. Przyjechałem, dowiedziałem się, kto wypłacił, żeby jak najszybciej przekazać panu tę informację, a potem poszedłem do sali wideo. Chciałem zobaczyć tego Johna Galvina, jeżeli udało się zarejestrować wyraźny obraz.

Przerwał. Wyciąganie z niego szczegółów było równie mozolne jak wyrywanie zębów.

– I co? – przynaglił go Bosch. – Kto to był?

– Mamy wyraźny obraz. Okazuje się, że znam Johna Galvina, ale nie jako Johna Galvina. Jak pan wie, do moich obowiązków należy kontaktowanie się ze stróżami prawa, współpraca i pomoc, ilekroć tylko...

– Tak, Hank, wiem. Kto to był?

– Obejrzałem wideo. Jest bardzo wyraźne. Znam Johna Galvina. Pracuje w policji miejskiej. Jest kapitanem. Nazywa się...

– John Felton.

– Skąd pan...

– Bo też go znam. Posłuchaj, Hank. Nic mi nie powiedziałeś, jasne? W ogóle nie rozmawialiśmy. Tak będzie najlepiej. Najbezpieczniej dla ciebie. Rozumiesz?

– Tak, ale... co teraz będzie?

– Nie musisz się niczym martwić. Zajmę się wszystkim i nikt z miejskiej o niczym się nie dowie. Zgoda?

– Chyba tak, ale...

– Hank, muszę kończyć. Dziękuję, jestem twoim dłużnikiem.

Bosch rozłączył się i zadzwonił do informacji, aby spytać o numer Southwest Airlines na lotnisku Burbank. Wiedział, że większość lotów do Las Vegas obsługują Southwest i America West. Obie linie obsługiwał ten sam terminal. Zadzwonił do Southwest i poprosił o wysłanie sygnału na pager Roya Lindella. Czekając, zerknął na zegarek. Od telefonu Lindella upłynęła ponad godzina, ale nie sądził, by agent rzeczywiście tak bardzo się spieszył na samolot. Podejrzewał, że to była wymówka, aby szybciej skończyć rozmowę.

W słuchawce odezwał się czyjś głos, pytając, z kim chce rozmawiać. Bosch powtórzył nazwisko Lindella i po dwóch trzaskach usłyszał głos Lindella.

– Tu Roy, z kim rozmawiam?

– Ty sukinsynu.

– Kto mówi?

– John Galvin to John Felton. Od początku o tym wiedziałeś.

– Bosch? Bosch, co ty wyprawiasz?

– Felton to człowiek Joeya w miejskiej. Jako tajniak musiałeś o tym wiedzieć. A kiedy Felton pracuje dla Markera, podaje się za Johna Galvina. O tym też wiedziałeś.

– Bosch, nie mogę z tobą o tym rozmawiać. To część naszego ś...

– Gówno mnie obchodzi wasze śledztwo. Musisz się zdecydować, po której jesteś stronie. Felton ma Veronicę Aliso. To znaczy, że ma ją Joey Marker.

– Co ty wygadujesz? Oszalałeś.
– Wiedzą o lewej kasie Tony'ego, nie rozumiesz? Joey chce odzyskać forsę i zamierzają wyciągnąć ją od Veroniki.
– Skąd o tym wszystkim wiesz?
– Bo wiem.
Nagle przyszło mu coś do głowy i wyjrzał z kuchni do salonu. Eleanor wciąż oglądała film, ale spojrzała na niego, pytająco unosząc brwi. Bosch pokręcił głową na znak, że rozmówca go irytuje.
– Jadę do Vegas, Lindell. I chyba wiem, gdzie będą. Chcesz włączyć w to swoich ludzi? Bo do miejskiej na pewno nie mogę w tej sprawie dzwonić.
– Skąd możesz wiedzieć, że Veronica w ogóle tam jest?
– Bo wysłała sygnał SOS. Wchodzisz w to czy nie?
– Wchodzę, Bosch. Dam ci numer. Zadzwoń, kiedy przyjedziesz.
Bosch odłożył słuchawkę i wrócił do salonu. Eleanor wyłączyła już magnetowid.
– Nie mogę tego dłużej oglądać. Okropność. Co się dzieje?
– Kiedy śledziłaś Tony'ego Aliso w Vegas, mówiłaś, że poszedł z dziewczyną do banku, zgadza się?
– Tak.
– Który to był bank? Gdzie?
– Hm... na Flamingo, na wschód od Strip i od Paradise Road. Nazwy nie pamiętam. Chyba Silver State National. Tak, Silver State.
– Silver State na Flamingo, jesteś pewna?
– Tak, jestem pewna.
– I dziewczyna zakładała tam konto?
– Tak, ale nie wiem na pewno. Na tym polega problem, kiedy śledzi się kogoś w pojedynkę. To mały oddział i nie mogłam się tam za długo kręcić. Dziewczyna podpisywała jakieś papiery, a Tony stał z boku i przyglądał się. Musiałam wyjść i zaczekać, aż skończą. Pamiętaj, że Tony mnie znał. Gdyby mnie zauważył, byłabym spalona.
– Dobra, jadę.
– Dzisiaj?
– Dzisiaj. Muszę najpierw zadzwonić.
Bosch wrócił do kuchni i zadzwonił do Grace Billets. Dzieląc się z nią nowymi informacjami i swoim przeczuciem, nastawił kawę. Kiedy dostał zgodę na wyjazd, zadzwonił do Edgara, a potem do Rider. Umówili się na komendzie za godzinę.

Nalał sobie kawy i oparł się o blat, pogrążony w myślach. Felton. Zastanawiała go pewna sprzeczność. Jeżeli kapitan był człowiekiem organizacji Joeya Markera w miejskiej, to dlaczego tak szybko postanowił przymknąć Goshena, kiedy zidentyfikował go na podstawie odcisków palców dostarczonych przez Boscha? W końcu Harry doszedł do wniosku, że Felton uznał to za dobrą okazję, by usunąć Goshena. Prawdopodobnie sądził, że po zniknięciu Goshena jego pozycja w półświatku Las Vegas wzrośnie. Może nawet planował zabójstwo

Goshena, zapewniając sobie tym samym wdzięczność Joeya Markera. Jeśli jego plan miał się powieść, Felton albo nie uświadamiał sobie, że Goshen wie o jego związkach z organizacją, albo zamierzał pozbyć się Goshena, zanim zdąży o tym komukolwiek powiedzieć.

Bosch pociągnął łyk wrzącej kawy, porzucając te rozważania. Poszedł do salonu. Eleanor wciąż siedziała na kanapie.

– Jedziesz?

– Tak. Muszę zabrać Jerry'ego i Kiz.

– Dlaczego jeszcze dzisiaj?

– Muszę tam być przed otwarciem banku.

– Myślisz, że będzie tam Veronica?

– Mam przeczucie. Joey Marker chyba się w końcu domyślił, że jeśli to nie on załatwił Tony'ego, musiała to zrobić bliska mu osoba. I że ta osoba ma teraz jego pieniądze. Znał Veronicę z dawnych czasów i przypuszczał, że byłaby do tego zdolna. Pewnie wysłał Feltona, żeby to sprawdził, odzyskał pieniądze i zajął się Veronicą, jeżeli to rzeczywiście była jej robota. Ale udało się jej odwieść go od tego zamiaru. Prawdopodobnie wspomniała, że ma dwa miliony w skrytce w Vegas. To musiało powstrzymać Feltona i zamiast zabić Veronicę, zabrał ją ze sobą. Pewnie będzie żyła tylko do chwili otwarcia skrytki. Wydaje mi się, że dała Feltonowi ostatni kupon męża, bo domyślała się, że wypłaci wygraną, a my będziemy na to czekać.

– Dlaczego sądzisz, że chodzi o bank, w którym go widziałam?

– Bo wiemy o wszystkim, co miał tu, o wszystkich kontach. Tych pieniędzy tu nie ma. Powers wiedział od Veroniki, że Tony odkładał lewą kasę w skrytce depozytowej, do której miała mieć dostęp dopiero po jego śmierci. Nie figurowała na liście osób upoważnionych. Dlatego przypuszczam, że skrytka jest w Vegas. Tylko tam wyjeżdżał w ciągu ostatniego roku. I jeżeli pewnego dnia zabrał swoją dziewczynę, żeby otworzyła sobie konto, to na pewno wybrał ten sam bank.

Eleanor skinęła głową.

– Zabawne – powiedział Bosch.

– Co takiego?

– Właściwie wszystko sprowadza się do przekrętu bankowego. W tej sprawie nie chodzi o morderstwo Tony'ego Aliso, tylko o lewe pieniądze, które zgarnął i ukrył. Przekręt ze skutkiem ubocznym w postaci morderstwa. Tak się poznaliśmy. Przy okazji sprawy bankowej.

Skinęła głową, wracając myślą do tamtych czasów. Bosch natychmiast pożałował, że w ogóle poruszył to wspomnienie.

– Przepraszam – powiedział. – Chyba jednak nie ma w tym nic zabawnego.

Eleanor spojrzała na niego z kanapy.

– Harry, jadę z tobą do Vegas.

Rozdział 8

Oddział banku Silver State National, w którym Eleanor śledziła Tony'ego Aliso i jego dziewczynę, znajdował się na rogu małego pasażu handlowego między sklepem Radio Shack a meksykańską restauracją „Las Fuentes". Kiedy w poniedziałek o świcie zjawili się tu agenci FBI i detektywi z policji Los Angeles, parking był prawie pusty. Bank otwierano dopiero o dziewiątej, a sklepy i lokale od dziesiątej.

Wszystko było jeszcze pozamykane, agenci mieli więc kłopot z rozmieszczeniem punktów obserwacyjnych. Cztery rządowe samochody na dużym parkingu musiałyby wzbudzić podejrzenia, ponieważ było na nim tylko pięć aut – cztery stały na skraju, a w rzędzie najbliżej banku zaparkowano starego cadillaca bez tablic rejestracyjnych. Gruchot miał pękniętą przednią szybę, otwarte okna i zepsutą klapę bagażnika, którą zamknięto za pomocą kłódki i łańcucha zahaczonego o otwory wyżarte przez rdzę. Auto przedstawiało żałosny widok i zostało zapewne porzucone przez właściciela, który stał się kolejną ofiarą Las Vegas. Niczym wędrowiec na pustyni umierający z pragnienia kilka kroków od oazy, cadillac zatrzymał się na zawsze parę kroków od banku i ukrytych w nim pieniędzy.

Agenci, okrążywszy kilka razy okolicę, aby zorientować się w terenie, postanowili wykorzystać cadillaca jako przykrywkę. Podnieśli maskę, a pod podwozie wśliznął się agent ubrany w koszulkę uwalaną smarem, udając, że naprawia silnik. Obok rzęcha zaparkowano furgonetkę, w której siedziało czterech agentów. O siódmej rano zabrali ją do warsztatu federalnych, gdzie malarz za pomocą szablonu sporządził na bokach czerwony napis RESTAURACJA MEKSYKAŃSKA LAS FUENTES – ROK ZAŁOŻENIA 1983. Kiedy furgonetka wjechała o ósmej na parking, farba jeszcze schła.

O dziewiątej parking z wolna zaczął się zapełniać. Przyjeżdżali pracownicy sklepów i kilku klientów Silver State, którzy chcieli załatwić pilne sprawy zaraz po otwarciu banku. Bosch przyglądał się temu z tylnego siedzenia samochodu federalnych. Z przodu siedzieli

Lindell i agent Baker. Zaparkowali przy dystrybutorach na stacji benzynowej po drugiej stronie Flamingo Road, naprzeciw centrum handlowego. Edgar i Rider siedzieli w innym wozie FBI, zaparkowanym nieco dalej na Flamingo. W okolicy banku były jeszcze dwa samochody Biura: jeden zajmował stałe stanowisko, drugi krążył wokół pasażu. Zgodnie z planem Lindell miał wjechać na parking przed bankiem, kiedy przybędzie na nim aut i wóz Biura nie będzie rzucał się w oczy. Nad centrum handlowym miał także krążyć helikopter federalnych.

– Otwierają – zameldował głos przez radio.

– Przyjąłem, Las Fuentes – odpowiedział Lindell.

Samochody federalnych były wyposażone w pedał uruchamiający radio oraz mikrofon umieszczony w osłonie przeciwsłonecznej. Kierowca mógł więc wcisnąć pedał i mówić, bez konieczności podnoszenia mikrofonu do ust, co narażałoby go na zdemaskowanie. Bosch słyszał, że departament Los Angeles też w końcu dostanie taki sprzęt, ale pierwsze w kolejce były jednostki do walki z narkotykami i wyspecjalizowane zespoły obserwacyjne.

– Lindell – zagadnął go – nie nacisnąłeś nigdy przez pomyłkę hamulca, kiedy chciałeś mówić przez radio?

– Jeszcze nie, Bosch. Dlaczego pytasz?

– Ciekawi mnie, jak działa taki luksusowy sprzęt.

– Ważne, kto go obsługuje.

Bosch ziewnął. Nie pamiętał, kiedy ostatnio spał. Noc spędził na podróży do Las Vegas, a potem brał udział w planowaniu obserwacji banku.

– Jak myślisz, Bosch? – spytał go Lindell. – Zjawią się prędzej czy później?

– Rano. Chcą odzyskać pieniądze. Nie zechcą czekać.

– Może.

– Obstawiasz późniejszą porę?

– Gdyby to ode mnie zależało, wybrałbym później. Żeby ten, kto na mnie czeka – FBI, gliny czy Powers, wszystko jedno – ugotował się na słońcu. Rozumiesz, co mam na myśli?

– Tak. Posiedzimy tu cały dzień i kiedy przyjdzie pora, już nie będziemy tacy rześcy.

Bosch zamilkł na dłuższą chwilę, przyglądając się Lindellowi. Zauważył, że agent się ostrzygł. Nie było śladu po miejscu, gdzie Bosch uciął mu warkoczyk.

– Myślisz, że będziesz tęsknił? – spytał Bosch.

– Za czym?

– Za życiem w gangu.

– Nie, zaczynało mi się nudzić. Chętnie wrócę na drogę cnoty.

– Za dziewczynami też nie?

Bosch zauważył, jak Lindell zerka na Bakera, a potem patrzy na niego w lusterko. Zrozumiał, że lepiej zmienić temat.

– Co sądzisz o parkingu, Don? – spytał partnera Lindell.

Baker zlustrował parking. Samochodów przybywało. Na drugim końcu pasażu znajdowała się piekarnia obwarzanków, która przyciągała teraz najwięcej klientów.

– Myślę, że możemy wjechać i stanąć pod obwarzankami – odparł Baker. – Będzie już wystarczająca osłona.

– W porządku – powiedział Lindell. Lekko przechylił głowę, żeby mówić prosto do mikrofonu w osłonie. – Las Fuentes, tu Roy Rogers. Zajmujemy pozycję. Obstawiamy cię od strony obwarzanków. Czyli będziesz mnie miał na ogonie.

– Zrozumiałem, Roy – zabrzmiała odpowiedź. – Zawsze chciałeś mnie zaskoczyć od tyłu, co?

– Dowcipniś – rzekł Lindell.

Przez godzinę obserwowali bank z nowego miejsca, lecz wciąż nic się nie działo. Lindellowi udało się przesunąć samochód bliżej, parkując przed szkołą dla krupierów oddaloną od banku o połowę długości parkingu. W szkole odbywały się zajęcia i kilku przyszłych krupierów postawiło przed nią swoje samochody. Mieli dobrą osłonę.

– Nie wiem, Bosch – odezwał się Lindell, przerywając długą ciszę. – Myślisz, że się zjawią?

– Cały czas powtarzam, że to tylko przeczucie, nic więcej. Ale ciągle wydaje mi się, że wszystko pasuje. Teraz nawet jeszcze lepiej. W zeszłym tygodniu znalazłem w pokoju Alisa w „Mirage" zapałki. Były z „Las Fuentes". Nawet jeżeli się nie zjawią, to na pewno Tony miał skrytkę w tym banku.

– Zastanawiam się, czy nie wysłać Dona, żeby o to zapytał. Gdyby się okazało, że nie ma skrytki, moglibyśmy od razu skończyć akcję i nie tracić czasu.

– Decyzja należy do ciebie.

– Masz rację.

Minęły dwie kolejne minuty pełnej napięcia ciszy.

– A Powers? – spytał Lindell.

– Co Powers?

– Jego też nie widzę, Bosch. Od rana w kółko gadałeś, że przyjedzie, znajdzie ją i podziurawi jak sito. No i gdzie on jest?

– Nie wiem, Lindell. Ale jeżeli my się domyśliliśmy, to i on sobie poradzi. Nie wykluczam, że dzięki swoim wyprawom do Vegas od początku wiedział, gdzie Tony miał skrytkę, tylko nie raczył o tym wspomnieć w naszej rozmowie.

– Też bym się nie zdziwił. Chociaż wydaje mi się, że to by była głupota z jego strony. Musi wiedzieć, że obstawiliśmy bank.

– Głupota to nie jest właściwe słowo. To by było samobójstwo. Ale chyba ma to gdzieś. Chce ją tylko sprzątnąć, nic więcej. Gdyby przy okazji zarobił kulkę, trudno, bywa. Mówiłem ci, że na komendzie chciał zgrywać kamikadze, kiedy myślał, że mamy Veronicę.

– Miejmy nadzieję, że zdążył trochę ochłonąć i...
– Jest! – przerwał mu Baker.
Bosch podążył spojrzeniem za jego palcem i na przeciwległym końcu parkingu dostrzegł białą limuzynę, która wolno sunęła w stronę banku.
– Jezu – powiedział Lindell. – Nie mówcie, że jest aż takim durniem.
Dla Boscha wszystkie limuzyny wyglądały tak samo, lecz Lindell i Baker najwyraźniej poznali samochód.
– To Joey Marker?
– Jego limuzyna. Ma słabość do tych szaf na białych kołach. Typowy makaroniarz. Nie mogę tylko uwierzyć... to nie może być on. Przecież nie zmarnuje mi dwóch lat życia, przyjeżdżając po głupią kasę, co?
Limuzyna zatrzymała się na jezdni przed bankiem. Nie zauważyli żadnego ruchu.
– Masz go, Las Fuentes? – zapytał Lindell.
– Tak, mam – usłyszeli szept, choć żadne słowo wypowiedziane w furgonetce nie mogło dotrzeć do osób siedzących w limuzynie.
– Jeden, dwa i trzy, przygotujcie się – ciągnął Lindell. – Chyba mamy lisa w kurniku. Air Jordan, na razie zrób sobie przerwę. Nie chcę, żebyś kogoś wystraszył.
Odezwał się chór głosów z trzech zespołów w samochodach oraz z helikoptera, potwierdzających odbiór komunikatu.
– Trzy, mała zmiana. Lepiej będzie, jeżeli zmienisz pozycję i obstawisz południowo-zachodni wjazd – dodał po chwili Lindell.
– Zrozumiałem.
Wreszcie otworzyły się drzwi limuzyny, ale po stronie niewidocznej dla Boscha. Czekał, wstrzymując oddech. Po chwili z samochodu wynurzył się kapitan John Felton.
– Bingo – rozległ się szept w radiu.
Felton odwrócił się i wyciągnął rękę w stronę otwartych drzwi limuzyny. Ukazała się Veronica Aliso, a Felton mocno zacisnął dłoń na jej ramieniu. Z samochodu wysiadł jeszcze jeden mężczyzna i w tym samym momencie otworzył się bagażnik. Kiedy drugi mężczyzna w szarych spodniach i koszuli z owalną naszywką z nazwiskiem podszedł do bagażnika, Felton nachylił się i powiedział coś do osoby siedzącej w środku. Cały czas ściskał ramię Veroniki.
Bosch przelotnie ujrzał jej twarz. Mimo że był w odległości dwudziestu kilku metrów od niej, wyraźnie zobaczył jej strach i zmęczenie. Prawdopodobnie miała za sobą najdłuższą noc w życiu.
Drugi mężczyzna wyciągnął z bagażnika ciężką czerwoną skrzynkę z narzędziami i ruszył za Feltonem, który prowadził Veronicę w stronę banku, nie puszczając jej ramienia i czujnie rozglądając się wokół siebie. Bosch dostrzegł, jak na moment zatrzymał wzrok na furgonetce, ale zaraz przestał się nią interesować. Jego podejrzenia rozwiał zapewne napis na boku samochodu. To był dobry pomysł.

Kiedy mijali starego cadillaca, Felton pochylił się nad leżącym pod nim człowiekiem. Uznając, że nie stanowi żadnego zagrożenia, wyprostował się i podszedł do szklanych drzwi banku. Zanim zniknęli w środku, Bosch zauważył, że Veronica trzyma jakiś płócienny worek. Trudno było określić jego rozmiar, ponieważ był pusty.

Bosch wstrzymywał oddech, dopóki nie zniknęli mu z oczu.

– Dobra – powiedział Lindell do osłony przeciwsłonecznej. – Mamy trójkę. Felton, kobieta i wiertacz. Ktoś go rozpoznał?

Przez parę sekund radio milczało, po czym odezwał się czyjś głos:

– Jestem za daleko, ale to chyba Maury Pollack. Spec od zamków i sejfów, pracował już dla Joeya.

– W porządku – rzekł Lindell. – Sprawdzimy go później. Wysyłam Bakera, żeby założył sobie konto. Odczekać pięć minut, potem wchodzi Conlon. Sprawdźcie sprzęt.

Baker i Conlon szybko skontrolowali działanie ukrytych pod ubraniem nadajników wyposażonych w bezprzewodowe słuchawki i mikrofony na przegubach rąk. Po chwili Baker wysiadł z samochodu i żwawym krokiem ruszył wzdłuż sklepowych witryn, kierując się do banku.

– Morris, twoja kolej – zakomenderował Lindell. – Przejdź się do Radio Shack.

– Zrozumiałem.

Bosch patrzył, jak agent, który brał udział w porannej naradzie, wysiada z auta zaparkowanego przy południowo-zachodnim wjeździe i idzie przez parking. Morris i Baker minęli się w odległości trzech metrów, ale nie spojrzeli na siebie, nawet nie rzucili okiem w stronę limuzyny, która z włączonym silnikiem wciąż stała przed bankiem.

Upłynęło pięć minut, które ciągnęły się jak godzina. Było gorąco, lecz Bosch pocił się przede wszystkim z niepokoju, zastanawiając się gorączkowo, co się dzieje w środku. Baker zameldował się tylko raz, informując ich szeptem, że cała trójka jest w skarbcu ze skrytkami.

– Conlon, ruszaj – polecił Lindell, kiedy minęło pięć minut.

Bosch zobaczył Conlona idącego chodnikiem od strony piekarni. Po chwili agent zniknął w banku.

Potem przez cały długi kwadrans nie działo się zupełnie nic. Wreszcie ciszę przerwał Lindell.

– Co u was? Wszyscy cali i zdrowi?

Usłyszeli serię trzasków sygnalizujących potwierdzenie. Kiedy radio znów zamilkło, nagle odezwał się niespokojny szept Bakera.

– Wychodzą, wychodzą. Coś się dzieje.

Bosch patrzył na drzwi banku, w których po chwili ukazali się Felton i Veronica. Kapitan wciąż mocno ściskał jej ramię. Dwa kroki za nimi szedł mężczyzna z czerwoną skrzynką z narzędziami.

Tym razem Felton nie rozglądał się na boki. Szedł prosto do limuzyny. Niósł płócienną torbę, którą przedtem miała Veronica, ale Bosch nie zauważył, żeby worek zmienił rozmiary. Jeżeli wcześniej na twarzy Veroniki malował się lęk i zmęczenie, to teraz wyglądała na śmiertelnie przerażoną. Z daleka Bosch nie widział jej zbyt dobrze, lecz wydawało mu się, że płakała.

Kiedy wracając tą samą drogą, wszyscy troje mijali cadillaca, ktoś otworzył od środka drzwi limuzyny.

– Uwaga – powiedział Lindell do wszystkich agentów. – Na mój sygnał wchodzimy. Ja obstawiam przód gabloty, trzy, jesteś za mną. Jeden i dwa, bierzecie tył. Standardowe zatrzymanie pojazdu. Las Fuentes, wchodzicie i zabezpieczacie limuzynę. Zróbcie to szybko. Jeśli padną strzały, uwaga na ogień krzyżowy. Powtarzam, uwaga na ogień krzyżowy.

Gdy rozległy się potwierdzenia odbioru, Bosch przyglądał się Veronice. Wiedziała, że czeka ją śmierć. Wyraz jej twarzy przypominał mu trochę to, co dostrzegł w twarzy jej męża. Świadomość, że to koniec gry.

Nagle za jej plecami otworzył się bagażnik cadillaca. Jak wyrzucony sprężyną wyskoczył z niego Powers. Lądując na ziemi, wydał z siebie przeraźliwy, zwierzęcy wrzask, którego Bosch miał nigdy nie zapomnieć.

– VERONICA!

Wszyscy troje odwrócili się w stronę źródła krzyku, a Powers uniósł ręce, w których trzymał dwa pistolety. W lewej dłoni mordercy Bosch ujrzał błysk polerowanej lufy swojego smitha & wessona.

– BROŃ! – wrzasnął Lindell. – ALARM DLA WSZYSTKICH! ALARM DLA WSZYSTKICH!

Wrzucił bieg i wdusił pedał gazu. Samochód szarpnął i z piskiem opon ruszył prosto w stronę limuzyny. Bosch wiedział jednak, że nic nie mogą zrobić. Byli za daleko. Z makabryczną fascynacją oglądał rozgrywającą się na jego oczach masakrę, jak odtwarzaną w zwolnionym tempie scenę z filmu Peckinpaha.

Powers ruszył w kierunku limuzyny, otwierając ogień z obu pistoletów, z których posypały się łuski, wzlatując ponad jego ramionami. Felton usiłował sięgnąć pod marynarkę po broń, ale padł pierwszy pod gradem pocisków. Veronica, stojąc zwrócona twarzą do mordercy nieruchomo jak posąg, nie próbowała się osłonić ani uciekać. Osunęła się na jezdnię w miejscu, które zasłaniała Boschowi limuzyna.

Powers kroczył dalej, nie przestając strzelać. Mężczyzna z narzędziami upuścił czerwoną skrzynkę, podniósł ręce i zaczął się wycofywać z linii ognia. Powers najwyraźniej nie zwracał na niego uwagi. Bosch nie wiedział, czy strzela do leżącego ciała Veroniki, czy do wnętrza otwartej limuzyny. Limuzyna przez moment buksowała kołami w miejscu, aż wreszcie ruszyła naprzód z otwartymi tylnymi drzwiami. Ale chwilę później kierowca nie zdołał pokonać zakrętu w lewo i wielki samochód uderzył w rząd zaparkowanych aut. Kierowca wyskoczył i zaczął uciekać w kierunku piekarni.

Powers w ogóle nie zwracał na niego uwagi. Dotarł do miejsca, gdzie padł Felton. Rzucił broń Boscha na ciało kapitana i sięgnął po worek leżący obok ręki Feltona.

Powers zorientował się, że worek jest pusty, dopiero gdy podniósł go z ziemi. W tym momencie za jego plecami otworzyły się drzwi furgonetki i ruszyło na niego czterech agentów uzbrojonych w karabiny. Zza cadillaca wynurzył się agent w koszulce, mierząc do Powersa z pistoletu, który był ukryty w komorze silnika.

Uwagę Powersa odwrócił pisk opon jednego z nadjeżdżających samochodów federalnych. Powers rzucił pusty worek, odwracając się do pięciu agentów. Znów uniósł obie ręce, choć miał już tylko jeden pistolet.

Agenci otworzyli ogień i Bosch zobaczył, jak impet pocisków dosłownie uniósł Powersa w powietrze i cisnął o maskę wielkiego pikapa należącego zapewne do jakiegoś klienta banku. Powers upadł na wznak. Drugi pistolet wysunął mu się z ręki, odbił ze stukiem od maski i spadł na jezdnię. Po ośmiu sekundach ogłuszającej kanonady nastąpiła cisza, która zdawała się brzmieć jeszcze przeraźliwiej.

Powers nie żył. Felton nie żył. Giuseppe Marconi vel Joseph Marconi vel Joey Marker nie żył – jego zwłoki leżały w kałuży krwi na miękkiej skórze tylnego siedzenia limuzyny.

Gdy podeszli do Veroniki Aliso, jeszcze żyła, ale umierała. Dwie kule trafiły ją w pierś, a krwawa piana na jej ustach świadczyła, że ma rozerwane płuca. Podczas gdy agenci FBI krzątali się przy zabezpieczaniu miejsca zbrodni, Bosch i Rider przykucnęli przy Veronice.

Miała otwarte oczy, które jednak powoli traciły blask. Poruszała nimi, jak gdyby kogoś lub czegoś szukała. Rozchyliła usta, próbując coś powiedzieć, ale Bosch nie mógł jej zrozumieć. Nachylił się, zbliżając ucho do jej ust.

– Mogę... dostać lodu? – wyszeptała.

Bosch spojrzał na nią. Nie rozumiał. Znów zaczęła mówić, więc ponownie przysunął ucho do jej ust.

– ...taka gorąca... jezdnia... lodu.

Bosch przytaknął.

– Zaraz będzie, zaraz będzie lód. Veronico, gdzie są pieniądze?

Pochylił się, zdając sobie sprawę, że Veronica ma rację. Jezdnia parzyła mu dłonie. Ledwie mógł zrozumieć słowa.

– Przynajmniej... jej nie dostali.

Veronica zaniosła się mokrym kaszlem i Bosch domyślił się, że ma płuca pełne krwi i niebawem w niej utonie. Nie wiedział, co może zrobić i powiedzieć. Uświadomił sobie, że dosięgły ją pociski z jego broni i umierała dlatego, że spieprzyli sprawę i pozwolili Powersowi uciec. Chciał ją wręcz błagać o wybaczenie i wytłumaczyć jej, że czasem wszystko układa się zupełnie nie tak.

Uniósł głowę, patrząc na drugą stronę parkingu. Słyszał zbliżające się syreny. Widział jednak w życiu niejedną ranę postrzałową i nie miał wątpliwości, że Veronica nie potrzebuje już karetki. Spojrzał na jej twarz. Była bardzo blada i zaczynała wiotczeć. Usta znów drgnęły, więc Bosch jeszcze raz się nad nią nachylił. Jej głos był już tylko ledwie słyszalnym ochrypłym szmerem. Bosch nie rozumiał słów, więc szepnął, żeby powtórzyła.

– ...tawciem... órk...

Spojrzał na nią pytająco. Pokręcił głową. Veronica skrzywiła się zirytowana.

– Zostawcie – powiedziała wyraźnie, ostatkiem sił. – Zostawcie... moją córkę.

Bosch długo patrzył jej w oczy, myśląc o ostatnim zdaniu. Nie zastanawiając się, co robi, przytaknął skinieniem głowy. Zaraz potem umarła. Jej oczy stały się szkliste i Harry wiedział już, że to koniec.

Kiedy Bosch wstał, Rider utkwiła w nim uważne spojrzenie.

– Harry, co ci powiedziała?

– Powiedziała... właściwie nie wiem, co powiedziała.

Bosch, Edgar i Rider stali oparci o bagażnik samochodu Lindella, przyglądając się falandze agentów federalnych i policjantów z miejskiej gromadzących się na parkingu. Lindell kazał zamknąć cały pasaż handlowy i ogrodzić go żółtą taśmą, co Edgar skwitował uwagą: „Kiedy ci goście robią miejsce zbrodni, to się nazywa miejsce zbrodni".

Każde z nich złożyło już zeznanie. Nie prowadzili już śledztwa. Byli tylko świadkami i biernymi obserwatorami.

Na miejscu zjawił się agent specjalny kierujący terenowym biurem FBI w Las Vegas, który prowadził śledztwo. Biuro sprowadziło wielki autobus, w którym znajdowały się cztery oddzielne pokoje przesłuchań, gdzie świadkowie strzelaniny składali zeznania. Ciała wciąż leżały na jezdni i w limuzynie, przykryte płachtami z żółtego plastiku. Jasny kolor dobrze wyglądał na zdjęciach kręconych przez stacje telewizyjne z helikopterów.

Boschowi udało się wyciągnąć z Lindella parę informacji. Na podstawie numeru identyfikacyjnego cadillaca, w którym Powers ukrywał się co najmniej przez cztery godziny, kiedy auto było pod obserwacją FBI, ustalono, że samochód należy do mieszkańca Palmdale w Kalifornii, pustynnego miasteczka na północny wschód od Los Angeles. Właściciel był znany FBI i notowany. Był białym rasistą, który w ciągu ostatnich dwóch lat w Święto Niepodległości organizował wiece antyrządowe na swojej ziemi. Wiedziano też, że starał się wspomagać fundusze na rzecz obrony osób oskarżonych o zamach bombowy na budynek federalny w Oklahoma City przed dwoma laty. Lindell poinformował Boscha, że agent specjalny wydał nakaz aresztowania właściciela cadillaca pod zarzutem współudziału w przygotowaniu morderstwa. Plan był sprytny. Bagażnik cadillaca został wyłożony miękkim dywanem i kilkoma kocami. Łańcuch i kłódkę, na które zamknięto klapę, można było bez trudu rozerwać od środka. Przez przerdzewiałe otwory w bagażniku i błotnikach Powers mógł obserwować parking i czekać na właściwy moment, by wyskoczyć z pistoletami.

Człowiek z narzędziami, którym rzeczywiście okazał się Maury Pollack, bardzo chętnie zgodził się współpracować z agentami. Cieszył się, że nie leży przykryty płachtą z żółtego plastiku. Powiedział Lindellowi i innym, że Joey Marker przyjechał po niego rano, kazał mu włożyć strój roboczy i wziąć wiertarkę. Pollack nie wiedział, o co właściwie chodzi, ponieważ w limuzynie prawie w ogóle nie rozmawiano. Wiedział tylko, że kobieta jest przerażona.

W banku Veronica Aliso przedstawiła urzędnikowi kopię aktu zgonu męża, jego testament oraz wyrok wydany w piątek przez sąd miejski w Las Vegas, który jako jedynej spadkobierczyni Anthony'ego Aliso przyznawał jej prawo dostępu do jego skrytki depozytowej. Kierownictwo banku wyraziło zgodę, a skrytka została rozpruta, ponieważ pani Aliso oświadczyła, że nie mogła odnaleźć kluczyka.

Kłopot w tym, ciągnął Pollack, że kiedy rozpruł skrytkę, okazała się pusta.

– Wyobrażasz sobie? – mówił Lindell, relacjonując Boschowi tę rozmowę. – Cały plan na nic. Miałem nadzieję, że wpadną mi w łapy dwie bańki. Jasne, podzielilibyśmy się z Los Angeles, Bosch. Równo po połowie.

– Jasne – odarł Bosch. – Widziałeś wpisy w historii skrytki? Kiedy ostatni raz Tony ją otwierał?

– To osobna sprawa. Był tu w piątek. Jakieś dwanaście godzin przed morderstwem przyjechał i opróżnił skrytkę. Jakby miał przeczucie. Wiedział, Bosch. Wiedział.

– Być może.

Bosch pomyślał o zapałkach z „Las Fuentes" znalezionych w pokoju Tony'ego w „Mirage". Tony nie palił, ale Harry przypomniał sobie popielniczki w domu, gdzie wychowała się Layla. Doszedł do wniosku, że jeśli Tony opróżnił skrytkę w piątek i odwiedził „Las Fuentes", to zapałki z restauracji znalazły się w jego pokoju dlatego, że był w „Las Fuentes" z kimś, kto ich potrzebował.

– Pytanie tylko, gdzie te pieniądze? – podsumował Lindell. – Jeżeli je znajdziemy, będą nasze. Poczciwy Joey już ich nie potrzebuje.

Lindell spojrzał w stronę limuzyny. Drzwi wciąż były otwarte i spod żółtego plastiku wystawała noga Marconiego. Bosch zobaczył szaroniebieską nogawkę, czarny mokasyn i białą skarpetę.

– Ludzie z banku współpracują czy na wszystko musisz mieć nakaz? – spytał Lindella Bosch.

– Nie, są posłuszni. Kierowniczka trzęsie się jak osika. Nie co dzień masz przed firmą taką masakrę.

– Spytaj ich, czy mają skrytkę na nazwisko Gretchen Alexander.

– Gretchen Alexander? Kto to jest?

– Znasz ją, Roy. To Layla.

– Layla? Jaja sobie ze mnie robisz? Myślisz, że dał lasce dwa miliony dolców i poszedł dać się zabić?

– Zobacz, Roy. Warto sprawdzić.

Lindell wszedł do banku. Bosch spojrzał na swoich partnerów.

– Jerry, będziesz chciał swoją broń z powrotem? Trzeba im od razu powiedzieć, żeby jej nie zniszczyli ani nie wciągnęli na czarną listę.

– Broń?

Edgar ze zbolałą miną obrzucił krótkim spojrzeniem żółte płachty.

– Nie, Harry, chyba nie chcę. Gnat jest już na zawsze naznaczony. Nie chcę go z powrotem.

– Tak, pomyślałem to samo – powiedział Bosch.

Bosch medytował przez chwilę, gdy nagle usłyszał, jak ktoś woła go po nazwisku. Odwrócił się i ujrzał Lindella, który kiwał na niego, stojąc w drzwiach banku. Podszedł do niego.

– Bingo – oznajmił mu Lindell. – Ma skrytkę.

Weszli do banku, gdzie Bosch zobaczył kilku agentów przesłuchujących roztrzęsionych pracowników. Lindell zaprowadził go do biurka kierowniczki. Była to mniej więcej trzydziestoletnia kobieta o ciemnych kręconych włosach. Według tabliczki na blacie nazywała się Jeanne Connors. Lindell wziął z biurka teczkę i pokazał Boschowi.

– Ma skrytkę, a na liście upoważnionych jest Tony Aliso. Otworzyła swoją skrytkę o tej samej godzinie w piątek co on, zanim go stuknęli. Wiesz, co myślę? Że opróżnił swoją i całą kasę włożył do jej skrytki.

– Możliwe.

Bosch przyglądał się wpisom w historii skrytki. Były sporządzone ręcznie na kartce formatu trzy na pięć.

– Teraz trzeba zdobyć nakaz i rozpruć to cholerstwo – może weźmiemy Maury'ego, skoro jest taki chętny do pomocy. Zgarniemy pieniądze i rząd federalny będzie do przodu. Też dostaniecie swoją działkę.

Bosch spojrzał na niego.

– Możesz ją rozpruć, jeżeli będziesz miał uzasadnioną przyczynę, ale nic tam nie znajdziesz.

Wskazał ostatni wpis na karcie. Gretchen Alexander otworzyła skrytkę przed pięcioma dniami – w środę po śmierci Tony'ego Aliso. Lindell długo wpatrywał się w kartę.

– Jezu, myślisz, że ją wyczyściła?

– Tak, Roy.

– Zniknęła, prawda? Szukałeś jej i nie znalazłeś?

– Rozpłynęła się w powietrzu. Zamierzam zrobić to samo.

– Wyjeżdżasz?

– Złożyłem zeznanie, jestem czysty. Do zobaczenia, Roy.

– Na razie, Bosch.

Bosch ruszył do wyjścia. Kiedy otwierał drzwi, Lindell go dogonił.

– Ale dlaczego wsadził całą kasę do jej skrytki?

Wciąż ściskał w ręku kartę, wpatrując się w nią, jak gdyby chciał z niej wyczytać odpowiedzi na wszystkie swoje pytania.

– Nie wiem, ale mogę się domyślać.

– No więc czemu?

– Bo ją kochał.

– On? Taką dziewczynę?

– Nigdy nie wiadomo. Ludzie potrafią się nawzajem zabijać z różnych powodów. Pewnie mogą się też zakochiwać z różnych powodów. Kiedy spotka cię coś takiego, nie masz wyboru, wszystko jedno, czy to dziewczyna taka jak ta, czy... ktoś inny.

Lindell pokiwał głową, a Bosch wyszedł z banku.

Bosch, Edgar i Rider pojechali taksówką do budynku federalnego po swój samochód. Bosch powiedział im, że chce jeszcze wstąpić do domu w północnym Las Vegas, gdzie wychowała się Gretchen Alexander.

– Przecież jej tam nie będzie, Harry – rzekł Edgar. – Żartujesz?

– Wiem, że jej tam nie będzie. Chciałbym tylko pogadać chwilę ze staruszką.

Dość szybko odnalazł dom i zaparkował na podjeździe. Mazda RX7 wciąż stała tam, gdzie poprzednio, i nic nie wskazywało, by ktokolwiek ją ruszał.

– To potrwa minutkę. Możecie zaczekać w wozie.

– Idę z tobą – oznajmiła Rider.

– Ja zostanę i przypilnuję, żeby klima była włączona – rzekł Edgar. – Poprowadzę przez pierwszy kawałek, Harry.

Gdy Bosch i Rider wyszli z samochodu, Edgar wysiadł i zajął miejsce Boscha za kierownicą.

Bosch nie czekał długo pod drzwiami. Kobieta usłyszała albo zobaczyła samochód, więc gdy tylko zapukał, otworzyła od razu.

– To pan – powiedziała, wyglądając przez wąską szparę w drzwiach. – Gretchen ciągle nie ma.

– Wiem, pani Alexander. Chcę porozmawiać z panią.

– Ze mną? A o czymże?

– Mogłaby nas pani wpuścić? Tu jest bardzo gorąco.

Z wyrazem rezygnacji na twarzy otworzyła drzwi.

Bosch i Rider weszli do salonu. Harry przedstawił partnerkę, po czym wszyscy usiedli. Pamiętając, jak ostatnim razem się zapadł, Bosch usiadł na brzeżku kanapy.

– Słucham, o co chodzi? O czym chce pan rozmawiać?

– Chciałbym się czegoś dowiedzieć o matce pani wnuczki – odparł Bosch.

Staruszka rozchyliła usta. Rider wyglądała na nie mniej zaskoczoną niż ona.

– O jej matce? – spytała Dorothy. – Jej matka dawno odeszła. Nie miała na tyle przyzwoitości, żeby zadbać o własne dziecko. Niech pan nawet nie pyta o jej matkę.

– Kiedy wyjechała?

– Dawno temu. Gretchen nosiła jeszcze pieluszki. Zostawiła mi list. Pożegnała się i życzyła mi szczęścia. I zniknęła.

– Dokąd wyjechała?

– Nie mam pojęcia i nie chcę wiedzieć. Nie płakałam po niej. Zostawiła taką śliczną dziewczynkę. Za grosz przyzwoitości. Nigdy nie zadzwoniła ani nawet nie poprosiła o zdjęcie.

– Skąd pani wie, czy w ogóle jeszcze żyje?

– Nie wiem. Jeśli o mnie chodzi, mogłaby już nie żyć od wielu lat.

Nie umiała kłamać. Należała do tego typu osób, które gdy kłamią, oburzają się i podnoszą głos.

– Wie pani – odparł Bosch. – Przecież przysyłała pieniądze.

Kobieta wbiła ponure spojrzenie we własne ręce. Przyznawała w ten sposób, że Bosch odgadł.

– Jak często?

– Raz czy dwa na rok. Zresztą o wiele za mało, żeby wynagrodzić jej to, co zrobiła.

Bosch miał ochotę zapytać, ile wobec tego powinna przysyłać, ale dał spokój.

– Jak przysyłała te pieniądze?

– Pocztą. W gotówce. Wiem, że wysyłała listy w Sherman Oaks, w Kalifornii. Taki zawsze był stempel. Co to może mieć teraz za znaczenie?

– Proszę powiedzieć, jak córka się nazywała.

– Miałam ją z pierwszym mężem. Nazywałam się wtedy Gilroy i tak samo nazywała się moja córka.

– Jennifer Gilroy – powiedziała Rider, powtarzając prawdziwe imię i nazwisko Veroniki Aliso.

Staruszka posłała jej zdziwione spojrzenie, ale nie pytała, skąd wie.

– Nazywaliśmy ją Jenny – ciągnęła. – W każdym razie zanim zostawiła u mnie Gretchen, wyszłam drugi raz za mąż i nazywałam się już inaczej. Dałam Gretchen swoje nazwisko, żeby dzieci w szkole jej nie dokuczały. Wszyscy zawsze myśleli, że jestem jej mamą i nikomu to nie przeszkadzało. Nikt nie musiał wiedzieć, że jest inaczej.

Bosch skinął głową. Wszystko ułożyło się w całość. Veronica Aliso była matką Layli. Tony Aliso zostawił matkę dla córki. Bosch nie wiedział, o co mógłby jeszcze zapytać czy co powiedzieć. Podziękował staruszce i delikatnie dotknął pleców Rider, dając jej znak, żeby wyszła pierwsza. Na progu zatrzymał się, by jeszcze raz spojrzeć na Dorothy Alexander. Zaczekał, aż Rider oddali się w stronę samochodu, i dopiero wtedy rzekł:

– Gdyby miała pani kiedyś wiadomość od Layli… to znaczy Gretchen, proszę jej powiedzieć, żeby nie wracała do domu. Żeby trzymała się jak najdalej stąd.

Pokręcił głową.

– Już nigdy nie powinna wracać do domu.

Staruszka milczała. Bosch stał jeszcze przez chwilę, patrząc na sfatygowaną wycieraczkę pod drzwiami. Wreszcie skinął głową i ruszył do samochodu.

Bosch usiadł z tyłu za Edgarem, Rider zajęła przedni fotel. Gdy tylko wsiedli, Edgar wycofał samochód z podjazdu. Rider odwróciła się, by popatrzeć na Boscha.

– Harry, jak na to wszystko wpadłeś?

– Dzięki ostatnim słowom Veroniki. Powiedziała „Zostawcie moją córkę". Wtedy już wszystko wiedziałem. Były do siebie podobne. Wcześniej nie zwróciłem na to szczególnej uwagi.

– Przecież nigdy jej nie widziałeś.

– Widziałem zdjęcie.

– Co? – odezwał się Edgar. – O co chodzi?

– Myślisz, że Tony Aliso wiedział, kim ona jest? – pytała dalej Rider, nie zwracając uwagi na Edgara.

– Trudno powiedzieć – odparł Bosch. – Jeżeli wiedział, łatwiej byłoby zrozumieć, dlaczego spotkał go taki los. Może przechwalał się tym przed Veronicą. Może to ją doprowadziło do ostateczności.

– A Layla vel Gretchen?

Edgar spoglądał to na partnerów, to na drogę, a jego mina świadczyła, że zupełnie nic nie rozumie.

– Coś mi mówi, że nie wiedziała. Gdyby się połapała, powiedziałaby babce. A staruszka na pewno nie miała o niczym pojęcia.

– Jeżeli ją wykorzystał, żeby podejść Veronicę, to dlaczego przeniósł wszystkie pieniądze do jej skrytki?

– Możliwe, że ją wykorzystał, ale możliwe też, że ją kochał. Nigdy się nie dowiemy. Niewykluczone, że przypadkiem to się stało w dniu jego śmierci. Pewnie przeniósł pieniądze, bo miał na karku kontrolę skarbową. Bał się, że dowiedzą się o skrytce i zablokują mu dostęp. Powodów mogło być dużo. Ale już się nie dowiemy. Wszyscy nie żyją.

– Z wyjątkiem dziewczyny.

Edgar ostro zahamował i zjechał na pobocze. Zatrzymali się akurat naprzeciwko klubu „Dolly" na Madison.

– Czy ktoś mi w końcu powie, o co tu, do cholery, chodzi? – wybuchnął. – Jestem dla was miły i dbam, żeby w wozie było chłodno, kiedy idziecie sobie pogadać, a potem nic nie kapuję. O czym, u diabła, mówicie?

Patrzył na odbicie Boscha w lusterku wstecznym.

– Jedź, Jed. Kiz wszystko ci opowie, kiedy będziemy we „Flamingo".

Zatrzymali się przed głównym wejściem do „Hilton Flamingo", gdzie Bosch zostawił partnerów. Szybko przeszedł przez kasyno wielkości boiska futbolowego, omijając slalomem automaty do gry, aż wreszcie dotarł do sali pokerowej, gdzie miała na niego czekać Eleanor. Rano zostawili ją we „Flamingo", kiedy pokazała im bank, w którym śledziła kiedyś Tony'ego Aliso i Gretchen Alexander.

W sali stały cztery stoły. Bosch przebiegł wzrokiem po twarzach graczy, lecz nie znalazł wśród nich Eleanor. Kiedy odwrócił się w stronę kasyna, ujrzał ją tuż przed sobą, tak samo jak pierwszego dnia, gdy jej szukał.

– Harry.

– Eleanor, myślałem, że grasz.

– Nie mogłabym grać, myśląc, co się tam dzieje. Wszystko w porządku?

– Tak. Wyjeżdżamy.

– To dobrze. Nie lubię już Las Vegas.

Zawahał się, jak gdyby na moment opuściła go odwaga. Zaraz jednak odzyskał pewność siebie.

– Przed wyjazdem chciałby jeszcze wstąpić w jedno miejsce. To, o którym rozmawialiśmy. Oczywiście, jeżeli się zdecydowałaś.

Patrzyła na niego długą chwilę, a potem jej twarz rozjaśnił uśmiech.

Rozdział 9

Bosch szedł po wyfroterowanym linoleum na szóstym piętrze Parker Center, celowo wbijając w nie obcasy. Chciał zostawić ślady w lśniącej i zadbanej powierzchni. Skręcił do wydziału spraw wewnętrznych i spytał sekretarkę w recepcji o Chastaina. Zapytała, czy jest umówiony, a Bosch odparł, że z zasady nie umawia się z takimi ludźmi jak Chastain. Przyglądała mu się długą chwilę, ale Bosch wytrzymał jej spojrzenie, dopóki nie podniosła słuchawki, by wstukać numer wewnętrzny. Szepnęła coś do telefonu, po czym przysłoniła mikrofon, przyglądając się pudełku po butach i teczce, które trzymał Bosch.

– Pyta, o co chodzi.

– Proszę mu powiedzieć, że o rozwalenie sprawy, jaką przeciw mnie prowadzi.

Znów zaczęła szeptać, aż wreszcie odezwał się brzęczyk i Bosch został wpuszczony za barierkę. Wszedł do sali wydziału wewnętrznego, gdzie kilka biurek było zajętych. Zza jednego z nich wstał Chastain.

– Bosch, co ty tu robisz? Zostałeś zawieszony za dopuszczenie do ucieczki więźnia.

Powiedział to bardzo głośno, aby wszyscy detektywi w biurze wiedzieli, że mają do czynienia z winnym człowiekiem.

– Komendant zredukował okres zawieszenia do tygodnia – odparł Bosch. – Nazywam to urlopem.

– To dopiero pierwsza runda. Ciągle mam cię na tapecie.

– Właśnie po to przyszedłem.

Chastain wskazał pokój przesłuchań, w którym w minionym tygodniu byli z Zane'em.

– Tam pogadajmy.

– Nie – powiedział Bosch. – Nie chcę z tobą gadać, Chastain. Chcę ci tylko coś pokazać.

Rzucił teczkę na biurko. Chastain wciąż stał i patrzył na nią, nie otwierając jej.

– Co to jest?
– Koniec sprawy. Otwórz.

Chastain usiadł i otworzył teczkę, wzdychając ciężko, jak gdyby czekał go przykry i zupełnie bezsensowny obowiązek. Na wierzchu spoczywała kopia jednej strony wydanego przez departament podręcznika procedur i zasad postępowania funkcjonariuszy. Dla glin z wewnętrznego podręcznik był tym samym co kodeks karny dla reszty policjantów z departamentu.

Strona traktowała o związkach funkcjonariuszy z przestępcami, osobami skazanymi i członkami organizacji przestępczych. Według przepisu związki tego rodzaju były surowo wzbronione i zagrożone karą usunięcia z departamentu.

– Bosch, po co mi to przynosisz. Mam całą książkę – rzekł Chastain.

Starał się zachować beztroski ton, ponieważ nie znał zamiarów Boscha i wiedział, że kumple obserwują go znad biurek, choć udawali zupełny brak zainteresowania.

– Naprawdę? To lepiej ją wyciągnij i przeczytaj napis u dołu, stary. O wyjątku.

Chastain spojrzał na dół strony.

– „Wyjątek od tego przepisu stanowi sytuacja, w której funkcjonariusz w sposób zadowalający wykaże przełożonym, że z taką osobą łączy go związek pokrewieństwa lub związek małżeński. W takiej sytuacji funkcjonariusz musi...".

– Wystarczy – przerwał mu Bosch.

Wyciągnął z teczki kartkę, aby Chastain zobaczył, co jest pod spodem.

– Masz tu akt małżeństwa wydany w okręgu Clark w stanie Nevada poświadczający, że zawarłem związek małżeński z Eleanor Wish. Jeżeli ci mało, pod spodem znajdziesz oświadczenia obojga moich partnerów. Byli świadkami na ślubie.

Chastain nie odrywał wzroku od dokumentu.

– To koniec, stary – dodał Bosch. – Przegrałeś. A teraz odpieprz się od mojego życia.

Chastain odchylił się na krześle. Na jego purpurowej twarzy błąkał się niepewny uśmiech. Był już pewien, że reszta pilnie go obserwuje.

– Chcesz mi powiedzieć, że się ożeniłeś, żeby odczepił się od ciebie wydział wewnętrzny?

– Nie, dupku. Ożeniłem się, bo kogoś kocham. Dlatego ludzie się pobierają.

Chastain nie odpowiedział. Pokręcił głową, zerknął na zegarek i przełożył jakieś papiery na biurku, zachowując się, jak gdyby to było nic nieznaczące zdarzenie, z jakich składa się każdy dzień. Robił, co mógł, żeby nie zacząć oglądać własnych paznokci.

– Spodziewałem się, że zapomnisz języka w gębie – oznajmił Bosch. – Do zobaczenia, Chastain.

Chciał wyjść, ale przystanął i jeszcze raz spojrzał na Chastaina.

– Prawie zapomniałem. Możesz powiedzieć swojemu informatorowi, że umowa przestaje obowiązywać.

– Jakiemu informatorowi, Bosch? Umowa? O czym ty mówisz?

– Mówię o Fitzgeraldzie albo kimś innym, kto sprzedaje ci informacje z PZ.

– Nie mam żad...

– Owszem, masz. Znam cię, Chastain. Nie mógłbyś sam dowiedzieć się o Eleanor Wish. Masz swoje kanały u Fitzgeralda. On ci o niej powiedział. On albo któryś z jego ludzi. Mnie i tak wszystko jedno. W każdym razie wycofuję się z umowy, jaką z nim zawarłem. Powtórz mu to.

Bosch uniósł pudełko po butach i potrząsnął nim. Zagrzechotały kasety audio i wideo, widział jednak, że Chastain nie ma pojęcia, co jest w pudełku ani jakie ma znaczenie.

– Powtórz mu, Chastain. Na razie.

Wyszedł, zatrzymując się tylko w recepcji, by pokazać sekretarce uniesiony kciuk. W korytarzu zamiast skręcić w lewo do windy, ruszył w prawo w kierunku podwójnych drzwi biura komendanta. W sekretariacie siedział adiutant komendanta – porucznik w mundurze. Bosch go nie znał, ale tym lepiej dla niego. Wszedł i postawił pudełko na biurku.

– Słucham pana? Co to jest?

– Pudełko, poruczniku. Jest w nim parę kaset, które komendant powinien obejrzeć i przesłuchać. Natychmiast.

Bosch odwrócił się, zamierzając wyjść.

– Chwileczkę – zatrzymał go adiutant. – Komendant wie, o co chodzi?

– Proszę mu powiedzieć, żeby zadzwonił do zastępcy Fitzgeralda. On wszystko wyjaśni.

Bosch wyszedł, nie spoglądając za siebie, gdy adiutant wołał za nim, pytając o nazwisko. Wyśliznął się przez podwójne drzwi na korytarz i poszedł do windy. Czuł się świetnie. Nie wiedział, czy nielegalne taśmy, jakie przekazał komendantowi, odniosą jakiś skutek, miał jednak wrażenie, że wszystko dobrze przygotował. Dzięki zagrywce z pudełkiem u Chastaina mógł być pewien, że do Fitzgeralda dotrze wiadomość o tym, iż była to wyłącznie inicjatywa Boscha. Billets i Rider nie powinny być narażone na odwet ze strony szefa PZ. Gdyby chciał, mógłby próbować odgryźć się na Boschu, ale Bosch czuł się już bezpieczny. Fitzgerald nic na niego nie miał. Ani on, ani nikt inny.

Rozdział 10

To był ich pierwszy dzień na plaży po dwóch dniach spędzonych niemal wyłącznie w pokoju. Bosch nie mógł znaleźć wygodnej pozycji na leżaku. Nie rozumiał, po co ludzie to robią. Po co leżą na słońcu i smażą się. Miał ciało nasmarowane emulsją, a palce u stóp sklejał mu piasek. Eleanor kupiła mu czerwone kąpielówki, w których czuł się głupio i zdawało mu się, że wygląda jak tarcza strzelnicza. Przynajmniej nie były to żadne stringi, które widział u kilku mężczyzn na plaży.

Uniósł się na łokciach i rozejrzał wokół. Hawaje były niewiarygodne. Piękne jak ze snu. Kobiety też były piękne. Zwłaszcza Eleanor. Leżała obok niego. Miała zamknięte oczy, a na jej ustach igrał lekki uśmiech. Miała na sobie jednoczęściowy czarny kostium kąpielowy, wcięty w biodrach, podkreślający jej opalone i ładnie umięśnione nogi.

– Na co patrzysz? – spytała, nie otwierając oczu.

– Na nic. Jakoś ciągle mi niewygodnie. Może pójdę się przejść czy coś.

– Poczytaj jakąś książkę, Harry. Musisz się zrelaksować. Na tym polegają miesiące miodowe. Seks, relaks, dobre jedzenie i dobre towarzystwo.

– Dwie z tych czterech rzeczy są całkiem niezłe.

– Coś nie tak z jedzeniem?

– Jedzenie jest wspaniałe.

– Bardzo śmieszne.

Trzepnęła go w ramię. Potem tak jak on wsparła się na łokciach, spoglądając na połyskujący błękit wody. Widzieli wznoszący się w oddali grzbiet Molokini.

– Ależ tu pięknie, Harry.

– Tak, pięknie.

Milczeli, przyglądając się ludziom spacerującym wzdłuż brzegu. Bosch podciągnął nogi, pochylił się i oparł łokcie na kolanach. Czuł, jak słońce pali mu ramiona. Zaczynało mu się to podobać.

Zauważył kobietę przechadzającą się leniwie przy brzegu. Przyciągała wzrok wszystkich mężczyzn na plaży. Była wysoka i zgrabna, miała ciemnoblond włosy, mokre po kąpieli w morzu. Jej skóra miała barwę miedzi, a kostium kąpielowy składał się z kilku sznurków i mikroskopijnych trójkątów materiału.

Kiedy mijała Boscha, słońce przestało świecić mu prosto w ciemne okulary i wyraźnie zobaczył jej twarz. Ujrzał dziwnie znajome rysy, linię szczęki. Znał tę dziewczynę.

– Harry – szepnęła Eleanor. – Przecież to... wygląda jak ta tancerka. Dziewczyna ze zdjęcia, które miałeś, ta, którą widziałam z Tonym.

– Layla – rzekł Bosch. To nie miała być odpowiedź; chciał tylko wymówić to imię.

– To ona, prawda?

– Nigdy nie wierzyłem w przypadki – powiedział.

– Zadzwonisz do biura? Pieniądze są pewnie tu, gdzie ona, na tej wyspie.

Kobieta oddalała się od nich. Bosch widział jej plecy, a patrząc na nią, odnosił wrażenie, że jest naga. Widać było tylko sznurki jej kostiumu. Znów oślepiło go słońce i przestał wyraźnie widzieć. Kobieta znikała w blasku i mgiełce unoszącej się znad Pacyfiku.

– Nie, do nikogo nie zadzwonię – odparł w końcu.

– Dlaczego?

– Nic nie zrobiła – rzekł. – Pozwoliła jednemu facetowi obdarować się pieniędzmi. To nic złego. Może go nawet kochała.

Przyglądał się jej jeszcze przez chwilę, myśląc o ostatnich słowach Veroniki.

– Zresztą komu będzie brakować tych pieniędzy? – dodał. – FBI? Policji z Los Angeles? Jakiemuś grubemu gangsterowi z przedmieść Chicago otoczonemu ochroniarzami? Daj spokój. Do nikogo nie dzwonię.

Spojrzał na Laylę ostatni raz. Była już daleko i szła, patrząc na morze i wystawiając twarz do słońca. Bosch skinął jej głową, choć oczywiście nie mogła tego widzieć. Potem rozciągnął się na leżaku i zamknął oczy. Natychmiast poczuł na skórze parzący dotyk słońca. A na ręce dotyk dłoni Eleanor. Uśmiechnął się. Czuł się bezpieczny. Czuł się, jak gdyby już nigdy nikt nie mógł go skrzywdzić.